D0987138

S.F.
V.

STEFAN ZWEIG

BRIEFE AN FREUNDE

Herausgegeben
von Richard Friedenthal

1978

S. FISCHER

Umschlagentwurf: Eberhard + Roswitha Marhold
Die Register stellte Wolfgang Kloft zusammen
Satz und Druck: Poeschel & Schulz-Schomburgk, Eschwege
Einband: G. Lachenmaier, Reutlingen
Printed in Germany 1978
ISBN 3 10 097028 4

VORWORT

Stefan Zweig hat eine sehr ausgebreitete Korrespondenz geführt. Ich sage Korrespondenz; er hat außerdem Briefe geschrieben, an Freunde, und sein Freundeskreis war groß. Allerdings waren seine Briefe nicht so sehr als »Kunstwerke« und Teil seines Œuvre gedacht wie etwa die Hofmannsthals oder Rilkes, der einmal davon sprach, daß er die »Ergiebigkeit seiner Natur« zeitweilig in seine Briefe »geleitet« habe. Das bezog sich auf die großen, einmal zehn Jahre dauernden Pausen seiner Produktivität im dichterischen Schaffen. Stefan Zweig hat solche Pausen nie gekannt; er war seit seinen Jugendjahren unablässig tätig, wenn nicht an eigenen Werken, dann im Dienst am Werk anderer, wie Emile Verhaerens und dann Romain Rollands, und nicht nur dieser beiden. Er hat sich auch intensiv um junge, ganz Unbekannte bemüht, auch wenn er sie zuweilen als ziemlich hoffnungslose Fälle erkannt hatte. Vielen Freunden versuchte er zu helfen, wie Joseph Roth, der sich unaufhaltsam zu Tode trank, was Zweig immer wieder vergeblich zu verhindern suchte. Für Künstler wie den Holzschneider und Maler Frans Masereel setzte er sich unermüdlich ein. Mit seinem Verleger Anton Kippenberg, dem Herrn des Insel Verlags, verband ihn nicht nur die gemeinsame Leidenschaft zum Sammeln von Autographen. Zweig hat mit ihm große Verlagsunternehmen geplant und eingeleitet; die Briefe, die die große internationale Buchreihe »Bibliotheca Mundi« mit Ausgaben in den Originalsprachen betreffen, geben einen Eindruck davon.
Zweig hat einen sehr weiten Kreis von damals oder später berühmten Zeitgenossen gekannt; die Bezeichnung »Freund« war da eher in der Bedeutung des französischen »Cher ami« zu verstehen, obwohl es müßig ist, genauere Grenzen zu ziehen. Man könnte mit Leichtigkeit eine Sammlung der bekanntesten Na-

men zusammenstellen, und auch das würde interessant sein. Ich habe aber absichtlich darauf verzichtet und mich bei dieser Ausgabe an jene Briefe gehalten, die das Leben und Wesen Zweigs beleuchten.

An Vollständigkeit ist nicht gedacht; die Absicht war, eine Anthologie von Briefen zusammenzustellen. Die Inhaberin und Erbin der Urheberrechte, Zweigs Nichte Mrs. Eva Alberman und ich als Nachlaßbetreuer wollten es durchaus vermeiden, den Nachlaß, wie es häufig geschieht, zu monopolisieren, und haben sehr bereitwillig das vorhandene Material zur Verfügung gestellt. So ist bereits eine ganze Anzahl von Briefen publiziert worden, teils in vollständigen Ausgaben, wie der Briefwechsel mit Maxim Gorki, die Briefe an Joseph Roth und manches mehr. Zweigs erste Frau Friderike hatte schon früh ihre Korrespondenz mit ihm herausgegeben, nicht immer absolut zuverlässig im Text. Daneben erschienen unautorisierte Sammlungen, bei denen nicht berücksichtigt wurde, daß nach den Bestimmungen des Urheberrechts der Besitz von Briefen nicht das Publikationsrecht einschließt. Es ist aber davon abgesehen worden, daraufhin jeweils rechtliche Schritte einzuleiten, was auch nicht im Sinne meines verstorbenen Freundes gewesen wäre. Aus dem schon veröffentlichten Material habe ich ausgewählte Briefe hier mit vorgelegt; es kann nicht angenommen werden, daß der Leser das ganze bisher erschienene Briefwerk zur Hand hat. Und an den Leser ist vor allem gedacht.

In einigen Fällen kann nur eine vollständige Ausgabe der Briefe in Rede und Gegenrede ein zuverlässiges Bild ergeben. So ist die Korrespondenz zwischen Zweig und Romain Rolland, die mehrere hundert oft umfangreiche Stücke umfaßt, seit langem von Madame Marie Rolland für die Publikation im Rahmen ihrer »Cahiers Romain Rolland« vorgesehen. Wir bringen jedoch, da Rolland in einem Band »Briefe an Freunde« nicht fehlen darf, eine Reihe von Briefen, die den Beginn der Beziehung und ihre Intensität während des Ersten Weltkriegs spiegeln.

Auch die Korrespondenz zwischen Zweig und Sigmund Freud soll im ganzen vorgelegt werden; sie ist weniger umfangreich.

Vollständigkeit, hielte man sie für sinnvoll, wäre bei einem Gesamtbestand von vielleicht zwanzig- bis dreißigtausend Briefen überhaupt nur im Rahmen einer Publikationsreihe möglich. Sie ist bei Zweig aber schon deshalb nicht zu erzielen, weil ein sehr erheblicher Teil der Korrespondenz zugrunde gegangen ist oder ständig verloren scheint; anderes ist durch Nachlaßverfügungen noch sekretiert, wieder anderes mag uns unbekannt in aller Welt zerstreut in Privatsammlungen schlummern. Gerade der schriftliche Gedankenaustausch mit besonders guten Freunden oder jungen Kameraden wie zum Beispiel Joachim Maass ist leider nicht mehr vorhanden.

Wir sind den zahlreichen Besitzern von Briefen, die sie zur Verfügung gestellt haben, dankbar, können aber nicht alle Namen anführen, zumal es nicht selten schwierig wäre, zu entscheiden, wem der Dank gebührt. Vieles ist bereits in öffentlichen Besitz übergegangen, und die Aufbewahrungsorte sind über viele Länder verteilt. Zweig selbst hatte noch eine große Sendung mit den Originalbriefen der bedeutendsten Korrespondenten der Universitätsbibliothek Jerusalem gestiftet. Die Kisten waren lange Jahre auf dem Mount Scopus bei Jerusalem eingeschlossen und unzugänglich, und erst vor einiger Zeit ist für das Material ein eigener, Zweig gewidmeter Raum in der Universitätsbibliothek Jerusalem eingerichtet worden. Die Briefe von Zeitgenossen, die Zweig in die Emigration mitnahm, sind aus dem Nachlaß als Stiftung der Familie vor kurzem der Universität von Fredonia, New York, übergeben worden, wo seit längerem eine eigene Zweig-Sammlung besteht, auch mit Material aus dem Nachlaß seiner ersten Frau Friderike und von deren Töchtern. Anderes befindet sich im Archiv der Nationalen Forschungs- und Gedenkstätten der klassischen deutschen Literatur in Weimar (wie die Korrespondenz mit dem Insel Verlag) oder im

Deutschen Literaturarchiv in Marbach, das sich immer als besonders hilfreich erweist. Ich übergehe andere Institutionen, über die man eher etwas verdrossen berichten müßte.

In den Anmerkungen sind nur kurze Informationen gegeben. Es erscheint mir etwas des Guten zuviel getan, wenn jede Briefsammlung ein Kurzlexikon der zeitgenössischen Literatur bieten will; wer etwas über die Werke von Romain Rolland oder Maxim Gorki wissen will, dem stehen dafür genügend Nachschlagewerke zur Verfügung. Ich habe auch darauf verzichtet, zum Stil Zweigs oder auch zu seinen zeitweiligen Stimmungen, Depressionen oder Hoffnungen jeweils etwas zu sagen. Mir scheinen die charakteristischen Züge seines Wesens in dieser Sammlung auch ohne Kommentar deutlich genug hervorzutreten. Es ist etwas Unbeirrbares in seiner Reaktion, auch bei Ereignissen in den Zeiten größter Hoffnung und stärkster Aktivität. Wenn für uns dabei der Schatten seines Endes von eigener Hand nur zu deutlich auf die Seiten fällt, so sollten wir das nicht überbewerten, wie es so oft geschieht. Die Summe dieses Lebens ist doch sehr viel positiver und erhebender. Die literarische Wertung wird mit der Goldwaage vorgenommen; sie mißt mit sehr verschiedenen Gewichten je nach Land, Zeit und Modezufällen. Hier handelt es sich um einen Menschen, der mehr als andere, intensiver vielleicht als irgendeiner seiner Generation, und übrigens auch wirkungsvoller, sich der Idee des Dienstes verschrieben hat. Des Dienstes an der Menschheit – nicht im Sinne eines anonymen abstrakten Begriffes, sondern in der Gestalt der Mitmenschen, die er als Vorbilder ansah, als Mitstrebende, oder auch nur einfach als Menschen, denen man helfen muß.

Nur ein Element ging ihm ab, das allerdings sehr stark in der Literatur wie im politischen Leben wirken kann: der Haß. Zweig war ein Menschenfreund. Er war ein Freund aller Welt – was nicht das gleiche ist wie ein Allerweltsfreund; er wußte sehr wohl zu unterscheiden und auszuscheiden und selbst den von ihm Höchstverehrten gegenüber seine Selbständigkeit zu behaupten. So zeigen ihn auch seine Briefe. Mögen sie dazu beitragen, das Bild eines der seltenen wahren Humanisten im Bewußtsein der Nachwelt zu befestigen. Bei der Bewältigung der gleichen Probleme, mit denen er zu kämpfen hatte, kann sein Beispiel ihr nützlich sein.

Richard Friedenthal

BRIEFE AN FREUNDE

An Richard Dehmel

Berlin, 7. 4. 1902

Sehr verehrter Herr!

Ich möchte mich heute mit einer Bitte an Sie, sehr verehrter Herr Dehmel, wenden, auf deren Erfüllung ich zu hoffen wage in Anbetracht des wertvollen Unternehmens, das sie betrifft. Ich plane nämlich – und habe Schuster und Loeffler im Falle der Zustimmung der Autoren als Verleger – eine Anthologie von *Verlaine* – und Übersetzungen, von der Voraussetzung ausgehend, daß keiner der bisher vorhandenen Sammelbände künstlerischen Anforderungen genügt und wiederum Meisterübersetzungen, in einzelnen Gedichtbänden verstreut, für das Publikum verlorengehen. Ich will nun – da die meisten Gedichte mehrfach übersetzt sind – immer die beste für einen schmalen billigen Band wählen, der Deutschland den wesensverwandtesten aller französischen Dichter in annähernder Vollkommenheit repräsentieren soll.

Dazu bedarf ich aber der Zustimmung der Dichter und wende mich vor allem an Sie, sehr verehrter Herr Dehmel, als den berühmtesten und besten unserer Übersetzer. Sonst nehme ich noch in Aussicht: Franz Evers, Richard Schaukal, Max Bruns, Johannes Schlaf, Paul Wiegler, Hedwig Lachmann, Otto Hauser und vielleicht noch den einen oder anderen, aber wie bereits gesagt, stets nur das Beste des Besten. Ist es mir nun verstattet, aus Ihren Werken Übertragungen auszunehmen, so möchte ich um eine Zeile bitten und vielleicht auch um ein Wort, wie Ihnen der Plan zusagt, eventuell auch einen Ratschlag, dem ich mich gerne fügen will. Ich hoffe, daß die Sympathie für unsern großen Dichter und der Wunsch, ihn würdig in Deutschland vertreten zu sehen, bei Ihnen für meinen Plan sprechen wird.

In aufrichtiger Ergebenheit und Verehrung,

Stefan Zweig

An Richard Dehmel

Berlin, 6. Juni 1902

Sehr verehrter Herr Dehmel,

Ich danke Ihnen aufrichtig für Ihre freundliche Anteilnahme die Sie aufs Neue bewiesen haben; Johannes Schlafs Übertragungen kenne ich und habe dieselben auch zum Teil berücksichtigt, auch persönlich darüber mit ihm gesprochen. Die Anthologie schließe ich dieser Tage ab, nachdem ich heute den Vertrag unterzeichnet habe, demzufolge das Buch in Stärke von sieben bis acht Bogen in eleganter Ausstattung (Vallotton-Portrait etc.) zu 1 Mark, gebunden in Japan zu 2 Mark erscheint. Das Ihnen zufallende Honorar habe ich gemäß Ihren Ansprüchen auf Mk. 102 fixiert, und zwar

Helle Nacht (18 Verse)	Mk. 9
Kaspar Hauser (14 Verse)	Mk. 7
Mirakel (20 Verse)	Mk. 10
Ruhe (12 Verse)	Mk. 6
Zu Gott (140 Verse)	Mk. 70

und hoffe auch Ihre anderen Wünsche betreffs Korrektur ganz zu Ihrer Zufriedenheit erledigen zu können, da ich während der Zeit des Druckes noch in Berlin bleibe und die Zusendung etc. persönlich überwache. Ich verbleibe in aufrichtiger Verehrung mit ergebensten Grüßen Stefan Zweig

An Hermann Hesse

Wien, 2. Februar 1903

Sehr werter Herr Hesse,

Ich muß Sie ganz herzlich darum bitten, mir es nicht als gewohnte Verlegenheitsphrase werten zu wollen, wenn ich Ihnen dankend sage, daß mit Ihrem Buche eine große Freude zu mir gekommen ist. Ich danke Ihnen recht, recht innig und muß Sie bitten, mir auch dies glauben zu wollen: ich habe seit langem schon die Absicht gehabt, mich an Sie um Ihr Buch zu wenden. Nur fürchtete ich auf einen zu stoßen, der meine Anschauung nicht teilt, daß auch Dichter oder eben Dichter es nicht notwendig haben, conventionaliter miteinander in Verkehr zu treten. Ich habe von je an jenen »Geheimbund der Melancholischen« geglaubt, von dem Jacobsen in der Maria Grubbe erzählt, ich glaube auch, daß wir, die wir seelische Ähnlichkeiten in uns fühlen, einander nicht fremd bleiben dürfen. Sie, den ich lange aus einzelnen Versen in Zeitschriften liebe, nun persönlich zu kennen, ist mir aufrichtige Freude.

Darf ich einiges über Ihr Buch sagen? Nein, ich wills doch nicht, ich hab's noch nicht ganz gelesen, nur so aufgeschlagen. Aber ich hab's auch schon genommen und aus meiner hellen lebendigen Empfindung heraus zu meinen Freunden getragen und vorgelesen. Ganz aufrichtig: ich sehe schon jetzt, daß es neben Rilkes: »Buch der Bilder«, Wilhelm von Scholzens: »Spiegel« und meines lieben Freundes Camill Hoffmann ganz wundersam verwandtem »Adagio stiller Abende« das liebste Versbuch dieses Jahres ist. Mit Freude kann ich es zu den Dedicationen stellen; die Gesellschaft dort ist übrigens nicht so übel: Johannes Schlaf, R. M. Rilke, Camille Lemonnier, Wilhelm von Scholz, Franz Evers, Wilhelm Holzamer, Hans Benzmann, Richard Schaukal, Otto Hauser, Busse Palma sind da als Spender zu nennen. Gerne will ich auch, sobald sich Gelegenheit findet, für das Buch etwas tun, und zwar in einem großen Blatte, wo ich weiß, daß meine Worte nicht im Wind verwehn.

Meinen »*Verlaine*« erhalten Sie in ca. 8 Tagen; ich will heute meinen Verleger um neue Exemplare bitten; ich habe übrigens viel Freude an dem Buche, es geht ganz mächtig ab, und ich hoffe vielleicht schon im Herbst das 3. – 5. Tausend als zweite Auflage in die Welt gehn zu sehn. Da will ich dann zuverlässig Ihr so prächtig übertragenes Gedicht einfügen, eventuell Sie bitten, mir noch andere Proben zu übermitteln.

Und nun noch eins: ich möchte nun, da Sie mit fröhlicher

Kraft das Eis gebrochen haben, es nicht wollen, daß wir uns ganz verloren gehen. Ich wüßte gerne mehr von Ihnen, als Carl Busse erzählt. Ich bin zwar kein zuverlässiger Briefschreiber; mit Richard Schaukal war ich einige Zeit in Correspondenz (er schrieb mir auch von Ihnen), hab' sie aber nicht durchführen können, weil mir mein Studium keine Zeit läßt, mich brieflich über Literatur zu unterhalten; hab' ja ohnehin so meine 3 Briefe im Tag, wiewohl ich nur mit Wilhelm von Scholz, Fritz Stöber und einigen andern deutschen Freunden und einer Menge Franzosen wie Camille Lemonnier, Charles van der Stappen in Correspondenz stehe. Aber von engeren Dingen, vom Persönlichen, von dem was uns bewegt und *innerlich* beschäftigt, einem verehrten Freunde sagen zu dürfen, ist mir immer ein Glück. Nur sind solche Briefe bei mir spontan; sie sind nicht postwendend, sondern dauern oft 3 Wochen und mehr. Wollen Sie es unter solchen Umständen wagen, mir von Ihnen recht viel zu erzählen, so will ich nur froh und innig dankbar sein, und ich glaube, Sie dürfen dann auf mich zählen. Als Lyriker werte ich mich nicht sehr hoch, so zweifle ich nie an meiner gänzlichen Unnotwendigkeit für die Welt – es sei denn, daß ich an mir die Tugend schätze, »meinen Freunden Freund zu sein«. Und mir ist, als würde ich Sie einst zu ihnen zählen dürfen.

Nochmals und nochmals: Dank aus aufrichtigem Herzen! Haben Sie einmal in Ihrem Leben eine trübe Stunde, da Sie sich ängstigen, ob Ihr Lied und Leben nicht ohne Nachhall verrauscht, so lassen Sie sich aufrichten durch die Gewißheit, daß Sie einem mehr gegeben haben als viele in Deutschland Vielgenannte – mehr wie Falke, Hartleben, Schaukal, Bierbaum etc. etc. – nämlich Ihrem Sie in herzlicher Verehrung begrüßenden

Stefan Zweig

An Hermann Hesse

Wien, 2. März 1903

Werter Herr Hesse,
Glauben Sie mir, wenn auch zwischen Ihrem Briefe und dem meinigen ein ganzer Monat liegt, so habe ich doch oft Ihrer gedacht. Ihren »Hermann Lauscher« hab' ich mit viel Liebe gelesen – ich danke Ihnen herzlich für dieses Buch. Wie ich so am Anfang war, dacht' ich mir: wie freudig wärst Du nun, hättest du nicht einen schmalen Band in der Hand, sondern ein dickes Buch, wäre das doch nicht ein Fragment, sondern das erste Capitel eines Romanes. Dann dürften wir uns wirklich gratulieren! Aber, wer weiß?! Was nicht ist, kann werden.
Und ich meine, Sie dürfen auch Ihrem Leben nicht gram sein, wenn es Ihnen gegeben hat, dies zu schreiben. Wollte *ich* meine Kindheitserlebnisse zusammenraffen, so wäre ja auch Sonne und Wolken in ihnen, aber sie hätten nicht jenes reine stille Licht, das die rauschende Natur Ihnen gespendet hat. Großstadtschicksal kann gleiche Tragik haben und doch nie gleiche Größe. Auch ich gehe hier der Literatur ziemlich aus dem Weg. Ich glaube – so sah ich's wenigstens in Berlin –, man denkt sich die Wiener Literatur im Ausland als einen großen Caféhaustisch, um den wir alle herumsitzen Tag für Tag. Nun – ich, zum Beispiel, kenne weder Schnitzler noch Bahr, Hofmannsthal, Altenberg intim, die ersten drei überhaupt nicht. Ich gehe meine Wege mit ein paar Stillen im Lande: Camill Hoffmann, Hans Müller, Franz Carl Ginzkey, einem französisch-türkischen Dichter Dr. Abdullah Bey und ein paar Malern und Musikern. Ich glaube – im Grunde leben wir – ich meine »*wir*«, die wir uns verwandt fühlen – alle ziemlich gleich. Auch ich habe mich viel verschwendet ans Leben – nur jenes letzte Überfließen fehlt mir: der Rausch. Ein bißchen bleibe ich immer nüchtern – ein Ding, das mir Georg Busse Palma, das größte Sumpfhuhn unserer Tage, nie verzeihen konnte. Ich glaube, ich werde es auch kaum mehr lernen, denn die Fähigkeit zur Gründlichkeit

in allen Dingen wird mir von Tag zu Tag fremder: Würden mir die neuen Gedichte nicht wertvoller, als die ein bißchen wäßrigen und allzu glatten »Silbernen Saiten«, so glaubte ich, daß ich mich verflache.
Und dabei muß ich Wissenschaft treiben! Und ich arbeite jetzt wie ein Rasender, um nächstes Jahr den Doctor philosophiae hinter mich zu werfen, wie einen lästigen Kleiderfetzen. Es ist dies wohl die einzige Sache, die ich meinen Eltern zuliebe tue und dem eignen Ich zu Trotz. Ich fühle mich ganz zermalmt von dem vielen Büffeln, das nur von wilden Nächten ab und zu durchkreuzt wird, nie von Erholung und Befreiung – hoffentlich setze ich's zu Hause durch, daß man mich zu Ostern auf 10 Tage nach Italien läßt. Ich habe Italienisch gelernt, und mich hungert mit einem Male nach Leonardos Bildern, von denen ich weiß, daß ich sie lieben werde, wiewohl ich sie nur aus Nachbildungen bisher kenne.
Ein Brief von Ihnen, werter Herr Hesse, wird mich sehr erfreuen; je früher, je lieber. Und daß mich graue Stimmung nicht früher Dank sagen ließ für Ihre Zeilen, verübeln Sie doch nicht Ihrem herzlich grüßenden Stefan Zweig

An Hermann Hesse
[Postkarte] 17. 8. 1903

dem lieben Poeten
Basel (Schweiz), Feierabendstr. 23

Lieber Herr Hesse, ich fahre von hier nach der Bretagne. Von dort sende ich Ihnen ein paar Zeilen. Und auf der Rückreise im September mache ich Ihretwillen den kleinen Umweg nach Basel, um Sie dort kennenzulernen. Für den Sommer wünsche ich Ihnen reifere Ernte, als sie mir bisher ward, den Krankheit in der Familie und Studium abhalten. Herzlichst

Ihr Stefan Zweig

An Hermann Hesse

[Postkarte] 9. 10. 1903

Lieber Herr Hesse, ich sehe soeben, daß ein Roman von Ihnen in der »Neuen D[eutschen] R[undschau]« erscheint, und habe mich ganz kindisch darüber gefreut. Viel, viel Glück! Wie gerne hätte ich Sie in Basel besucht, aber es ging leider nicht an. Bitte schreiben Sie einmal Ihrem Sie aufrichtigst und innigst beglückwünschenden Stefan Zweig

An Hermann Hesse

1. XI. 1903

Lieber Herr Hesse, ich schreibe Ihnen aus großer Freude. Complimente zu machen, habe ich nicht nötig, aber wie wunderbar schön, wie hinreißend sind die drei ersten Capitel Ihres Buches, das ich bewegten Herzens, sehnsüchtig, aber neidlos gelesen habe. Es ist so deutsch, so echt und gut; ich freue mich heute schon auf den lauten und hellen Fanfarenstoß, den ich ihm vorausschicken will, sobald es erscheint, denn mag Mitte und Ende auch sinken, das Buch darf schon um des Anfangs willen nicht untergehen.

Sie sind, lieber und verehrter Herr Hesse, zu bescheiden und zu mutlos. Oder sollten Sie zu anspruchsvoll sein? Sie haben dreißig meisterliche Gedichte geschrieben, die viel Beifall fanden, allerdings nicht genügend – ich habe das jüngst im »Magazin für Literatur« öffentlich auch betont –, und sind nicht zufrieden allein damit, daß Sie sie geschaffen haben? Ist es Ihnen nicht mehr, wenn Ihnen ein paar sagen – zu denen ich auch zähle –, Hermann Hesse ist heute einer der Ersten in Deutschland, ein Junger und Großer, mehr Dichter als Holz und Bierbaum und Schaukal und Otto Ernst und alle, die heute mit klappernden Glockenschwengeln ins Land geläutet werden. Sind das nicht auch Erfolge, wenn Fischer einen Roman acceptiert? Ich wollte ich wäre schon so weit! Wollen Sie materielle Erfolge? Auch die-

se werden nicht ausbleiben, denn Ihre Bücher werben Freunde; die Gabe, die Sie mir mit Ihren Werken gespendet haben, hat schon vierfache Zinsen getragen, hat Ihnen vier Exemplare abgesetzt und achtfache, zwanzigfache Bewunderung und Verehrung gebracht. Ich weiß Freunde, die Verse von Ihnen auswendig können – ich kann auch nicht wenige – und sie recitieren, wenn man von guten Werken spricht. Ich glaube, Sie sitzen zu sehr im Schwarzwald, um das alles zu wissen. Aber bleiben Sie nur dort und schreiben Sie uns ein neues Buch – ich brauche nicht zu sagen – ein gutes. – Was soll ich Ihnen nun von mir armem Knaben erzählen, der an elterlicher Eitelkeit krankt, einen Doktorhut zu tragen? In der Bretagne, auf der lieben stillen Insel, auf die ich mich verkrochen hatte, um zu arbeiten, habe ich eine sensitive, allzu artistische Novelle geschaffen, die meinen Band complettiert. Seitdem übersetze ich nur ab und zu ein Gedicht von Emile Verhaeren – dem großen belgisch-französischen Dichter. Das gibt auch wieder ein Buch. Aber ich habe gar keine Sehnsüchte, Papier mit eigenem Unfug blätternd in den Händen zu halten; ich wollte, ich wäre wieder in meinem braunen schlanken Segelboot auf Ile Bréhat und steuerte in die Welt, wo ich sie nicht ahnte und kannte. Oder in Paris bei den schönen Frauen, die mich so verzärtelt haben, daß ich hier von Abenteuer zu Abenteuer mit unwilligen Schritten gehe, freudlos und gelangweilt, ohne es mir zu gestehen. Ich verträume mehr und mehr. Das Schaffen wird mir Qual gegenüber dem reinen altindischen Genuß, nicht mehr schöpferisch die Bilder zu gruppieren, sondern sie wahllos und ohne Logik zueinander wandeln zu lassen wie im Traum. Ein – zwei Gedichte habe ich in sechs Monaten geschaffen, der sonst in sechs Tagen soviel schrieb. Aber ich will nicht klagen: vielleicht haben auch diese Wege ein Ziel. Ich will nicht hoffärtig sein.
Erzählen Sie mir, lieber Herr Hesse, von Ihrem Leben dort oben im Schwarzwald. Und nehmen Sie es nicht zu genau mit den Briefen: in der Stille schreibt man leichter, und ein Großstädter

thut eigentlich etwas ganz Altväterisches, wenn er ausführlich wird. Nichtsdestoweniger bin ichs Ihnen gegenüber gerne.
Ein Bild von Ihnen hätte ich gerne und würde es Ihnen mit gleicher Gabe erwidern. Seien Sie mir herzlich gegrüßt von Ihrem Stefan Zweig

An Hermann Hesse

[undatiert; vermutlich 17. 1. 1904]

Lieber Herr Hesse, ich will Ihnen nur in aller Eile für Ihr schönes und sehr eindrucksvolles Bild danken, das ich von unbekannter Adresse aus der Schweiz erhalten habe. Es paßt mir sehr zu dem innern Bilde, das Ihre Bücher in mir aufleben ließen, etwas weicher vielleicht in den Linien hätte ich es mir gedacht, aber andrerseits ist die Schärfe eine gewisse Garantie für ein zielbewußtes, fast eigensinniges Wollen. Lavater wüßte in seiner Physiognomik mehr zu sagen: ich könnte höchstens noch einiges hineindichten, aber das ist ja nicht vonnöten. Herr Ginzkey erzählte mir, daß Ihr »Camenzind« schon sein buchmäßig Kleid trage: Hoffentlich lassen Sie mir das schöne Buch selbst oder durch den Verleger zugehen: ich will ihm selbst aus meinem jetzigen Arbeitstrubel heraus ein paar einführende Worte widmen. Jedesfalls herzlichen Wunsch für seine Reise durch das Land unzählbarer Auflagen!
Mein Bild zum Gegengeschenk in Bälde! Für heute nur viel Grüße und Wünsche in Ihr einsames Schwarzwaldnest!

Ihr Stefan Zweig

An Hermann Hesse

[23. 5. 1904]

Lieber und geehrter Herr Hesse,
herzlichen Dank für Ihr liebes Büchlein, das ich mit Freude empfing und las. Meinen Verlaine – leider habe ich noch keine

Zeile davon – bekommen Sie sicher wie ja jedes andere meiner Bücher; und dies Jahr werden's ja noch zwei. Wie freu ich mich Ihres »Camenzind«; überall verdientes Lob, überall jener innige Zuspruch, den Sie verdienen. Weniger wert waren mir Ihre Verse in der »Neuen Rundschau«, sie schienen mir nicht ganz so wundersam rein wie Ihre ersten italienischen. Sie sehen, ich bin sehr aufrichtig, aber wahrlich nur solchen gegenüber, die ich so schätze und liebe wie den Dichter des »Camenzind«. Erzählen Sie doch einmal von Plänen, Erfolgen und den unausweichlichen irdischen Dingen Ihrem Sie herzlichst und eiligst grüßenden

Stefan Zweig

An Hermann Hesse

Wien, 20. September 1904

Glauben Sie mir es, lieber Herr Hesse, daß ich mich über Ihren lieben Brief fast mehr geärgert als gefreut habe? Nicht wegen des Portraits: das ist eine kleine dumme Geschichte, mit der ich Ihnen eine Freude zu machen hoffte. (Ihren Widerstand werden Sie übrigens bald dem wachsenden Ruhme opfern müssen, denn die »Woche« läßt sich keinen entgehen, den der Lorbeer auch nur streifte.) Selbstverständlich bleibts unediert. Ein ganz Anderes hat mich verdrossen. Verzeihen Sie mir – ich bin kein Berechner und wäre ein höchst übler Geschäftsmann –, aber ich hatte mir, freudig berührt von den angezeigten 10 000 Exemplaren eine Summe von ebensoviel Mark für Sie herausgerechnet. Und nun schreiben Sie mir ganz stolz von 2 500. Lieber Herr Hesse, Sie haben jetzt eine Frau – ich hoffe, bald auch noch mehr –, und da dürfen Sie sich nicht *so* von einem Verleger begaunern lassen, dürfen sich nicht so ganz in eine Bescheidenheit hüllen, die Ihnen zu Gesicht steht wie ein Armesündergewand. Sie sind Deutschland heute sehr viel, und jeder Verleger wäre glücklich, Ihr nächstes Buch sein eigen zu nennen. Glauben Sie mir, der dies aus einer weiteren Perspective sieht wie Sie in Ihrem lieben kleinen Nest Gaienhofen. Und folgen Sie mir: stellen Sie Bedingungen, die Ihnen selbst phantastisch klingen. Sie werden sehen, wie sie rückhaltslos acceptiert werden.

Aber jetzt lassen wir die Fastnachtspredigt: Ich will Ihnen was andres sagen. Ich kann's aber nicht recht: Sie würden es besser spüren, wenn ich Ihnen die Hand schüttelte. Seit Jahr und Tag hab ich nichts gelesen, das mich so sehr ergriffen hätte, so mit linder Hand ans Herz gerührt, daß die Tränen abschmelzen wollten, nichts selbst im »Peter Camenzind« hat mich so gerührt, wie die eine Fortsetzung der »Marmorsäge«, die ich heute las. Die Schilderung der Unruhe vor der Klärung der Gefühle, dieses In-die-Nacht-Wanderns haben Sie in einer gesegneten Stunde geschrieben. Wie sehnlich warte ich jetzt auf den Schluß, weil ich weiß, wie meisterlich Sie Accorde ausrauschen lassen. Ich wünsche Ihnen viele so schöner Stunden, wie Sie sie mir mit dieser Novelle gegeben.

Nun hab' ich eine Angst gekriegt: in einem Monat wollt ich Ihnen meinen Band Novellen in die Hände legen, und nun habe ich gerade bei Ihnen die Angst, Sie möchten mich mißachten, weil die Dinger noch nicht ganz flügge sind und die Eierschalen der ersten Jugend noch nicht ganz abschüttelten. Aber Sie werden hoffentlich doch sich hie und da was auszugraben wissen, das nicht verdient, weggeworfen zu werden.

Ihr stilles Leben neide ich Ihnen fast. Um so mehr als ich für dieses Jahr gerade ins Brausendste hinein will: nach Paris, wohin mich viel lockt und irgendein ungestümer Drang hinlenkt. Im Frühjahr will ich das Geld für meine Doktorsreise verpatzen: zuerst nach Südspanien und die Balearen im März, um dann mit dem Frühling, diesem holden Geleiter zusammen, nach Norden zu flanieren, gegen die Pyrenäen zu, und dann in die Provence hinein bis zur lieben Bretagne empor, der ich schon einen schönen Sommer schulde. Ein wenig Arbeit wird sich ja von selbst einstellen. Mir war's ja leider nie gegeben, längere

Zeit ganz müßig zu sein. Jetzt hatte ich ein Trauerspiel in Versen (einaktig) im Brouillon fertig: ich kann mich aber nicht mehr mit ihm befreunden, seitdem es eine definitive Form hat. So will ich's entweder um zweier sehr heroischer Scenen willen umschaffen oder paar Jahre lang Schreibtischstaub schlucken lassen. Vielleicht kriegts dadurch neue Kraft.
Grüßen Sie mir recht herzlich alles was Ihnen lieb ist in Ihrer kleinen Welt, verzeihen Sie mir meine Einmischung in Ihre Verlegeraffairen, und, bitte, vergessen Sie nicht, daß ein Brief von Ihnen mir immer eine frohe Stunde bereitet. Ihr herzlichst und getreulichst ergebener Stefan Zweig

An Hermann Hesse

5, rue Victor Massé, Paris
21. Nov. 1904

Lieber Herr Hesse, Das »Litterarische Echo«, in dem ich Ihre lieben Worte lese, erinnert mich daran, daß ich Ihnen mit meinem herzlichsten Dank zugleich auch einen Brief schulde. Nun kennen Sie ja selbst Paris – wenn Sie es auch nicht lieben, wissen Sie doch, wie sehr es einen von allen Seiten gefangennimmt. Ich habe eine sehr hübsche Wohnung gefunden, die in einen Garten hineinzielt und so still ist, als läge sie, von endlosen Wiesen umzirkt, mitten im Lande. Das macht mich nun sehr froh, daß ich des öfteren still bei mir sein kann und mich nach meiner Art vergnügen: Bekannte habe ich hier, wenn ich sie *will*, und das ist mir lieb. Holzamer, den ich schon lange kenne, habe ich sehr gern; ein paar Wiener, ein paar junge Franzosen kenne ich, und wenn Verhaeren kommt, so habe ich einen wertvollen und gütigen Gefährten.
Meinen »Verlaine« habe ich hier mit Lust begonnen, in Hast vor meinem wachsenden Unmut vollendet: ich will mich nie und nimmer mehr binden und verpflichten. Das zerstört einem das Schönste, die willige Freude des Schaffens.

Bei Ihnen scheinen ja jetzt frohe Tage zu sein. Der Bauernfeld-Preis hat mich sehr gefreut – um so mehr als unsere Wiener Herren sonst ein wenig dickköpfig sind. Und Weihnachten streut unseren lieben »Peter Camenzind« – den ich bei Bernus jüngst sogar angedichtet fand – sicher in alle Welt. Hoffentlich sind auch alle andern Sorgen beim Teufel und Sie leben wohlgemut und schaffensfroh.

Vergessen Sie mich aber, lieber Herr Hesse, nicht ganz. Erzählen Sie mir einmal, ob wir Neues von Ihnen erhoffen dürfen oder ob Sie brachliegen für die kommenden Jahre der Ernten. Ich freue mich immer so sehr darüber. Gerne hätte ich einen Abstecher zu Ihnen gemacht – zwei Stunden war ich weit –, als ich nach Paris fuhr, da Sie mir aber schrieben, Ihre Frau sei nicht gesund, hütete ich mich wohl, Sie zu verständigen und von Ihrem Heim fortzulocken. Ich hab schon das Vertrauen, daß wir uns einmal finden werden, und ich will Ihnen da gern ein paar Kilometer entgegengehn.

Und das Reisen? Haben Sie es verlernt? Ich nicht, wahrhaftig nicht, ich habe so eine Unrast überallhin zu fahren, alles zu sehen und zu genießen, habe Angst vor dem Alter, daß ich dies – meinen liebsten Besitz – einmal verlieren könnte in Mattigkeit und Faulheit. Im März geht es nach Spanien – es muß dies das schönste Land Europas sein, ich *fühle* das. Kommen Sie mit: Sie wären ein Reisegefährte! Ich weiß nicht: immer wenn ich mir Spanien vor mich hin sage, spüre ich's wie einen Ruck. Ich freu mich so darauf; schon studiere ich spaniolisch.

Nun noch herzliche Grüße, von denen Sie aber Ihrer Frau auch ein paar abgeben müssen. Ihr in Ergebenheit und Freundschaft getreuer

Stefan Zweig

An Hermann Hesse

Wien, 17. Oktober 1905

Lieber und verehrter Herr Hesse, ich bin nun wieder heim. Und als ich so kam, wühlte ich mir aus den Büchern, die meinen Schreibtisch belagerten, sogleich Ihren neuen Roman heraus. Und nun hab ich ihn gelesen.

Viele Worte darüber werden ja in diesen Tagen in Ihr stilles Haus gesegelt kommen: gedruckte und geschriebene. Lassen Sie mich doch darum sagen, wie ich es empfunden habe. Empfindung ist nicht Kritik, so darf ich sie sagen und muß nicht vergleichen (wie es ja alle Leute mit dem »Camenzind« tun werden).

Ich liebe sehr diese tiefe und mit so wunderbarer Kunst erzählte Geschichte um ihrer Menschlichkeit willen. Es stehen Dinge darin, die ich selbst in meiner Knabenzeit empfunden hatte und dann wieder verloren: und mit dem Buch dämmerten mir alte Stunden herauf, jene herb-süßen, von denen man nie wußte, daß sie unser schönstes sind. Das haben Sie so hinreißend geschildert, daß ich dankbar über die Ferne Ihre lieben Hände fasse. Und dann die zwei Liebesscenen: die stehen nun wie eigene Geschehnisse in meinem Leben.

Ist das nicht Unsägliches? Kann ein Dichter mehr tun? Kaum. Ich weiß: ich habe einige Einwände gegen einzelnes der Composition (wir sind alle zu literarisch geschult, um so etwas nicht herauszuschmecken), aber das verlischt alles in dem überwältigenden Eindruck, den mir die *Seele* des Buches gegeben hat. Ich wollte, alle hätten darüber ihre Freude wie ich. Leider glaube ich nicht daran. Sie werden vielleicht Häßliches zu hören bekommen: es gibt der Leute zu Deutschland genug, die keinem Lebenden zehn Auflagen verzeihen. Werten Sie alles Mißliche, so freuen Sie sich der Begeisterung, die Ihnen wieder fühlen lassen wird, wieviel Sie Deutschland sind und – angeln Sie glücklich. Ich weiß, das ist Ihnen wichtiger.

Ich weiß nicht, ob ich über das Buch schreibe. Ich glaube, man

kommt heute überall schon zu spät. Sie sind ja »actuell«. Aber das macht nichts: später oder früher will ich ja doch das, was ich Ihnen durch Ihre Bücher danke, in runder geeinter Form einmal fassen.
Also Glückwunsch ins Haus. Und viele Grüße an Ihre Frau und Sie von Ihrem freundschaftlich getreuen und ergebenen

Stefan Zweig

An Hugo von Hofmannsthal

VIII. Kochgasse 8
Wien, 24. Juni 1907

Sehr verehrter Herr von Hofmannsthal,
lassen Sie mich Ihnen auf das innigste für Ihre freundlichen Worte Dank sagen. Mir ist Keines Urteil in Deutschland wertvoller und wichtiger als das Ihre, und ich freue mich sehr der Gelegenheit, Ihnen das heute schreiben zu dürfen, ohne der Aufdringlichkeit verdächtig zu sein. Verzeihen Sie mir, wenn ich bislang die primitivste Pflicht der Höflichkeit versäumte, Ihnen meine Bücher zu senden, wozu mich meine von Jahr zu Jahr tiefer bewußte und begründete Verehrung drängte; Ihr gütiger Brief von heute wird mir in Hinkunft gestatten, was mir bislang das unbestimmte Gefühl einer Besorgnis verwehrte, Ihnen lästig oder unwillkommen zu erscheinen.
In aufrichtiger Verehrung Ihr ergebener Stefan Zweig

An Hugo von Hofmannsthal

VIII. Kochgasse 8
Wien, 16. II. 1908

Sehr verehrter Herr von Hofmannsthal,
ich danke Ihnen innigst für Ihr schönes Geschenk, das mir doppelt wertvoll ist: als Gedicht und als gütiges Zeichen freundlicher Gesinnung. Einmal hatte ich schon die Feder angesetzt,

Ihnen zu schreiben; mir fiel nämlich ein, daß Sie vielleicht Spoelbergh van Loevenjouls interessantes Buch »Histoire des œuvres de Balzac« nicht kennen, das ich mir eben aus Paris verschrieb und das den Ihnen vielleicht unbekannten Plan der *ganzen* Comédie humaine enthält, die Aufzählung der ungeschriebenen Romane (Moscou, La plaine de Wagram etc.). Sollten Sie es wünschen, so schicke ich's Ihnen sofort, wie ich's in Händen habe. Mein Aufsatz ist ja nicht so wichtig wie der Ihre, beschränkt sich übrigens ganz auf einen Versuch der Philosophie Balzac's und ich plage mich eben um einen Titel, diese Einschränkung entschuldigend zu vermerken. Zu einem Vortrag, den ich nächste Woche über Balzac halte, will ich mir Ihre Gegenwart gar nicht erbitten: er wird nur in weitesten Linien die Fülle des Themas zu umgreifen suchen, um in Wien das Interesse für die neuen Ausgaben wachzurütteln.
Haben Sie Ihren Essay schon abgeschlossen oder kennen Sie schon Spoelbergh's Buch, dann fällt alles, was ich heute zu Ihnen sagen wollte, zusammen in das Wort: herzlichen Dank. Das und noch viele ergebene Empfehlungen in Verehrung getreu!

Stefan Zweig

An Richard Dehmel

VIII. Kochgasse 8
Wien, 30. Oct. 09

Sehr verehrter Herr Dehmel, ich habe ein großes Buch über Emile Verhaeren geschrieben, das nicht nur im Insel-Verlag in deutscher Sprache, sondern auch beim Mercure de France in einer Übertragung von Paul Morisse erscheint. In diesem Buche ist Ihrer oft gedacht, auch zwei Strophen aus dem »Bergpsalm« citiert, die notwendigerweise übertragen werden mußten. Ich zweifle nicht, daß Sie der Tatsache der Übertragung zustimmen – »um Lebens oder Sterbens willen bitt' ich mir doch ein Wörtchen drüber aus«.

Dieses Buch ist ein Teil der dreibändigen deutschen Verhaeren-Ausgabe, die im Frühling erscheint. Damit schließe ich ein Jahr der Arbeit, die einzig Verhaeren galt, und wende mich Eigenem zu. Hoffentlich wird dies Eigene ebenso wichtig, als es die Durchsetzung Verhaerens in Deutschland gewesen ist.
Ich warte ungeduldig auf Ihre neuen Werke, nun Sie die Fülle der Vergangenheit in definitive Form gebändigt haben. Warte in Ungeduld und Vertrauen.
In Verehrung treu Ihr ergebener Stefan Zweig

An Hugo von Hofmannsthal

VIII. Kochgasse 8
Wien, 9. Nov. 1909

Sehr verehrter Herr von Hofmannsthal,
ich danke Ihnen vielmals für die wertvolle Gabe des »Hesperus«. Ich freue mich seit einem Jahre schon diesem Buch entgegen: es von Ihnen erhalten zu haben, macht es mir noch werter.
Darf ich Ihnen ein Wort dazu sagen? Ich finde es so wundervoll, daß Sie, dessen Kunst doch so ganz allein und für sich besteht, dennoch hier in Gemeinsamkeit für eine neue Form der deutschen künstlerischen Cultur wirken wollen. Ich glaube es innerlich zu verstehen – in Worte läßt sich dies nicht ganz zwingen – was die geheime Absicht dieses Buches ist, das den meisten nur als eine gelegentliche und zufällige Vereinung erscheinen wird. Und ich bin überzeugt, daß diese Absicht eine erzieherisch-wertvolle ist, an der wir Jüngeren alle werden zu lernen haben, daß ihr Sinn von Jahr zu Jahr deutlicher und zwingender sich offenbaren wird; und daß wir im nächsten Jahrzehnt ihn schon als fruchtbar in unserer Literatur fühlen werden.
Ich hätte Ihnen gerne meinen Dank persönlich gesagt. Aber ich reise zu Vorlesungen nach Deutschland und hoffe nach meiner Rückkehr, Sie in Rodaun aufsuchen zu dürfen. Eine Gegen-

gabe – der Versuch, durch die Darstellung und ausführliche Übertragung Verhaerens, in Deutschland eine neue Möglichkeit der lyrischen Form aufzuzeigen – bereitet sich vor und hofft bei Ihnen auf Ihr, allem Wichtigen und Neuen so bereitwilliges Interesse.

In inniger Verehrung ergeben Stefan Zweig

An Richard Dehmel

VIII. Kochgasse 8
Wien, 13. 1. 1910

Sehr verehrter Herr Dehmel,

Ich habe seit Tagen auf eine ganz reine und ruhige Stunde gewartet, um Ihnen für die Gabe der Bilder und des Buches danken zu können. Sie war schwer zu finden, diese Stunde: denn gerade jetzt, wo ich daran bin, die Verhaeren-Ausgabe abzuschließen, bin ich – je näher der Augenblick kommt, wo sie sich in ein Definitives verwandelt – immer unruhiger geworden, bossle und bessere, füge ein, werfe heraus: es ist wie die Eisenbahnnervosität vor der Abfahrt, wo man an kleine Sorgen viel Temperament und Zeit verschwendet. Im März sind hoffentlich alle drei Bände in Ihren Händen.

Ich bin sehr neugierig, wie Sie über das kritische Buch denken werden. Es ist mir wichtig zu wissen, wie Sie es werten: denn unter meinen Plänen steht ja seit Jahren auch derjenige, Ihr Werk einmal in einer runden Form zusammenzufassen. Nur ging es bei Verhaeren leichter: denn trotz aller Bewunderung gerade für seine jüngsten Werke glaube ich nicht, daß sich der Schwerpunkt seines Schaffens noch verschieben wird. Seine Rhythmik ist nicht mehr glutflüssig, sondern schon rein crystallisiert, sein Weltbild definitiv. Und damit ist mein Buch gewissermaßen in sich gerundet. Während ich bei Ihnen innerliche Verschiebungen und Wandlungen *eben aus Ihrem Schweigen,* aus der nur innerlich fortdauernden Art Ihres Schaffens

fühle. Ich bin so unendlich sicher, daß Sie selbst durch Ihr Wachstum alle Kreise, selbst die weitesten, die Ihnen liebevolle Betrachtung umlegen wird, zersprengen werden wie ein Baum seinen Eisenring, daß ich zu mutlos bin, jetzt ein Buch zu beginnen, bei dem ich fühle, daß es vom Gegenstand in ein oder fünf oder zehn Jahren, aber sicherlich bald, schon überwunden sein wird.
Ich habe das Feuilleton von Hans Kyser jüngst gelesen, das bei aller Bemühung nach neuen Worten statt nach neuen Werten mir sehr gefiel. Nur daß ich gerade bei Ihnen die enge gebannte Form des Essays einmal nicht mag: condensieren mag man Werke, die viel aussprechen, nicht aber die, in denen alle Werte der Kunst und der Weltbetrachtung in einem sehnsüchtigen Zustand des Gefühls und nicht des formulierten Gedankens ruhen. Um ein Weltgefühl zu erklären, muß man diese Welt erst aufbauen: und wenn's wirklich eine ist, so will sie Raum.
Ich bin jetzt menschlich sehr sicher geworden. Die große Verhaeren-Ausgabe – und hauptsächlich, daß ich sie rechtzeitig, *vor* dem großen Ruhm begann – gibt mir in meinen Augen das Ja zu meiner dichterischen und irdischen Existenz. Ich habe das Gefühl, nicht unnötig gewesen zu sein. Wächst es mir und den Wichtigen dann nochmals aus dem Eigenen empor, das ich nun schaffen will, so will ichs dankbar nehmen wie ein Geschenk.
Dies aber war meine Pflicht!
In inniger Treue Ihr ergebener Stefan Zweig

An Romain Rolland
[Aus dem Französischen]

VIII. Kochgasse 8
Wien, 12. 2. 1910

Sehr geehrter Herr,
ich werde am 20. und 21. Februar auf einer Reise nach Amerika in Paris sein und es wäre mir ein außerordentliches Vergnügen, wenn ich Sie aufsuchen dürfte. Der Anlaß ist nicht oberflächliche Neugier; mein Besuch gilt auch ein wenig Geschäftlichem. Wir bilden zur Zeit in Deutschland einen Kreis (vorläufig noch beschränkt) von Menschen, die Sie sehr lieben und die sich bei den Verlagen darum bemühen, den ganzen »Jean-Christophe« auf Deutsch übersetzt zu bekommen; wir möchten Sie auch gerne zu Vorträgen bei uns gewinnen. Das deutsche Publikum weiß noch nichts – oder doch wenig – von Ihrem Werk, aber wir wollen es übernehmen, den Mittler abzugeben. Es würde mich glücklich machen, Ihnen zu erzählen, wie sehr die Besten (und besonders in Wien) Sie lieben, und ich bitte Sie, mir die Gelegenheit zu geben, Sie zu sehen. Wenn möglich, geben Sie mir zwei verschiedene Stunden, zu denen ich Sie sehen könnte, bekannt, denn meine Freunde Bazalgette und Verhaeren werden zweifellos über meine Zeit nach meiner Ankunft disponiert haben, und ich möchte Sie nicht verfehlen. Meine Adresse in Paris ist: Hôtel du Louvre, Boulevard de l'Opéra.
Nehmen Sie, verehrter Herr, die Versicherung meiner ausgezeichneten Hochachtung gez. Stefan Zweig

An Romain Rolland
[Aus dem Französischen]

17. 2. 1911

Sehr geehrter Herr,
der Verlag Rütten & Loening in Frankfurt teilt mir mit, daß er mit dem Pariser Verlag über die Ausgabe des »Jean-Chri-

stophe« abgeschlossen hat. Ich bin darüber glücklich und ich beglückwünsche Sie auch, daß Herr Otto Grautoff als Herausgeber und Übersetzer vorgesehen ist; er ist zur Zeit in Deutschland am besten informiert über die moderne französische Literatur. Endlich wird der »Jean-Christophe« also erscheinen! Ich hatte darüber bereits Vorbesprechungen mit deutschen Verlegern, besonders mit S. Fischer, dem besten Verlag, über diese Frage, aber Fischer zögerte noch, und nun werden also Rütten & Loening den Vorzug haben, Ihr Meisterwerk herauszubringen.

Ich habe aber S. Fischer versprochen, für seine Zeitschrift »Die Neue Rundschau«, die beste deutsche Zeitschrift, einen größeren Aufsatz über »Jean-Christophe« zu schreiben, und ich warte nur darauf, daß der 10. Band erscheint. Ich lese gerade den »Buisson ardent« und ich bedauere es lebhaft, daß mir nicht genügend Französisch zur Verfügung steht, um Ihnen zu sagen, wie ergriffen ich war über die moralische Höhe des Buches, die sich immer deutlicher abhebt. Ungeduldig erwarte ich den 10. Band, um mich auf Deutsch darüber zu äußern. Sie sind glücklicherweise einer der Wenigen in Frankreich, die ohne Vermittler selber lesen können, was wir gesagt haben.

Erlauben Sie mir, an die kleine Bitte zu erinnern, die ich Ihnen seinerzeit vorbrachte und die sie mir freundlichst gewährten: nämlich um einen Teil des Manuskripts für »Jean-Christophe«, oder irgendein anderes Manuskript von Ihrer Hand. Seien Sie sicher, daß ich es mit größter Sorgfalt bewahren werde: es wird in die Sammlung meiner liebsten Autoren kommen und als Nachbarn eine Novelle von Balzac und eine von Flaubert haben.

Ich war diesen Morgen ganz glücklich zu wissen, daß mein Wunsch nach Rückkehr Jean Christophes nach Deutschland nun endlich Wirklichkeit wird, und ich muß Ihnen diese armen Worte der Freude und Erwartung sagen.

Getreulich Stefan Zweig

An Romain Rolland

[Aus dem Französischen] Hôtel Beaujolais, 15. März 1913

Mein lieber Meister und Freund,
ich freue mich, Ihnen ankündigen zu können, daß Sie am Montag bei mir den Dichter Rainer Maria Rilke treffen werden, der mit uns essen wird. Ich weiß nicht, ob Sie seine Werke kennen: für meine Auffassung ist er der reinste und sanfteste und der größte Künstler, den wir besitzen, als Mensch prachtvoll und dabei bescheiden, beispielhaft für uns alle in seiner Kunst wie seinem Leben. Ich bewundere ihn schon seit meiner Kindheit und bin glücklich, daß Sie seine Bekanntschaft machen werden.
Ich habe eine Nachricht von Suarès erhalten und werde ihn sehr bald aufsuchen.
Auf morgen also, lieber Meister und Freund.
Getreulich Ihr Stefan Zweig

An Ernst Hardt

[Wien] VIII. Kochgasse 8
[undatiert; vermutlich Sommer 1913]

Verehrter Herr Hardt, Sie waren so freundlich mir für meine Sammlung ein Manuscript zu versprechen und mehr noch: mir zu gestatten, Sie darum anzugehen. Ich will nun nur sagen, daß ich nicht aus einem unlebendigen Gefühl bloß Ruhm in seiner Handschrift sammle, sondern nur die Dichter bitte, deren Werk mir menschlich so viel bedeutet, daß der Wunsch rege wird, es in noch intensiverer Form als der des Druckes zu besitzen, in einem Zustand, der noch von der Schöpfung warm ist und beseelt vom persönlichen Wesenszuge. Wie ich solche Freundlichkeit gut entgelten kann, weiß ich allerdings nicht: sicherlich aber durch innigen und dauernden Dank. In aufrichtigster Sympathie Ihr ergebener Stefan Zweig

An Ernst Hardt

viii. Kochgasse 8
Wien, 27. Sept. 1913

Verehrter Herr Hardt, empfangen Sie herzlichen Dank für Ihre schönen und kostbaren Gaben. Das Manuscript soll nun ein prunkvolles Gewand bekommen, »Schirin und Gertraude« discret gehütet sein. Ich habe das helle Spiel sofort gelesen und mein Glückwunsch ist ein aufrichtiger: Sie haben bei diesem heiligsten aller Probleme soviel innere Anmut den Frauen gefunden, daß sich die manchmal gespannte Situation immer wieder in eine mozartsche, eine leichte, deutsche Heiterkeit löst. Wie alles in Andeutungen schwebt und doch Form wird, der Gedanke der Liebesvielfalt im Manne (in dem Gespräch des zweiten Aktes) zart entwickelt wird, läßt mir das Stück mehr als ein Scherzspiel scheinen. Ein Hauch von Kindlichkeit über den Frauen nimmt ihnen jede Verantwortung, und ist glücklich contrastiert durch die überwuchtete, ganz Fleisch gewordene Seele des Grafen: ich kenne kaum ein neueres Stück mit so glücklicher dramatischer Contrapunktik.

In Wien wäre das Burgtheater stets noch die erste Stelle, doch fürchte ich da sittliche Bedenken an höheren Orten. Das Volkstheater hat gute Darstellerinnen und ein sicheres Publikum, auch ihm dürften Sie die beiden Gräfinnen ruhig anvertrauen, ja ich meine sogar, daß die breite Bühne des Burgtheaters, die sich eigentlich nur immer an vielen Menschen füllt, den Reiz der intimen Scenen arg benehmen. Ich würde mich jedesfalls der Gelegenheit sehr freuen, Sie in Wien zu sehen und bei mir begrüßen zu dürfen.

Als bescheidene Gegengabe sende ich Ihnen meine drei Dramatika. Sie haben eine für mich bittre Vorgeschichte, weil in ihnen eine menschenmörderische Kraft zu wohnen scheint. »Thersites« hatte 8 Proben im Berliner Köngl. Schauspielhaus, bei der neunten wurde Matkowsky krank, um nie zu gesunden (und ich ließ mir Ersatz durch einen Coulissenreißer nicht gefallen).

Der »Komödiant« war für Kainz und mit seiner Initiative geschrieben: als ich ihm das fertige Stück brachte, sagte mir der Diener, er sei ins Sanatorium überführt worden. Und dem »Haus am Meer« starb einen Monat vor der Aufführung sein Regisseur, Baron Berger. Ich überschätze mich nicht: doch wage ich zu sagen, daß Thersites so gut ein erstes Berliner Theater verdient hätte, als manches andere Stück: aber schließlich habe ich gerade über die Bühnen nicht zu klagen. Ich fühle nur mit Ihnen, daß wir noch einen volleren und hoch gespannteren Begriff vom Drama haben, womit wir manchem wohl schon als altmodisch gelten mögen. Mit Erbitterung habe ich oft gesehen wie hochfahrend man Ihrer starken Bemühung zur wahren, zur reinen und vor allem der *ausgestalteten* Form des Dramas gegenübersteht: Deutschland ist das Land, das gerade die embryonische Kunstform fördert. Ich sehe in den meisten Stücken immer nur Entworfenes, nie Ausgestaltetes: dies auch der Grund, weshalb das Ausland sich so beharrlich gegen diese Production wehrt, ebenso wie gegen all die Romane, die nichts sind als psychologisch aufgepolsterte Novellen. Für mich waren Sie immer einer der Wenigen, die heute noch das Verantwortungsgefühl des Drama haben, der redlich arbeitet und sich nicht mit dem Einfall bescheidet, sondern ihn gestaltet. Das Gelingen freilich ist ja Gnade: aber man sollte doch endlich einmal auch den beharrlich hoch gespannten Willen mit Ehrfurcht zu schätzen beginnen. Gegen Sie mich ausgespielt zu sehen wie in dieser Zeitschrift war mir wahrhaftes Ärgerniß und ich freue mich, daß Sie es nicht als verstimmend empfunden haben. Sie wollen wohl antworten, dies sei selbstverständlich, aber dies wäre Irrtum: solche Einflüsterungen dringen einem manchmal ins Blut, ohne daß man es fühlt und Antipathien werden rege, die von fremder Hand angefacht sind. Wirklich: Rilke ist da erhabenstes Beispiel, der *keine Zeile* über sich liest.
Vielleicht darf ich Ihnen in Weimar danken oder Sie in Wien bei mir sehen: ich wäre froh, risse dies Band, das die Dresdener

Begegnung und Ihre freundliche Gabe fügte, nicht gänzlich wieder entzwei. Mit vielem Dank und guten Grüßen Ihr aufrichtig ergebener
Stefan Zweig

An Anton Kippenberg

VIII. Kochgasse 8
Wien, 4. August 1914

Lieber Herr Doktor, ich will Sie heute nicht mit literarischen oder finanziellen Dingen belästigen, sondern ein persönliches Wort sagen. Ich werde in den nächsten Tagen einberufen und ausgebildet werden und bin in paar Wochen schon aller Wahrscheinlichkeit nach an der Front: jedenfalls treffe ich heute meine Verfügungen. Es wird auch ein Wunsch an Sie darunter sein im Falle, daß mir etwas passiert, aus meinen Büchern bei Ihnen und Verschiedentlichem noch Unveröffentlichten eine ausgewählte Gesamtausgabe billig zu veranstalten, den Herausgeber schlage ich vor, den Zeitpunkt mögen Sie bestimmen. Ich glaube, daß ich in Anbetracht unserer mehrjährigen und stets freundschaftlichen Beziehungen auf die Erfüllung dieses Wunsches schon heute zählen kann.
Wir schicken den letzten Mann ins Feld. Die meisten unserer Dichter von Hofmannsthal an stehen schon längst in Dienst. Wenn England neutral bliebe, habe ich guten Mut, wir wissen alle, es geht diesmal ums Ganze. Gott schütze Deutschland!
Herzlichst
Ihr Stefan Zweig

An Romain Rolland

VIII. Kochgasse 8
Wien, 10. 10. 1914

Ich schreibe deutsch, weil Briefe ins Ausland einem eventuellen Einblick unterliegen.
Ich danke Ihnen vielmals, lieber verehrter Freund, für Ihren

Gruß in dieser Zeit. Nie habe ich öfter und herzlicher an Sie gedacht als in diesen Tagen, nie mehr gefühlt, daß nur die Gerechtigkeit, die letzte Aufrichtigkeit uns einander wichtig machen kann. Und wie seltsam: wir haben beide fast zur gleichen Zeit von uns gesagt, wie wir gegen unsern Willen in die wilde Leidenschaftlichkeit geraten sind und ich finde in Ihren Worten (und Sie hoffentlich in den meinen nicht) nie das Wort *Haß* oder dessen Schatten nur. Als ich gestern las, Charles Péguy sei gefallen, hatte ich *nur* Trauer, *nur* Bestürzung in mir, nirgendwo stand in meinem Herzen seinem Namen das Wort beigemengt: Feind. Wie schade um den edlen reinen Menschen. Und wie viele hat die Welt in diesen Tagen verloren in denen der große Künstler, ein Beethoven vielleicht, ein Balzac, noch ganz eingefaltet war in der Frühe seines Todes. Nie wird Europa wissen, was es in diesen Schlachten verloren hat, die Totenlisten sind ja nur Namen.

Das ist ja hüben und drüben gleich: wie Sie so schön sagen, wir wollen unsern Schmerz nicht vergleichen. Ich will auch nicht mit Ihnen, lieber teurer Freund, öffentlich sprechen wie es so manche taten, als Ihr erster Brief erschien, den ich so ganz edel in seiner Absicht fand wie ich es von Ihnen erhoffte und – meiner Meinung nach – nur irrig in der Voraussetzung. Löwen ist *nicht* zerstört, seine Kunstdenkmäler, vor allen das Rathaus mit unsäglicher Mühe von den Offizieren mitten im Feuer gerettet worden, bis auf die Bibliothek: Ich habe darüber direkten Bericht, habe einen Plan gesehen, der die zerstörten Teile und die erhaltenen, aufzeigt. Wie viel Schuld die französische Presse hat, die in Friedenszeit in ihrer Gehässigkeit und Unwahrhaftigkeit schon keine Grenzen kannte und zweifellos meldete, man habe aus bloßer Rachsucht ein wenig zum Scherze Löwen in Brand gesetzt, kann ich nicht ermessen: jedenfalls weiß ich bestimmt, daß in Löwen außer jenem einen Gebäude kein Schade geschehen ist, auch die Bilder sind alle gerettet. Ich weiß dies von einem Freunde, der selbst bei dem (übrigens grauenhaften)

Überfall dabei war und mir alle Details schrieb: aber ich hatte es auch unsern Zeitungen geglaubt. Ich weiß nicht, ob Sie jetzt deutsche Blätter sehen, aber ich finde sie von außerordentlicher Würde. Nirgends Tartarennachrichten, nirgends der Versuch die französische Nation zu verhöhnen oder deren Armee als eine sadistische Bande hinzustellen. Tut es Ihnen – aufrichtigst – nicht weh, Romain Rolland, in französischen Blättern lange Diskussionen über die Frage zu sehen, ob man deutsche Verwundete auch pflegen solle? Sind wir wirklich in Europa und in dem 20. Jahrhundert, wenn Clemenceau öffentlich ihre Vernachlässigung fordert? Das Blut friert mir in den Adern, wenn ich an die Hilflosen denke, die mit eiternden Wunden und zerrissenen Gliedern ohne Hilfe in Gehässigkeit verfaulen sollen. Ich glaube garnicht daran, daß ein Franzose diese Ratschläge befolgt, aber daß dies überhaupt diskutiert wird, Romain Rolland, öffentlich diskutiert, welche Schmach. Wo es Krieg gibt, müssen wir – ich schrieb es ja auch – meiner Meinung nach schweigen, aber die Verwundeten, die Kranken, die Gefangenen, das ist nicht Krieg mehr, das ist nur das Elend, das unendlich tragische menschliche Elend, das der Dichter zu verteidigen hat. Für die Verwundeten, für die Kranken erwarte ich ein Wort von Ihnen, denn wenn wir den anderen nicht helfen können, die töten und sich töten lassen müssen, wenn wir das Ungeheure der Tat nicht um eine kleine Stunde zurückhalten konnten, so sollten wir doch den Opfern beistehen und für die Hilflosen um Liebe werben. Ich habe hier in den Spitälern verwundete Russen mit einer Dame besucht, die ihre Sprache spricht, und gesehen wie beglückt die Armen sind, nur ihre Sprache zu hören und wie die *Liebe gerade denen doppelt not tut,* die in Feindesland liegen. Sie sind, Romain Rolland, selbst krank gewesen und wissen, daß Güte und Zartheit in solchen Stunden, da die Seele viel wacher ist durch ihres Körpers Leiden, ein unendliches Labsal ist, daß Feindlichkeit, selbst eine des Blickes bloß oder des Wortes, die Wunden heißer macht und die Qual verhundertfacht. Ich rufe Sie deshalb auf, nicht weil Sie mir Freund sind, sondern Sie, den Dichter, den Menschen: *helfen Sie den Hilflosen.* Mahnen Sie *zur Güte gegen die Kranken und schlagen Sie jene elende Diskussion nieder, die Frankreich schändet.* Sie werden mich genau so bereit wissen, in Deutschland für irgend etwas zu wirken, das der Menschlichkeit gilt – sprechen Sie zu den Frauen, wenn Sie wie ich der Meinung sind, daß im Kriege dem Nichtkämpfer das Schweigen ziemt, aber sprechen Sie, Romain Rolland, sprechen Sie.

Sie werden sich in Jahren fragen, wenn wir dieses Kriegs gedenken: was habe ich damals vollbracht? Und wenn Sie nur dies taten, daß *ein* Kranker in Feindesland ein Sandkorn Güte empfing, dürfen Sie von sich sagen: ich war nicht ganz nutzlos in jener Zeit! Walt Whitman ging als Soldat in den Krieg und wurde dort Krankenpfleger: nichts ist größer in seinem Leben als diese Wandlung, nichts schöner als seine Briefe aus jener Zeit. Mögen die andern Kriegslieder dichten, Sie, Romain Rolland, sollten zur Güte aufrufen, die Frauen vor allem, Sie sollten die deutschen Verwundeten schützen vor bösem Blick und hartem Wort! Erinnern Sie daran, daß Wunden ohnehin mehr schmerzen, wenn man verlassen in fremdem Land liegt statt auf heimischer Erde und daß der Kranke keinen Krieg mehr führt! Sparen Sie den Leidenden Qual und Ihrer Heimat eine Schande!

Von mir selbst will ich nichts schreiben: ich bin wie verstört von den Geschehnissen! Alles was ich mir an Arbeit vornahm ist unterbrochen, meine Nerven gehorchen mir nicht mehr. Ich habe viele Freunde im Feld, hüben und drüben – ob wohl Bazalgette, Mercereau, Guilbeaux nicht auch in Gefahr sind? – von meinen liebsten Menschen wie Verhaeren weiß ich kein Wort!!! Ihre Karte war mir eine Freude über alle Maßen, es lag etwas von Ferne darin ohne Feindlichkeit und für die Deutschen ist doch heute alles außer ihren eigenen Grenzen sonst Feind, die ganze Welt! Es ist eine furchtbare Zeit und sie fordert

den ganzen Menschen von uns, um ihrer nicht unwürdig zu sein!
Leben Sie wohl, teurer verehrter Freund, ich bleibe immer in Treue Ihr Stefan Zweig

An Romain Rolland

Baden bei Wien, 19. Oktober 1914

Ich danke Ihnen von ganzem Herzen, teurer, verehrter Freund, für Ihre guten Worte. Es gibt Wenige, die so sehr unter dem Gegenwärtigen leiden, nur um der ungeheuren Gehässigkeit willen, die jetzt die Welt erfüllt. Ich bitte Sie mir unbedingtes Vertrauen zu schenken, daß ich alles tun werde, um mein Teil an einer wenigstens geistigen Versöhnung beizutragen. Schweigen und Gleichgültigkeit ist heute ein Verbrechen.
Ich weiß nicht, ob ich Ihnen noch oftmals werde schreiben können. Im nächsten Monat werde ich – obwohl längst militärfrei – noch einmal auf meine Tauglichkeit überprüft. Es wäre für mich ein Glück, ginge mein Wunsch in Erfüllung, dem Spitaldienst zugeteilt zu werden. Wunden zu heilen wäre mir tausendmal lieber als Wunden zu schlagen. Ich fühle daß ich da viel, im Felde wenig leisten könnte, weil man doch nur dort vollwertig ist, wo die Anstrengung auf der inneren Linie des Charakters liegt.
Aber solange ich noch daheim bin, will ich mit meiner ganzen Energie wirken, diesen Kampf linder und ohne Bitterkeit zu machen. Und ich glaube, Ihre Anregung, es möchten nach Genf die Besten der Nationen zu einer Art moralischem Parlament sich versammeln, ist das Edelste und Notwendigste, was getan werden kann. Nur müssen es *entscheidende* Persönlichkeiten sein. (Ich selbst habe z. B., das Werk noch nicht getan, das mich berechtigt, für Deutschland oder Österreich zu sprechen). Gerhart Hauptmann für Deutschland, Bahr für uns, Eeden für Holland, Ellen Key für Schweden, Gorki für Rußland, Benedetto Croce für Italien, Verhaeren für Belgien, Carl Spitteler für die

Schweiz, Sienkiewicz für Polen, Shaw oder Wells für England – es sind dies ja nur Vorschläge, aber ich glaube, es wäre zu erreichen. Nun meine Frage: *möchten Sie nicht den Aufruf an die Dichter richten,* ich bin bereit, Sie in Deutschland zu vertreten. Oder soll ich es als Ihre Anregung zuerst in Deutschland publizieren? Ich bin gewiß, Hauptmann folgt dem Rufe! Und wie vieles wäre zu tun? Ich denke an eine Art Zeitschrift, die dort von dem Comité allwöchentlich herausgegeben würde, die Lügen dementierte, bewiesene Grausamkeiten der Welt mitteilte, die alle Anregungen zur Humanität im Kriege, zur Linderung der *unnötigen Not* veröffentlichte. Wäre es nicht möglich z. B., daß man wie in den viel barbarischeren Kriegen von einst Offiziere und Soldaten gegen Ehrenwort austauschte? Daß man Civilpersonen nach neutralen Ländern reisen läßt und sie dort unter Verantwortung jener Regierungen bleiben? Ich habe es selbst gesehen: das Leiden der Soldaten ist gering gegen jenes der Angehörigen, die sich in fruchtlosen Worten verzehren, gegen das Entsetzen der Flüchtlinge, denen Haus und Heim zerstört ist. Auch wir haben hier Heimatlose aus Galizien, Frauen, die ihre Kinder auf der Flucht verloren haben, in Ostpreußen sind Tausende geflüchtet, als die Russen kamen, und ihre Erzählungen nach der Heimkehr sind entsetzlich. Wer sind wir, Romain Rolland, und wozu sind wir, wenn wir das Wort und die Macht, die uns durch das Wort gegeben ist, jetzt nicht gebrauchen? Ihr Vorschlag ist so edel und so schön: nun erfüllen Sie ihn auch. Vielleicht wird es nicht gelingen. Aber es muß gezeigt werden, daß nicht nur Nationalismus in der Welt ist. Wir alle haben zwar gebüßt, daß wir so an die Reife der Menschheit glaubten, ich wie Sie haben doch alle geglaubt, dieser Krieg werde verhindert werden können und *nur* darum haben wir ihn nicht genug bekämpft, als es noch Zeit war. Ich sehe manchmal die gute Bertha von Suttner vor mir, wie sie mir sagte: »Ich weiß, Ihr haltet mich alle für eine lächerliche Närrin. Gebe Gott, daß Ihr Recht behalten möget«.

Ja, Romain Rolland, es ist an der Zeit, zu wirken gegen die Gehässigkeit. Es geht nicht an, daß müßige Zeitungsschreiber Soldaten höhnen, die wochenlang auf nasser Erde liegen, täglich ihr Leben einsetzend, daß diese Schreibseelen dann noch die Armen verleumden. Ich glaube fest, daß noch viel zu tun ist, denn in Deutschland – glauben Sie es mir! – ist noch heute keine Gehässigkeit gegen Frankreich. *Frankreich hat einen ungeheuern moralischen Triumph in diesem Kriege erlebt: die Sympathien der ganzen Welt sind ihm entgegengeströmt und was das Wunderbarste ist, Deutschland selbst hat eine Neigung zu seinem Gegner.* Wir fühlen, daß hier gleich gegen gleich steht, Land gegen Land; jedes hat seine besten Menschen herausgestellt, seine heiligste Glut. Der ganze deutsche *Haß* geht gegen England, das Völker kauft wie Schlachtvieh, gegen das England, dessen Volk bei der Pfeife, am warmen Ofen sitzt und aus den Zeitungen den Krieg erfährt, den seine Söldner, die Hindus und Sikhs – im Namen des Rechts und der Menschenwürde natürlich! – führen. Gegen Frankreich ist nur die Waffe, nicht das Herz; es ist noch immer der deutsche Traum, ein Bündnis mit Frankreich zu haben, ihm Freund zu sein. Ich weiß ja, daß diese Liebe nur eine einseitige ist, aber man sollte sie deshalb nicht ableugnen. Und ich glaube, daß in den geistigen Dingen, die wir meinen, die Verständigung immer zwischen Frankreich und Deutschland am ehesten möglich ist. Wir sind doch das Herz Europas, Frankreich und Deutschland und es muß einmal geschehen, daß diese beiden Länder sich verstehen! Darum ist alles was die Beziehungen – bei Euch und bei uns – vergiftet, ein Verbrechen. Niemand weiß, wie dieser Krieg enden wird, aber ich weiß, es wird darnach ein Friede sein und diesen Frieden *schon* vorzubereiten ist die Aufgabe Aller, die jetzt nicht kämpfen. [...]

Das Bureau zur Ausforschung von Civilpersonen hat auf Österreich glücklicherweise keinen Bezug. Bei uns gibt es keine Concentrationslager, es ist, abgesehen von einzelnen Verdächtigen,

niemand interniert. Zwischen Rußland und uns sind Austauschverhandlungen über weibliche Staatsbürger und Männer gewissen Alters im Zuge oder schon vollendet. In dieser Beziehung ist Österreich ungemein correct vorgegangen und ich kann *Sie versichern,* daß außer gegen einige Serben – von Ausländern niemand eingefordert (*polizeilich*) wurde. Ich werde aber jedenfalls die Bildung eines Comités anregen, das Auskünfte jeder Art erteilt: was immer Sie, Romain Rolland, nur vorschlagen, wird eingeleitet werden. Ich bin glücklich, irgendwie in dieser Zeit tätig sein zu können: ich habe einiges hier in Wien mit Glück versucht. Aber unser großes, unser wahrhaftes Werk in dieser Stunde ist sicher nur das, diesen Krieg wenigstens im Geistigen weniger grausam zu machen und eine Versöhnung anzubahnen, die unbedingt nötig sein wird. Mir graut vor den kleinen Gehässigkeiten *nach* dem Kriege fast mehr, als vor seiner jetzigen Wildheit, denn da ist Schönheit beigemengt, das andere aber nur häßliche kleinliche Gefühle. Ich schrieb es ja in meinem Abschied: »nie wird unsere Freundschaft, das Vertrauen in uns notwendiger sein als nach dem Kriege.« Leider strich man mir dort einen wichtigen Satz, ich schrieb, »ob wir siegen oder verlieren, haben wir gleiche Gefahr vor uns, Haß oder Hochmut und dann müssen wir auf beiden Seiten kämpfen gegen Beides.«
Ich grüße Sie innigst, verehrter Freund. Ich habe Sie nie meinem Leben und uns allen so notwendig empfunden als jetzt. Alle meine Wünsche gehen zu Ihnen hinüber und zu der großen leidenden Welt Europas, der wir gemeinsam und brüderlich gehören – *trotz allem und allem!*

Treulichst Ihr Stefan Zweig

Bazalgette ist wohl auch bei der Armee! Wie oft denke ich an ihn und wie innig! Wenn sie ihm schreiben, sagen Sie ihm meinen Gruß! Mein Trost, wenn ich in den Kampf gestellt werde, ist, daß es wenigstens nicht gegen die Menschen geht, die mir seit einem Jahrzehnt lieb und vertraut sind! Und ich weiß viele, die jetzt gegen Brüder und Verwandte fechten müssen. Von Verhaeren weiß ich nichts, aber ich habe jetzt nach Brüssel geschrieben.

An Romain Rolland

23. 10. 1914

Sehr verehrter lieber Romain Rolland!
Ich habe bereits die ersten Schritte eingeleitet. In Deutschland habe ich mich an Walther Rathenau, den tüchtigsten und einflußreichsten Menschen gewandt, er wird mir bald antworten, ob die deutschen Listen übermittelt werden können. In Wien habe ich mit dem Roten Kreuz und andererseits mit den officiellen Stellen Fühlung genommen. Ein Freund von mir, der im Roten Kreuz tätig ist und vielfache Beziehungen hat, wird sich der Sache annehmen. Nötig wäre dazu: ein Brief *vom Roten Kreuz in Genf, der officiell um die Listen der Civilgefangenen bittet und dafür die Gegenlisten verspricht.* Dieser Brief müßte ganz officiell sein und nicht von Ihnen – denn, ich bin ganz aufrichtig, die nationale Reizbarkeit sieht in Ihnen seit dem Wort von »Attilas Söhnen« einen Gegner. Sie verstehen wohl selbst, daß in einer Zeit der Hypertrophie des nationalen Empfindens von einem Bekenntnis oft nur ein Wort zurückbleibt und gerade dieses Wort ist bei uns ein wenig geflügelt geworden. Ich werde sicher Gelegenheit nehmen, das aufzuklären, ich verstand Ihren Brief so wie er gemeint war, in seiner ganzen Schönheit. Aber an den officiellen Stellen sind Sie ein »Gegner« und es ist besser, die Action geht ganz ohne Ihren Namen, nur officiell vom Croix Rouge in Genf. Lassen Sie diesen officiellen Brief an *Dr. Paul Zifferer Wien III Marokkanergasse 11* gehen, sagen Sie darin, daß ich ihn genannt hätte und entwickeln Sie darin ganz formell den Wunsch. Ich unterstütze selbstverständlich die Absicht an den geeigneten Stellen.

Die Frage ist nur, ob es solche Civilpersonen überhaupt noch gibt. Alle, die nicht Männer im militärischen Alter sind, durften bereits aus Österreich ungehindert auf neutrales Gebiet zurück. Vielleicht sind einige Personen als verdächtig interniert, ich glaube es aber nicht, zumindest keine Franzosen. Man hat hier in Österreich sehr milde die Ausländer behandelt, ungehindert setzen zum Beispiel manche Französinnen ihren Sprachunterricht fort. Es gibt also nur mehr Militärgefangene und für die ist, glaube ich, die Convention bereits in Kraft. *Jedenfalls werde ich in einigen Tagen Präcises wissen* und bei meinem Freunde ist die Action in guten Händen.
Verhaerens Schicksal geht mir natürlich sehr nahe. Ich habe nach Belgien um Auskunft geschrieben und falls ich von dort keine Nachricht bekomme, so werde ich öffentlich durch das Berliner Tageblatt nachfragen lassen. Ich vermute, daß er in Belgien geblieben ist: seine Art ist es nicht zu flüchten, wenn es das Schicksal seines Volkes gilt.
Ich denke noch immer an Ihren schönen Vorschlag, die besten Menschen der einzelnen Nationen in Genf zu versammeln, und habe heute durch Rathenau Hauptmann fragen lassen, wie er sich zum Gedanken verhielte. Es ist eine ganz unverbindliche Anfrage und ich bin beinahe sicher, daß Hauptmann den Sinn und die Notwendigkeit einer gemeinsamen Action erfaßt. Wie schön wäre eine Zeitschrift, die dort von Woche zu Woche die gemeinsame Meinung der Besten Europas der Welt übermittelte: es wäre ein Denkmal der Humanität für alle Zeiten, eine Insel des Friedens in diesem aufgewühlten Meere der Gehässigkeit.
Auch von Ihnen wünschte ich jetzt schon, daß Sie eine Art öffentliches Tagebuch wie Dostojewski in dieser schweren Zeit führten und in billiger Broschürenform weiteren Kreisen zugänglich machten. Diese Zeit bedarf der Gerechtigkeit wie keine: jeder, der ihr dienen will, muß alle Zurückhaltung fallen lassen und seinem Wort möglichste Verbreitung zu sichern suchen. Wir alle, die wir den Frieden wollten, sind heute bestraft

dafür, daß wir ihn nicht so laut forderten wie die andern den Krieg. Das sollte uns ein Zeichen sein!
In herzlicher Liebe und Verehrung Ihr getreuer

Stefan Zweig

Ich wäre gern persönlich nach Genf gekommen, wie gerne: aber ich bin militärpflichtig und habe deshalb die Pflicht, im Lande zu bleiben.

An Anton Kippenberg

[Wien] VIII, Kochgasse 8
[undatiert; vermutlich November 1914]

Lieber Herr Dr., ich erfahre eben, daß Verhaeren nach London geflüchtet ist. Directe Nachricht habe ich von ihm keine, doch höre ich, daß ein Buch Gedichte über das zerstörte Belgien (und wohl auch über die Zerstörer) erscheinen soll. Ich kann ihm, der glühend seine Heimat liebt, Schmerz und Groll nicht verdenken, habe ihn nur heute durch Romain Rolland, (den jetzt die französischen Blätter wegen seiner Artikel grimmig angreifen, noch mehr als die deutschen) bitten lassen, nur Tatsachen dem Vers und damit der Dauer zu geben, deren Sicherheit er bezeugt weiß. Denn wer die französischen und englischen Zeitungen allein las – wofür muß der uns halten! Hoffentlich kommt mein Wort noch zu rechter Zeit! Herzlichst

Ihr Stefan Zweig

An Anton Kippenberg

[Wien] VIII, Kochgasse 8
[undatiert; vermutlich November 1914]

Lieber Herr Doktor, eben wie Ihr Brief eintrifft, bekomme ich auch einen von Rolland, dem es endlich gelungen ist, die Adresse unseres lieben Flüchtlings *Verhaeren* aufzutreiben.

Er wohnt

18, Matheson Road, Kensington, London

und atmet dort die entsetzliche Lügenluft der französischen und englischen Blätter. Ich habe ihn durch Rolland bitten lassen, in seinem Zorne gerecht zu sein, aber was muß ich befürchten, wenn Rolland mir schreibt: »Hélas, il connaît aussi maintenant la haine.« Ich will natürlich nicht betteln bei ihm, Deutschland zu »schonen«, aber um seinetwillen ist mirs furchtbar, daß er in seinem Buch über das zerstörte Belgien Berichte in Gedichte verwandelt. Ein Gedicht aus dem Buche gilt der Kathedrale von Reims. Vielleicht können Sie ihm auch ein Wort des Erinnerns zukommen lassen: ich habe nur Rolland gebeten, *er*, der Franzose, möge ihn mahnen, gerecht zu sein. Aber was muß er auch gelitten haben! St. Amand, Bornhem, die Stätten seiner Jugend sind zerstört, und daß er flüchtete und nicht zurückkehrt, deutet auf trübe Erfahrung, denn ängstlich war er nie.
Wissen möchte ich, ob mein Buch über ihn in England jetzt um seiner Actualität willen erschienen ist: es war Ende Juli fix und fertig ausgedruckt und hätte im August erscheinen sollen.
Romain Rolland ist [in] *Genf* Agence de la Croix rouge pour les prisonniers de guerre, seine Privatadresse Genf-Champel, Hôtel Beau Séjour; das Rote Kreuz hat sich herrlich bewährt.
Hier in Wien ist jetzt das ganze öffentliche Leben in die neue Ordnung der Kriegszeit eingewöhnt, die Nachrichten aus Galizien seit Przemysl sind so günstig wie man sie nur wünschen konnte und die Verluste haben sich dadurch, daß wir vom Feinde lernten und nicht mehr mit jener traditionellen Bravour vorgehen, sondern mit mehr strategischem Elan, bedeutend vermindert. Immerhin: mir sind hüben und drüben schon liebe Freunde gefallen, und [wir] sind noch immer im Anfang! Ende des Monats werde ich gemustert und wohl zu irgendeiner Verwendung

ausgebildet: endlich! Der bisherige Zustand des Wartens war unerträglich.

Herzlichst Ihr Stefan Zweig

An Anton Kippenberg

[Wien] VIII, Kochgasse 8

[undatiert; vermutlich November 1914]

Lieber Herr Doktor, Sie sollen in diesen Tagen für Verhaeren so klug und schön das Wort ergriffen haben, ich habe es leider nicht gelesen. Was in ihm vorgeht, weiß ich aus einem Brief, den er an meinen teuern Freund Romain Rolland (den man jetzt in Frankreich steinigt, weil er seine Treue zur Gerechtigkeit nicht aufgibt) geschrieben hat. »Je suis plein de tristesse et de haine. Ce dernier sentiment, je ne l'éprouvais jamais, je le connais maintenant. Je ne puis le chasser hors de moi et je crois être pourtant un honnête homme pour qui la haine était jadis un sentiment bas.« Ich sage Ihnen dies im Vertrauen, es soll nicht, da es aus einem Privatbrief stammt public werden – ich selbst schweige, weil ich meine Freundschaft nicht zum Anwalt einer verlorenen Sache machen will und der Meinung bin, erst sein Wort *nach* dem Kriege sei entscheidend. Und ich weiß: es wird Versöhnung sein.

Ab 1. Dezember bin ich im militärischen Dienst, und zwar an sehr verantwortlicher Stelle. Ich habe nie gedient und arbeite dann mit meiner stärksten Kraft, dem Gehirn, auch zu Gunsten des Ganzen. Mein Wunsch, in ein Spital zu kommen ist mir nicht erfüllt worden, aber das Amt, dem ich zugedacht bin, ist tatsächlich ungleich interessanter und mir gemäß. Ich schreibe Ihnen gelegentlich mehr.

Herzlichst Ihr Stefan Zweig

An Romain Rolland

[undatiert; Poststempel 9. 11. 1914]

Mein lieber und verehrter Freund, ich schreibe Ihnen aus einer der schwersten Stunden meines Lebens. Mir ist heute erst ganz die entsetzliche Verwüstung zu Bewußtsein gekommen, die der Krieg in meiner menschlichen, in meiner geistigen Welt angerichtet hat: wie ein Flüchtling, nackt, mittellos muß ich aus dem brennenden Haus meines innern Lebens flüchten, wohin – ich weiß es nicht. Zu Ihnen zuerst, um zu klagen, mein ganzes Entsetzen zu sagen. Ich habe ein Gedicht Verhaerens gelesen (das ich Ihnen sende samt seinem sehr einfältigen Commentar) und mir war, als stürzte ich in einen Abgrund. Ich meine, Sie müssen wissen, was mir Verhaeren ist: ein Mensch, dessen Güte ich als so grenzenlos liebte, daß ich sie fast zu tadeln müssen meinte, weil sie so ganz ohne Beschränkung war. Ich habe nie von ihm ein Wort des Hasses gehört, eine wilde Entrüstung, denn ein großes Verstehen machte ihn weich gegen seinen eigenen Zorn. Und nun!!

Ich habe es nicht erwartet, ich verlangte es sogar vom Standpunkt der Gerechtigkeit, daß Verhaeren nicht schweigend die Tragödie seiner Heimat sehen konnte. Er ist die Stimme seines Volkes, sie *mußte* nun aufquellen in einem Schrei von Not und Haß! Ich erwartete einen Fluch von ihm, eine Absage. Aber was er schrieb, es ist so furchtbar für *Ihn!* Glaubt er es wirklich, deutsche Soldaten packten sich zu ihrer Wegzehrung in den schweren Tornister abgeschnittene Kinderbeine! Konnten solche abgeschmackten Ammenmärchen wirklich den Weg in solche Herzen finden, dann ist kein Grimm, kein Haß zu groß für diese Brunnenvergifter der Wahrheit. Ich bin klardenkend genug, daß ich weiß, Brutalitäten sind geschehen, denn wenn hunderttausend Männer in irgend einer Stadt im tiefsten Frieden wohnen, geschieht täglich Mord, Diebstahl oder Schändung geschweige im Kriege von Millionen. Dagegen gibt es keine Disciplin, kein Gesetz! Aber ich schaudere, daß er darin ein

System, vor allem eine Eigenschaft unseres Volkes erblicken will. Hat er uns ganz vergessen, seine Freunde, Rilke, Dehmel, mich und vor allem sie, die große Märtyrerin dieser Tage, vor der mein Mitleid immer und immer wieder kniet, die Königin? Glauben Sie mir, mein teurer, mein verehrter Freund, diese Zeilen waren für mich Brandstahl und ich habe nie geglaubt, daß so viel Schmerz von einer mir so lieben Hand geschehen könnte. *Nicht* weil es uns schmäht, hat es mich geschmerzt, sondern weil ich einen Menschen, dessen Leben ich als so vollendet kannte, nun auch überwältigt sehe von einem fremden Geist, weil ich sehe, daß in ihm der Haß stärker ist als der Wille zur Gerechtigkeit. Säße ich ihm gegenüber – wie so viele hundertemal – und fragte ihn in sein tiefstes Herz, ob er diese Tatsachen wirklich glaube oder nur glauben *wolle*, er müßte sie verneinen. Und doch, und doch hebt er diese schalen Lügen, die im Kot des täglichen Geschwätzes verendet wären, mit seinen reinen Händen empor und zeigt sie mit dem Zeugnis seines lautern Namens der ganzen Welt, er adelt sie mit seiner Kunst, vergoldet dies schmutzige Gewürm gemeiner Phantasien und haltloser Gehässigkeit.

Ich selbst kann nur leiden und schweigen. Wenn jetzt in Deutschland – wo man ihn mehr liebte, unendlich mehr als je in Frankreich oder irgendwo – ein Sturm anhebt, muß ich mein Haupt bergen. MITSPRECHEN mag ich nicht, dazu ist mir dieser große Mensch und teure Freund zu lieb, aber wie auch rechtfertigen, was nicht zu erklären ist? Diese Verse haben etwas in mir zerstört, was zum Kostbarsten meines Lebens gehörte, das Sicherheitsgefühl der vielfachen Heimat. Ich glaubte in seinem Herzen für immer geborgen zu sein und glaube fühlen zu müssen, daß ich ihm doch nicht genug war: sonst hätte er diesen Schmerz mir nicht bereiten dürfen.

Mir graut vor diesen Tagen und mir graut vor den Jahren, die kommen werden. Wie wird mein Leben sein, das bisher frei sich zwischen den Vorurteilen bewegte, wie werde ich atmen können in all dieser Gehässigkeit? Außerhalb Deutschlands wird überall noch Haß sein, Jahre und Jahre, in Deutschland wieder der Haß gegen die andern, und ich fürchte mich vor mir selbst, unbewußt dieser Vergiftung zu erliegen. Mein Leben scheint mir jetzt mitten durchgerissen und seiner höchsten geistigen Freude beraubt –, wer wird uns das europäische, das allmenschliche Gefühl wiedergeben? Die hunderttausende Toten werden zu laut sprechen, sie werden zuviel Raum und Glück uns Lebenden nehmen! Das Beste meiner Existenz ist, ich fühle es, genossen und manchmal seit heute frage ich mich, ob es nicht das Beste wäre, mich – wenn auch ohne Begeisterung – in das Getümmel zu werfen und darin unterzugehen. Meine Welt, die Welt, die ich liebte, ist ohnehin zertrümmert, alle Saaten, die wir gesäet, zerstampft. Wofür noch einmal beginnen?

Ich kann es Ihnen nicht sagen, lieber verehrter Freund, was mir in diesen Tagen Ihre gute Gesinnung ist. Die Tatsache, daß ich noch zu Einem jenseits meiner Sprache sprechen darf, ist eine Art Beglückung für mich, die ich keinem begreiflich machen kann. Nehmen Sie aus dem Bewußtsein alles Grauens dies als Tat, daß Sie *einem* Menschen wenigstens in dieser Zeit geholfen haben, bloß durch die Tatsache, daß Sie zu ihm sprachen, daß Sie ihn hörten. Daß Sie nicht alle Wege zu ihm abschnitten und der Franzose in Ihnen doch noch Erinnerung des Allmenschen in sich hat, die hohe Gerechtigkeit für die letzten Gemeinsamkeiten. Jeder von uns, der jetzt sich und seiner Vergangenheit getreu sein will, fühlt Anforderungen an sich gestellt, die schmerzlicher sind, als wir sie je erwarten durften. Daß ich Sie aber dennoch weiter meinen Freund nennen darf und Sie mir Ihre Hand nicht entziehen, ist mir mehr, als ich sagen kann, besonders heute, da jene andere liebe Hand mir so weh getan. Leben Sie wohl und seien Sie innigst bedankt von Ihrem getreuen Stefan Zweig

An Romain Rolland

21. 11. 1914

Mein lieber und verehrter Freund, ich danke Ihnen so sehr ich danken kann für Ihren wundervollen Brief. Wäre, als ich ihn empfing, noch Bitterkeit in mir gewesen, sie wäre entschwunden. Aber wunderbarer Weise hat eine Tatsache mich über Verhaerens Verse getröstet: die Gehässigkeit mancher Antworten in Deutschland. Erst beim Zurückschlagen wurde ich gewahr, wie unzerstörbar meine Liebe zu diesem herrlichen Menschen ist, der jetzt seit Jahren dem Schmerz entwöhnt war und schon ganz oben angelangt in den reinern Regionen der Gefühle, die nicht mehr den Schwankungen des Blutes unterliegen. Und nun mußte er noch einmal hinab ins Inferno des Hasses, er der sich längst schon entsühnt wähnte. Oh, ich ahne, was es ihn gekostet haben mag, gehässig zu sein. Nur die Form tat mir weh, die niedere Form der Schmähung! Könnte ich ihn sprechen, so würde ich ihm sagen, er möge darauf achten, wer ihm jetzt Beifall zollt: in der Literatur seine Feinde, die lachten, wenn man ihn Dichter nannte und seine Sprache schmähten, und auslands die Engländer, die nie seinen Namen, geschweige sein Werk gekannt. Sie kennen dies und jeder von uns, das heimliche Erschrecken, wenn mit einemmal Leute uns Beifall geben, die innerlich nicht ein Wort unserer seelischen Sprache verstehn: ich mustere mich dann immer mißtrauisch und mir ist, ich hätte etwas falsch getan. Vielleicht wählt ihn heute die Academie, die er bisher innerlich verspottete, vielleicht entdecken die Franzosen, daß er gar kein so übles Französisch schrieb und überhaupt von je ein großer europäischer Dichter war. Nur gedenken soll er, wo man ihn bisher haßte und liebte, für wen er schrieb und für wen er jetzt schreibt: und ich bin zufrieden. Nichts fürchte ich für ihn mehr als den Beifall der Boulevards: der ist heute billig und jeder Lügner heimst ihn ein.

Verstehen Sie nur dies, Sie Mitfühlender, wie sehr Verleumdung aus einem solchen Munde schmerzt. In Deutschland litten

wir nur an dreier Menschen Wort: zuerst an Ihrem, an dem Maeterlincks und Verhaerens (auch Hodlers natürlich). Nur wenn jene sprachen, tat es weh, denn diese kannten Deutschland, die andern sprachen nur blinden Haß. Und verleumdet ist Deutschland in diesen Tagen worden. Sie haben mich, mein lieber teurer Freund, gewarnt, nur nach einer Seite zu hören und ich schwöre Ihnen, daß nichts meine Seele so erfüllt als gerecht zu sein und nur das zu bezeugen, was man selbst gesehn. Und ich bezeuge: in einer amerikanischen Tageszeitung ist im Oktober ein Essay erschienen, der in Riesenlettern die Aufschrift trug *Vienna in Despair* und als Beleg anführte *Stefan Zweig writes* und dann einen Artikel brachte, der das Infamste an Fälschung und Mystifikation war. Ich bezeuge dies und frage Sie, ob wir ganz Narren sind, wenn wir schreien, man verleumde uns. Nun habe ich es selbst erfahren. Und Manches, wie die »abgeschnittenen Kinderfüße« die man »oft« in deutschen Tornistern finde oder die Diebstähle des deutschen Kronprinzen – das darf ich stolz sagen, solche Niedertracht ist unsern Feinden in Deutschland nie angedichtet worden. Und diese Lügen springen mit den Telegrafenfunken rund um die Welt, eine elektrische Atmosphäre von Verleumdung umhaucht die ganze Erde. Wer kann ihnen nach, diesen Lügen? Selbst die Geschichte holt sie nicht mehr ein.
Ich sage Ihnen dies nur, um zu erklären, warum selbst ich, der ich meine innere Kraft zusammenraffe, um klar und gerecht zu bleiben, in manchen Sekunden vielleicht auch reizbar bin. Es ist die Bitterkeit der Vielen, die auch den Einzelnen faßt: Sie selbst werden in Paris ihr nicht ganz entgehen können oder schwerer zumindest als in der Schweiz. Meinen ganzen innern seelischen Besitz, – Begeisterungsfreude, Menschheitsliebe und Aufopferungsfähigkeit – diese Dreieinigkeit werde ich aber, ich weiß es, unversehrt in die neue Zeit hinüberretten. Auch ich werde Europa treu sein, allen Ländern und allen Menschen. Oh, ich bin schon so ungeduldig, an jedem Tage mehr, da ir-

gend etwas in Trümmern stürzt, es wieder aufbauen zu helfen. Und wir müssen früh beginnen, Romain Rolland! In der ersten Stunde des Krieges war der Haß da und drängte alles fort: in der ersten Stunde des Friedens muß unsere Liebe werktätig zur Stelle sein.

Sie haben mir, Sie Gütiger, immer Liebe erzeigt. Nur weiß ich nicht, ob sie mir persönlich so galt wie sie überhaupt unbewußt aus Ihnen jedem entgegenströmt. Denn ich möchte Ihr Vertrauen zu mir auf eine Probe stellen, Ihnen einen Vorschlag unterbreiten, der der Gesinnung nach Ihnen nahe sein müßte. Ich weiß nur nicht, ob ich Ihnen genug vertrauenswürdig dazu bin.

Ich glaube, wir müßten – und ich denke an Sie und mich – *sofort* nach dem Frieden, wem immer der Sieg zufällt, für zwei oder drei Jahre, *aber nur die ersten Jahre,* eine Zeitschrift gemeinsam in beiden Sprachen herausgeben, die »Versöhnung«, »Réconciliation« heißen sollte. Was mir von meinem Vermögen bleibt, will ich gerne dafür opfern und meine ganze Arbeitskraft. Es muß alles, was an Haß noch zwischen den Völkern ist, durch das Beispiel ihrer Besten sofort gesänftigt werden. Ich glaube im allgemeinen nicht an die Notwendigkeit von Zeitschriften, ich möchte auch nicht, daß diese einen Tag länger lebte, als sie nötig ist, nicht einen Tag! Aber ich weiß, daß sie nötig wäre in den ersten Monaten, hüben und drüben. Auf die Besten in Deutschland könnte ich zählen, daß sie mir helfen würden und Ihnen ist die Unterstützung aller Gerechten in Frankreich und in der Welt sicher.

Ich habe das Gefühl, daß in allen starkfühlenden Menschen unserer Zeit jetzt unendlich viel Niedergehaltenes ist. Und es wird vielleicht auch nachher keine Tribüne sein für das notwendigste Wort. Heute, nur heute, da der Kampf noch unentschieden ist, läßt sich die Grundlage zu einem solchen Werk legen. Ich wäre glücklich, meine Zeit, meine Fähigkeiten, mein Vermögen einem solchen heiligen Dienst opfern zu können: aber er müßte so gebaut sein, dieser Tempel der Versöhnung, daß sein First sichtbar sei in der ganzen Welt. Ich denke die Zeitschrift in beiden Sprachen mit Gastbeiträgen in englischer, italienischer und holländischer, denke mir die Schweiz als Erscheinungsort, zwischen den Staaten und inmitten der Freiheit. Ich fühle und fühle, nur Enthusiasmus und Selbstaufopferung kann wieder nahebringen, was jetzt die vielfache Gehässigkeit auseinandergestoßen hat: jetzt oder nie muß der europäische Gedanke hochgehalten werden. Vieles, das gesprochen sein will, findet nicht die Stelle und nur in Rede und Widerrede kann die ganze heilige Not aller derer sichtbar werden, die an der Entzweiung leiden. Ich fürchte keine Angriffe mehr, ich weiß, daß mein sicherstes Werk nicht das Eigene ist, sondern eine Fähigkeit zur Vereinung, eine Leidenschaft zur Güte und zur Versöhnung. Ich kann selbst in diesen Tagen niemals jemanden ganz hassen, wo die Welt in Flammen steht und im geheimsten ist mir, als könnte mir einmal die Macht noch werden, den Haß der andern zu mindern. Ich fühle so ganz, was Sie von den Forderungen der Hingabe und des Beispiels sagen und ich bin froh bereit, alle eigene Pläne auf Jahre wegzustellen für dieses Werk (so wie ich schon einmal zwei Jahre für die Tat hingegeben habe, die deutsche Welt für Verhaeren zu gewinnen – und ich *habe* sie gewonnen). Ich bin heute in dem Alter jener Entschlossenheit, wo man im Moralischen das kann, was man will, und fühle mich auch dieser Aufgabe, die ich Ihnen entwickelte, voll gewachsen. Ihre Hilfe wäre freilich unumgänglich, weil sie so erlauchte Bürgschaft Frankreich gegenüber ist, für die heilige und ernste Absicht dieser Tat. Die tatsächliche Arbeit will ich gerne auf mich nehmen – Ihr Werk ist wichtiger als das meine – aber Ihre Hilfe könnte ich nicht entbehren.

Die Stunde ist da und der Wille auch. Ich fühle den Ruf einer Tat. Mögen die andern nach dem Krieg jeder wieder eigensüchtig zu seiner Arbeit zurückkehren, ich fühle, daß erst dann die Arbeit für das Gemeinsame beginnt. Für lange ist dann noch keine Ruhe, denn ich fürchte, der Haß überlebt den Krieg, er

wird nicht geringer, nur gemeiner nach seinem Ende. Ihn dann zu bekämpfen, wird dann unsere Kriegestat sein und zu ihr fühle ich den Mut so stark wie jene, die sich gegen die Kanonen werfen und unter hundert Entbehrungen vorwärtsgehen.
Ich wünsche Ihnen Kraft für die Abwehr jetzt in Paris: möge sich's nur nicht Ihnen mit Ekel vermengen, feindselig sein zu müssen gegen niedere Gesinnung und vergiftete Worte. Ich danke Ihnen mit mehr Liebe für jede Ihrer Taten als jene alle Haß haben. Und vielleicht ist dies Ihnen schon ein Geringes!
Treulichst ergeben Ihr Stefan Zweig

An Anton Kippenberg

[Wien] VIII, Kochgasse 8
[undatiert; vermutlich Dezember 1914]

Lieber Herr Doktor, ich höre eben daß A. W. Heymel gestorben ist, und sage Ihnen, seinem Freund und Mitgestalter am Werke, mein innigstes Beileid. Ich will ihm auch öffentlich ein paar Worte widmen, ich bin nur sehr in Eile. Ich habe die Uniform angezogen, lerne das Militärische und bin dem Kriegsarchiv für sehr wichtige geheime Arbeit zugeteilt (ein Berliner Blatt meldete mich »im Felde«, was ich sofort berichtigte, denn es ist nicht jeder ein Held und Dulder der Uniform trägt).
Ich glaube, daß ich meinen schweren und schönen Dienst gut und wirksam tun werde, an Wille und Freude fehlt es mir nicht. Ich bin beglückt, nun endlich auch im Gemeinsamen wirken zu dürfen: gemeldet hatte ich mich am ersten Tag zu einem solchen Dienst (am andern verhinderte mich der Assentbefund meiner Operation). Nun habe ich's endlich erreicht und freue mich ungemein.
Ich würde Sie so gerne einmal sehen, wieviel hätte ich Ihnen zu erzählen. Ich sehne mich nach Deutschland immer nach drei Monaten: es ist bei mir schon eine Art Heimatkrankheit, von Zeit zu Zeit in Berlin und Leipzig zu sein. Ich schreibe Ihnen

bald mehr, jetzt bin ich ja Recrut, und noch ein recht schlechter dazu.

Herzlichst Ihr Stefan Zweig

An Romain Rolland

Wien, 23. III. 1915

Mein lieber und verehrter Freund, Ihren Brief vom 20. (Antwort auf meinen eiligen vom 17.) habe ich erhalten. Lassen Sie mich nun aus meinem Brief vom 12. März Eines noch wiederholen: den Dank. Sie haben mir viel geholfen in dieser Zeit. Nicht, daß ich umgefallen wäre und aufgerichtet werden müßte, aber gerade das Gleiche, was Sie sagten, habe ich empfunden, Einsamkeit und Widerstand, die eigene Wachheit schmerzlich im Taumel der andern. Ein Wort, ein einziges, kann da erlösen in dem Sinn wie ein Ton, ein einziger, eine Dissonanz auflöst; nichts als dies, das Bewußtsein, daß man in einer höhern Harmonie mit den teuersten Menschen ist, kann den beseligenden Umschwung des ganzen Gefühles bringen. Diese Zeit bindet ja enger, die Lauten schreien zusammen, die Leisen schweigen zusammen, aber es ist Bindung und Bruderschaft allen nötig, den Weisen wie den Toren. Jetzt einsam zu sein, wäre ärger wie jemals. Drum Dank, Dank für jedes Ihrer Worte!

Ich las Verhaerens Worte im »Temps« und den »Annales«, unsere Zeitungen haben sie reproduziert. Ich las die Stelle, wo er mich öffentlich verleugnet (»ich habe dort Freunde gehabt, jetzt sage ich mich von allen los«) und las sie ohne Schmerz. Wenn er wahrhaft so fühlt, daß er jeden einzelnen Menschen, der deutsche Sprache spricht, als seinen Feind empfindet, dann war die Beziehung zwischen ihm und mir ja gelöst nicht nur aus nationaler sondern auch aus menschlicher Dissonanz. Sie wissen, wie sehr ich ihn geliebt habe, – wie einen Vater, wie einen Meister – und doch kann ich jetzt nicht trauern, weil ich überhaupt nicht fähig bin, persönliches eigenes Leiden jetzt so stark

zu empfinden in dieser Zeit des Mitleidens für Alle und mit Allen. Ich sage mir es immer wieder: Tausende Mütter verlieren ihre Kinder, tausende Kinder ihren Vater, darf ich da klagen, wenn dieser Krieg mir einen Freund nimmt? Ich habe innerlich redlich das Bewußtsein, nichts mit einem Wort, nichts mit einem Gedanken gegen ihn verschuldet zu haben und fühle mich darum frei in diesem Abschied und ohne jede Bitterkeit. Das Schicksal, persönlich für eine Rasse gehaßt zu werden, hat mich mein jüdisches Blut seit Jahren lächelnd ertragen gelehrt, ich werde es nun auch mit dem andern Sinn meines Wesens, als Deutscher, geruhig tragen. Und seltsam, gerade in der Vehemenz seiner Äußerungen – die jene der ärgsten Boulevardschreier an Unverstand übertrifft – spüre ich einen tiefen Schmerz, eine Verzweiflung, die ich ehre und achte, so sehr ich die Äußerungen selbst verächtlich finde (es kostet mich viel, bei meiner Ehrfurcht für ihn, das Wort niederzuschreiben).
Ich sage Ihnen dies alles, mein lieber und verehrter Freund, aus innerem Bedürfnis und nicht etwa mit der geheimen Absicht, Sie möchten zwischen ihm und mir eine Verständigung suchen. Vielleicht wäre er geneigt, mir eine Ausnahmestellung zu bewilligen, aber ich lehne das ab, so wie ich als Jude immer Begnadigungen und Vergünstigungen ablehnte. Ich weiß nur, wenn er ehrlich bleibt (denn auch seine Leidenschaft jetzt ist ehrlich) so wird er später sich im Unrecht fühlen müssen: ich sicherlich nicht, weil ich geschwiegen habe. (So sehr man mich auch hier zur Antwort drängte. Aber ich lasse mich nicht drängen.) [. . .]
Sonst geht mein Leben hier ruhigen, ernsten Gang. Ich habe viel Arbeit zu tun, das ist gut. Ich sehe wenige Menschen und das ist auch gut. Nächstens sende ich Ihnen einen Artikel, den ich veröffentlichen will, er gilt dem Leiden der Polen und Juden: ich lasse ihn am Ostertage wahrscheinlich erscheinen. Pläne habe ich viele und viel Drang zur Arbeit, all das werde ich nachher tun und ich fühle mein Blut schon erregt im Vorgefühl

all des Vielen, das zu tun sein wird. Ich zähle sehr auf Ihre Hilfe und Sie können auf mich zählen, was immer mir Ihr Wunsch auferlegen wird. Wie denken Sie über jenes Buch der menschlichen Documente aus dem Krieg? Es müßte auch geschaffen sein. Aber all das ist ja noch weit, jetzt müssen wir nur im Feuer der Tage die Seele ganz rein glühen lassen und ihr die Wärme geben, die dann Liebe schafft. Immer muß ich an den armen toten Van der Stappen denken, wie er mir Jahr um Jahr von dem großen Monument erzählt »La bonté éternelle« das er schaffen wollte als sein Lebenswerk und wie er mir klagte, er sei doch schon zu alt. In der Jugend schon müsse man beginnen, an diesem Denkmal zu bauen und Tag und Tag nur daran denken. Er ist gestorben, ohne es zu vollenden: das war mir immer eine Mahnung, keinen Tag zu verlieren. Auch wir sind Arbeiter an diesem ewigen Denkmal.
Ich grüße Sie in Liebe und Treue! Ihr Stefan Zweig

An Romain Rolland

23. VI. 15.

Mein lieber und verehrter Freund, ich will Ihnen heute ausführlich schreiben und aufrichtigst. Die Liebe, die ich für Sie und Ihr Werk fühle, darf nicht schweigen, wenn sie einmal sich wehren will. Ich glaube, auch der Geringste hat ein Recht, dem Besten entgegenzusprechen, wenn er diesen Besten im Irrtum sieht. Wenn wir beide uns schreiben, so ist es nicht um Politik zu treiben, nicht um einer den andern zu seinen Überzeugungen zu bekehren, sondern aufzuklären und gegenseitig uns falsche Leidenschaftlichkeit zu nehmen. Wir haben ja beide nur einen Willen, den zur Gerechtigkeit.
Ich habe Ihren Aufsatz »Le meurtre de l'élite« gelesen und finde: er ist ein Rückfall. Ich verstehe *ganz* Ihre edle, tiefe Absicht. Sie wollten den Franzosen den Haß gegen den einzelnen Deutschen nehmen, aber um überhaupt ihnen Zutrauen zu

Ihrem Wort zu geben, haben Sie Concessionen gemacht, Sie haben den allgemeinen menschlichen Standpunkt, den Sie (wie herrlich!) sich erobert hatten, wieder aufgegeben und parteiisch gesprochen. Ihr Artikel ist nicht für die Welt geschrieben sondern für Franzosen, Sie haben die Wahrheit, die Sie ihnen vermitteln wollten – die edle schöne zwingende Wahrheit des Allmenschlichen unter allen Fahnen und Standarten – in ein buntes grelles Papier mit den Farben der Tricolore eingewickelt. Sie wissen, mein ganzer Wille geht nach Objektivität und, so wie ich jedem dankbar bin, der mir zeigt, wo ich mich vom Gefühl hinreißen ließ, so fordere ich es von jedem, der gleiches will, daß er die Gegenstimme willig hört.

Sie sagen zwei Dinge, Romain Rolland, dem Leser oder besser: dem Franzosen, die er gerne hört und die Sie nie erweisen können. Das erste: die deutsche Regierung habe den Krieg gewollt. Ich will nicht in Einzelheiten eingehen, sondern nur Sie an die Vernunftfrage erinnern: will ein Volk einen Krieg gegen die drei größten Staaten der Welt, kann eine Regierung in *solchem* Augenblick einen Krieg wollen? Und war Frankreich ganz friedliebend? Was lag in den Buchhandlungen seit Jahrzehnten? Schriften der Revanche und des Krieges! Ich glaube, Schuld auf einen Staat zu wälzen, ist einem Objektiven nicht gestattet und Sie dementieren sich selbst. Ihre eignen Worte in einem früheren Essay, wo Sie allen die Schuld gaben und keinem. Ich kann nur bezeugen, was ich erlebte. Wir in Österreich haben die panrussische Agitation gesehen, mit Augen gesehen und ich selbst habe in Paris dutzendemal (auch in der Kammer) die Revanche predigen gehört. Dennoch würde ich nie ein ganzes Volk, eine Regierung *allein* anschuldigen. – und das haben Sie, Romain Rolland, diesmal getan.

Und zweitens: Sie haben den Mut, die Begeisterung für die gerechte Sache in Frankreich der Disciplin in Deutschland gegenübergestellt. Auch das ist unrichtig. Das Hüben und Drüben ist nicht in Begriffe zu fassen und ein Volk, das zwei Millionen

Kriegsfreiwillige gestellt hat, hat seine Begeisterung damit (und nicht zuletzt durch seine gigantische Leistung) gezeigt. Ich zweifle nicht an dem Elan in Frankreich, obwohl die fortgesetzten Parlamentsdebatten über Maßregeln gegen die »embusqués« ebenso ausgenutzt werden könnten wie ein Brief oder ein Gedicht eines Einzelnen, ich glaube, daß kein Volk auf Kosten eines andern gelobt werden solle. Es hat jedes ein Anrecht auf Ruhm schon allein durch sein Leiden, durch seine Toten.
Wozu also, Romain Rolland, dies Gegenüberstellen? Ist es nicht genug schon, daß die Völker sich in Waffen gegenüberstehen, müssen sie noch von den Besten in ihrem geistigen Sein gegeneinander gemessen werden? Ich wiederhole Ihnen, lieber verehrter Freund, daß ich den vornehmen Sinn, in dem der Essay geschrieben war, verstehe, aber Sie erzielen vielleicht eine Gegenwirkung, wenn Sie die Einzelnen gegen das ganze Deutschland stellen. Es wäre so, wie wenn man sagte: wie herrlich, wie gerecht ist Frankreich, es hat einen Menschen von der Objektivität Romain Rollands, der unter all den Millionen der einzig Vernünftige ist. Wäre Ihnen ein solches Lob nicht entsetzlich? Wäre Ihnen – aufrichtigst! – nicht lieber, man würde Ihr Tun und Schaffen mißachten und verneinen, während man das ganze Land, die einige Nation rühmt? Ich glaube, lieber verehrter Freund, man sollte nationale Massen-Psychologie jetzt lassen: der Elan ist nicht ein ebenmäßiges Gefühl, sondern ein sprunghaftes. Ich habe die Stimmungen hier und überall rapid wechseln sehn, im Einzelnen wie im Ganzen, und deshalb ist die Einzelmanifestation – ein Brief etwa – so authentisch sie ist, oft im höheren Sinn eine Fälschung, ein falsches Zeugnis. Und einzelne Briefe, aus Aufwallungen der Müdigkeit, des Hasses, oft rein physischer Ermattung geschrieben, bezeugen *nichts* und sollten in diesem Sinn von einem Gerechten nie verwertet werden. Ich glaube überhaupt, wir, die wir nicht inmitten der kämpfenden Armee stehen, sollten Uns jeder Urteile über ihre Fähigkeiten und ihren Geist enthalten, denn wir sind auf Impressionen An-

derer angewiesen, von denen jeder nur durch seine eigenen Augen sieht.

Lieber verehrter Freund, ich glaubte Ihnen dies schreiben zu müssen. Sie haben mir viel, unendlich viel geholfen in dieser Zeit, mein inneres Gleichgewicht zu erhalten, – so muß ich gegen Sie dankbar sein durch Aufrichtigkeit und Ihnen sagen, wo Sie gegen Ihren eigenen innersten Willen nachgiebig geworden sind. Wir unterliegen alle jetzt, mehr als wir es wissen, Strömungen der Zeit und der Stunde, die uns von dem Ziel – Europa – oft gewaltsam wegtreiben. Aber wir müssen uns gegenseitig immer anrufen und die Richtung weisen, damit wir das Ziel nicht verlieren und beisammen bleiben in diesem unsichtbaren brüderlichen Verband der Weltliebe und Zuversicht. Ich hoffe Sie entgelten nicht diese aufrichtigen Worte Ihrem immer getreuen und in seiner Liebe unentwegtem

Stefan Zweig

An Anton Kippenberg

[Postkarte]

[undatiert; Poststempel 3. Juli 1915]

Lieber Herr Doktor, ich gehe morgen auf einer Dienstreise für einige Zeit nach Galizien ab, mein Ziel ist leider nicht ganz von meinen Wünschen abhängig, aber ich dürfte auch nach Przemysl und Lemberg kommen. Von Verhaeren ist dieser Tage ein Buch »La Belgique Sanglante« erschienen, ich will mich bemühen, mirs zu verschaffen, obwohl es mir wenig Freude gewähren dürfte. Viele Grüße von Ihrem herzlich ergebenen

Feldwebel Stefan Zweig

An Anton Kippenberg
[Postkarte]

[undatiert; vermutlich Juli 1915]

Lieber Herr Doktor, ich grüße Sie aus Przemysl. Gestern war ich in Jaroslau und Debica (das letztere ein tragischer Trümmerhaufen) vorgestern in Tarnow (ein Erlebnis) jetzt muß ich über Lemberg weiter nach Stry und Drohobycz. Ich habe offene Ordre und reise, um rasch zum Ziel zu kommen, auf allen erdenklichen Fahrzeugen und Zügen – das letzte Stück nahm ich von der Höhe eines Güterwagens mit geringer Kilometergeschwindigkeit, aber um so größerem Genuß. Die Schlachtfelder sind hier überall bis an Bahn und Straße – die Organisation und der deutsch-österreichische Eisenbahnbetrieb mein überhaupt größtes Erlebnis. Herzlichst Ihr Stefan Zweig

An Anton Kippenberg
[Postkarte]

[undatiert; vermutlich Juli 1915]

Lieber Herr Doktor, nach 27stündiger Fahrt ohne Essen und Rauchen von Przemysl nach Lemberg haben wir hier in der russischen »Beute« den herrlichsten Caviar gefunden, den man sich denken kann. Galizien ist eine Enttäuschung im Guten für mich, das Land reich und eigentlich wenig zerstört. Aber stunden- und stundenweit überall Holzkreuze in den Feldern – ein solcher Preis ward noch nie für Erde gezahlt. Ich könnte Ihnen viel erzählen, was ich sehen durfte und hören – aber ein andermal, hoffentlich in Wien. Ich muß jetzt noch nach Drohobycz und Stry. Herzlichst Ihr Stefan Zweig

An Romain Rolland

VIII. Kochgasse 8
Wien, 28. Juli 1915

Lieber verehrter Freund, ich komme eben aus Galizien, wo ich zu dienstlicher Reise hart bis an die Front kam und Unendliches gesehen habe. Ich kann Ihnen nichts Näheres schreiben, aber nur dies: daß jeder, der Urteile von ferne abgibt, aus Stuben und Redaktionen, ein Unwissender und selbst bei bester Absicht ein Ungerechter ist. Die Wahrheit duldet keine Zwischenträger, nur ins offene Auge strömt sie ein und jedes Wort, das geschriebene wie das gesprochene ist schon Verwandlung und Verfälschung. Ich habe viel gesehen, Niederdrückendes und Tröstendes – eine Nacht in einem Lazarettzug hat mir die Welt des Leidens noch weiter aufgetan als je. Und ich bin dem Geschick dankbar, das mich einmal nahe sein ließ und es mir leichter macht, gerecht zu sein.

Ihren Entschluß des Schweigens muß ich ehren, lieber teurer Freund, so sehr Ihre Stimme der Welt auch fehlen wird. Aber auch ich habe resigniert: das Mißverstehen ist jetzt stärker als der Wille zur Verständigung. Aber aus dem Felde bringe ich Ihnen die eine, die gewaltige Tröstung: nach dem Kriege wird anders gesprochen werden. Jetzt reden in den Zeitungen die, die fern geblieben sind, dann aber werden jene sprechen, die erlebt haben. Diese schweigen jetzt, aber sie sehen, sie dulden und sehen Leistung und Leiden des Gegners. Diese Menschen werden nachsichtig und gütig sein, die Blut strömen sahen. Tinte ist ein billiger Saft, sie läßt sich leicht verströmen.

Darum hat mich ein Buch wie das Verhaerens »La Belgique sanglante« nicht tief getroffen. Ich bedauere es nur. Die Vorrede hat mich sogar ergriffen, sie ist eine Art Entschuldigung, sie schiebt das Buch von der Verantwortlichkeit gegen die Ewigkeit zurück in die Zeit. Aber wie peinlich, daß gleich der erste Satz des ganzen Buches eine Lüge ist. Der erste Satz: Kaiser Wilhelm habe geschworen, in Nancy, Calais, Paris einzuziehen.

Nie hat (außer vielleicht in den Lügenfabriken des Matin) der Kaiser einen solchen Eid gesprochen. Es wird der große Ruhm Deutschlands in diesen Tagen sein, mehr geleistet als versprochen zu haben. Wie traurig nun, daß eine Unwahrheit – und einem jeden Menschen bewußte Unwahrheit – der erste Satz eines Buches von Verhaeren ist. Wie wird er es dereinst bedauern, daß er das Opfer von Zeitungslügen war, er, der die Zeitung und die Lüge einhellig haßte. Oh, ich habe selbst gesehen jetzt oben in Galizien, wie man siebenfach jedes Zeugnis von Flüchtlingen und angeblichen Augenzeugen wenden muß und vor allem dies, daß die Wahrheit in solchen Zeiten nicht flach auf der Hand liegt, sondern daß man sich zu ihr graben muß durch allen auf sie gehäuften Schutt von Lüge und Entstellung wie zu allen andern kostbaren Produkten der Erde. Man müßte allen, die jetzt für die Welt schreiben, Goldwaagen geben für jedes Wort, daß sie es abwägen und prüfen, ehe sie es weitergeben, damit die Menschheit nicht betrogen sei. Nie war es gefährlicher leichtfertig zu sein, für den Feldherrn, den Arzt, den Richter aber auch den Schriftsteller, als jetzt. Oh, Romain Rolland, wie habe ich draußen das alles gelernt. Drei Tage, drei Wochen in jener Welt sagen mehr als 1000 Bücher und Broschüren. [. . .]
Leben Sie wohl, lieber teurer Freund und senden Sie bald Botschaft Ihrem immer (und über allen Schein) getreuen

Stefan Zweig

An Ernst Hardt

VIII. Kochgasse 8
Wien, 7. September 1915

Sehr verehrter Herr Hardt!
Verzeihen Sie, daß ich Ihnen nicht handschriftlich schreibe, aber erstlich ist durch meinen Militärdienst meine Zeit für Briefe arg verstümmelt und zweitens ist's in sachlicher Angelegenheit, daß

ich mich an Sie als den Entscheidenden der Schiller-Stiftung wende. Es ist die Bitte eines Andern, die ich an Sie weitergebe und aufs herzlichste unterstützen möchte. Ein Freund, *Paul Zech*, den ich für einen der Allerbegabtesten, wenn nicht überhaupt den Allerbegabtesten der jungen Berliner lyrischen Gruppe halte, der ein tapferer Mensch ist, der sich von unten herauf emporgearbeitet hat, liegt jetzt irgendwo an der französischen Grenze als Armierungssoldat. Er hat eine Frau und zwei Kinder, denen es herzlich schlecht geht und die nur durch eine einmalige Gabe der Schiller-Stiftung sich überhaupt über Wasser halten konnten. Nun ist der Ertrag dieser Gabe zerronnen und er sieht sich genötigt, noch einmal an die Schiller-Stiftung heranzutreten.
Ich schreibe Ihnen, verehrter Herr Hardt, nicht um Ihr Urteil zu beeinflussen, das sicherlich jetzt harte Wahl bei zuviel Bedürftigen und bedeutend geringeren Mitteln hat, sondern einzig um Ihnen zu sagen, daß Paul Zech durchaus ein charakterfester Mensch ist, der Arbeit kennt und Arbeit liebt und der, ehe er eine Stiftung um eine Gabe angeht, wirklich in bitterster Sorge sein muß. Seine großen Fähigkeiten geben ihm wirklich das Recht und die Notlage, in der sich seine Familie befindet, gründet sich im Wesentlichen auf seine Einberufung und nicht auf irgend eine Bequemlichkeit des Willens oder eine Gewohnheit der Unterstützung.
Ich nehme den Anlaß herzlich wahr, um Ihnen für die baldige Aufführung des »König Salomo« alles Schöne zu wünschen. Möge sich alles erfüllen, so wie Sie es wollen und dieser Wunsch so wie jener andere gemeinsame, den wir alle an das Schicksal haben, zur baldigen Wirklichkeit werden. Ich grüße Sie aufs herzlichste als Ihr ergebener Stefan Zweig

An Ernst Hardt

Wien 21. October 1915

Sehr verehrter lieber Herr Hardt, erst heute ist die Stunde mir recht zugehörig, in der ich Ihnen für Ihren lieben Brief und Ihr Buch danken kann: der Wille dazu war längst in mir rege, aber der Dienst tötet so ganz in mir die Neigung ab, den Abend wie einst zur Muße des Lesens zu nützen: jetzt bleibt mir nur die Nacht und die will spärlich genützt sein.

Ihr Stück zu lesen war für mich diesmal besonders spannend, da meine eigene neue dramatische Arbeit in jener Welt und Zeit (ungefähr) spielen wird, freilich in den Motiven und in der Form weitab (ich wähle die biblische Prosa statt des Verses.) So war mir die geistige Landschaft vertraut, auch die Gestalten schon nahe. Herrlich finde ich darin den greisen König David, in ihm lebt das ganze Königtum, die alttestamentarische Macht. Ich spüre ihn als die wesentlichste Erscheinung, er überragt das eigentliche Geschehen des Dramas und sein Tod ist dämonisch gesehen. Durchaus im hebbelischen Format wirkt er und ich nehme ihn, den greisen, stärker aus Ihrem Stück jetzt hinüber als den der Bibel, er ist nur das dauerhaftere Bild. Von Salomo empfinde ich bei Ihnen nicht so starke Prägung, Sie haben ihn, für mein Empfinden, in seiner seelischen Art zu sehr germanisiert, ihm Adel gegeben, wo die Bibel ihm Sinnlichkeit (edelste) zuweist und deshalb kann ich die centrale Stellung seiner Person im Werke nicht ganz glücklich finden. Er deckt sich nicht ganz in seinem seelischen Wuchs mit Palme und Ceder: er ist zwischen Eichen und Fichten erwachsen, dieser Salomo und auch nicht ganz der Sohn der heißen Bathseba. Ich hoffe, Sie nehmen das, was ich hier sage, nicht als Kritik und es wäre als Problem zu erörtern, ob ein deutscher Dichter nicht alle seine Gestalten zu germanisieren habe. Jedenfalls ist Ihre Art, glaube ich, glücklicher auf deutschem Grunde wie in orientalisch-mythischer Welt: die tiefe Reinheit, die Sie jedem, selbst den Feinden, den Gegenspielern, mitgeben, die Reinheit selbst des Hasses und

des Unmuts, schmückt diese Menschheit mit fremden Kleid. Die jüdische Welt des alten Testaments ist eine des Hasses, der Kraft, der Klugheit und der Sinnlichkeit. Ethos ist ihr fremd in andrer Form als der starren des Priestergesetzes, Reinheitstrieb und Reinigungslust (die Katharsis der Griechen) ihnen unbekannt. So fühle ich sie zumindest, so will ich sie gestalten und vielleicht aus dieser Vorbeschäftigung empfinde ich Ihre Menschen nicht organisch im Geschehen (mit Ausnahme des Königs David). Selbstverständlich verkenne ich darum nicht die dramatische Kraft des Stückes und seinen sittlichen Auftrieb, ich weiß wie edel es gewollt und gestaltet ist. Und wenn ich so frei zu Ihnen von meinen Widerständen gegen Einzelnes spreche, so geschieht dies nur aus der Selbstverständlichkeit einer Schätzung, die von Ihnen nach Schönem immer wieder Schönstes fordert. Ich freue mich, daß Sie dieses Stück uns gegeben haben, freue mich seines dramatischen Gelingens und meine Einwände sind nur die persönlicher Neigung, die mir zu verschweigen leicht gewesen wäre. Aber gerade in der unbesorgten Offenheit der Erörterung mögen Sie meiner herzlichen Gesinnung gewahr werden.
Dank für alles auch, was Sie für Paul Zech taten. Sie haben ihm das Feld und die Ferne leichter gemacht: Besseres können wir in der Heimat nicht vollbringen. Vielen Dank nochmals aus vollem Herzen und aufrichtiger Neigung

Ihr ergebener Stefan Zweig

An Hermann Hesse

9. November 15

Sehr verehrter lieber Herr Hesse, wundern Sie sich nicht, daß ich seit Jahren des Vorbeischweigens – ich lebte ja immer als Wanderer irgendwo in der Welt – zum ersten Mal mich plötzlich wieder an Sie wende, aber es ist mir Bedürfnis, Ihnen ein Wort der Dankbarkeit zu sagen. Seit den ersten Tagen des

Krieges hat mich Ihre menschliche und dichterische Haltung sehr ergriffen, jedes Ihrer Worte, das ich fand inmitten der andern Stimmen, die mir wehtaten, innig berührt. Dann schrieb mir mein Freund Rolland, er sei Ihnen nah geworden, und wieder war es mir Freude. Aber all dies hätte mich, den Briefträger, kaum vermocht, Ihnen einen Gruß zu senden, hätte ich nicht an der Gehässigkeit jener Angriffe eine Einsamkeit gespürt, in die Zuruf und Bewunderung eine Pflicht ist. Ihr Aufsatz gestern wieder in der »Zeit« sagte wieder ganz mein Empfinden. Edel und schön haben Sie Ihres dichterischen Amts gewaltet. Tolstoi und Björnson, die beiden großen Stimmen des Gewissens, sind ja in diesen Tagen stumm, da mußte jeder einzelne eben gegen die Menge vortreten und wenigstens seine Seele retten und sich treu bleiben. Rolland hat mir durch sein moralisches Beispiel viel geholfen: er war mir die stärkste Mahnung zur Gerechtigkeit.

Auch für Ihren »Knulp« habe ich Ihnen zu danken. Ihre letzten Bücher scheinen mir wahrhaftig die schönsten. Darf ich offen zu Ihnen sprechen, so sag ich's, wie mir es schien: nach den ersten zwei Büchern war mir bei Ihnen ein leichtes Ermüden der dichterischen Imagination bemerkbar, oder es schien mir so. Vielleicht hatten Sie schwere Zeiten, ungünstige Verhältnisse gehemmt. Und manchmal – ich bin offen – bangte mir ganz leise, ob Ihr Weg sich nicht neige. Dann las ich wieder oft und oft einzelne Verse und empfing mit den letzten beiden Büchern den Eindruck einer innern Regeneration. Es ist Alles so durchseelt in Ihren letzten Büchern und so weltweit. Nie war so viel Horizont, so viel Reinheit und Fernblick in Ihrem Schaffen. Und so kam zur alten Liebe neue Bewunderung.

Gern legte ich dem Briefe heute als Dank ein Buch bei. Aber ich halte seit zwei, seit drei Jahren alles zurück, vor allem die neuen Gedichte. Einzig ein Buch über Dostojewski ist ganz fertig, in dem drei Jahre Arbeit und viel Liebe auf hundert Seiten zusammengepreßt sind. Ich glaube, Sie werden es, wenn es im

Frieden – wann, oh wann – erscheint, schätzen können. Jetzt vermag ich für mich gar nichts zu tun, mein Militärdienst hält mich ganz. Monate währt das schon, einzig durch eine dreiwöchentliche Dienstreise durch ganz Galizien knapp hinter den Russen, farbig belebt. Übrigens erzählte mir Robert Michel von dem Versehen, daß Sie im Kriegspressequartier nicht sofort aufgenommen wurden: ich glaube, ich könnte das jede Stunde ordnen, falls Sie noch den Wunsch haben. Aber ich würde Ihnen nicht raten: man ist dort wochenlang nie allein, immer umringt, immer in Gespräch und Bewegung. Auch Bartsch kam von seiner Fahrt irgendwie verstört zurück.
Aber ich schreibe da viel, und es wollte eigentlich nur ein Wort sein: Dank! Herzlichen Dank!
In alter Verehrung Ihr Stefan Zweig

An Romain Rolland

8. Februar 1916

Lieber verehrter Freund, Ihren fünfzigsten Geburtstag habe ich in stillen, lebhaften Gedenken an Sie verbracht. Ursprünglich wollte ich öffentlich von Ihnen sprechen, aber ich fühlte mich gehemmt durch Rücksichtnahmen und mein Dank an Sie ist innerlich so stark und strömend, daß ich gerade an solchem Tage und in solcher Zeit ihn lieber in mich verschließen wollte, statt ihn gehemmt zu sagen. Ich habe so sehr den Sinn dieser Lebenswende für Sie, für Uns gespürt. Jetzt sind Sie den Lehrjahren entwachsen, nun kommen die der ernsten Meisterschaft. Nun müssen Sie Führer, Lehrer, Meister sein! Wie wundervoll sind Sie es gewesen schon, wie sehr hat die innere Autorität der Jahre, die äußere des Erfolgs Ihren Worten, Ihren Überzeugungen Kraft gegeben. Die ganze gesammelte Fülle einer ernsten Reihe von Jahren, mit einemmal war dies Fließende, (das Sie selbst manchmal vielleicht schon verflossen meinten) gleichsam in Crystall gebannt, unverletzlich rein und ich spürte,

wie an dieser Makellosigkeit Ihres Wesens alle Angriffe zerschellten. Dieses eine Jahr war nur so schon möglich durch die dreißig der Arbeit, die Ihren Namen aufbauten und ihn Freunden und Schülern zum Wahrzeichen machten, zum Magnet, der ihren Willen zum ewigen Pole des Lebens wies.
Ich wollte Ihnen an jenem Tage schreiben. Ich konnte es nicht. Es war damals keine Stille um mich. Und ich kam zu Ihnen, wollte kommen mit dem besten Wunsch für Sie – mit einer Bitte. Einer Bitte, die vielleicht kindisch klingt, aber sie ist aufrichtig und die beste: altern Sie nicht, enttäuschen Sie mich nicht! Das Schmerzlichste, was ich erlebte, war in großen Menschen, die ich liebte und nahe kannte, die Haltung, das ethische Rückgrat sich beugen sehn, zu erleben, wie sie Diener des Geldes wurden, Knechte der Eitelkeit, Affen ihrer eigenen Gebärde; Sie sind groß und gütig und verstehen mich sicher richtig. Ich denke an Rodin, wie das Alter ihn weich gemacht und widerstandslos gegen Vieles, ich denke an Verhaeren, der mir das reinste Vorbild meiner besten Jahre war und den ich (noch vor dem Kriege) Concessionen machen sah der Gefälligkeit, der Schwäche, dem eigenen Spiegelbild (obwohl er innerlich immer für mich ein Herrlicher bleibt). Und ich denke an Flaubert und Tolstoi, die großen Einsamen, die erhaben blieben bis zur letzten Stunde, weil sie sich wehrten.
Sie sind jetzt, Romain Rolland, auf jenem hohen Grad des Ruhmes, wo der Wind scharf weht und die Tiefe geheimnisvoll verlockt. Ich weiß keinen Menschen, dessen ich so sicher wäre, daß er aufrecht bleiben will bis zuletzt, als Sie, und gerade darum spreche ich so offen zu Ihnen. Vielleicht wird sich nach dem Kriege Vieles um Sie sammeln wollen, Vieles Sie an die Spitze stellen wollen, vielleicht wird gerade das officielle Frankreich, das Sie heute verleugnet, nach Ihrem makellosen Namen Verlangen haben und ich bitte Sie heute – und bitte Sie für Jahre und Jahre – weigern Sie sich allem, was Sie nicht sind. Sie sind ein so *notwendiges* Beispiel eines unerschütterlichen

Menschen in Unserer weich wesenhaften Welt, sind es so wunderbar in schwerster Zeit gewesen, daß Ihre Pflicht ist, es zu bleiben. So sehr ich Ihr Werk bewundere, noch mehr, noch einziger sind Sie uns als Persönlichkeit und mein Wunsch, meine innigste Bitte an Ihre kommenden Jahre ist, daß Sie es so bleiben mögen. Ich habe so gelitten, als ich den glühendsten Verkünder der menschlichen Güte, Verhaeren, im sechzigsten Jahr mit der Axt des Hasses den blühenden so schön gereiften Baum seines Werks niederschlagen sah, daß ich zu Ihnen, der aufrecht geblieben, wirklich wie ein Bittsteller komme, Sie wenigstens möchten sich und Ihr Werk immer so bewahren, wie Sie es uns zu lieben gelehrt haben.

Seltsam mag dies sein als Geburtstagswunsch zu einer Lebenswende. Aber ich weiß, zu wem ich rede und eben *weil* ich für Sie nicht fürchte, sage ich's offen und klar. Ich fürchte nur die geheime Verschwörung gegen jeden Künstler und Menschen, die der immer stärkere Erfolg mit dem immer schwächeren Gegenwillen des Alternden schließt. – ich weiß fast keinen Künstler Unserer Zeit, der nicht zum Teil dieser Doppelwirkung des Außen und Innen erlegen. Sie sind derjenige, von dem ich mir den stärksten Widerstand gegen dies gefährliche Gesetz der Natur erwarte – noch hab ich nie ein Zeichen der Schwäche in Ihrem Charakter gesehen und *eben darum* mahne ich Sie, es zu bleiben. Sie sind uns notwendig auf Jahre und Jahre als ebender, der Sie heute sind, bleiben Sie es Uns und denen, die hinter Uns kommen! Ich wünsche es Ihnen, wünsche es mir und der Zeit!

Nur dies wollte ich Ihnen heute sagen. Ein Wort ganz Ihnen und für Sie allein. Sonst fühlt man sich ja jetzt dem Einzelnen nichts zu, Alles löst sich in allgemeinen Leiden und Mitleiden. Ich weiß kein Wort mehr, das auszudrücken, was ich empfinde: immer unverständlicher wird mir das Geschehen von Tag zu Tag, immer mehr sehe ich's elementar, unbegreiflich, mystisch. Davon zu sprechen, es zu erklären, zu tadeln wird sinnlos – nur innen lernt man das Dulden ohne Hoffnung, die stille verhaltene Qual des ohnmächtigen Mitleidens. Der Tag Ihres einsamen Festes war frohe Ablenkung für mich: ich nahm den Jean Christoph und suchte Ihre Stimme daraus zu hören. Und ich hörte sie, wie durch Musik, manchmal und gedachte Ihrer sehr in Liebe und verehrender Freundschaft.

Treulichst Ihr Stefan Zweig

An Martin Buber

8. 5. 1916

Lieber verehrter Herr Buber, es war mir eine ganz große Freude, daß Sie bei einem Beginnen an mich denken und ich brauche Ihnen nicht zu sagen, wie sehr ich mich durch Ihren Ruf angeeifert fühle. Ich habe das erste Heft der Zeitschrift gesehen und finde es sehr schön, freilich will mir das nur Theoretische und Discutive darin als eine Gefahr erscheinen. Bereden lassen sich Dinge nur bis zu einer gewissen Grenze, dann müßte sich das Gestalten beigesellen. Mir ist's leid, daß die Kunst darin keinen Raum gefunden hat: manche, und nicht die schlechtesten, drücken durch das Symbol ihr Gefühl besser aus als durch das Wort. Ohne unbescheiden zu sein, zähle ich mich da bei. Ich arbeite jetzt in den wenigen Stunden, die mir der Militärdienst läßt, an einer großen (und durch Beziehungen zeitlosen) jüdischen Tragödie, einem *Jeremias*-Drama, das ohne Liebesepisoden, ohne Theaterambitionen die Tragik des Menschen, dem nur das Wort, die Warnung und die Erkenntnis gegen die Realität der Tatsachen gegeben ist, auf dem Hintergrunde eines Entscheidungskrieges darstellt. Es ist die Tragödie und der Hymnus des jüdischen Volkes als des auserwählten – aber nicht im Sinn des Wohlergehens, sondern des ewigen Leidens, des ewigen Niedersturzes und der ewigen Erhebung und der aus solchem Schicksal sich entfaltenden Kraft – und der Schluß ist gleichsam die Verkündigung im Auszug aus Jerusalem zum ewig neu gebauten Jerusalem. Der Krieg hat mir, der ich das Leiden als Macht liebe, als Tatsache aber schauernd fühle, diese Tragödie aufgetan, und wenn überhaupt mein Wille tatkräftig sein kann, so wird er es diesmal sein. Ich hätte Ihnen gerne einen Akt daraus oder ein in sich geschlossenes Fragment gegeben, aber die Kunst ist ja vorläufig aus Ihren Absichten entfernt. Essayistisch könnte ich eventuell (neben meiner Arbeit) einige Einzelessays über die Propheten schreiben, Jeremia, Jesaia, Daniel – jeden als einen Repräsentanten, jeden in ihrer symbolisch-historischen Deutung. Aber liegt dies Ihren Absichten nicht etwas fern?

Was die Stellung zum Judentum betrifft – wäre es nicht die Aufgabe gerade Ihrer Revue in einer Art großzügigen Rundfrage von jedem deutschen Autor jüdischen Ursprungs ein Bekenntnis seiner Stellung zu verlangen? Es wäre für jeden vielleicht Entlastung, gezwungen zu sein, sich selbst gegenüber Farbe zu bekennen und andererseits ein ungeheures Document für spätere Zeiten. Es müßten einmal alle Argumente des Bekennens und Verneinens nebeneinandergestellt werden: nur so könnte Klarheit entstehen. Ich selbst will mich hier nicht verbreiten: ich sage nur Ihnen, daß ich entsprechend meiner Natur, die ganz auf Bindung, auf Synthese gestellt ist, das Judentum nie mir als Kerker der Empfindung wählen möchte, der Gitterstäbe des Begreifens gegen die andere Welt hat, überhaupt alles, was darin Gegensätzlichkeit formen will, ist mir antipathisch: aber ich weiß, daß ich doch ruhe darin und nie ihm abtrünnig sein will und werde. Ich bin nicht stolz darauf, weil ich jeden Stolz auf eine Leistung ablehne, die nicht von mir selbst aus ward, so wie ich nicht stolz bin auf Wien, obwohl ich dort geboren bin, oder auf Goethe, weil er meiner Sprache ist oder auf Siege »unserer« Armeen, bei denen mein Blut nicht geflossen ist. Alles was an Stolz in den jüdischen Bekenntnissen ist, die ich so oft lese, scheint mir eine aufgetane Unsicherheit, eine umgewendete Angst, ein gedrehtes Minderwertigkeitsgefühl, was uns fehlt, ist *Sicherheit, Unbesorgtheit* – ich fühle sie auch als Jude in mir immer stärker. Es belastet das Judesein mich nicht, es begeistert mich nicht, es quält mich nicht und sondert mich nicht, ich fühle es ebenso wie ich meinen Herzschlag fühle, wenn ich daran denke, und ihn nicht fühle, wenn ich nicht daran denke. Ich glaube mit diesen Worten klar zu sein. Und wenn Sie nicht mehr fordern, bin ich der Ihre.

Ich denke oft und immer sehr herzlich an Sie. Dem »Liter[arischen] Echo« versprach ich längst einmal ein Bild Ihres Wirkens: ein Ding, das mich im Gedenken alles dessen, was ich Ihnen von Jugend auf danke, immer lockt. Aber erst muß meine Arbeit gediehen sein. Dann kann ich wieder atmen. Herzlichst Ihr immer getreuer Stefan Zweig

An Abraham Schwadron

VIII. Kochgasse 8, Wien

[undatiert; vermutlich Sommer 1916]

Sehr geehrter Herr Doktor Schwadron, vielen Dank für Ihren Brief. Auch Georg Brandes schrieb mir in diesem Sinne. Ich weiß zu gut, wie tragisch die Situation der Juden ist, in meinem Artikel konnte ich nur *andeuten,* mußte einen sehr wichtigen Passus lassen über die Tatsache, daß die reichen amerikanischen Juden für – Belgien sammeln. Und vor allem, das Wichtigste, daß man bei uns aus dem entsetzlichen Leiden der Galizianer für Österreich – Argumente für Antisemitismus findet. Ich bin fest überzeugt, daß die Erbitterung, die jetzt schon latent ist, nach dem Kriege sich nicht gegen die Kriegshetzer, die Reichspost-Partei, sondern gegen die Juden entladen wird. Ich bin überzeugt – felsenfest – daß nach dem Kriege der Antisemitismus die Zuflucht dieser »Großösterreicher« sein wird, daß Polen und Wiener da endlich eine Form der Einigkeit haben werden. Unsere Dichter und Schriftsteller schwärmen unterdes für Brandenburg, während die größte Tragödie des jüdischen

Volkes vor sich geht. Was Sie von Felix Salten sagen, ist mir bekannt. Sein Zionismus war immer Privatsache – von seinen Tausenden Artikeln hat nie einer das Wort enthalten »Ich als Jude«. Und seltsam, wir beide sind einander entfremdet, weil er mich damals zu germanenfreundlich fand – vor dem Krieg. Jetzt ist er Brandenburger bis ins Herz hinab, das nur gelegentlich jüdische.

Ich habe meinem Freunde *Romain Rolland* nach Genf Material über die jüdische Tragödie versprochen. Er wird nach dem Kriege einer der Wenigen sein, die sprechen werden, vor allem über das österreichische Problem. Jetzt kann ich ihn nicht genug informieren – ich trage die Uniform, muß jede Zeile, die ich schreibe, meinem Vorgesetzten vorlegen. Aber nach dem Kriege weiß ich, daß ich ihn als Helfer haben werde, ihn, dessen Stimme heute durch ganz Europa klingt. Wir werden nicht schweigen, gewiß nicht. Denn wir müssen uns wehren und heute schon bereit halten gegen den Verzweiflungskampf jener politischen Partei bei uns, die nach altem System ihre Fehler auf die Juden wird schieben wollen. Es läßt sich aber nicht ändern und fälschen: dieser Krieg ist die Tragödie des Judentums in Polen, die Tragödie aller international und allmenschlich fühlenden Menschen, mehr als jedes andere Volk werden sie leiden, ohne Triumphe zu haben wie jene. Sie *leiden* nur, ohne leiden zu machen – und das ist heute in einer Welt der Gewalt die ärgste Sünde.

Ich werde Sie nach dem Krieg noch um Einzelmaterial bitten. Seien Sie meines Versprechens gewiß, ich werde es einhalten.

Mit besten Grüßen

Stefan Zweig

An Martin Buber

VIII. Kochgasse 8

Wien, 24. I. 1917

Lieber verehrter Herr Buber, ich schreibe Ihnen heute im Sinne Ihres Briefes; nachdem ich reiflich mir die Anregung überlegte, finde ich mich noch immer unsicher, aber nicht so sehr aus einer Unschlüssigkeit des Empfindens, sondern zufolge einer allgemeinen Unsicherheit meines gegenwärtigen Wesens. Zweieinhalb Jahre eines täglichen monotonen Militärdienstes haben meine Kraft quer gebrochen; alle meine Entschlüsse fürchten sich vor sich selber, und ich weiß mir nicht Rat.

So sage ich Ihnen gerne zu, daß ich für diese Rundfrage einen kleinen Aufsatz schreiben möchte, der den Wert eines Bekenntnisses in dieser Zeit aus den Erfahrungen des nationalen Opportunismus (die wir an den besten Menschen unserer Zeit erlebt haben) ableitet. Nur ist die Hemmung, daß ich keinerlei Datum bestimmen und überhaupt nichts fest versprechen kann, solange ich in dieser Qual bin und jede vierzehn Tage gewärtig, neuerlich und neuerlich zur Revidierung und Musterung meines Tauglichkeitsgrades ins Spital geschickt zu werden. Diese Episoden werfen mich oft auf Wochen zurück und lähmen mich in einer Weise, für die der Anlaß gar keine Proportion bietet. Alles was ich jetzt schreibe ist Zufall und Geschenk. Ich wage also nichts zu versprechen.

Aber der gute Wille ist da, und ich bitte Sie, daran zu glauben. Nie habe ich mich durch das Judentum in mir so frei gefühlt als jetzt in der Zeit des nationalen Irrwahns – und von Ihnen und den Ihren – trennt mich nur dies, daß ich nie wollte, daß das Judentum wieder Nation wird und damit sich in die Concurrenz der Realitäten erniedrigt. Daß ich die Diaspora liebe und bejahe als den Sinn seines Idealismus, als seine weltbürgerliche allmenschliche Berufung. Und ich wollte keine andere Vereinung als im Geist, in unserem einzigen realen Element, nie in einer Sprache, in einem Volke, in Sitten, Gebräuchen, diesen ebenso schönen als gefährlichen Synthesen. Ich finde den gegenwärtigen Zustand den großartigsten der Menschheit: dieses Eins-Sein ohne Sprache, ohne Bindung, ohne Heimat nur durch das Fluidum des Wesens. Jeder engere, jeder realere Zusammenschluß scheint mir Verminderung dieses unvergleichlichen Zustands. Und das Einzige, worin wir uns stärken müssen, wäre, diesen Zustand nicht als eine Erniedrigung, sondern mit Liebe und Bewußtheit zu empfinden, wie ich es tue.

Ich habe auch mit Brod jetzt in Prag über diese Dinge gesprochen. Er ist vielleicht zu ungeduldig. Er will tausendjährige Zustände in einem Jahrzehnt verändern. Er ist fanatisch und national – zwei Wesenszüge, die ich bei allen Vorzügen doch als menschliche Begrenzungen empfinde. Er hat die Leidenschaft, zu bekehren: ich glaube nicht an Bekehrungen durch das Wort und die Discussion (weshalb ich auch in Ihrem Blatt das Fehlen des productiven, des poetischen Elements äußerst beklage). Ich liebe Ihre Art unendlich mehr als die seine, finde sie eindringlicher, weil sie weniger aufdringlich ist, intensiver, weil sie nicht so vehement wirkt. Und ich habe das Gefühl guter Zwiesprache mit Ihnen, wenn Sie nach Wien kommen. Ich freue mich von Herzen ihr entgegen.

Also nochmals: ich will versuchen, diesen Aufsatz zu schreiben. Leichter wäre es mir – wenn Sie mir es erlauben –, dürfte ich die ganze Anregung Ihnen als Brief und nicht in der Form eines Artikels schreiben. Vielleicht sieht es prätentios aus, aber es ist gewiß nicht so von mir gemeint. Ich fühle mich nur irgendwie gehemmt, Artikel zu schreiben (ich bin es entwöhnt), während Briefe in dieser Zeit in Geben und Widergeben mein einziger Gewinn und Verkehr waren. Denn hier habe ich mit der ganzen Literatur (Wassermann, Hofmannsthal, etc. etc.) jeden Meinungsaustausch vermieden, seit sie zu Kriegsausbruch so mannhaft, deutsch und kriegerisch (bei glücklichster Wahrung ihrer Person und Interessen) sich gebärdeten, Briefe, besonders mit Rolland, haben mir viel ersetzt und dann ein paar Jüngere, von denen vor allem Berthold Viertel meine ganze Liebe und Bewunderung hat. Ein paar lebendige Dinge, die er mir vom Ostjudentum erzählte, haben mir mehr Eindruck gemacht als alles, was ich in diesem Sinne las. Ich glaube, er wird in ein paar Jahren einer der wichtigsten Menschen in Deutschland sein, es ist Kraft in ihm, die in jeder Richtung, zu der sie wirkt, bis zum äußersten Ende der Möglichkeit tätig wird. Wir müssen ihn nur vor dem Theater retten, das für ihn Versuchung ist: im übrigen sollten Sie von ihm mehr für den »Juden« zu erhalten suchen. Über die Propheten kann ich jetzt nicht schreiben. Meine Tragödie »Jeremias« wird erst langsam geendet sein müssen. Was ihr Schicksal sein mag, ist mir schon gleichgültig, ich weiß nur, daß die zweijährige Arbeit daran (mühsam meiner Militärfron abgerungen) mich gereinigt und gerettet hat. Überstehe ich diesen Krieg, so kann mir nichts mehr geschehen. Ich bin heute alles literarischen Ehrgeizes ledig und weiß, daß ich meine Kraft – so viel sie eben taugt – nun nur mehr auf Wirkliches wenden will. Ich ehre Sie als alten Vertrauten meiner Anfänge und fühle Sie heute noch mit dem gleichen moralischen Respect wie damals: wann immer Sie mich dann zu einer Arbeit rufen und ich fühle, daß mein Schritt dabei frei ist, werde ich Ihnen folgen.

Herzlichst grüßt Sie Ihr Stefan Zweig

An Abraham Schwadron

Kalksburg bei Liesing, Liechtensteinstraße 10
[undatiert; vermutlich Frühjahr 1917]

Lieber Herr Schwadron, ich bin beschämt, daß ich Ihnen erst heute schreibe, aber Sie wissen ja, mein Leben ist ganz aus den Fugen, seit ich beim Militär bin. Ich habe Ihre Novelle jetzt gelesen, finde sie eminent in der Psychologie, nur im Aufbau schlecht, sie steigt prachtvoll gestuft auf – um plötzlich in

einer Plattform zu enden, statt in einer Spitze. Ich finde sie – den meisterhaften Anfang eines Romans. Sie erwecken Interesse für einen Menschen, bauen ihn auf, und im Augenblick, wo wir ihn schon fühlen, wo wir ihm schon zu folgen gewillt sind in die Peripetien seiner Existenz, fällt wie ein Beil der Schluß herab. Das Schicksal ist aufgerollt, aber nicht in sich zurückgeknetet, und das Monologische dieser Psychologie eines Menschen ohne Gegenspieler löst eine Unbefriedigung aus. Ich sage Ihnen das Alles unverhohlen, wie ich es empfinde, weil ich die Substanz, die dichterische, als hervorragend empfinde und mich so sehr freue, Ihnen innerlich jetzt das Dichterische »Du« sagen zu können. Aber es ist ein Anfang, Materie, nicht Kunstwerk. Vielleicht irre ich, aber subjectiv ist dies mein Empfinden.
Hoffentlich bleibt Ihr persönliches Geschick beim Militär günstig. Ich wünsche es Ihnen von Herzen, daß Sie nicht unter das Dschaggernath kommen mögen. Auch ich habe nächste Woche wieder Musterung und somit die rote oder weiße Kugel des Lebens zu ziehen.
Ich möchte Ihnen noch erzählen, daß ich meinen »Jeremias« vollendet habe und der Druck bereits begonnen hat. Wie er in jüdischen Kreisen wirken wird, ist mir sehr interessant. Buber, der nur das Finale (abgelöst vom Ganzen) sah, ist recht betroffen von der Gegensätzlichkeit meiner Auffassung. Für mich ist es der Ruhm und die Größe des jüdischen Volkes, das einzige zu sein, das nur eine *geistige* Heimat, ein ewiges Jerusalem anstrebt, während er zur Wiederkehr ins reale Palästina gravitiert. Für mich ist es die Größe des Judentums, übernational zu sein, Ferment und Bindung aller Nationen in seiner eigenen Idee, er wünscht die jüdische Nation, und ich sehe in jedem Nationalismus die Gefahr der Entzweiung, des Stolzes, der Eingrenzung und der Eitelkeit. Ich bin sehr neugierig, wie Sie das Werk empfinden werden – in zwei Monaten hoffe ich es Ihnen senden zu können.
Herzlichst Ihr ergebener Stefan Zweig

An Ami Kaemmerer

3. Mai 1917

Lieber verehrter Herr Doktor,
Ich freue mich, Ihnen wieder einmal ausführlich schreiben zu können, und Ihr Brief war mir ein besonders lieber Anlaß. Ich habe nach zweijähriger schwerer Arbeit meine Tragödie »Jeremias« abgeschlossen, sie geht jetzt bei der Insel in Druck und auch an einige Theater, obzwar während der Kriegszeit (und vielleicht auch später) eine Aufführung ausgeschlossen ist. Immerhin – ein Stein ist zu Berg gewälzt, wie er mir schwerer nie auf der Seele gelegen. Denn Alles, was in mir an Widerstand, Verzweiflung wider die Zeit und ihre Wortführer niedergezwungen kämpfte, hat sich in verwandelter Form frei gemacht. Es war mein Ventil, um nicht zu ersticken in einer Welt, die einem das Wort verschloß. Und ich habe viel mitgemacht. Der einzige fast von der Literatur Österreichs, der seit 2 ein halb Jahren ohne einen Monat Urlaub im Militärdienst steht, bin ich auch der einzige fast, der nicht sich an der Begeisterung beteiligt hat (die Begeisterten wie Hofmannsthal, Salten, Hans Müller, Schaukal haben es alle verstanden sich entheben zu lassen) – ich lebte in einer doppelt widerwärtigen Sphäre, der des Amtes und derjenigen der falschen Ekstase. Die Stimmungshaftigkeit der Überzeugungen, die Rückgratlosigkeit der breiten Meinung ist mir grauenhaft klar geworden, ich habe mich einzig in die Arbeit retten können. Ich vermag es nicht mehr, das Politisieren dieser Menschen zu hören, die gestern für Deutschland in Ekstase waren und heute am Liebsten abfallen möchten, die ja sagen bei jedem Erfolg und nein bei jeder Schwierigkeit, von denen aber keiner für seine Überzeugung mit einem Tropfen seines Blutes, einem Pfennig seines Vermögens eintreten will. Ich kann diese fortwährende Treulosigkeit gegen die Wahrheit, die früheren Überzeugungen, die Logik, die Menschlichkeit nicht mehr ertragen. Und die Zeitungen! Man muß sich schämen, für sie geschrieben zu haben.

Hier sind sich die Leute vor allem nicht klar darüber, daß seit 2 Monaten die Situation Deutschlands und Österreichs *notwendig* verschieden ist, denn Deutschland verliert Milliarden durch Amerika und wir fast nichts. Deutschland hat va banque gespielt und *kann* sich jetzt nicht ausgleichen. Sie wissen, wie weit ich von Annektionismus entfernt war selbst in den Tagen, da die deutsche Armee nach Paris marschierte und man angespien wurde, wenn man sagte, Belgien müsse frei bleiben – ich war auch begeistert für einen ganz mageren, ja einschränkenden Frieden *vor* dem Unterseebootskrieg. *Jetzt* halte ich selbst Deutschland für verloren, schafft ihm der Friede nicht gewisse Garantien des Ersatzes für die Zerschmetterung seines Handels auf ein halbes Jahrhundert. Ist der Unterseebootskrieg eine bessere Rechnung des Generalstabs als der seinerzeitige Durchmarsch durch Belgien, wo der militärische Vorteil lange nicht den moralischen Verlust aufhob, zwingt er *wirklich* zum Frieden, so muß man notwendigerweise diesen Frieden nicht vorschnell machen, denn die Opfer sind übermenschlich. Für Österreich ist der Friede ja nur eine Frage der *Grenze*, für Deutschland eine der Existenz. Das faßt man hier nicht recht und versteht nicht, warum Deutschland nicht so friedenswillig, ja friedensgierig ist wie endlich unsere Staatsmänner sich gebärden. Den wahren Fehler Deutschlands sieht freilich alle Welt: er liegt in seiner Verfassung und in jenem preußischen Ton, der heute nicht mehr leben dürfte, weil er im letzten den Krieg geschaffen hat. Jener »Hundsfott«-Brief des Generals Groener an die Arbeiter, selbst an streikende Arbeiter wäre bei keiner anderen Nation möglich. Und ich verstehe die schwedischen Sozialisten, die den Sonderfrieden vereitelten, weil sie sagten, es dürfe dieser Ton und diese Art des Regierens nicht durch die russische Revolution Vorteil und Sieg haben. Und daß die »Osterbotschaft« nicht der freie Wille sondern Wilson erzwungen hat, ist ein Tropfen Galle in der reinen Freude. Aber all das sind Einzelheiten! Das Wesentliche ist heute schon nicht mehr der

Erfolg – denn selbst der Sieg ist noch eine Katastrophe – sondern der Aufbau unserer äußeren und inneren Welt. Ob wir aus dem Grauen noch uns retten können? Ich fürchte den Krieg *nach* dem Kriege, den Krieg der Klassen, Nationen, Religionen, die Jagd der Steuern, Einschränkungen, Zwangsmaßregeln *mehr* als diese Zeit fast. Ich sehe nur eine Möglichkeit: Flucht in sich selbst, auf das Land, aus der Großstadt. Es soll mein Erstes sein nach dem Kriege.

Nun noch Eines! Ich habe in den letzten Tagen ein kleines Buch begonnen »Erinnerung an Verhaeren«, ein kleines Buch persönlichen Blicks, das ich *nur für meine Freunde und seine Freunde* in hundert Exemplaren drucken lassen werde. Und ich freue mich schon sehr, es Ihnen im Herbst geben zu können. Es enthält keine Geheimnisse, Anekdoten oder Intimitäten, daß ich es privat erscheinen lassen *müßte*, aber ich fühlte mich freier, sein Bild *nur* den Freunden zu zeichnen. Und dann: es ist auch ein Stück eigenen Lebens, ein Blatt Dankbarkeit, das ich vom eigenen Baum in die Welt wehen lasse. Hoffentlich kann ich es noch in den paar Abendstunden vollenden, die ich nach dem Dienst habe und die ich eine Stunde von Wien in einer kleinen Villa verbringe, in deren Garten die Menschen und der Krieg nicht eindringen. Meine militärische Verwendung ist vorläufig unverändert, doch jeder Tag kann mich anderswohin werfen. Mein Stück ist fertig – nun ist mir das Alles gleichgültig.

Hoffentlich hat Ihrer Frau Gemahlin und Ihnen der Aufenthalt gut getan, hoffentlich ist auch Ihr Sohn noch jenseits aller Gefahr. Ich bin ganz aus der Ferne mit Ihnen und grüße Sie in alter treuer Ergebenheit Stefan Zweig

An Martin Buber

25. Mai 1917

Lieber Herr Buber!

Ich danke Ihnen für Ihren Brief, der mir in vielem aufschlußreich und auch dort, wo ich ihm widerstreben muß, zutiefst sympathisch war. Ich sehe aus Ihren Worten und noch mehr aus der freundlichst übersandten Schrift, daß Sie heute eine Realpolitik zum Fundament Ihrer Bestrebungen gemacht haben, vielleicht im Gegensatz zu Ihrem ursprünglichen Willen, wenn ich ihn vor Jahren, zur Zeit Herzls und später richtig verstand, doch ich ehre selbstverständlich jede Entwicklung und Überzeugung bei Ihnen als eine notwendige, selbst wenn sie von der meinen rechtwinkelig abzweigt. Meine Stellung zur Judenfrage, die vielleicht früher eine unklare war, weil ich mich von diesem Problem erfüllen zu lassen unbewußt wehrte, ist durch die Zeit nun ganz merkwürdig präzise geworden. Was ich zuvor dumpf schon empfand und durch zehn Jahre wanderndes Leben betätigte, die absolute Freiheit zwischen den Nationen zu wählen, sich überall als Gast zu fühlen, als Teilnehmer und Mittler, dieses übernationale Gefühl der Freiheit vom Wahnsinn einer fanatischen Welt, hat mich in dieser Zeit innerlich gerettet, und ich empfinde dankbar, daß es das Judentum ist, das mir diese übernationale Freiheit ermöglicht hat. Ich halte nationale Gedanken, wie den jeder Einschränkung als eine Gefahr und erblicke eigentlich in der Idee, daß das Judentum sich realisieren sollte, ein Herabsteigen und einen Verzicht auf seine höchste Mission. Vielleicht ist es sein Zweck, durch Jahrhunderte zu zeigen, daß Gemeinschaft auch ohne Erde, nur durch Blut und Geist, nur durch das Wort und den Glauben bestehen kann, und dieser Einzigartigkeit uns zu begeben, heißt für mich ein hohes Amt freiwillig niederlegen, das wir von der Geschichte übernommen haben, ein Buch schließen, das in tausend Blättern beschrieben, noch Raum hat für tausend und tausend Jahre Wanderschaft. Vielleicht ist diese meine Überzeugung aus einem tiefen Pessimismus über alle Realitäten entstanden, aus einem Mißtrauen gegen alles, was wirklich werden soll, statt im Geist, im Glauben, im Ideal zu wahren, und es ist vielleicht kein Zufall, daß in dem Fragment meiner Arbeit, das ich Ihnen sandte, das Volk, die Realität Ihnen so ungestaltet, unorganisiert und kraftlos erschien. Hier hat bewußt und unbewußt eine Absicht gewaltet, die Masse als die von Worten geworfene Kraft hinzustellen, die unsicher jedem Willen nachgibt, dem besten und dem schlechtesten, und ich müßte Ihnen das ganze Stück senden, um Ihnen zu zeigen, wie bewußt diese Passivität und Verworrenheit durchgeführt ist. Damit daß ich persönlich keinen Glauben an die Realisierung einer Volksgemeinschaft habe, an den Aufbau einer alten Nation als einer neuen, will ich durchaus nicht ohne Ehrfurcht sein für die, die gestaltend oder hingebend sich daran versuchen. Die tschechische Literatur, die ungarische sind ja in gewissem Sinne ein Beispiel künstlicher Erweckung abgestorbener Sprachen durch einen nationalen Willen, und vielleicht entsteht wirklich in hundert und hundert Jahren im realen Jerusalem ein geistiges Werk, wie Sie es ersehen und zu gestalten suchen. Erleben werden wirs beide nicht mehr, so ist es für Sie im letzten eigentlich nur Idee wie die meine des geistigen Jerusalems, Ihr Ideal der Heimstatt erst in Fernen verwirklichbar, wie das meine der ewigen Heimatlosigkeit. Ihres hat gewiß den Vorzug, daß es Kräfte auslöst, Sehnsucht an Wirklichkeit bindet durch Kraft zum Ziele, meine war vielleicht nur Trost für mich, der ich den Widerstreit der Nationen seit Jahren als Sinnlosigkeit empfinde, und wird vielleicht einigen wenigen Trost sein, die gleichen Glaubens sind. Ich freue mich sehr, daß zwischen uns diese Dinge keine Feindlichkeit annehmen und ich Sie genauso lieben kann, als ob Sie gleichen Sinnes mit mir wären, daß ich mich trotzdem freue, Ihnen mein ganzes Werk, mein ganzes Bekenntnis bald senden zu können.

Seien Sie mir, lieber Herr Buber, von Herzen gegrüßt und gedenken Sie freundlich Ihres immer treuen und dankbar ergebenen

Stefan Zweig

An Richard Dehmel

VIII. Kochgasse 8

Wien, 11. September 1917

Sehr verehrter Herr Dehmel, aus innigstem Herzen Dank für Ihre Worte! Ich empfand und empfinde es bei Ihnen so wunderbar, daß Sie trotz eines halben Jahrhunderts Literatur so wenig das bloß Literarische beachten und jedem Werke immer im wesentlichen entgegentreten, es bei seinem Probleme fassen: und vor allem, daß Sie mit bereitem Herzen sich hinzugeben wissen. Es ist dies, was ich rühmend und dankbar sage, eigentlich existenzhaft notwendig für den großen Dichter, aber wie viele derer, die groß waren, sind eingefroren in der Starre ihres Ruhms, der Maske ihres Namens! Ich darf es Ihnen ohne Schamhaftigkeit sagen, daß Sie um dieser lebendigen Art, die Sie fast als Einziger jener Generation sich bewahrt haben, uns heute wie einst der wichtigste sind, weil Ihnen Problematik noch ins Blut dringt, eines Andern Anspannung Ihre Muskeln weckt und die Jugend sich von Ihnen noch immer am stärksten verstanden fühlt.

Ihre Worte waren mir sehr wichtig, und wie richtig Ihr Rat meine Absicht faßte, möge bezeugen, daß ich selbst die zwei Bilder, die Sie mir nannten, zur Ausschaltung bestimmt hatte. An eine vollkommene Bühnenerfüllung wage ich nicht zu denken: irgend etwas Festspielhaftes, Antikes schwebte mir dunkel vor, und ich wehrte mich eigentlich gegen meinen wachen Theaterinstinct. Messe ich dem Werke selbst Wert zu, so geschieht es vor allem, weil es *gegen* das Gesetz des Gefallens die Mischung des heroischen Dramas mit dem Liebesconflict geflissentlich vermied (Wallenstein scheint mir da die ewige Warnung einer Verschmierung tragischer Linie durch himmelblaue Ornamente) und wiederum *gegen* das Gesetz, aber gemäß der Idee des Alten Testaments, die *Ekstase* als höchste Triebkraft des Menschen gegen seinen Gott darstellt. Die Ekstase, den vulcanischen Urwillen des berufenen Menschen, nicht den irdischen, zweckstrebigen kleinen Willen des Kraftmenschen, der zu allen Dingen der Welt, aber nie zu Gott gelangt. Und daß Leid selbst die Wehmutter dieses großen Gefühls ist und ewig sein muß – nicht es erzeugend, aber ihm zum Durchbruch helfend –, dies habe ich erlebt, denn nur unter ungeheuerstem Druck, gequält vom stumpfesten Militärdienst, zerrissen in meinem europäischen Gefühl (dem 10 Jahre Arbeit und Aufbau in Stücke brachen), habe ich mich so zu steigern vermocht. Und der hier den Krieg um der Andern, um der Leidenden, der Gegeißelten, der Toten, der Witwen willen verflucht – um seiner selbst willen segnet er den Krieg. Ich weiß, was diese Prüfung mir war! Möge sie es Deutschland, möge sie es der ganzen Welt sein, dem gekreuzigten Europa! Ich danke Ihnen aus allen Tiefen meines Herzens! Ihr getreuer Stefan Zweig

P.S. Ich freue mich so sehr auf Ihr neues Werk! Und viele Grüße Ihrer verehrten Frau Gemahlin!

An Ami Kaemmerer

Wien, am 10. Oktober 1917.

Lieber Herr Doktor!
Es sind Wochen, daß ich Ihren lieben und herzlichen Brief erhielt und glauben Sie mir, es war nicht Undankbarkeit, wenn ich bisher mich noch nicht gemeldet habe. Aber ich bin jetzt in einer merkwürdig gespannten und bewegten Zeit. Ich soll zu einer Reihe von Vorträgen in die Schweiz reisen und da sind so viele Formalitäten bei Militär, Polizei und Auswärtigem Amt zu erledigen, daß ich meine Briefe ganz vernachlässige und zum Teil auch mein Stück. Doch das geht inzwischen rüstig und ruhig seinen Weg. Eine Aufführung in Deutschland ist zwar jetzt nicht möglich, aber vielleicht wird sich jetzt beim Züricher Besuch etwas rühren. Das Buch hat bei uns einen merkwürdig starken Erfolg und zwar noch vor aller Kritik, eigentlich nur

aus sich selbst heraus. In Hamburg ist Grube sehr begeistert davon und fest entschlossen, es zu spielen. Die formelle Annahme ist nur jetzt in der Kriegszeit nicht möglich, weil er sowohl von der Zensur als von dem Mangel an Personal und Kostümen eine Verstümmelung der Aufführung zu erwarten hätte. Hier in Wien soll es im größten Stile mit Dekorationen von Roller und mit Ludwig Wüllner als Gast gespielt werden. Es ist leider jetzt alles so unsäglich schwer, jeder Brief, jede Verabredung eine Unsicherheit, aber schließlich haben wir das Gedulden reichlich gelernt und ich bin das Warten vom militärischen Dienst her gewöhnt.
Hier in Österreich ist seit dem energischen Auftreten Czernins eine völlige und restlose Einheitlichkeit zwischen Volk, Regierung und den Intellektuellen. Alle haben wir die große Rede mit unserem Herzen unterschrieben und ich wünschte Ihnen für Deutschland möglichst bald einen ähnlichen Zustand von Einheitlichkeit des Wollens und der Gesinnung. Für uns, die wir doch in einem gewissen Sinn außen stehen, ist es unbegreiflich, wie in einem national so einheitlichen Staate in einer solchen Zeit der Gefahr ein so leidenschaftlicher Haß der Parteien aufgezüchtet werden konnte und ich glaube, auch da müßte jeder einzelne verantwortliche Mensch mit dem ganzen Gewichte seiner Persönlichkeit tätig sein, um das wahnwitzig Überhitzte dieses Konfliktes zu dämpfen und zu mindern. Freilich, es handelt sich da um Großes, aber die eigentliche Erneuerung wird nicht durch Gesetze und Verfassung sondern nur durch den Geist schließlich hervorgebracht werden, und etwas mehr Geduld, etwas mehr Ruhe in diesen Dingen schiene mir der größte Segen. Uns in Österreich erwarten ja noch ganz andere weit schwierigere Probleme und vielleicht sind wir nur nicht in der Lage, alle diese Konflikte als so wesentliche zu empfinden, weil sie ja furchtbare und unabweisbare Realitäten sind. Daß auch von gewisser Seite versucht wurde, in das Verhältnis zwischen Österreich und Deutschland einen Antagonis-

mus zu bringen, ist selbstverständlich ein grober Unfug. Hier denkt von den ernsten Menschen kein einziger daran und ich möchte nur, daß diese Überzeugung auch in Deutschland eine lebendige würde.

Ehe ich in die Schweiz fahre, schreibe ich Ihnen noch. Für heute nur Ihnen und Ihrer Familie die allerherzlichsten Grüße.

Ihr aufrichtig ergebener Stefan Zweig

An Paul Zech

VIII. Kochgasse 8
Wien, 13. Oktober 1917

Lieber Freund!

Ich will Dir heute nur schreiben, daß ich endlich Gelegenheit und Ruhe gefunden habe, Deinen Novellenband »Der schwarze Baal« zu lesen und mich sehr daran gefreut habe, obwohl ich von den neuen Skizzen, wie Du sie in der »Vossischen Zeitung« veröffentlicht hast, sehe, daß Du sprachlich und plastisch schon wieder ein gewaltiges Stück weitergekommen bist. Auch Dich hat der Krieg noch unendlich intensiver gemacht als Du es schon vorher warst. Ich wünsche Dir aus ganzem Herzen, daß Du endlich die Ruhe haben mögest, diese sprachliche und gestaltende Kraft an großen Zusammenhängen zu erproben. Ich denke oft an das Arbeiterdrama, das Du noch im Frieden versprochen hast und das jetzt mit dem ganzen Elan der inneren Revolte geschrieben, etwas Prachtvolles und Hinreißendes werden könnte. Über Dein Buch habe ich auch schon eine Anzeige vorbereitet, sie wird hoffentlich bald erscheinen. Sei überzeugt, daß ich Dich eben darum, weil Du so fern und ausgestoßen bist, doppelt nicht vergesse. An meinem Stück habe ich viel Freude, es scheint auf die Menschen ebenso stark durch die Vehemenz seiner Gesinnung wie durch das Dichterische zu wirken, und nur die Theater können nicht recht heran, weil die Zensur eine Aufführung unmöglich macht. Vielleicht wird Zürich den Anfang machen, das ja jenseits dieser gewaltsamen Beschränkungen liegt. Ich kann mich vorläufig nicht darum kümmern, soll aber, wie ich Dir schon schrieb zu Vorträgen für ein paar Wochen hinaus in die Schweiz. Ich muß Dir wohl nicht sagen, wie sehr ich es als Wohltat empfinde, für ein paar Wochen wieder auf mich selbst gestellt zu sein und den ganzen Tag von Früh bis Abend mein eigen zu nennen. Ich wollte nur, Dir gelänge ein Ähnliches. Die Zeit hat sich ja in den letzten Wochen wieder gewaltsam verdüstert und vielleicht empfinden wir es doppelt schwer in Österreich, wo der Friedenswillen von oben bis unten ein ganz einheitlicher ist und das Kämpfen durch den Mangel an realen Zielen immer sinnloser erscheint. Gerade den besten Leuten bei uns und die Deutschland am meisten lieben, wird der Gedanke an die deutschen politischen Vorgänge immer unerträglicher und die einzige Hoffnung für uns ist, daß sich die wirkliche Meinung auch dort endlich durch ihre Verklausulierungen und Beschränkungen durchsetzt.

Als Weihnachtsfreude ist Dir mein kleines Buch über Verhaeren, das ich privat nur für meine Freunde in hundert Exemplaren drucken lasse, bestimmt. Du wirst verstehen, daß ich keine Lust habe, eine persönliche Liebe und Dankbarkeit zu diesem Menschen öffentlich zensurieren und politisch abwägen zu lassen.

Herzlichst treulichst Dein Stefan Zweig

An Friderike Zweig

[Telegramm]

Zürich 27/12 [1917]

Werde mit Neuer Presse abschließen, bleibe jedenfalls und erwarte Dich bald Zweig

An Friderike Zweig
[Telegramm]

[undatiert; vermutlich Ende Dezember 1917]

Verbleibe hier bis Eintreffen Entscheidung bewilligt, abhole Dich Buchs, sobald Auskunft weiß Zweig

An Friderike Zweig

Zürich, Hotel Schwert
[undatiert; vermutlich Dezember 1917]

Liebe,
vielen Dank für Deine gute Nachricht. Ich freue mich sehr über die Verlängerung und hoffe nur, Du kommst bald. Suse nimmst Du doch wohl mit: sie wird sich hier sehr wohlfühlen. Alles Nähere erfahre ich wohl telegrafisch und brieflich von Dir. Ich will jetzt bald mit eigener Arbeit beginnen: bis jetzt ging alles hin in Aufsätzen, Übersetzungen, Warten und Schauen.
Noch eines: wenn Du das *richtige* Manuskript kennst, so bringe mir den Dostojewski mit. Er ist in einer blauen Karton-Mappe, wo jedes Kapitel einzeln in einem Umschlag mit Motto ist und die Entwürfe dazu noch beiliegen. Aber nur wenn es Dir ganz leicht fällt. Dann könnte ich diese Arbeit hier gut und definitiv fertigstellen.
Frau Albert geht es leider *sehr* schlecht. Die Operation wird kaum zu vermeiden sein und ist lebensgefährlich. Ich habe heute an Rilke geschrieben. Ich habe hier viele Menschen kennengelernt, zu viele fast. Maler, Dichter, alles mögliche. Ein Porträt von mir wird jetzt gemacht. Auch für Dich ist viel zu tun. Die Übersetzung eines Buches, die Dir den Aufenthalt ganz decken wird, ist so viel wie sicher. Und würde Dir eine gute Beschäftigung sein.
Allen Dank für Deine Mühe. Hoffentlich gelingt es! Aber ich bin mit allem zufrieden. Und ich bin guten Mutes, es scheint

sich alles zum Guten zu wenden. Unsere Valuta hat hier mächtige Sprünge nach oben gemacht, die Krone steht schon über 50.
Herzlichst Dein Stefan

An Martin Buber

Zürich, Hotel Schwert
[undatiert; vermutlich Anfang Februar 1918]

Lieber verehrter Herr Buber, hier der Aufsatz Rollands. Er ist der zweite einer Serie, die den Franzosen die deutschen Werke europäischen Sinnes vermitteln soll: deshalb die lange Inhaltsangabe (die Sie übrigens kürzen können). Aber da im »Juden« nichts über das Werk stand, möge die Darstellung gelten.
Honorar an R[olland] ist nicht zu zahlen: er nimmt während des Krieges keines und arbeitet umsonst an all diesen kleinen unabhängigen Revuen, um sie zu unterstützen. Ich habe es lediglich übersetzen lassen und 25 francs dafür verauslagt.
Mein Buch hat merkwürdiges Schicksal. Ohne daß der Verlag die geringste Reclame dafür gemacht hätte, ohne Aufführung und Publicität ist es heute als Buchdrama schon im fünften Tausend: ist es die Zeit, die aus ihm wirkt oder das Bekenntnis? Jedenfalls ist es mein aufrichtigstes und wichtigstes Werk, das einzige, das ich in einem höheren Sinn als ein für mich notwendiges empfinde. Ich hätte gerne mit Ihnen einmal gesprochen, um zu wissen, wie es in Ihren nationalen Kreisen wirkt: ob als Bekenntnis, ob als Verleugnung der Idee. Denn ich bin ganz klar und entschlossen, je mehr sich im Realen der Traum zu verwirklichen droht, der gefährliche Traum eines Judenstaates mit Kanonen, Flaggen, Orden, gerade die schmerzliche Idee der Diaspora zu lieben, das jüdische Schicksal mehr als das jüdische Wohlergehn. Im Wohlergehn, in Erfüllungen war dieses Volk nie ein Wert – nur im Druck findet es seine Kraft, in der Auseinandersprengung seine Einheit. Und im Beisammensein wird es sich selbst auseinandersprengen. Was

ist eine Nation, wenn nicht ein verwandeltes Schicksal? Und was bleibt noch von ihr, entweicht sie ihrem Schicksal? Palästina wäre ein Schlußpunkt, das Rückkehren des Kreises in sich selbst, das Ende einer Bewegung, die Europa, die die ganze Welt durchschüttert hat. Und es wäre eine tragische Enttäuschung wie jede Widerholung. Über das Buch von André Spire schreibe ich bald. Außerdem ist ein Gedichtband von Marcel Martinet, »Les temps maudits«, erschienen, der ein wunderbares Gedicht »Israel« enthält. Ich werde dem Übersetzer Felix Beran sagen, es Ihnen zu senden.

Ob ich Sie im Mai in Wien sehe, ist mehr als ungewiß. Jetzt ist bald die Premiere des Jeremias hier, aber ich gedenke dann noch zu bleiben. Die liebsten Menschen, die ich habe, Rolland, Werfel, sind hier, und ich erhole mich von meinen drei Dienstjahren. Es war schon zu viel für mich. Ich höre, daß zwei Bücher von Ihnen auf mich in Wien warten. Ich werde sie inzwischen mir hier ausborgen. Ich selbst habe ein Buch nur für Freunde in 100 Exemplaren drucken lassen, ein Requiem für Verhaeren. Ein Exemplar ist Ihnen zugedacht. Ich sende es Ihnen sofort nach meiner Rückkehr als Zeichen meiner herzlichen und an den Jahren nur gewachsenen Sympathie und Verehrung.

Ihr getreuer Stefan Zweig

An Emil Ludwig

Rüschlikon bei Zürich, Hotel Belvoir

Lieber Herr Ludwig, 28. IV. 1918

alle Freunde brachten mir Botschaft vom Regen im Tessin – so schob ich die beabsichtigte Reise [auf]. Nächste Woche gehe ich zu Freunden auf ein Gut in die Nähe Luzerns und, kann ich dann noch in der Schweiz bleiben, so komme ich gerne einmal hinüber, so schlecht die Verbindungen jetzt auch sind. Ich schätze neuerdings Ihre künstlerische Lebenskunst wieder: daß Sie Zürich und Bern, diese Schlangennester der Intrige, wo Propaganda,

Revolutionsgelüste und Spionage sich schwisterlich verstricken, so sorgfältig meiden, zeigt klare Erkenntnis der Zeit. Ich selbst habe mich hierher gerettet, ganz abseits hin, fahre einmal in der Woche nach Zürich, nur Bücher zu holen, sonst lebe ich abgeschlossen und fühle mich erst frei, seit ich nicht mehr die Leute hier sehe, die, selbst verwirrt, in allen andern Verwirrung schaffen wollen.
In Wien liest dieser Tage Wüllner Ihre »Atalanta«. Schade, daß Sie, schade, daß ich es nicht höre! Aber freuen wir uns unseres Friedens! Viele Grüße Ihrer verehrten Frau und Ihnen von Ihrem getreu ergebenen Stefan Zweig

Sollten Sie einmal nach Z. kommen, so wohnen Sie doch bei mir, 15 Minuten Bahn oder Schiff von der Stadt und ganz abseits von den Leuten!

An Friderike Zweig

[undatiert; vermutlich Juli 1918]

Liebe,
ich schreibe Dir jetzt immer morgens, knapp vor dem Postboten, um, wenn etwas für Dich kommt, es noch rasch mitschicken zu können. Gekommen ist Dein Romanmanuskript, das man eventuell hier einreichen könnte, vielleicht Episoden daraus. Ferner ist ein Waschzettel für zwei Kinderkleider da. Soll ich die holen?
Die Hitze ist jetzt geradezu phantastisch. Ich rühre mich nicht von Rüschlikon – auch der Grippe wegen, die in Zürich noch immer haust. Nur gestern abend bei Faesi, wir ruderten dann Mitternacht über den See, und das war herrlich.
Meine Liebe, Gute, ich kann so schlecht in Briefen erzählen jetzt. Ich habe zu viel die Feder in der Hand. Ich kann Papier nicht mehr sehen. Gestern habe ich das Feuilleton abgeschlossen, jetzt muß ich am Stück arbeiten, denn morgen kommt Paul

Stefan und quält mich wahrscheinlich wegen Donauland. Viel werde ich mich nicht hetzen lassen. Freitag ist eine Vorstellung »Alt-Wien«, offenbar von Dr. Bach veranstaltet, der sich aber bei mir nicht gezeigt hat. Ich werde, wenn irgendwie möglich, nicht hingehen, mich langweilt der Anblick dieser Colonne zu sehr, und ich komme über die Erbitterung nicht hinweg, daß Tausende und Abertausende Franken auf derlei kleine Späße verwendet werden, indes bei uns eine Bevölkerung hungert und darbt. Dieses Kunstschiebertum ist mir widerlich bis in die tiefste Seele.
Von Rolland habe ich Nachricht, auch er weiß nicht, was eigentlich die Affaire Guilbeaux bedeutet. Er ist wie ich überzeugt von seiner Anständigkeit jusqu'à la preuve du contraire. Er scheint sich sehr damit zu befassen. Immer ist R. noch der einzige Mensch, von dem ich wirkliche Briefe bekomme. Von Wien kein Ton, ich habe wirklich das Gefühl, alles sei dort in sich erstarrt.
Ich sollte Dir noch einen politischen Vortrag halten. Ich glaube, *es steht gut,* sehr gut. Mein Optimismus wird recht behalten. Die Deutschen sind nachgiebiger geworden, und das einzige, was die jetzt rapid um sich greifende Stimmung hätte hemmen können, die Offensive, die ist gründlich steckengeblieben. Jetzt dürfte die Militärpartei drüben bald ihr letztes Lied gesungen haben. Es müßte wieder in letzter Stunde eine phänomenale Dummheit geschehen, um die Einigung zu verhindern, aber ich wiederhole Dir, alles spricht in diesem Augenblick dagegen.
Leb wohl, ich habe noch zwanzig Seiten Arbeit und Briefe zu schreiben. Herzlichst Dein Stefan

Grüß mir die Kinder, pflege Dich gut und komme mit einem Plus von 5 Kilo.

An Friderike Zweig

[undatiert; vermutlich Juli 1918]

Liebe,

ich kann Dir nicht so viel und gut erzählen wie Du mir. Denn ich weiß nichts. Seit einigen Tagen habe ich gar keine Post aus Österreich, nach Zürich gehe ich nicht. Von Freunden sah ich nur Ehrenstein, der gestern mit Fräulein Bergner abends hier war und die beide Deine Abwesenheit auf das äußerste bedauerten. Sonst nur Ruhe, Arbeit, Briefe.

Ich freue mich, daß es Dir gut geht. Daß Du Dich gesund fühlst. Aber ich habe ein Recht, von Dir drei Kilo mehr zu verlangen, wenn Du nicht von mir geärgert wirst! Bitte pflege Dich gut. Die letzten Tage waren abnorme, eine Hitze wie sie seit neun Jahren in der Schweiz nicht bekannt war – vielleicht daher Deine Appetitlosigkeit. Oder sollte es der mangelnde Hauptmann sein? An mich zu denken wage ich nicht.

Morgen soll Paul Stefan kommen. Das kostet Dich wohl einen Brief von mir. Und einen Besuch. Denn ich wollte Sonntag zu Dir. Aber das bleibt für eine andere Woche. Erst muß das Stück fertig sein, und das dauert vermutlich noch vierzehn Tage, inzwischen bist Du ja hier.

Seltsam wie schlecht ich Dir schreiben kann. Meine Unmitteilsamkeit schlägt sich nach innen. Ich spreche eigentlich nur mit unserem Nachbarn Herrn d'Obry ab und zu ein paar Worte, lese viel und fühle mich wohl, so zugesperrt zu sein. In mir ist jetzt die Spannung der ganzen Welt: dieser Monat bis Ende August muß über Krieg oder Untergang entscheiden, jede Minute ist jetzt vollgepreßt mit Schicksal. Und doch unser eigenes irgendwie dadurch bestimmt. Wer atmosphärisch fühlt, steht unter diesem grauenhaften Druck – jetzt oder nie müßte man mit seinem Wort etwas versuchen. Aber wo? Aber wie?

Laß es Dir gut gehen, Liebe! Verzeihe, daß ich so schlecht schreibe! Es ist jetzt alles so dumpf in der Luft! Bald wird's hoffentlich rein und klar. Grüß mir die Kinder! Herzlichst, Dein Stefan

An Hermann Hesse

Rüschlikon, 12. August 1918

Lieber Herr Hesse, ich möchte Ihnen heute nur sagen, wie schön ich Ihren Aufsatz über die »Sprache« in der »Frankf. Zeitung« fand, wie klar in Ihnen alles ist und wie Sie Ihr Wort zu sagen wissen: ich liebe heute Ihre Kunst mehr als je.

Und Ihre ganze menschliche Art. Ihre Worte in der »Friedenswarte« waren so rein und klar. Ich sah, daß Clemenceaus Blatt oder die Leute, die seinen »Sieg« dort wollen, Sie angriffen – das macht Ihnen nur Ehre. Nie war unser Wort notwendiger als jetzt. Deutschland macht eine Gewissenskrise durch: die Hypnose ist verdampft, das Gefühl wird wieder wach, man fühlt das Leiden. Und dieser Monat August bedeutet eine Entscheidung. Jetzt wird der Friede geschaffen – oder erst in einem Jahr. Wir müssen alle Kräfte dafür einsetzen, daß er *jetzt* werde, nicht aus irgendeinem Patriotismus (obzwar für mich ein Fortkämpfen den rettungslosen Untergang der Centralmächte bedeutet), sondern aus der Verpflichtung gegen die Menschen. Ich hasse die Politik – aber wir müssen jetzt dem dienen, das über ihr ist, der Erhaltung des Lebens. So wenigstens fühle ich den Augenblick.

Ich bin ganz aufgewühlt von diesem Gefühl, daß Schicksal unermeßlich groß, jetzt hinter diesen Tagen steht. Schicksal für uns alle, für Kinder noch und Enkel. Und könnte ich das schreien, was ich fühle, es wäre besser für mich und die Zeit.

Ihnen herzlich die Hand in treuer Verehrung.

Ihr Stefan Zweig

An Claire Studer-Goll

Rüschlikon, Hotel Belvoir
21. August 1918

Liebe Frau Studer, Ich danke Ihnen so sehr für Ihr Gedichtbuch, in dem ich den »Totendialog« unvergeßlich schön, die Verse »An mein Kind« als eines der wichtigsten Gedichte der

Zeit empfunden habe und das ich als Ganzes außerordentlich liebe. Gerade in seiner Knappheit hat es eine brennende Beredsamkeit des Herzens: ich mag es mehr als Ihre Novellen, weil hier das Grauen so sehr sublimiert und »verdichtet« ist. Dadurch wird es nicht minder, sondern mehr Weltmacht, weniger Zeitmacht, als in Ihrem andern Buche. Sie haben ein gutes starkes Jahr der Kunst hinter sich.
Ich hätte Ihnen längst schon dafür gedankt. Aber ich bin ganz müde: ich wollte wie alle Welt auf ein paar Wochen fort. Es ging nicht. Arbeit ummauert mich. Und dann: ich fühle, daß dieser Monat Juli und August über Fortdauer oder Abstellung des Krieges entscheidet und habe meine ganze Kraft in den Wunsch getan, ihn sogar mehrfach ausgesprochen, nur um die Blicke wieder auf die Discussion zu lenken. Aber die Menschen sind ja abgestumpft in ihrem relativen Atmendürfen, eingekapselt in ihre Programme von Sieg oder Revolution (der andern!), und in Wien ist dieselbe Müdigkeit des Willens. Sie liegen alle willenskrank auf der Erde und verwenden ihre letzte Kraft darauf, sich zu zanken – auf welche Art sie crepieren werden und welches Ideal siegen werde (und stinken dabei schon als Moder und Aas). Die Ungemeinsamkeit der Menschen in ihrer höchsten Not ist mir eine Enttäuschung ohnegleichen – ach, doch auch so ein »Programm« haben, in das man sich dick einwickelt bis über die Ohren, und nichts mehr hören und sehen, alle Kalender verbrennen und aus den Zeitungen wieder Wälder machen!
Grüßen Sie mir Goll herzlichst von Ihrem Stefan Zweig

Frau von Winternitz ist wieder für einige Tage bei ihren Kindern.

An Hermann Hesse

[undatiert; vermutlich Herbst 1918]

Lieber verehrter Herr Hesse,
Es ist nicht meine Art, Leute zu Leuten zu schicken und selbst Freunde zu Freunden. Aber ich möchte doch zu gerne, daß Sie meinen lieben *Frans Masereel,* den wunderbaren belgischen Zeichner und einen der edelsten, einfachsten Menschen, kennenlernen (sein »Image de la passion d'un homme« scheint mir eins der unvergänglichen Werke dieser Zeit). Er kann deutsch und liebt Ihre Werke sehr.
Montag kommt er für einige Stunden nach Bern, und zwar gegen 16 1/2 Uhr und bleibt bis 6 Uhr. Vielleicht schreiben Sie ihm ein Wort poste restante, wo er Sie in der Stadt oder sonst sehen kann.
Welche Wendung indes! Ich bin nicht so politisch vergiftet, um nicht unendliche Trauer zu fühlen vor so viel Leiden.
Herzlichst Ihr Stefan Zweig

An Emil Ludwig

Montreux, Hotel Breuer
21. /IX 1918

Lieber Freund, Ihr Brief, den Ihr Aufsatz in der N.N.Z. ergänzte, war mir sehr interessant. Aber wie gesagt, es ist Schicksal in diesem Zuspätkommen aller Ratschläge, so wie Schicksal in Grouchy's Verspätung von Waterloo war: für alle Generationen müßte erwiesen sein, was seit Napoleon eine Welt wieder vergessen, daß Hybris jedem Erfolge der Macht entwächst und ihren Schöpfer, die Macht, tötet. Die letzten Jahre Napoleons, die letzten Monate Ludendorffs sind das gleiche: Königsmacherei von Verwandten, Aufteilung von Ländern mit dem Lineal, Zertretung der öffentlichen Meinung, Verachtung der *Psychologie aus Machtrausch.* Das war es, was Napoleon, was Deutschland brach, diese Gleichgiltigkeit gegen jede Meinung im Erfolg, und wenn Sie den Vergleich ziehen, fällt er noch zu Napoleons Gunsten, denn sein Erfolg war gehärteter schon als der Ludendorffs, der in seinen besten Stunden noch immer Hoffnung war.

Was jetzt kommt, wird entsetzlich sein. In Deutschland kommt die Democratisierung zu spät: man stellt jetzt eilig die Socialisten vor die Kronen, was diese gehorsamst tun werden (oh, warum jappen die Menschen alle so nach Macht, nach fugitiver, freudloser Macht!?), und prompt werden alle Bedingungen erfüllt, die – gestern noch galten. Heute sind meinem Empfinden nach die Hohenzollern nicht zu retten mehr, nie werden die übermütig gewordenen Republikaner mit W[ilhelm] oder F[riedrich Wilhelm] verhandeln – aber man wird sie erst abtun, wenn die Entente schon die Faust um den Hals hält. Denn daß jetzt der Anfang vom Ende da ist, darüber gibt es für mich keinen Zweifel: die Erfolge sind überall zu einhellig, und in Deutschland hat man die Kraft so oft auf Siegfrieden gepeitscht, daß für den Verteidigungskampf kein neuer Elan mehr möglich ist. Immer hatten die Alldeutschen gerufen: der Wolf! der Wolf! *Jetzt ist der Wolf wirklich da*, nur man glaubt es drüben nicht mehr. Jetzt geht es auf Vernichtung, Beugung, Zerschmetterung. Und für mein Empfinden müßte man dem am ehesten jetzt ein Opfer hinwerfen, der am wenigsten von Volk und Land will: Amerika. Das begehrt Sturz des Königtums, Anerkennung der Schuld, Rückstellung Belgiens – habeat! Aber Sie werden sehen, daß die Hohenzollern lieber Elsaß und 6 Rheinprovinzen opfern werden wollen als ihren Thron. Und dazu hat Deutschland noch nicht die Entschlossenheit. Paris hat zwei Tage nach Sedan die Bonapartes expediert: Deutschland konnte in vier Jahren nicht das preußische Wahlrecht erzwingen, es wird keine Energie aufbringen als die der Verzweiflung. Ach, und das ist Alles schon geschrieben, göttlich prophetisch in des verlachten und verachteten Heinrich Heines Prosaschriften: sie zu lesen ist heute magisch. Wie hat er dies Volk gekannt und die

andern und wie sie alle geliebt, dieser prachtvolle jüdische Europäer, trotz allem und allem unser Vater und Vorbild im Geiste! Warum haben wir ihn mißachtet, den »Journalisten«, warum ihn nicht genug gläubig gelesen? Er wußte uns mehr zu sagen als all die Wissenden von heute.
Lieber Freund, bereiten wir uns innerlich auf harte Zeit. Jetzt kommt der letzte Akt der Tragödie. Ich habe in meinem »Jeremias« das alles vor drei Jahren geschrieben und weiß es seit fünf Jahren, und doch, weiß ich, wird es an mir rütteln. Niemand kann jetzt helfen als das Volk! Als Zorn oder Wut, irgendein Elan. Die Vernunft ist tot. Graben wir uns ein in Arbeit, bis sie erwacht oder bis wir im Lebendigen wirken können. Ich bin Ihnen untreu geworden mit Locarno. Ich hatte doch Angst vor den vielen Literaten (ich kenne zuviel von früher!). Und hier in Montreux ist es herrlich, ich bin allein in meinem hohen Zimmer über dem See, habe manchmal ernste und ergriffene Gespräche mit Rolland und denke schon mit Grauen wieder nach Zürich zurückzukehren. Wann sehen wir uns? Bleiben Sie wirklich festgemauert in M.? Es ist vielleicht das Klügste! Herzlichst Ihr Stefan Zweig

Mein neues Stück wird noch nächsten Monat in Hamburg oder Dresden uraufgeführt.

An Hermann Hesse

18. Okt. 1918

Lieber verehrter Hermann Hesse, ich muß Ihnen innig für das kleine Buch danken und für vieles sonst noch. Sie sind von all den Dichtern hier der Gefestigteste: in Ihnen ist irgend etwas, das nicht zu erschüttern ist, weil es viel tiefer wurzelt als in der Zeit. Ich verkenne nicht den Preis dieser Sicherung: unendlich viel Resignation auf äußeres Leben, Verzicht und Entsagung. Sie haben schwere Jahre hinter sich: ich spüre das so

in Ihren Versen, die jetzt so voll sind, so reif und klar. Und ich weiß, Ihnen kann eigentlich nichts mehr geschehn.
Ich drücke das alles dumpf aus, aber ich glaube, Sie spüren schon, was ich meine. Ich hoffe auch bald drüben zu stehen, wo Sie sind, in jenem Jenseits, wo man nur bildhaft und spielhaft diese tolle Welt anblickt und jener andern gedenkt, die man um so viel lieber geträumt.
Ach, warum kann ich das alles nicht besser sagen, und spür es doch im Wehsten klar – mit jener Klarheit, die bei Ihnen jetzt schon ganz selbstverständlich im Wort, im Gedanken und Wesen ist. Sie wissen es selbst nicht, lieber Hermann Hesse, wie Sie reif geworden sind in den letzten Jahren. Ich weiß es und sage Ihnen: wenn Sie jetzt ein Buch schreiben werden, wird es ein ganz wundervolles sein. Es gibt ganz wenige Menschen, derer ich so sicher bin als Ihrer. Und ganz sicher keinen, dem ich dies so schamlos unbefangen sagen würde: denn nichts wäre verhängnisvoller, als käme jetzt, wo alles in Ihnen reif und klar ist, noch einmal Müdigkeit über Sie oder risse Sie die irrsinnige Zeit in den Wirbel hinein.
In herzlicher Verehrung

Ihr getreuer Stefan Zweig

An Ernst Hardt

Rüschlikon bei Zürich
11. Dezember 1918

Verehrter Herr Hardt, ich lese eben von Ihrer Ernennung in Weimar und sage Ihnen meinen Glückwunsch. Und komme ohne Weiterungen ganz geradeaus mit einem Stück zu Ihnen. Mein »Jeremias« der leider furchtbar zeitgemäß geworden ist, kann wohl die technischen Schwierigkeiten der Stunde nicht überwinden. Aber dies kleine Stück, das ich vollendete (und das vom Lessingtheater und einigen andern angenommen ist) hätte ich gerne in Weimar, gerade gerne in Weimar. Wenn Sie es

lesen, werden Sie meinen Wunsch verstehen. Es ist so ganz leicht zu spielen und, glaube ich, des Versuches wert.
Nach drei Jahren militärischen Dienst kam ich in die Schweiz: als Correspondent einer Zeitung. Und doch war es Freiheit. Ich habe hier unendlich viel erlebt und habe gegen meinen Vorteil um des allgemeinen willen viel an Warnung gewagt: es war vergeblich. Aber ich bin noch ganz des Glaubens voll, ich – liebe die Niederlage als eine unendliche Möglichkeit zum Aufstieg eines Volkes, ich glaube an die Sendung der Besiegten mehr als an die des Siegers. Ich glaube es, nicht aus Trostbedürfnis sondern wirklich aus Glauben: mein Jeremias hat es vor drei Jahren mir selbst vorausgesagt.
Schaffen Sie Schönes! Wir brauchen es – statt des Brotes! Herzlichst ergeben in alter Verehrung

Ihr Stefan Zweig

An Anton Kippenberg

27. II. 1919

Lieber Herr Professor, vielen Dank für Ihren guten Brief und die Desbordes-Correcturen, bei denen mich nur der Titel befremdet. Ich darf doch wohl nicht das ganze Buch zeichnen, nachdem ich nur die große Einbegleitung schrieb. Vielleicht nennen wir es *M. D. V.* Ein Lebensbild in Versen und Briefen, herausgegeben von St. Z., Übertragung von Gisela Etzel-Kühn. Ich überlasse da übrigens alles Ihnen, denn jetzt ist nicht viel Zeit zum Hin- und Herschreiben und Sie mögen nur selbst entscheiden: ich weiß, es ist alles in guten Händen. Schade wäre es um den Maupassant. Ich bezweifle nur, daß Fleischel die Rechte *erworben* hat, nachdem es ja eine Unzahl anderer Übertragungen gibt und eine Rechtsfrage sehr dunkel ist. Freilich muß man aber *sehr* mit der Bosheit der Franzosen gegen Deutschland rechnen, die jede Gelegenheit benützen werden, um zu schreien, man bestehle sie.

Alles das werden wir ja einmal mündlich besprechen. Auch den Fall Verlaine. Denn *jedesfalls* müßten wir die kleine Ausgabe bringen, die früher bei Schuster & Loeffler erschien, die größere gründlich durchlesen. Das ganze Material liegt bei mir in Wien fast parat: wichtig wäre nur mir zu wissen, ob Sie die Autorisation nach Paris schon *gezahlt* haben oder bloß abgeschlossen. Denn bei dem heutigen Curs kosten Autorisationen ein Vermögen.

Ich glaube Sie tuen am besten, im allgemeinen jetzt nicht zu viel zu tun, die alten schönen Ausgaben zu erneuern, zu ergänzen: die Weltliteratur ist bei Ihnen so gut gepflügt, daß Sie jetzt ein wenig gelassen zusehen können, wie die Hälfte der neuen Verleger in dem entsetzlichen Chaos, das bevorsteht, pleite gehen wird. Am *aussichtsreichsten* von allen großen Unternehmungen wäre (lächeln Sie nicht) mein alter Plan, französische, englische Ausgaben und en-regard-Ausgaben. Das Publicum *dürstet* nach französischen Romanen, in Wien zahlt man *28 Kronen für einen 3 Fr. 50 Band geheftet.* Jetzt könnte man in Deutschland einen schönen Balzac, Baudelaire, Byron, Anthologien bringen, *denn es werden Jahre vergehen, glauben Sie mir, ehe man schöne Bücher infolge der Cursdifferenz wird vom Ausland beziehen können.* Jetzt wäre der Augenblick, in Deutschland mit einer erlesenen, und erlesen gedruckten Bibliothek der *dauernden* Bücher des Auslands zu beginnen (umsomehr als Heitz-Straßburg wegfällt und Tauchnitz wohl caput geht am Verbote in Frankreich.) Überlegen Sie einmal dies genau, was dies bedeutete, Deutschland von der drückenden Steuer eines ausländischen Bücherimports zu entlasten, *selbst* Weltliteratur zu schaffen. Ich würde gerne die Leitung übernehmen, besonders einer en-regard-Ausgabe, denn auch das Sprachstudium wird mangels Lehrern *sehr* erschwert sein und mancher, der sich früher auf Reisen perfectionierte, *muß* es jetzt durch Lectüre tun.

Lieber Herr Professor, ich glaube, besser wie die meisten, den

Sinn und die Wendungen der Zeit immer erkannt zu haben. Und ich sage Ihnen: für den Insel-Verlag, der jetzt wie jeder Einzelne an einer entscheidenden Wende seines Geschicks steht, ist hier die *großartigste*, die *ergiebigste* Aufgabe. Der Deutsche wird die französischen, die englischen, die italienischen Meisterwerke immer lesen wollen. Er wird sie schwer aus dem Ausland beziehen können (die Einfuhr wird für Jahrzehnte auf ein Minimum reduciert sein) er wird *ungern* jene Länder unterstützen. Schaffen Sie aber auf breiter, langsam ansteigender Basis eine Bibliothek der Weltliteratur, so wird *die ganze Nation* mit Ihnen sein. *Nicht* mit Übersetzungen, mit *Originalausgaben* kann man die Internationalität fördern und die deutsche Buchkunst mit.

Was ich Ihnen da sage, scheint mir so klar und logisch, daß ein Einwand kaum denkbar würde. Geld in Bücher zu verwandeln wird vielen nur lieb sein, an Capitalienzustrom dürfte es Ihnen nicht fehlen falls Sie diesen Plan beginnen. Ich würde nun *sehr* gerne die Leitung einer solchen Bibliothek übernehmen, die ich mir so denke

Ausgabe 1) nur französisch, englisch, italienisch, spanisch, griechisch.

Ausgabe 2) en regard, *wobei der kostspielige Auslandssatz einfach übernommen wird. Eventuell Ausgabe* 3 *Nur* Übertragung mit dem vorhandenen Satz.

Zunächst Classiker. In einigen Jahren könnte man dazu vielleicht schon Originale (Verlaine, Wells etc.) erwerben. Und jedenfalls *schon jetzt* nach Polen, Rußland, Scandinavien exportieren. Ich traue mir sehr die Fähigkeit zu, eine solche Ausgabe mustergültig zu leiten, die Texte zu überwachen, mit Freunden die Correcturen zu lesen. Ich will mich ja ganz von der Großstadt zurückziehen und habe endlich Muße zu einem solchen Werk, das in monumentalem Stil die Idee meines Lebens, die Internationale der Kunst, für Deutschland verwirklicht. Selbstverständlich muß die Auswahl in dem Sinne sein, was *uns* von

der Auslandsliteratur lebendig ist, *nicht* also Corneille, Laroche Foucauld, Bossuet, sondern das *wahrhaft* Classische. Ferner Ausgaben wie Gobineau und De Coster, die bei uns mehr Heimat haben als drüben. Ich glaube, wir könnten dabei gemeinsam ein großes Werk beginnen und Sie lächelnd auf das Katzbalgen der andern deutschen Verleger um die letzten Novitäten zusehen, ohne deshalb zu resignieren. Von vielen Meisterwerken besitzt die Insel schon die Übertragungen, sie ist also berufener als jedes andere Unternehmen.
Wie denken Sie darüber?
Zu Ihrer freundlichen Bemerkung betreffs meines zukünftigen Lebens nun noch eine Bestätigung. Ja, ich gedenke baldigst zu heiraten. Ich lebe seit Jahren in wilder Ehe (die aber sehr sanft ist) mit Frau von Winternitz, der mein Jeremias gewidmet ist und von der ein wunderbarer großer Roman bei S. Fischer erscheint. Da sie katholisch geschieden ist, war jede zweite Heirat in Österreich für sie Bigamie und fiel unter das Strafgesetz. Nun, wir haben geduldig gewartet, bis dieses alte Österreich unterging und ziehen im Mai oder Juni nach Salzburg, wo ein kleines Schlössel mit wunderbarem Garten so ziemlich das darstellen wird, was von einstmals recht beträchtlichem Vermögen übrigbleibt, vielleicht noch, falls uns Spartacus verschont, ein kleines Rentlein. Aber ich habe längst über alles das Kreuz gemacht, ich weiß, wenn nur einmal Ruhe wird, komme ich schon gut durch, ein Garten und ein Haus ist schließlich alles, was ich ersehnte. Und geht es nicht, so kommt eben die Sammlung unter den Hammer; ich sehne mich nur nach fünf Jahren wieder einmal in eigenem Zimmer und mit meinen Büchern zu sein. Es wird für jeden Deutschen ein bittres Leben kommen, wir stürzen tiefer, als die meisten ahnen, aber wenn wir nur auf die Füße fallen, nicht auf den Kopf, so wollen wir schon weiter gehen. Leben Sie wohl und grüßen Sie herzlichst Ihre verehrte Frau von Ihrem treu ergebenen

Stefan Zweig

P.S. Bitte lassen Sie nachsehen, ob von folgenden beiden Büchern es schon Übertragungen gibt

1) *Renan:* Souvenirs d'enfance et de jeunesse

2) *Berlioz:* Mémoires

Beide sind herrlich.

Eventuell würde ich einen großen Plan jener Bibliothek ausarbeiten, die ersten 30 – 50 Bände, jeden im Umfang von 200 Seiten einfache, 400 Seiten en-regard-Ausgabe.

Ich glaube sogar, daß dieser Plan an officieller Stelle zur Hebung oder zum Schutz der Valuta sehr gefördert würde, auch würden alle deutschen Buchhändler Ihre Ausgaben schon aus patr. Interesse voranstellen.

An Anton Kippenberg

Rüschlikon bei Zürich, Hotel Belvoir
16. III. 1919

Lieber Herr Professor

ich danke Ihnen für Ihre guten persönlichen Worte und wenn ich über sie hinweg so rasch zur Sache eile, ist es, weil ich Ihnen viel zu sagen habe und weil ich doch schon mit gepackten Koffern schreibe.

Ich freue mich, daß Sie, großzügig wie immer erkannt haben, daß nur eine so monumentale und wahrhaft kulturelle Aufgabe die Insel ganz außerhalb der kleinen Autoren-Konkurrenzlerei der anderen Verlage stellt (man wird einmal darüber lächeln, daß um Hasenclever Verleger »gekämpft« haben). Damit tritt er aus der Novitätenjagd heraus, hat Zeit, das Beste geduldig abzuwarten und vor allem: er schafft Deutschland wie mit der Insel Bücherei, der Bibliothek der Romane, ein großes nationales Werk. Sind Sie – aus den früher erwähnten Gründen der Befreiung von den fremden Devisen durch eigenen Druck fremdsprachiger Bücher nebst den moralischen der Unabhängigkeit vom Ausland – im Prinzip entschlossen, so *wird* es wunder-

bar gelingen. Ich würde Ihnen nur raten, die materiellen Grundlagen innerhalb der Insel gesondert festzulegen. Heute bekommen Sie Geld noch ganz leicht und es ist nur zu raten, einen Teil der Vorarbeiten schon jetzt zu investieren und gewisse Kapitalien bereit zu halten. Denn diese Serie muß gleich stark ansetzen, *mindestens* 10 Bände zugleich. Fischers Tempelklassiker ist durch das Tempo mißglückt.
Wir müßten nun die Arbeit möglichst teilen um vorwärts zu kommen. Sie müßten *heute* schon ein Grundschema der Ausstattung (ich denke immer an die Everyman's Library, nur daß Sie kartonieren sollten, allerdings in anderer Form wie bei der Insel Bücherei, solange die anderen Einbände zu kostbar sind) eine Kalkulation beginnen und vor allem sich entscheiden ob Sie die Idee der drei Ausgaben

a) Original
b) En regard
c) Übersetzung allein,

die ja die Satzkosten auf die Hälfte reduziert, billigen. Ich weiß genau, daß in diesem Umfang ein gewaltiges Stück Geld in die Insel eingebaut wird, aber erstens können die Leute dies Geld noch leicht und von allen Seiten haben (ich könnte Ihnen selbst behilflich sein), zweitens ist eben dann die Insel das deutsche *Kulturzentrum* und wird, wenn alles so gelingt wie ich es plane in 20 Jahren ein europäisches sein. Denn ich zweifle nicht, daß wir in 3 bis 4 Jahren schon Autoren wie Flaubert, Wilde, Swinburne dafür freibekommen und in 10 Jahren die lebenden Autoren der ganzen Welt. Wird das Unternehmen groß begonnen, so wird es das schönste Deutschlands. Sie kennen mich schließlich genug, daß ich nicht gerne andere hineinhetze, aber ich sehe hier keine Möglichkeit eines Mißlingens, unbegrenzte des Gelingens. *Nur muß es so groß, so herzhaft, so rasch angepackt werden, daß es von vornherein durch seine dominierende Kraft jede deutsche Nachmacherei zum Tode ver-*

urteilt. Ich würde sogar schon jetzt eine ganz allgemeine Ankündigung den Zeitschriften und dem Börsenblatt geben.
Ich würde nun die ganze redaktionelle Leitung geschlossen übernehmen, das heißt: Auswahl der Bände im Einverständnis mit Ihnen. Aber die ganze Arbeit: Revision der Texte, Verkehr mit den Autoren (Korrektoren), Revision der Übersetzungen, Verhandlungen mit den ausländischen Verlegern und was sich noch ergibt, würde also der Insel alles außer der Herstellung abnehmen. Ich habe in Salzburg reichlich Raum, habe an einem wunderbaren Freund der bei uns wohnen wird (Universitätsdozenten französischer und englischer Literatur) einen idealen Helfer, nicht zumindest auch an meiner Frau. Ich brauche außer einem Schreibmaschinenfräulein für den halben Tag gar keine Hilfe sonst, würde die ganze Korrespondenz (Anfragen, Angebote) schon glatt abnehmen. Meine Ansprüche wären 1) Honorar der Herausgabe per Band (weil wir die Weite des Unternehmens nicht überblicken können, das vielleicht einmal den Kontinent überwachsen wird), 2) Anteil in Perzenten an neuen Auflagen, 3) eine einmalige Investitionssumme von DM 5 000 für Registratur, Kästen, Schreibmaschine, Pulte, was mir gering erscheint, da ich das Zimmer ganz gratis beistelle.
Die Korrektur jedes Bandes übergebe ich immer einem Fachmann, revidiere sie aber selbst. Einleitungen halte ich, sofern sie nicht übernommen werden können, für überflüssig. Wichtig ist: schöner Druck, ideale Bibliotheksform, eine *Dünndruckpapier-Ausgabe* wäre selbstverständlich d i e Lösung der Lösungen. Aber ist das heute noch erschwinglich? In diesem Fall müßten Sie mit einer Druckerei einen großen Kontrakt machen.
Wegen Tauchnitz habe ich keine Befürchtungen. Wir gehen andere Wege. Er hat meist Unterhaltungsliteratur, Engelhornerei: die guten Autoren wie Shakespeare kaufte schon vor dem Krieg niemand bei Tauchnitz. Sie werden ja mein Verzeichnis sehen, das *ausschließlich* das dichterisch Hochwertige und das *Lebendige* der Klassiker berücksichtigt.

Ich glaube Sie werden sich wie immer mit mir dabei vertragen. Wenn ich die Herausgabe übernehmen will, so tue ichs nicht, um einer Verdienerei willen, sondern weil ich eine Lebensidee damit in eine große Tat umsetze, weil ich mich gewissenhaft und gebildet genug weiß, um sie besser als jeder andere in Deutschland auszuführen. Der Kontrakt zwischen uns wird jedenfalls auf einige Jahre laufen müssen, selbstverständlich bleibt das Unternehmen selbst Ihr Eigentum: ich würde mir nur dann den Vermerk darin sichern »Begründet von Anton K. und St. Z.« Als Titel wäre zu erwägen »Die Meisterwerke«, »Les Chefs d'Œuvres« oder ein lateinischer Name *»Bibliotheca Mundi«*. Und nun sehen Sie die Liste an, nur im Handumdrehen ohne Hilfe entworfen. Das Schönste habe ich gewiß vergessen, denn alle Bücher sind verpackt. Aber Sie sehen schon, wie ich es meine. Es sollen Ausgaben wie *Anthologien, Konzentrationen von Dichtern, Briefsammlungen* darunter sein von solcher Qualität, daß sie auch die französischen Ausgaben schlagen und vorbildlich werden. Man muß eben das Gefühl haben, was uns in Deutschland lebendig ist und sich nicht an die klassischen Begriffe halten; Corneille, Bossuet, Milton, Voltaire haben gar keine wahrhafte Lebendigkeit für Europa, so wenig wie etwa Lessing und Klopstock. *Ich will einen ganz hohen, ganz neuen, ganz europäischen Pegel* der Bedeutung nehmen: die universale Lebendigkeit. In dem ganzen Verzeichnis ist kein Buch, das nicht nur berühmt, sondern das auch für uns nicht noch wichtig und lebendig wäre. Den »Vicar of Wakefield«, den Sie nannten, halte ich für eine Leiche, ebenso wie die Promessi sposi von Manzoni, und in diesem Sinne denke ich die ganze Bibliothek einzig auf Lebendigkeit gestellt.
So dies für heute. Ihre Antwort erbitte ich nach Wien. Wenn es ernst wird, komme ich dann nach Leipzig zu einem feierlichen Entschluß und Beschluß. Meine Meinung ist nur: bauen Sie schon jetzt das Kapital dem Insel Verlag ein: wir gehen schweren Zeiten entgegen und es wird gut sein, dann stark zu sein.

Wegen der Renan Souvenirs schreibe ich Ihnen noch. Das Buch des weisesten Menschen Frankreichs ist seit Jahren mein Trost, ich habe es mindestens zehn Mal gelesen. Sobald man die Autorisation kaufen kann, müssen Sie es bringen. Und nun noch gute Grüße Ihres getreuen Stefan Zweig

An Frans Masereel

Salzburg, Kapuzinerberg 5
[undatiert, vermutlich Mai 1919]

Mein lieber Franz, ich schreibe Dir heute deutsch, um mich besser und klarer auszudrücken. Denn die Freude, als ich Dein Buch glücklich empfing (die Exemplare für Heller noch nicht) war so ungemein groß, wie Du Dir es kaum denken kannst, denn das warst *Du*, der uns so liebe, der mit diesen Blättern zu uns kam, fast so freudig begrüßt, wie es der wirkliche Frans wäre, wenn er die zweihundert Stufen zu unserem Hause heraufpilgerte. Ich kenne wenig bildnerische Werke, die mit dem Menschen so völlig identisch sind und in seiner Trauer, seinem Übermut, seinem Ernst hat es mich gleich ergriffen. Was für ein ganzer Mensch Du doch bist, wie gerade und klar (mit allen Tiefen doch klar), fast könnte man Dich beneiden um diese selige Freiheit, mit der Du Dir selbst gehörst. Ich las dazu die Biografie Whitmans von Bazalgette, sie schien mir fast eine Paraphrase dazu. Eben kommt Friderike und will spazierengehen, denn es ist göttlich schön in diesen Maitagen (man vergißt die widerliche Zeit). Ich gebe ihr nach, ziehe mich an, umarme Dich noch einmal dankbar und brüderlich von ferne!

Herzlichst Dein Stefan

An Richard Dehmel
[Telegramm]

[Salzburg, 12. 7. 19]

empfing schmerzlich bewegt karte bitte sie herzlichst antwort aufrichtiger gesinnung ohne vorurteil zu erwarten

Stefan Zweig

An Richard Dehmel

[undatiert; vermutlich 12. 7. 1919]

Verehrter Herr Dehmel,
Nichts konnte mich mehr verwundern und erschrecken als Ihre Karte. Ich bin leider nicht ein Briefschreiber des richtigen Ranges wie Goethe, der sich Brouillons aufbewahrte oder Kopien anfertigen ließ, weiß also nicht, welchem Worte Sie eine so unverständliche Auffassung meines Gefühles für Sie oder Ihr Volk anheften. Schade, daß Sie ihn in den Papierkorb warfen: vielleicht hätte ihn ruhiges Lesen doch entschuldigt, denn wenn auch in der Erregtheit der Stunde meinerseits geschrieben, war er gewiß in der gleichen Erregtheit der gleichen Stunde von Ihnen gelesen. Nun denke ich, daß beiderseits diese Erregtheit kein übles Zeichen ist: nichts kränkt, nichts erschüttert mich mehr als die Gleichgültigkeit, die Tausende, ja Millionen in diesen Tagen hatten (ein verläßlicher Freund schilderte mir diesen Tag in Berlin, und ich habe hier und in Wien nie eine so heitere Frühlingslaune gesehen bei dem Volke als in den ersten Tagen des unterzeichneten Friedens).
Ich glaube aber und wiederhole, daß es ein Unglück Deutschlands war, daß die Führer und Verführer der Nation sich nicht selbst gerichtet haben, daß Tirpitz statt wie ein Admiral auf sinkendem Schiffe unterzugehen und den Revolver zu nehmen, in die Schweiz flüchtete und Ludendorff nach Schweden, daß die Anzettler der Fabriksausräumungen in Belgien und Frankreich (für die noch die Kinder ihrer Kinder werden bezahlen

müssen) ruhig in Deutschland spazierengehen: daß diese Menschen, die von Millionen die unerhörteste Anspannung des Willens nach *ihrem* Wahn verlangten, nun die Schuld nicht freiwillig zahlen. Und ich halte es für ein Unglück Deutschlands, daß es nicht unverbrauchte neue Menschen an seine Spitze stellte, daß es wiederum Erzberger und die anderen Geschmeidigen nahm, die ihm unendlichen Schaden getan.
Es scheint, daß Sie anderer Meinung sind und die Nationalversammlung für die würdige Vertretung des wahren Deutschland halten. Das sind politische Ansichtsverschiedenheiten, über die selbst der mit reinsten Formen geführte Streit doch nur eine erhabene Kannegießerei wird. Was mein Brief ersehnte, war, Sie zu einem Wort, zu einer Tat aufzurufen: manche Stellen Ihres Tagebuches zeigen mir, daß in Ihnen der Wille, die Kraft zu einem mahnenden Propheten, aber auch zu einem züchtigenden Propheten ihres Vaterlandes wäre und daß Sie vielleicht die *Pflicht* haben, heute politisch (das heißt überpolitisch) die Führung zu übernehmen. Es ist eine große Scheu, eine zu große der deutschen wirklichen Menschen vor der Tat: warum sind Sie, warum sind die wichtigsten Menschen wie Rathenau, politische Naturen wie Thomas Mann, wie Heinrich Mann bei den Reichstagswahlen abseits geblieben? Warum, auf die Gefahr hinein zu erliegen, nicht vor der Urne gestanden? In Bordeaux 1871 hielt Victor Hugo eine unvergeßliche Rede an die Nation: Warum sprach nicht ein Dehmel, ein Hauptmann, ein Thomas Mann in der deutschen Nationalversammlung, sondern ein Professor, zwei Rechtsanwälte und sonst Professionspolitiker. Sie haben Ihre Pflicht gefühlt am ersten Kriegstage: ich sehe Ihre Pflicht heute mehr als je in einer geistigen Führung, in einer öffentlichen Tätigkeit.
Ich sage das, obwohl ich in Vielem anders denke als Sie. Ich halte den nationalen Gedanken für eine Gefahr und glaube, daß wir durch den Brennpunkt seiner Überschätzung durchgehen. Sowenig wir heute begreifen, daß Deutschland sich dreißig

Jahre wegen des heiligen Abendmahles und seiner Deutung zerfleischte, sowenig wird eine Welt in 200 Jahren verstehen, wie unser (dann längst schon einiges) Europa wegen Sprachenfragen und Grenzen sich so martern und zernichten konnte. Freilich: jene Welt wird wieder einen anderen, einen neuen Wahn haben und für den ebenso töricht sich selbst vernichten, in anderem Kampfe die gleiche Fülle von Begeisterung, Haß, Mißverstehen, Aufopferung und Liebe erzeugen. Und vielleicht ist es dem unsichtbaren Willen nur um dies zu tun: daß ewig diese Kräfte des Einzelnen in den Massen zur Wirkung kämen.

Ich habe mich seit Jahren gezwungen (auch oft gegen mein Gefühl) keine Gemeinsamkeiten als moralische Werte anzuerkennen. Es *gibt* keine Gerechtigkeit, keine Freiheit, keinen Mut bei einem Volke und bei dem anderen nicht: ich kenne nur liebe Menschen (so Richard Dehmel, und wenn er mir auch das Tintenfaß an den Kopf wirft, ich werde nie aufhören auch seinen Zorn zu ehren), ich liebe die Sprachen und ihren vielfältigen Geist, aber ich sehe in den Staaten nur zufällige Formen. Was bin ich zum Beispiel? Deutscher, wenn wir zu Deutschland geschlossen werden, Deutsch-Österreicher, wenn uns die Entente zu einer Selbständigkeit hilft, Tschechoslowake, weil mein Vater Deutsch-Böhme ist und wir vielleicht morgen schon annektiert werden, Jude, wenn das Judentum hier zur Minderheitsnation umgezwungen wird. Das ist kein Einzelschicksal: Millionen wissen heute nicht, was sie sind, die Vorarlberger werden morgen Schweizer sein – ich empfinde das alles als Farce, so wie ich Bismarcks Deutsches Reich als einen sehr mächtigen großen Staat zwar, nie aber als die Deutsche Welt empfunden habe (die einzig im Unsichtbaren, in der Sprache und im Geiste liegt).

Darüber werden wir wahrscheinlich verschiedener Ansicht sein und all die Ehrfurcht, die ich für Sie habe, kann mich da zu keiner Aufgabe meiner Gefühle zwingen. Ich bitte Sie nur um Eines: nicht zu glauben, daß ich jemals die Ehrfurcht vor Ihrer Meinung und Stellung verletzen wollte oder verletzt hätte.

Was ich über Ihr Tagebuch öffentlich schrieb, bezeugt doch den unwandelbaren Respekt vor Ihrer politischen, poetischen und menschlichen Gesinnung, wenn ich auch die Monotonie der äußeren Geschehnisse als künstlerisch hemmend empfinde: ich glaube gerade, daß ein so leidenschaftlicher Gegner des Krieges und jedes Nationalgefühls als Zeuge für die Reinheit und Hoheit Ihrer Gesinnung mehr zählt als Einer, der Ihren Ideen von Anfang verbrüdert war. Und wenn ich, der ich in so Vielem gegen Ihre Meinung stehe, Sie zur Tat rufe, zur Übernahme öffentlichen Wortes, öffentlicher Stellung, wenn ich glaube, daß Deutschland heute ein moralischer Mensch in der Führung wichtiger ist als ein Dutzend politischer, so möge Ihnen dies doch ein Zeichen sein. Ich halte ebenso die politische Meinung eines Thomas Mann nicht für die richtige, dennoch würde ich tausendmal lieber ihn an der Spitze sehen als irgendeinen der jetzt im Unkraut der Zeit üppig aufschießenden Literaten-Internationalisten. Ich ehre nicht die Partei, sondern die Gesinnung. Und in diesem Punkte kann ich nicht anders: Deutschland hat Parteimenschen gewählt, parteimäßig für Unterwerfung oder Widerstand gestimmt, statt sich großen verantwortlichen Menschen anvertraut. Wären Sie, wäre Thomas Mann im Reichstage gewesen, so wäre die Sitzung ein Unvergeßliches geworden für die späteren Generationen, eine Erschütterung für alle Geister Europas.

Ich bitte Sie also nicht, mir meine Gesinnung zu *verzeihen*, sondern mein Gefühl zu *verstehen*, das für Sie das unverbrüchiger Liebe und Verehrung ist, mögen Sie mich auch als einen Schädling oder Verführten mißachten und zurückstoßen.

Ihr getreuer Stefan Zweig.

An Friderike Zweig

Leipzig 22/ x. 19

L. F.

endlich Mittwoch mittag komme ich dazu, Dir zu schreiben, zwei Stunden vor der Weiterfahrt nach Berlin. Ich hatte unendlich viel mit Kippenberg zu besprechen, war mittags und abends bei ihm. Die große Sache ist so gut wie gesichert. Die fünfzehn ersten Bände fixiert. Die Hauptzüge stimmen schon. Es wird eine schöne Sache – freilich werden die ersten Bände bestenfalls Weihnachten 1920 parat sein, so lange dauert alles. »Tersites« ist noch gar nicht gedruckt, die »Frühen Kränze« und »Desbordes« werden erst gesetzt, die Schwierigkeiten sind unabsehbar. »Jeremias« ist nicht so gut verkauft, es fanden sich noch 3 000 Ex., weil Kippenberg nicht mehr nach Österreich liefert ohne Garantien. Die Angst vor dem österr. Bankrott ist allgemein, und, so sehr michs trifft, ich kann ihm nicht ganz Unrecht geben.

Allgemeiner Eindruck Deutschland: Anziehung und Abstoßung verstärkter als je. Bewundernswert die Arbeit: bei der Insel arbeiten alle von 8 Uhr bis 8 Uhr abends und arbeiten fabelhaft. Ich werde Dir viel erzählen können davon. Andererseits die Überhebung maßlos, die Unzufriedenheit gegen die Regierung unbeschreiblich – ich habe keinen Menschen bisher gesprochen, der nicht offen eine Monarchie oder eine Diktatur ersehnt – der Judenhaß zur Raserei gesteigert (auf jedem Klosett, an jedem Tisch Pamphlete, in der Eisenbahn kein anderes Gespräch), der Franzosenhaß ebenso. Zu kaufen alles. Die Geschäfte gehen über von Lebensmitteln – wie im Feenland. Ähnliches habe ich nie in der Schweiz gesehen. Alles also herrlich, nur rasend teuer, besonders für uns. Ich zahlte heute mittag in einem kleinen Gasthaus 10 Mark für eine Fleischspeise, 2 Mark für Beilage, 2 für Mehlspeise, also 14 Mark als Minimum, was 75 Kronen bedeutet. Ebenso alles andere. In der Baracke, wo ich wohne, für ein Schandloch 6 Mark, also 35 Kronen. Dabei speiste ich

hier sonst immer als K.'s Gast. Was ich in Hamburg und Berlin brauchen werde, wo ich wegen Telefons und Besuchen in guten Hotels wohnen muß, will ich nicht umrechnen. Ich mache ja jetzt die Bibliotheca mundi (so heißt das Kind unserer Laune), und die trägt dann so viel auf ihrem Rücken, daß ich Dich nächstens mitnehmen kann (falls Du brav bist). Kippenberg möchte Dich sehr gerne kennenlernen. Es sind wirklich ausgezeichnete Menschen.
In Hamburg wohne ich im Palasthotel von Montag bis Freitag, dann Kiel, bis Montag oder Dienstag wieder Leipzig und von dort wahrscheinlich gleich weiter nach Salzburg. Eventuell könnten wir uns in München treffen, falls Du Lust hast, ich würde 5. oder 6. November dort sein. – Briefe und Telegramme fand ich von Dir nicht vor. Ich bin gar nicht müde, sondern selten frisch, obwohl ich doch wenig schlafe und ganz gespannt denken muß, um nichts zu vergessen. Meine Post *nicht* zu sehen, war mir eine Wollust. Ich fühle mich dann wunderbar unbelastet.
Heute abend also Berlin. Weiß Gott, ob und wo ich Unterkunft finde! Ich versuche es jedenfalls mit dem Fürstenhof. Ich lese wahrscheinlich Sonntag vormittag in der »Tribüne«, obwohl der Leiter, wie ich lese, zurückgetreten ist.
Alles Gute Euch allen und viele Grüße

Deines Stefzi

An Anton Kippenberg

Salzburg, am 3. Februar 1920

Verehrter Lieber Herr Professor!
Ich bin heute zurückgekehrt und beantworte die drei Briefe vom 21., 24., und 26. in einem. Ich habe in Wien in den paar Tagen mich viel umgetan, vieles erfahren und abgeschlossen, teils in meinen eigenen Angelegenheiten, teils in denen der Bibliotheca mundi. In eigenen Angelegenheiten ist das wichtigste, daß »Jere-

mias« und »Legende des Lebens« jetzt für Rußland erworben werden soll, in Moskau sind sehr große Theateraussichten dafür, und es wird eifrig übersetzt. Gleichzeitig wird in Wien das kleine Buch über Dostojewski in einer sehr hohen Auflage russisch gedruckt werden und gleich nach Öffnung der Grenze hinübergehen. Es ist sehr viel Interessantes in Moskau vorgefallen, das ich jetzt erst erfuhr, der Minister für Volksbildung, Lunatscharsky, hat über mein Verhaerenbuch einen Vortrag gehalten und Maxim Gorki sich aus der deutschen Übersetzung, nicht aus dem Original, von seiner Frau die Gedichte übersetzen lassen. Daher ist beiden Stücken die Bahn jetzt soweit offen!
In den Sachen der Bibliotheca habe ich *erstens* mit Otto Hauser gesprochen und finde seinen Vorschlag sehr akzeptabel, daß er nach Leipzig ginge, wenn er durch die geregelte Tätigkeit beim Insel-Verlag ein anständiges Existenz-Minimum garantiert erhielte. Er meint damit nicht nur die Korrektor-Tätigkeit, sondern auch die Honorare für Herausgabe und Übersetzungen. Ich glaube das ist ihm leicht zu garantieren, ein so verläßlicher Übersetzer wie er, und ein so vielwissender Mann wird ja in tausend Formen Beschäftigung finden.
Zweitens, habe ich wegen der hebräischen Anthologie dort verhandelt und ebenso wie mit der Anthologia helvetica endlich einen Menschen gefunden, der die Sache aus *Begeisterung* macht. Denn mit 2 000 Mark allein ist so etwas nicht zu machen, nur mit Begeisterung. Die Arbeit ist unendlich, der junge Mann muß nach Prag, muß nach München fahren, um dort in den Bibliotheken die notwendigsten Manuskripte zusammen zu bekommen, es handelt sich ja da um ein noch nicht dagewesenes Werk, um eine Neuschöpfung, aber er setzt sich da mit einer ganzen Organisation von Leuten zusammen und packt es mit einem andern Eifer an [als] Agnon, der es ja wunderbar machen würde, aber aus Gewissenhaftigkeit ein furchtbarer Cunktator ist. Ich habe noch nicht ganz formell abgeschlossen (der junge Mann ist einer der bedeutendsten Köpfe, der mir von allen

Seiten empfohlen wurde und mir den denkbar besten Eindruck machte). Er wird mir erst aus Prag schreiben, ob er an der dortigen Bibliothek die Sache erledigen kann. Freilich glaubt auch er, daß er nicht vor Juni das Manuskript wird abliefern können. Nun ist es ja nicht so von Belang ob dieser Band ein wenig früher oder später kommt.

Drittens habe ich für die zweite Serie, um die Zeit für sorgfältige Zusammenstellung geben zu können, mit Dr. Paul Amann, einem der ausgezeichnetsten Kenner der französischen Literatur und Kultur, einem Freunde Romain Rollands, den Band über *Napoleon* vereinbart, der in die zweite Serie soll: *Proklamationen, Reden, Briefe* und das *Testament*. All das historisch geordnet, ganz komprimiert zu stärkster, gleichsam lateinischer Form. Es wird ein wundervolles Buch werden.

Viertens, für die gleiche 2. Serie verhandle ich noch mit Dozenten Friedmann in Leipzig wegen der Poètes galants. Haben wir das fertig, macht Schaeffer wie angebahnt die italienische Renaissance, Camill Hoffmann die tschechische Lyrik, Prof. Jolles die holländische, so sind bereits *alle jene Bücher in Arbeit, die für die zweite Serie angefertigt werden müssen* und der Rest sind bloß solche, die einfach ohne Honorar nachgedruckt werden können. Sobald die Goethe-Auswahl, die Luther-Auswahl und die griechische Auswahl fertig sind, können wir uns eine Zeit lang in aller Ruhe und Sorgfalt den *Details* zuwenden, und abwarten wie sich die Dinge gestalten. Die Fundamente sind ganz fertig und wie Sie selbst zugeben müssen, mit einem Minimum von Herausgeberkosten. Es kommt eben nur darauf an, die rechten Leute für die rechte Sache zu finden.

Fünftens habe ich in Wien auch wegen des Papiers Rücksprache genommen. Leider ist da soviel wie gar keine Aussicht, da ich aber die Sache für eminent wichtig halte, sprach ich gleichzeitig mit meinem Bruder, der mir unseren Vertreter in Prag zur Verfügung stellte. Auch der wird sich jetzt *bemühen* Papier zu bekommen. Er wird sich *wahrscheinlich eine kleine* Provision ausbedingen, aber wenn der Preis Ihnen genehm ist, so kommt *das ja* nicht in Betracht. Er wird sich sehr bald mit Offerten an mich wenden, er kennt Ihren Namen nicht und ich wollte nicht, daß man ihn erfahre, ich gebe dann *sein Offert* gleich weiter.

Man muß jetzt von allen Seiten alle Hebel in Bewegung setzen, denn was Sie mir schreiben hat mich furchtbar erschreckt, 5 000 Exemplare pro Band ist ja eine Bettelzahl, ich rechne von Goethe in Deutschland allein auf den ersten Hieb 30 000 Exemplare, von Baudelaire 20 000, von der russischen Anthologie, falls die Grenzen inzwischen schon offen sind, das doppelte. Und dabei erhalte ich von Tag zu Tag Briefe von neuen Verlegern, die Verlage begründen, von nicht weniger als drei Verlegern in Wien, ein *Dutzend* von Deutschland, manchmal möchte man glauben, das geradezu ein Überfluß an Papier herrscht.

Sechstens, Einzelheiten zur Bibliotheca: Ich möchte Sie bitten, die Verhandlungen mit Schaeffer, wenn er, wie ich ihm selbst vorschlug, diese Auswahl der Renaissance auch in deutsch machen will nicht abzubrechen, denn diese Übersetzung käme ja erst in *ein oder zwei* Jahren zustande und kann dann von Ihnen noch beliebig verzögert werden, Sie haben da alle Luft und Bewegungsfreiheit. Andererseits rentiert sich für ihn diese Arbeit nur, wenn er sie gleichzeitig für die deutsche Ausgabe macht. Von Faesi habe ich ja schon die Zusage, daß er sich gern in Büchern des Inselverlages honorieren lasse, Sie können sogar auf diese Weise die kostbaren 500 Franken sparen. Wegen Cervantes erneuere ich noch einmal meinen Vorschlag, in der Pandora die »Entremeses« (Zwischenspiele) zu bringen. Sie sind fast ganz unbekannt und ganz köstliche Dinge. Von der Anzeige im Buchhändler-Börsenblatt sind Sie wohl so freundlich, mir einen Abzug zu schicken.

Den Brief Ihrer verehrten Frau Gemahlin wegen Arcos beantwortet die meine indem ich schreibe, ich habe heute alles nur in Eile zusammengefaßt, Sie hören bald mehr von mir, nächste

Woche fahre ich vielleicht auf zwei Tage nach München, um Morisse zu treffen. Wie schön, wenn Sie mit dabei wären!
Mit herzlichen Grüßen Ihr aufrichtig ergebener

Stefan Zweig

Die deutschen Verleger sind buchtoll geworden. Ich finde nach fünf Tagen Abwesenheit folgende Vorschläge auf meinem Tisch:
Ullstein: für die Propyläen einige Bände zu machen
Kiepenheuer: eine Novellenbibliothek herauszugeben
Rheinverlag (Basel): Einen Roman Rollands für 35 000 Kronen zu übersetzen
Wilaverlag
Donauverlag } Wien um ein Buch
Ilfverlag
Zwölf Bücher Zürich: Einen neuen Essayband zu geben.
Ich lehne *alles* ab, ich habe nur Zeit für mich und die Bibliotheca.

An Anton Kippenberg

9. Februar 1920

Hauptgeschäft:
Zunächst zu der Mitteilung wegen Dante, meine selbstverständliche Zustimmung, daß Sie die »Vita nuova« übernehmen, freilich mit dem kleinen Bedenken, ob der Name »Opera omnia« dann schon gerechtfertigt ist. Es gibt nämlich von Dante außer dem »Convito«, das doch dichterisch schon belanglos ist, einige andere Schriften, aber ich glaube, Sie können den Titel doch wagen. Als Ersatz in der Serie käme in Betracht: Die »Fioretti« die Sie vorschlagen oder Petrarca: »Rime« oder Leopardi: »Poesie«. Ich glaube, daß wir ruhig die Fioretti wählen können, wenn Sie sich davon mehr Erfolg versprechen wie von Petrarca (der aber literarisch hochklassiger ist), die beiden katholi-

schen Bände werden durch den Spinoza und den Luther reichlich aufgewogen.
Das beste aber ist wohl, Sie nehmen meinen Vorschlag an und wir kündigen gleich 30 statt der 20 Bände an, um eben der Balance enthoben zu sein, und erscheinen zunächst mit ein paar Probebänden, denn ich fürchte wenn wir auf alle 20 warten wollen, so versäumen wir die Weihnachten. Wir haben ja da ein dermaßen neues Feld betreten und die Widerwärtigkeiten der Zeit sind dermaßen unberechenbar, daß es mir gefährlich scheint, sich auf eine bestimmte Zahl einstellen zu wollen. Vielleicht wäre es doch gut, den Goethe, Byron, Baudelaire, die russische Anthologie und den Horaz, also fünf totsichere poetische Bücher als Proben vorauszusenden.
Am meisten freue ich mich auf die hebräische Anthologie, sie hat in den wissenden Kreisen mehr als Begeisterung hervorgerufen – nämlich ein *ungeheures Erstaunen* daß es dieses Werk *noch nicht* gibt, daß noch niemand auf diese Möglichkeit gekommen ist. Es scheint, daß da ganz ungeheure Möglichkeiten noch verschüttet liegen die wir nach und nach in der Bibliotheca mundi zutage fördern können, vor allem jenes weltberühmte philosophische Werk Moses Maimonides, auf dem sich die ganze Theologie des Mittelalters aufbaut und von dem es längst keine anständige Ausgabe mehr gibt.
Viel erwarte ich mir auch von dem Napoleon-Buche, das ich mit Paul Amann in Wien vereinbart habe, es gibt merkwürdigerweise in Frankreich kein einziges derartig komprimiertes Buch.
Ich fördere mit allem Eifer die Verhandlungen meiner Bände, das Wesentliche ist schon vereinbart, am meisten zu tun gibt die hebräische Anthologie, wo aus dem Nichts etwas Gewaltiges geschaffen werden soll und ich diesen vortrefflichen Herausgeber Meir Wiener mit dem genialen Agnon zusammenspannen will. Und das ist nicht leicht, weil Wiener nach Prag gefahren ist, um das Material zu untersuchen, Agnon bei Mün-

chen lebt und die postalischen Verhältnisse absurd sind. Ich wiederhole nur meinerseits die Bitte, mich zu informieren, wie die Verhandlungen stehen wegen:
Griechischer Anthologie
Goethe
Luther
Renaissance von Schaeffer
Holländische Anthologie.
In der Frage der Anthologie bin ich innerlich zu einer gewissen Wandlung gekommen, vielleicht wird es besser sein, bei den *großen* Nationen lieber die Gesamtanthologie in einzelne Bände aufzulösen, z. B. die Italiener in einen Band italienische Frühlyrik, Petrarca, die Renaissance, Leopardi und einen Band Neuzeit, die deutsche Lyrik z. B. gleichfalls in einen Band Frühlyrik, die Vor-Goethischen Dichter, Goethe, Schiller, die Romantiker, die schwäbischen Dichter, protestantische kirchliche Lieder, katholische Dichtungen u.s.w. Ich glaube, daß sich dies alles erst im Laufe der Zeit ergeben wird und wir vielleicht besser tun, zunächst nur die Anthologien *kleinerer* Nationen zusammenzustellen, um nicht vorschnell eine Form zu prägen, die wir dann später vielleicht wieder zerbrechen müßten. Meine ganze Bemühung bei den ersten Serien geht darauf, uns nirgends festzulegen und immer die Möglichkeiten zu späteren Gesamtausgaben und Gesamtdarstellungen uns offen zu lassen. Das Bibliotheca mundi-Papier ist noch nicht eingetroffen, vielleicht machen Sie mir auch Mitteilung sobald der Generalstab komplett ist und wie Sie in Sachen Otto Hauser entschieden haben. Mit den herzlichsten Grüßen Ihr sehr ergebener

Stefan Zweig

An Anton Kippenberg

Salzburg, Kapuzinerberg 5

29. II. 1920

Lieber verehrter Herr Professor, ich schreibe Ihnen heute persönlich, um Sie nach der Veröffentlichung der Ankündigung zu beglückwünschen: nun ist, was bisher bloß Plan gewesen, Versprechen und Verpflichtung. Viel Mühe und Arbeit bringt Ihnen das kommende Unternehmen, aber Arbeit ist jetzt nicht nur eine Freude wie bisher, sondern ein Tonikum gegen die Zeit, das Einzige, was lebendig erhält und einen Sinn gibt inmitten der elastischen Formung der Ereignisse.

Soweit es an mir liegt, wird, wie bisher, die Arbeit mit aller Leidenschaft gefördert werden. Ich darf mit einer gewissen Genugtuung sagen, daß ich irgendwo im Unsichtbaren in den fast zwanzig Jahren literarischer Bemühung ein beträchtliches Capital von Vertrauen gesammelt haben muß, denn wen ich bisher zur Mitarbeit aufrief, der war freudigst bereit: ich weiß allerdings, daß ein gut Teil dieses Zutrauens der Insel zugehört, aber so bindet sich glücklich, was sich zu gemeinsamem Werk verbunden.

Mehr denn je bin ich von dem restlosen Gelingen des Unternehmens überzeugt und Sie wissen von mir, daß ich leider nicht mit Optimismus belastet bin: wenn in den nächsten Jahren der ungeheure Rückschlag im deutschen Buchhandel fühlbar sein wird, dann erst dürfte die Dauerhaftigkeit dieser Gestaltung sinnlich zu Tage treten. Nur Verbundensein mit dem Ganzen, Einheit kann politisch Europa retten und nur die Werke bestehen (in jedem Sinn), die den Zusammenhang gewahrt oder gefördert haben. Die »Insel« ist vielleicht dann in der großen Sündflut die Arche, die überbleibt und ein neues Geschlecht bringt.

Ich wollte Ihnen diese Freude anläßlich der Ankündigung vertrauensvoll sagen: vielleicht gibt Ihnen eine gelegentliche Pause Zeit, mir von dem Echo zu berichten, das der Plan gefunden hat, nun er enthüllt ist und zur Tat werden will. Grüßen Sie

mir, bitte, auf das herzlichste die Mithelfer am Werke, vor allem die Antheilnehmende und immer Fördernde, Ihre verehrte Frau Gemahlin, dann Herrn Professor Dr. Jolles und alle andern, die in jeder Form daran wirkend sind. Und vergessen Sie nicht, daß ich Ihren Versprechen immer traue: so also auch jenem, das Sie zur Ruhe inmitten der Arbeit im Frühling nach Salzburg bringen wollte.
Mit herzlichsten Grüßen Ihr aufrichtig ergebener

Stefan Zweig

An Hugo von Hofmannsthal

BIBLIOTHECA MUNDI
Redaktion

Salzburg, den 17. März 1920
Kapuzinerberg 5

Sehr verehrter Herr Doktor, Ihr Brief war mir gleicherweise durch die persönliche Zusage zur Goethe-Auswahl wie durch das über das Persönliche hinausreichende sachliche Interesse eine ungemeine Freude. Ich sende Ihnen in der Beilage eine Abschrift des ersten Programmes, das im wesentlichen eingehalten werden soll, bitte Sie aber, bei dieser Auswahl nicht zu vergessen, daß wir zunächst den Bedürfnissen und der schon gewonnenen Neigung des Publicums entgegenkommen müssen, um ihr Vertrauen zu selteneren und weniger bekannten Werken allmählich emporzusteigern. Ich zum Beispiel halte selbst Diderot für wesenhafter als Musset, aber wir mußten vorerst das Leichtere einmengen, um breiteren Kreisen die salzhaltigere Kost, die wir für später planen, genießbar zu machen. Von Diderot ist vorgesehen »Le neveu de Rameau« avec les annotations de Goethe (nach einer alten vortrefflichen Übersetzung), für das Ausland also eine seit 70 Jahren nicht mehr gebotene Form. Auch die Anthologien, von denen hier nur die griechische, russische, hebräische angeführt sind, werden auch für die

kleinen Nationen ausgebaut, zunächst kommt dann eine czechische, eine holländische, eine provençalische. Und besonders in der »Pandora«, der mehrsprachigen Inselbücherei, ist ja unendlich Raum: ich glaube wirklich, daß diese drei Sammlungen die von Goethe vor einem Jahrhundert geforderte Wendung zur Weltliteratur für Deutschland in ungeahntem Maße befördern werden. Vielleicht ist hier in 10 Jahren schon ein Centrum der europäischen Cultur, unvergleichbar allen andern frühen Versuchen wie z. B. jener Bibliothèque Européenne von Baudry in Paris (um 1820) die in den Anfängen steckenblieb. Kippenberg berichtet nur, daß die erste Ankündigung ein ungeheures Interesse hervorgerufen habe: möge nur jetzt nicht das politische Chaos hier eine künftige geistige Ordnung hemmen oder zerstören!
Ihr Vorschlag zu Novalis wird Professor Kippenberg gewiß ebenso freuen wie mich selbst: nur hätte ich ihn gerne ein wenig erweitert. Die deutsche Serie ist im wesentlichen auf das Ausland berechnet und will immer einen deutschen Dichter möglichst ganz darstellen. Und bei aller Bewunderung für die Fragmente scheint mir die eindringliche Natur eines Novalis nicht ganz erkennbar, wenn nicht auch die lyrische Umfassung der Welt zu den geistigen Betrachtungen tritt. Ich persönlich würde *noch* lieber eine Auswahl »Gedichte und Fragmente« von Ihnen sehen und empfinde diese Mengung nicht als eine künstliche, weil bei Novalis das Prosaische sich vom Poetischen kaum differenziert, sondern in einer nie wieder erreichten Bindung ineinanderfließt. Dem Auslande *nur* die Fragmente als opus characteristicum hinzustellen, dünkt mir ein wenig gefährlich: aber vereint mit einer Lese von Gedichten gäbe es ein herrliches Buch und gleichzeitig mit einem späteren Bande Ofterdingen der Welt den ganzen Novalis. Und gerade diese dichterisch-philosophischen Geister aller Zeiten und Völker will ja die Sammlung besonders bevorzugen, die in den Originaltexten Plato, Seuse, Ruysbroek, Swedenborg, Angelus Silesius,

Giordano Bruno, bringen will, befreit von aller philologischen Commentierung, erlöst von der Übertragung, die gerade in der Sphäre des reinen Begriffes immer Verwässerung wird.
Die materiellen Vorschläge wird Ihnen Professor Kippenberg selbst machen, sobald ich ihn postalisch wieder zu erreichen vermag. Ich bin gewiß, daß er selbst in diesen chaotischen Tagen das Werk fördert: wir fassen es mit einer Leidenschaft an, die teils Vertrauen zur Sache, teils Zeitflucht ist und das Architektonische des Planes, das Ausbalancieren der Werte gibt mir eine ganz neue und sehr geistig ansprechende Form der Betätigung. Jede Anregung ist mir da kostbar und ich freue mich schon heute, daß Sie, wenn der Bau begonnen ist, ihm den Meisterspruch mit auf den Weg geben wollen.
In aufrichtiger Verehrung Ihr ergebener

Stefan Zweig

Im Verzeichnis wird Ihnen manches Neuere von Bedeutung fehlen: Flaubert, Maupassant, Victor Hugo, Oscar Wilde, Whitman – hier müssen wir wegen der Autorrechte zurückhaltend sein, die in gegenwärtiger Währungsnot nicht zu bezahlen sind; doch sind Erwerbungen für die nächsten Serien gewiß, sobald wir durch Verkauf Gegenwerte uns im Ausland schaffen.

An Frans Masereel

Salzburg, Kapuzinerberg 5

Mein lieber Frans, 29. III. 1920

Ich war sehr glücklich mit Deinem Brief. Das Leben ist so ekelhaft, daß man vorzieht in der Sicht seiner Freunde zu leben. Du hast keine Vorstellung von der Depression, die hier aus jedermanns Mund hervorgeht wie ein übler Geruch. Die guten Leute haben endlich angefangen zu begreifen, daß man nach einem verlorenen Krieg sehr, sehr arm wird und diejenigen, die die ganze Zeit das Doppelte und Dreifache ihres Gehalts bezogen haben, wundern sich, wenn sie sehen, daß die Preise sich verhundertfachen. Mein Freund, wenn es nicht so traurig wäre, könnte man lachen: Du gehst in einen Laden um einen Bleistift zu kaufen; er kostet drei Kronen. Zwei Tage später gehst Du in den gleichen Laden um den gleichen Bleistift zu kaufen, und er kostet bereits 12 Kronen. Ein Brief in die Schweiz wurde mit einer 25 Heller Marke frankiert; seit einem Monat ist das Porto auf eine Krone gestiegen und vom nächsten Monat an wird es zwei Kronen sein. Du kannst wohl verstehen, daß die Leute verrückt werden. All das ist zu schnell gekommen für ihre dummen Köpfe – ich hab's bereits seit zwei Jahren vorausgesagt!

Trotz allem, mein lieber Frans, würde Dir das Leben hier ungemein gut gefallen. Die Ernährung ist natürlich wenig zufriedenstellend, aber man bescheidet sich. In Deutschland ist man besser dran, nur fürchte ich, daß Du schwer Unterkunft finden wirst, wenn Du Dich in München niederlassen willst. Alles ist voll, die Leute warten ganze Monate und man ist übermäßig streng, besonders mit Ausländern. Aber die Idee ist ausgezeichnet. Du wirst sicherlich in Deutschland ungeheuer viel zu tun finden und Du wirst sehr bekannt werden, sowie Deine Bücher im Insel-Verlag und bei Kurt Wolff erschienen sind. Nur weiß ich nicht ob der Verkauf von Büchern und besonders von illustrierten Büchern weitergehen wird; sie sind bereits jetzt furchtbar teuer. Und überdies, was für Schwierigkeiten! Es wird noch eine Weile dauern bis ›Zwang‹ herauskommt, in Leipzig fabrizierten sie Barrikaden anstelle von Bucheinbänden. Gott weiß wann die Ordnung wieder hergestellt sein wird. Für uns wäre es natürlich das größte Glück Dich in München zu wissen, denn wir sind nur zweieinhalb Stunden von dort entfernt und man könnte sich oft sehen. Vielleicht könntest Du Dich auf dem Land niederlassen, ein oder zwei Stunden von München weg, um dort ein friedliches Landleben zu führen und nur ein- oder zweimal im Monat in die Stadt gehen. Auf

alle Fälle komm, um das Terrain auszukundschaften, und wenn Du über München kämst, würde ich die Reise machen um Dir zu helfen und Dich zu uns zu führen.
Du weißt, daß der Kongreß, der in Bern gehalten werden sollte, vielleicht hier stattfinden wird. Man wird sich vorher in der Schweiz treffen und ich würde mit Vergnügen hinkommen um Dich wiederzusehen, nur ist die Reise sehr, sehr teuer für uns. Es scheint, die guten Schweizer haben zu viele Geschäfte gemacht und ersticken in ihrem eignen Fett. Für Euch ist die Situation natürlich anders, da ihr von andren Ländern abhängt. Die Rettung für Dich wäre einen amerikanischen Verleger zu finden; ich bin augenblicklich in Verbindung mit einem, vielleicht kann ich etwas für Dich tun. Du könntest dort einen ungeheuren Erfolg haben, genug um Dir eine Reise um die Welt zu leisten, (diese schmutzige Welt, die man trotzdem sterblich liebt, die man bis in die Eingeweide umwühlen möchte mit Liebe und Zorn). Ich fürchte, daß die Situation für Jouve und Arcos schwieriger ist; was Dich betrifft, Du stehst gerade vor großem Ruhm. Widersetze Dich dem nicht aus falscher Bescheidenheit – mein lieber Frans. Ich habe meinen guten Instinkt bewiesen; ich habe den Erfolg von Verhaeren, von Rolland und manchen Anderen vorausgesehen. Ich bin Deiner sicher und ich bin sicher, daß Du Erfolg nie mißbrauchen wirst.
Mein Lieber, dies ist ein langer Brief für einen Schriftsteller, der gezwungen ist ein oder zwei dutzend Briefe per Tag zu fabrizieren; möge er Dir meine Freundschaft bezeugen. Meine Frau erwidert die Grüße Deiner lieben Familie von ganzem Herzen. Wir sprechen so oft von Euch. Dein Bild ist auf unserem Schreibtisch und macht uns große Freude – aber nicht so viel wie das Original selbst machen würde!
Ich umarme Dich, mein lieber Frans. Stefan

›Zwang‹ wird im April herauskommen! Viele Grüße an die Freunde.

An Frans Masereel

Salzburg, am 10. Juli 1920

Lieber Frans,

Verzeih, wenn ich Dir deutsch schreibe und diktiere, ich habe jetzt etwas reichlich zu tun und die Korrespondenz beginnt mich allmählich ganz aufzufressen. Ich habe gestern an Dich das Manuskript von zwei kleinen Novellen geschickt, die noch nicht in Buchform veröffentlicht sind, die aber zu meinen wichtigeren Sachen zählen und von denen ich mich freue, daß Du nun die Handschrift besitzt. Du wirst daraus ersehen, daß ich so wie Du auch ein ziemlich fleißiger Arbeiter bin: ich hoffe, es Dir noch in diesen Tagen durch Zusendung eines neuen Buches zu beweisen, das schon erschienen ist, von dem ich aber nur noch nicht die Exemplare bekommen habe. Den »Zwang« erhoffe ich auch für die nächste Zeit, er ist schon lange ausgedruckt und wird nur besonders sorgfältig gebunden. Die Insel macht diese Sachen erstaunlich schön und auch der »Ewige Jude«, auf den Kippenberg besonders viel hält, wird sicherlich Deine Stellung in Deutschland sehr befestigen. Leider scheinen die guten Zeiten des Buchabsatzes bei uns vorbei. Während man bisher nicht genug Papier auftreiben konnte, um alles zu drucken, was die Leute kaufen wollten, hat jetzt infolge der ungeheuren Preise eine Art Streik der Käufer eingesetzt. Aber immerhin wäre sehr ernstlich zu erwägen, ob Du nicht von der Schweiz herüber übersiedeln solltest, für Dich hätte Deutschland ein viel weiteres Feld als Frankreich, und ich glaube, Deine künstlerische Stellung würde hier viel besser und früher anerkannt werden.

Das Blatt, das Du mir geschickt hast, finde ich ganz wunderbar. Du bist ja einen kolossalen Schritt weiter gekommen, und ich kann mich kaum erinnern, je in acht Blättern so viel Leben und Schicksal zusammengedrängt gesehen zu haben. Dieses Blatt ist irgendwie flämisch in seiner Kühnheit, in seiner dämonischen Freiheit, und Du kommst immer mehr zu den eigentlichen Quellen Deiner Kunst zurück.

Däubler habe ich dringend beauftragt, Dich aufzusuchen, er ist nicht nur einer unserer besten Dichter, sondern auch einer der ersten Kunstkenner. Ich kenne ihn persönlich nicht, aber ich weiß, wie viel er wert ist und hoffe, daß er auch für Dein Werk eintreten wird. Mein Buch über Rolland ist fertig, oder soviel wie fertig und erscheint gleichzeitig in England. Wir hoffen auf einen Holzschnitt von Dir, weil die Zeichnung für eine Reproduktion mir doch für zu intim scheinen will. Aber vielleicht gibst Du einmal eine eigene Portraitgruppe heraus, das wäre das schönste. Von unseren Freunden höre ich garnichts, außer einer Karte von Arcos und auf Umwegen, daß der kleine Sohn Jouves so krank war. Ich hielte für das beste, wenn er jetzt nach Frankreich zurückginge, wo eine so reine und leidenschaftliche Natur in der Literatur von äußerstem Werte wäre. Bei uns ist jetzt alles so wie bei Euch: der ideelle Zug in der Politik vollkommen niedergeschlagen, einzig Finanz- und Wirtschaftspolitik und diese von einer Torheit und Kleinlichkeit, daß man ihr am besten den Rücken dreht. Man gewöhnt es sich ordentlich ab, Zeitungen zu lesen und kehrt reuig zu seinen Büchern zurück.
Ich schreibe Dir bald wieder einmal ausführlich, für heute nur meinen innigsten Dank und viele Grüße für Deine Frau, Deine Tochter und Dich von meiner Frau und Deinem getreuen

Stefan Zweig

421

An Hermann Hesse

Salzburg, Kapuzinerberg 5
28/VII/1920

Lieber Hermann Hesse, seit vier Wochen, seit ich Ihren »Klingsor« gelesen habe, will ich Ihnen einen Brief schreiben. Aber ich vermag es nicht. Mir ist der »Klingsor« ein so *persönliches* Erlebnis, ich fühle so viel darin, was eben auch im Blutrhythmus unserer Jahre merkwürdig aufwallend sich rühren muß,

daß ich eine Art Schamgefühl, ja, eine rechte dumme Bubenscham habe, mit Ihnen davon (und gar ungebeten und gar auf einem offenen Blatt) zu reden. Ich sage Ihnen nur, daß das *Unterirdische*, das *Gefährliche* in diesen Novellen (ach, törichtes Wort Novelle) mich *bruderhaft* angesprochen hat, und Sie verstehen mich schon gewiß. Auch der Dostojewski in den »Drei Meistern«, die Sie hoffentlich von der Insel erhielten (sonst sende ich Ihnen noch ein Exemplar), sagt's Ihnen wohl.
Lieber Hermann Hesse, Ihr Weg ist so wunderbar gerad, eben weil er einmal so tief in den Schatten der Dinge ging. Ich weiß so viel um Sie durch Ihre letzten Werke und habe Sie so gerne wie nie. Und langsam beginnt auch Deutschland zu erkennen, wen wir an Ihnen besitzen. Verzeihen Sie diesen dummen Brief Ihrem altergebenen Stefan Zweig

Dieser Brief, den ich eben überlese, ist wirklich unerlaubt zusammenhanglos oder scheint so: nehmen Sie ihn nur als Willen, Ihnen zu sagen, daß ich Ihnen sehr dankbar bin: ich schreibe Ihnen nächstens einen vernünftigen.

An Friderike Zweig

Heidelberg, 25. 10. 20

L. F.
an einem herrlichen Herbsttag – überhaupt, ich weiß nicht mehr wie Regen tut – auf der Schloßterrasse in Heidelberg, weit und mild aufgetaner Blick in die Weinberge. Seltsame Ähnlichkeit zu Salzburg – nur dort eine italienische Stadt in deutscher Landschaft gebaut, hier eine deutsche Architektur in die sanfthügelige Milde eines Südlands. Müßte man nicht abends einen Vortrag halten, so empfände man solche Stunde viel reiner, aber es ist heute der letzte (nicht nur für diesmal, sondern für lange, außer vor Studenten oder jungen Menschen). Die Stadt selbst ist mir peinlich durch das Corpswesen; obzwar die Universität noch nicht begonnen hat, wimmelt es von Kappen

und verkappten Militaristen. Morgen gehts ins langweiliche Laipzich, dann bin ich in München, pünktlich wie ein ausgesungener Konzertsänger und, wie ich hoffe, gut belebt von den vielfältigsten Eindrücken. Leb wohl – verzeih mir, daß ich Dir keine Ansichtskarte mit rosaroter Schloßbeleuchtung und Scheffelgedicht sandte. Diese Dinge sind hier greulich. Dein

Bo

An Hermann Hesse

Salzburg, Kapuzinerberg 5
3. Nov. 1920

Lieber verehrter Hermann Hesse – Sie waren einmal (sind Sie es noch?) ein Mann, für den ein schönes Buch eine Freude auf Tage hinaus war. Ich, hier jetzt eingegrenzt in Garten und Haus, habe wieder eine neue Liebe zu diesen Schmetterlingen des Zimmers, diesen bunten, stillen wortlosen Dingen bekommen – nun mögen Sie die Freude ermessen, als gestern Ihre »Wanderungen« kamen, ein Buch in dem schon äußerlich eine ganz seltene Harmonie erreicht ist.

Und das dann, wenn mans aufgetan und in sich eingetan hat, wie wunderbar ist es einem da neuerlich geschenkt. Sie sind jetzt, Hermann Hesse, in einer prachtvollen Stunde – Sie reden so unbekümmert aus Ihrem Gefühl heraus, wie es eben nur der freie Mensch vermag, der die »schlimmsten Menschenfeinde« Furcht und Hoffnung von sich abgetan, niemandem, auch sich selbst nicht mehr Rechenschaft schuldet und nur *lebt* in jenem letzten Sinn, der dem ursprünglichen, dem bloß vegetativen, so sehr ähnlich ist. Glauben Sie mir, daß es für einen, der seit Jahren bei Ihnen Schritt an Schritt gesehen, es eine sonderbare Lust ist, zu fühlen, daß Sie auf einmal einen Sprung getan haben aus Ihrer alten Welt in die ewige hinein. Und nur einer, der wie ich zwei Jahrzehnte immer unruhig, in ewiger Wanderschaft gelebt, weiß alle Wollust, die darin liegt, »in der Luft«

zu leben, wie Beethoven sagt, dem Zufall Freund und der ewigen Begegnung.
Ich wollte Ihnen damals als Sie mir eine trübe Karte sandten, ein Wort sagen zur Aufmunterung. Aber Sie haben es nicht nötig, Sie kriegen sich schon selbst wieder heraus. Was ich Ihnen nur wiederholen will, ist dies: lassen Sie sich doch einmal zu uns hertreiben in diese schöne Salzburger Welt. Sie leben auch hier frei und ohne Beschwerden, billiger sogar als im Schweizer Land.
Und ein paar Menschen sind hier, die zündeten Kerzen an zu einem kleinen Fest für Ihre Gegenwart.
Ich lebe hier still und arbeite. Aber im Frühjahr breche ich aus nach Italien für vier Wochen: vielleicht kreuzt sich da unser Weg.
Mit vielen Grüßen Ihr getreu ergebener Stefan Zweig

An Frans Masereel
[Aus dem Französischen]

Salzburg, Kapuzinerberg 5
9. Nov. 1920

Mein lieber Frans, endlich finde ich eine freie Minute, um Dir für deinen schönen »Roman ohne Worte« zu danken, der mich sehr bewegt hat. Du bist auf einem Punkt der Meisterschaft angelangt, wo Du nur noch, ich weiß nicht welche Schritte tun mußt, um noch höher zu steigen. Alles ist mit erstaunlicher Intensität ausgedrückt – Deine Kunst ist wirklich bewundernswert. Ich werde in der nächsten Zeit im Insel-Schiff einige Seiten über Deine Arbeiten schreiben.
In München wird soeben in der größten dortigen Buchhandlung eine kleine Ausstellung Deiner Arbeiten veranstaltet. Du bist – vielleicht ohne es zu wissen – sehr berühmt in Deutschland.
Hast Du die Aufforderung des Verlages Rütten & Loening in Frankfurt erhalten, eine illustrierte Ausgabe von Colas Breu-

gnon zu machen? Das war meine Idee. Ich glaube, Du würdest das hervorragend machen. Es wäre unrecht, wenn Du das ablehnen würdest.

In vierzehn Tagen wirst Du mein großes Buch über Rolland erhalten. Ich bin so froh, daß Du es lesen kannst – einige Seiten, so hoffe ich, werden Dich an unsere gemeinsamen Stunden in Genf und Zürich erinnern.

Sage doch Arcos, daß ich noch auf Antwort der Insel warte zu dem »Verhaeren« und daß ich ihm dann sofort schreibe. Euer Buch »Le bien commun« wird eine sehr schöne Ausgabe; ich habe die Proben gesehen. Der »Zwang« ist bereits so gut wie ausverkauft.

Ich arbeite viel, und das befriedigt mich, denn wir leben jetzt im Devisen-Gefängnis. Ich bin Millionär geworden – in Kronen, mit dem was ich an Büchern, Möbeln und Kleidung besitze; das geht sehr leicht, ein Klavier kostet schon 80 000 Kronen bei uns, ein Blatt Papier eine Krone. Aber meine Bücher gehen sehr gut, ich kann nach meinem Gefallen leben, ohne mir Torheiten zu erlauben. Es verbleibt mir noch das Vergnügen, zum Beispiel, daß ich meinen lieben Bruder Masereel einladen kann uns zu besuchen, jederzeit, wenn er nur kommen will, und ich bitte ihn (und meine Frau mit mir) im Frühjahr unser Gast zu sein. Du wirst Dich ausruhen, Du wirst ruhig leben, und gut ernährt werden. Deiner Frau und Tochter meine besten Grüße. Ich umarme Dich, mein Alter Dein Stefan

An Anton Kippenberg

Salzburg, am 15. Dezember [1920]

Hauptgeschäft:

Ich erhielt heute den ausgezeichneten Katalog der Everymans Library, der mir sehr von Nutzen ist. Ich lege mir jetzt eine kleine Sammlung aller dieser Gesamtausgaben an von Reclam durch alle Nationen und Ausgaben, um nichts zu vergessen und

einen klaren Überblick zu haben. Ich schreibe in diesem Sinn heute auch an Dr. Hünich in beigelegtem Brief, daß er mich dabei unterstützt. Eine solche Sammlung von fremden Serien wird nicht nur dem Hauptgeschäfte zugute kommen, sondern ich hoffe ihnen auch vielfach Anregung für die »Insel-Bücherei« und sonstiges entnehmen zu können.
Gerade dieser Prospekt der Everymans Library wäre nun niederschmetternd, falls der Preis von einem Schilling für das in Leinwand gebundene Buch aufrecht geblieben ist, denn ich kann es mir gar nicht denken, daß manche Bände wie David Copperfield oder die Göttliche Komödie, die 700 – 1 000 Seiten fassen, heute noch zu diesem Preis herstellbar sind. Bitte erkundigen Sie sich, ob der Preis heute noch gilt, es wäre dies von äußerster Wichtigkeit. Von Frankreich höre ich im Gegenteil sehr erfreuliches, d. h. für uns erfreuliches, nämlich, daß die Drukkereipreise fortwährend anziehen und sämtliche billige Ausgaben stark erhöht worden sind, daß die ganze Produktion stockt und wir hier also freie Bahn haben. Eben aus diesem Grunde wäre es mir wichtig, ein wenig über die englischen Verhältnisse orientiert zu sein. Und nun zu neuen Dingen:
Ich erhielt heute sofort auf das Inserat hin eine sehr kluge Anfrage ob wir nicht in der Reihe eine russische Gedicht-Anthologie seit Puschkin machen wollten. Daran hatte ich natürlich auch schon gedacht und wir beide ja die Angelegenheit erwogen. Damals sagten Sie mit Recht, daß heute Rußland abgesperrt sei und deshalb auf einen Absatz nicht zu rechnen. Nun enthält der Brief das Gegenargument, das ich für *erstaunlich richtig* halte, nämlich daß wir eben deshalb einige russische Bücher bringen sollten. In der Schweiz, in England, in Amerika, sind heute ein bis zwei Millionen abgesprengter Russen, die sich käuflich nicht ein einziges russisches Buch verschaffen können und darnach verbrennen, außerdem haben viele Hunderttausende bei uns in Österreich und Deutschland im Kriege und in der Gefangenschaft russisch gelernt und wären

leidenschaftlich gern bereit, diese Kenntnis zu pflegen, drittens ist in Böhmen, dem ganzen Balkan ein kolossales Publikum dafür, so daß ich es auf das *dringendste* befürworte, daß wir auch diesen Band noch in der ersten Serie bringen. Die Druckvorlagen sind bereit, in Leipzig kann man es gewiß drucken und gerade eine solche Anthologie wird dann auch im eigenen Lande gekauft werden. Daran schließt sich eine neue Idee für unser Hauptgeschäft, die mir sehr ersprießlich erscheint: Ich glaube – und dies gibt unserer Bibliotheca mundi einen neuen Sinn – wir müßten von jeder Nation eine repräsentative Gedicht-Anthologie bringen. *Die* deutsche Anthologie von Schaeffer in drei Bänden, *die* französische in zwei Bänden (und zwar 1. Band bis Baudelaire, den wir sofort machen können, 2. Band von Baudelaire an, wobei wir die Idee mit Mercereau aufnehmen), *die* russische, *die* englische, *die* spanische, *die* provençalische, *die* mittelhochdeutsche, *die* plattdeutsche, *die* tschechische, *die* polnische, *die* holländische, *die* hebräische & so – daß sich innerhalb der Serie eine eigene Gruppe ergibt, die in 10 oder 15 Bänden eine restlose lyrische Auswahl der Weltliteratur enthält, eine Auswahl, die eben jede amerikanische, jede europäische Bibliothek wird kaufen müssen und wo jede Nation dann alles daran setzen wird, um in dieser Reihe vertreten zu sein: Es ergibt sich dann neue Möglichkeit, auch kleineren Völkern wie den Schweden, den Dänen, den Flamen, den Ungarn, die Aufmerksamkeit *eines* Buches zu erweisen, und dadurch wird es z. B. in Dänemark bekannt, daß wer dort eine tschechische Anthologie sucht, sie gewiß in der Bibliotheca mundi findet. Man wüßte dann, so wie man einen Reiseführer bei Baedeker sucht, eine Sprachlehre bei Langenscheidt, daß man die lyrische Anthologie *jeder* Nation in der B. M. findet. Innerhalb der Gesamtreihe entsteht dann eine wunderbare Geschlossenheit, die auch den Vorteil für die »Insel« bringt, daß die deutsche Anthologie Schaeffers *die* maßgebende für das ganze Ausland sein und bleiben wird, und alle anderen zur Seite drän-

gen wird und gleichgiltig macht. Ich weiß wie rasch und klar Sie die Notwendigkeit gerade dieser Einheitlichkeit sofort einsehen werden. Wir schaffen damit etwas ganz einziges und dauerndes ohne jedes Risiko und jede Gefahr. Nur müßte in dem Falle daß Sie zustimmen, in dem Prospekt ausdrücklich eingefügt werden, die Bibliotheca mundi wird eine lyrische Anthologie aller Länder und Sprachen ausgewählt von den ersten Kennern und Männern der betreffenden Nationen bringen. Und dies soll keine leere Ankündigung sein, denn für eine tschechische Anthologie hätte ich gewiß den Staatssekretär Josef Kvapil als Herausgeber der mir vielleicht sogar eine Subvention oder eine bestimmte Anzahl für die Schulen durchsetzen würde, für Holland würde ich suchen, Frederik Van Eeden zu gewinnen, die italienische würde mir gewiß G. Borgese, Professor an der Universität in Rom machen, die französische entweder Mercereau oder Morisse oder einer der ersten Dichter Frankreichs. Die griechische Anthologie haben wir schon, den »Minnesangs Frühling« ebenfalls, so daß ganz mühelos und selbstverständlich eine wundervolle Gesamtheit sich bildet.
Auch sonst beginnt auf die erste Ankündigung hin allerhand Korrespondenz. Der Leiter der Buchhandlung und des Verlages Seidel bat mich telegrafisch, seine Bewerbung um die Vertretung bei Ihnen zu befürworten, ich weiß von ihm nur, daß er ein anständiger Mensch ist und über ein größeres Vermögen verfügt.
Ich schließe mit dem gewohnten Vermerk: Eile, Eile, Eile, die Sache brennt auf den Nägeln und ist zeitgemäßer denn je. Heute schrieb gerade S. Fischer meiner Frau, daß er erstaunt ist, daß ihr Roman verhältnismäßig so gut geht, denn im Allgemeinen läßt der Absatz in der letzten Zeit empfindlich nach. Ich bin absolut der Ansicht, daß wir schneller als wir meinen einer Krise des deutschen Buchgeschäftes entgegengehn. Wir in Österreich sehen die Dinge klarer und besser als Sie in Deutschland drüben, weil wir immer um einige Monate früher in allen

Dingen in die Tiefe gelangen. Hier ist durch die rapide Steigerung der Eisenbahnpreise, der Portos und der damit wild aufspringenden Erhöhung aller Bedarfsartikel allmählich eine solche Spannung eingetreten, daß nur ganz wenige Menschen sich anderes als das unumgänglich notwendigste kaufen können. Der Absatz des deutschen Buches wird in einem halben Jahre schon stark ins Stocken geraten, eben darum ist es wichtig, daß wir, die wir uns an die ganze Welt wenden, dann schon am Werke sind. Herzlichst Ihr Stefan Zweig

An Romain Rolland

Salzburg, Kapuzinerberg 5
8. Febr. 1921

Mein lieber und verehrter Freund, ich schreibe Ihnen heute deutsch, weil ich nicht weiß, ob ich alles, was ich sagen will, genug klar ausdrücken kann. Es ist mir ein Bedürfnis, Ihnen unsere intellectuelle Situation zu schildern. Denn der jetzige Augenblick ist ein kritischer.

Meine Beziehung zu den meisten deutschen Menschen beginnt jetzt wieder peinlich zu werden. Menschen, die schon ganz klar fühlten, die sogar diese Klarheit in Worten zum Audruck brachten, ziehen sich mit einem mal zurück: Deutschland hat nur *einen* Gedanken jetzt – und dieser Gedanke drückt sich in allen seinen Menschen aus –: nicht mehr aufrichtig zu sein. Ganz Deutschland arbeitet jetzt an einer Lüge, an einer neuen Legende: Der Kaiser, Ludendorff werden jetzt plötzlich große Persönlichkeiten, der Krieg eine heilige Sache. *Alles ist vergessen:* die Jugend glüht vor Haß, fiebert nach Krieg, die Professoren, die bestürzt über ihre eigene Dummheit ein wenig geschwiegen hatten, blasen wieder in die teutonischen Hörner. Der wildeste Wahn ist wieder wach.

Nie waren wir mehr isoliert als jetzt. In den schlimmsten Tagen des Krieges hatten wir Verbündete, vor allem das Leiden des

Volkes, das jedes Wort des Friedens im geheimen segnete, wir hatten die Wirklichkeit des Krieges als Gegner, gegen den man kämpfen konnte. Aber schon entsteht wieder das Phantom des Krieges, herrlich idealisiert als Krieg der Rache und der Gerechtigkeit – wie gegen Wahnbilder kämpfen? Was wir sagten, ist vergeblich gegen eine Mentalität, die nicht hören *will* und die gegen unsere heiligsten Bemühungen das Argument hat: seht, wie die *Feinde* den Frieden verstehen.

Diese Lüge ist das Schlimmste in der Tat, was Frankreich und England an Deutschland getan haben. Der Hunger traf nur den Leib, – das Rachegelüst, das sich in den letzten französischen Beschlüssen kund tut und auf 42 Jahre von ungeborenen Kindern noch Sclavenarbeit verlangt, hat die deutsche Seele vergiftet. Wir, Sie und ich leben unter Rasenden, unter Wahnsinnigen. Die Deutschen lügen sich aus Verzweiflung jetzt *selbst* an – wahr ist in ihnen nur der rasende Haß.

Und, lieber verehrter Freund, wie entsetzlich – ich verstehe diesen Haß! Ich teile ihn selbstverständlich nicht, ich weiß ja, daß es ein »Volk«, eine »Nation« gar nicht gibt, sondern nur Menschen. Aber wie das den Leuten *erklären* daß es Franzosen gibt, die das Quälerische, das Erpresserische mißbilligen, wie ihnen das Schweigen des französischen Parlaments (das für sie das Volk darstellt) glaubhaft machen? Die Leute haben ja Recht, wenn sie sagen, daß Artaxerxes und Timur nie einen so grausamen Frieden geschlossen haben, daß Bismarck, den man als einen Gewalttätigen verschrien; eine sentimentale Jungfrau war gegen diese Herren des Rechtes. Und mit Entsetzen sehe ich, daß *gerade dadurch*, daß Frankreich den Tribut auf ein halbes Jahrhundert erstreckt, daß noch in 42 Jahren Salz in die deutsche Wunde gestreut werden soll, die Revanche *unvermeidlich* sein wird. Wenn Wunden heilen sollen, muß man ihnen Zeit lassen, sich zu schließen.

Nie habe ich die moralische Atmosphäre giftiger und erstickender empfunden als jetzt, nie unsere Einsamkeit hilfloser, unser

Wort sinnloser. Vom Zustand der deutschen Lüge (die jetzt den Krieg als Pflicht von neuem feiert) machen Sie sich keinen Begriff. Die *ganze* Jugend ist vergiftet, *alle* Zeitungen, selbst jene, die von Stinnes noch nicht gekauft sind, dem Wahn verfallen. Aber ich wiederhole: das Volk ist in die Sackgasse dieses ziellosen Hasses hineingetrieben worden. Und – offen gesagt – ich weiß keinen Ausweg für sie. Und doch sind wir irgendwie verantwortlich, ihnen eine Tröstung zu geben. Das Moskauer Zaubertränklein ist ja billig und leicht zu verabreichen – aber wir sind ja Seelenärzte genug, um zu wissen, das diese Arznei sofort wieder zum Gifte wird.
Was tun? Zu Menschen sprechen, die sich den Finger in die Ohren stopfen und laut brüllen, um nicht denken zu müssen? Oder öffentlich protestieren? Unsere Proteste sind so wertlos wie österreichische Banknoten. Oder warten, bis der Wahn vorbei ist? Das ginge, würde nicht 42 Jahre, Jahr für Jahr die Wunde aufgerissen. Ich und Sie, wir haben keine 42 wachen Jahre mehr! Es ist entsetzlich für uns in Deutschland, gerade die Jugend und immer wieder die neue Jugend gegen sich zu haben – zu sehen, daß die, die für uns nur gegen den Krieg zeugen könnten, daß die Kriegsteilnehmer und Invaliden aus Haß *lügen* und für den Krieg und gegen uns zeugen. Wahr ist der Tribut durch 42 Jahre und was kann dieses unser Wort gegen jene Wahrheit!
Glauben Sie nicht, ich sei müde oder feig geworden vor der Übermacht. Ich frage mich nur: wie dieser Lüge, in der doch eine Wahrheit die treibende Kraft ist, entgegentreten? Können wir von Deutschland aus überhaupt noch etwas tun, ich meine, etwas *positives*, denn unsere Gesinnung ist ja ein esoterischer Wert? Ach, wenn Sie wüßten, wie widerlich mir diese Teutschen Teutonen mit ihrem Kriegsgeheul sind (ich weiß, es ist auch Heulen, weil sie Steuern zahlen sollen) und wie ich doch diese mißleiteten und enttäuschten Menschen, dies in die Knie gedrückte Volk bemitleide!

Wie compliciert ist all dies geworden! Und wie einfach haben wir uns alles gedacht. Wir meinten, beim Sieger würde Begeisterung, beim Besiegten Ekel vor dem Krieg sein. Und es ist umgekehrt! Wirklich, man soll kein Ziel stellen für sein Wirken, sondern nur rein wirken, gerade aus sich heraus: vielleicht hilft man den andern nur, wenn man sich selbst hilft.
Ich muß Ihnen einmal dies Alles schildern – ich könnte Tage davon erzählen! Ein Buch über die Desbordes-Valmore (aus 1914 Pariser Tagen) sende ich gleichzeitig mit. Über meine Biographie sind schon viel Aufsätze erschienen. Mit vielen Grüßen

Ihr getreuer Stefan Zweig

An Frans Masereel

Salzburg, am 2. Juli 1921.

Lieber Freund!
Ich soll von der Salzburger künstlerischen Vereinigung, die hier eine große internationale Graphik-Ausstellung veranstaltet, Dir beifolgende Einladung übermitteln und das ist mir ein willkommener Anlaß Dir endlich zu schreiben, denn ich stehe schwer in Deiner Schuld.
Was die Einladung des »Wassermann« betrifft, so finde ich es natürlich lächerlich, daß sie jemandem im Ausland für eine Originalgraphik 1 000 Kronen – etwa 9 Schweizer Franken anbieten und ich kann das auch gar nicht ernsthaft Dir empfehlen. Du kannst ihnen allenfalls ein noch nicht veröffentlichtes Blatt dieser Größe im Abzug (aber nicht im Original) schicken und ruhig das doppelte und dreifache verlangen. Die Ausstellung selbst wird sehr schön und sehr besucht sein, es wäre eventuell zu erwägen, ob Du sie nicht beschicken sollst. Im Notfalle kann ich jedenfalls meine eigenen Privatexemplare Deiner Bücher dort zur Ausstellung bringen, damit du jedenfalls vertreten bist.
Aber nun von diesen ärgerlichen Dingen weg zu den Wesentlicheren! Ich schulde Dir einen Dank für Deine letzten beiden

Bücher, bin aber momentan so ganz in vielfacher Arbeit verhackt und eingefangen, daß ich Dir mit bestem Willen nicht einen langen französischen Brief schreiben kann, sondern an Deine deutschen Sprachkenntnisse appelliere.
Deine »Souvenirs« haben mich sehr ergriffen. Wer so wie ich, Belgien einmal innerlich erlebt hat in allen seinen Formen, weiß wie prachtvoll Du das wesentlichste herausgeschnitten hast. Ich sehe ganz deutlich die Entwicklung, die Deine Kunst nimmt und muß Dir gestehen, daß ich eine zeitlang gegen das Simultane der Darstellung, gegen die Fülle von Gleichzeitigkeit auf jedem einzelnen Blatt, ein gewisses Bedenken hatte. Bei Deinen früheren Büchern, besonders in »Idee« faßte man noch mit dem ersten Blick das Wesentliche und seinen Rhythmus zusammen.
In den spätern Büchern trägt sich das Auge erst allmählich einen – allerdings unermeßlichen Reichtum gleichzeitiger Details zusammen, meinem Gefühl widersprach das letztere schon der rein künstlerischen Wirkung und ich hatte das Gefühl, als hättest Du Dich trotz Deiner persönlichen Stärke ein wenig in die Pariser oder eigentlich internationalen theoretischen Experimente des sterbenden Expressionismus hineinreißen lassen. In diesen »Souvenirs« wiederum bist Du zu einer glücklichen Lösung gekommen, indem Du immer in das Zentrum klare Einzelerscheinungen setzt und das episodische gleichsam als Arabesken in den Hintergrund verteilst, womit Du Dich ja an die ältesten und besten flämischen Traditionen anschließt. Hier hast Du eine neue Lösung gefunden und bist wieder ein Stück weiter gekommen. – Ich verstehe, wie sehr Dir das gerade zur Gefahr wird, was die andern nicht kennen, nämlich unter einer *Fülle* der Formen, der Visionen, geradezu zu leiden. Für Dich ist es heute beinahe notwendiger fortzulassen als hinzuzuerfinden und ich bin überzeugt, daß Du da noch lange nicht am Ziele bist.
Ich habe schon lange Colin einen zusammenhängenden Aufsatz über Dein Werk versprochen, es drängt sich aber immer

wieder viel eigenes dazwischen. Das wichtigste aber ist, den richtigen Schwung zu haben, und daß ich Dich wieder einmal sehe und ich erinnere Dich dringend und dringlich an Deinen versprochenen Besuch. Im Sommer kommt Jouve her – das ist gerade eine unglückliche Zeit, weil da viel Tumult und Unruhe herrscht, aber September und Oktober ist es herrlich und schön hier und Du würdest es nicht bereuen.
Ich hoffe, Du hast Rolland besucht. Ich fürchte, er ist jetzt sehr allein und ich weiß, daß ihm die Anwesenheit von Freunden jetzt sehr sehr wohltun kann.

Herzlichst Dein Stefan

An Friderike Zweig

20. November Berlin [1921]

Liebe Fritzi,
ich komme endlich, heute Sonntagabend, in einem Café dazu, Dir zu schreiben. Es wirbelt um mich von Menschen und Dingen, dazu täglich Theater. Gestern war ich bei Harden – lange, sehr informative Gespräche, heute zwei Stunden bei Rathenau, der eben von der Reparationskommission kam: ich war wirklich ergriffen, daß er mir seine Zeit widmete und so freimütig viel erzählte. Dazu noch die laute, anstrengende schreiende Stadt, die mich ebenso fasziniert wie sie mich abstößt.
Ach, wen habe ich schon gesehen: Fischer, Kahane, Handls Frau und Tochter. Schauspieler, Dichter, dabei weiß man erst allmählich, daß ich da bin. Alles das frischt auf und ermüdet gar nicht. Von Kaemmerer ein rührender Brief, es geht ihm schlecht, vielleicht fahre ich doch noch hinüber.
Nun eine Sache, die Du belächeln wirst. Ich habe für die Stadt ein so merkwürdiges Gefühl von Feindlichkeit trotz aller Achtung, daß ich spüre, ich kann hier nicht vorlesen. Es ekelt mich. Und morgen will ich den schweren Gang tun und versuchen abzusagen, die Kosten den Leuten ersetzen. Diesen Luxus muß

ich meinem Gefühl gönnen; ich mag nicht mehr anders als vor Freunden lesen. Außerdem ist es ungeschickt arrangiert, der Leiter selbst nicht da – es graust mir, es graust mir, vor den Leuten zu sprechen. Hoffentlich gelingt mir die Absage! Bitte lache mich nicht aus, daß die Stadt eine so merkwürdige Wirkung auf mich hat, aber ich *kann* mich wirklich nicht überwinden, ich habe einen seelischen Schock von dieser preußischen Tüchtigkeit und Rührigkeit bei aller intellektuellen Bewunderung. Und dann – wieviel Bekannte habe ich hier, wie wenig Freunde (Camill reist morgen für 4 Tage nach Prag). Ich fände es anständiger von mir, den lieben guten kranken Freund in Hamburg zu besuchen, als hier einem Häufchen Snobs vorzulesen. Die Ausrede für meine Anwesenheit hier brauche ich nicht, ich spüre, daß mir ein solches Intervall nötig war. Aber ich könnte hier auf die Dauer nicht atmen: das Betriebhafte (auch im Eros) ekelt mich, es ist zu viel Sauerstoff in der Luft.
Dabei fühle ich mich vortrefflich, leicht, jung, unermüdbar, belebt, angeregt und heiter, auch der Husten weicht allmählich.
Laß es Dir gut gehen, ich freue mich auch wieder nach Salzburg – erst an solchen Intervallen lernt man die Ruhe schätzen.
Herzlichst Dir, den Kindern, den Freunden

Dein Stefan

An Friderike Zweig

25. November 1921

Liebe Fritzi,
ich war gestern abend bei Fischer, wo Heimann zum erstenmal seit einem Jahr wieder in Berlin auftauchte. Er sprach sehr, sehr herzlich von Dir und bat mich, Dich vielmals zu grüßen, ebenso Herr und Frau Fischer. Das Essen war prunkhaft, Berlin W 1 mit sechs Gängen, Gesellschaft, Jessner, der Intendant, Wassermann, später Rathenau und Kerr. Im Ganzen ziemlich gelungen,

obwohl ich diesen Typus Einladungen verabscheue, der einen überdies 8 Stunden kostet, mit dem Hin und Zurück.
Den Vortrag für das Staatstheater habe ich heute, Freitag, noch immer nicht gemacht, aber jetzt kommt er endlich an die Reihe. Ich fühle mich sehr wohl hier und bin ganz eins mit Hofmannsthal, daß hier eine stimulierende Luft ist – schließlich kommen ja alle Rasseneigenschaften aus der Atmosphäre. Auch bei Busoni war ich, freilich mit geteiltem Gefühl: der wunderbare Mensch ist umlagert von einem Weihrauchsweiberklüngel wie weiland Vater Liszt. Sonst noch viele Leute, die alle pressiert an einem vorbeischießen wie die Telegrafenstangen an einem fahrenden Zug – ach diese Geschwindigkeit in Berlin, nicht nur im Geschäft, Du solltest auf der Straßenbahn die Fixigkeit erotischer Abschlüsse sehen. Das geht alles klipp klapp ohne Einleitung directemang darauf los auf die Schose. Wie in einem Karussell hat man Freude an der Geschwindigkeit, Freude und Brechreiz zugleich.
Ich bleibe wohl bis Montagabend hier, will Dienstag nach Leipzig, Dresden, Mittwoch oder Donnerstag in Wien, Samstag oder Sonntag in Salzburg sein. An Vorlesungen in Brünn etc. denke ich nicht im Traum. Bitte sei nicht ungeduldig auf Deinen Stefzi

An Otto Heuschele

27. Mai 1922

Sehr verehrter Herr, es ist mir ein inniges Bedürfnis, Ihnen für Ihren Brief zu danken, dessen menschlich-persönlicher Ton mir, der allzuviel in eine Correspondenz literarischer und pan-europäischer Tätigkeit verstrickt ist, irgendwie eine Wohltat war. Nichts bedaure ich so sehr an dem sogenannten »Erfolg« meiner Arbeit, als daß er dermaßen viele Anforderungen äußerer Natur bringt, und doch wagt man nicht seiner Ausbreitung gram zu sein, eben um dieser menschlichen Grüße, dieser Grüße aus dem Leben willen, die er einem bringt.

Mir ist es ein Glück, daß mein Bildnis Rollands manchem, der ihn lange liebte, eine Ergänzung war, ja eine Freude, weil er das Vorgefühl moralischer Größe bei ihm durch ein heroisches Leben bestätigt finden kann. Freilich: wie wenig *ganz* ist diese Biographie, wieviel Tragisches und immer im reinen Sinne Tragisches mußte ich aus äußeren Gründen verschweigen, und wieviel (oft geahntes!) Geheimnis ist für uns, seine Freunde, noch im Unsichtbaren seiner privatesten Existenz! Aber vielleicht lieben wir ihn eben darum so sehr, weil wir dieses Geheime wirkend fühlen, das Leiden im Mit-Leiden! Vielen Dank auch für die guten Worte über mein Werk, das freilich heute noch Stück-Werk ist: aber Worte wie die Ihren sind immer wieder Ermutigung, es zu Ende zu gestalten. Wenn Sie mir einmal etwas aus Ihrem Schreibtisch zeigen wollen, so will ich dies Vertrauen durch die einzige Gegengabe, durch Aufrichtigkeit, zu erwidern suchen. Nur kann ich Ihnen nicht sofort ein Wort versprechen: ich bin viel unterwegs, in vielerlei verstrickt und möchte nicht mit Hast erwidern, wo ich herzlich sein wollte.
Aufrichtigen Grußes Ihr sehr ergebener Stefan Zweig

An Hermann Hesse

Salzburg, Kapuzinerberg 5
[undatiert; vermutlich Herbst 1922]

Lieber verehrter Herr Hesse, ich wollte Sie heute nur um Entschuldigung bitten, daß ich Ihnen mein neues Buch »Amok« direkt durch den Verlag zugehen lasse: die Pakete nach Österreich dauern vierzehn Tage, ehe sie sich durch die diversen Verzögerungsanstalten wie Zoll und Ausfuhrstelle durchgewunden haben, und die neuerliche Versendung in die Schweiz ist eine neue Misere. So ließ ich's Ihnen direkt durch die Insel zukommen, möchte aber, daß Sie fühlen, es sei Ihnen persönlich zugedacht. Ich habe das Empfinden, manches darin würde gerade Ihnen verständlich und nahe sein. Ohne mich überheben zu wollen, spüre ich, daß wir innerlich oft sehr nahe Wege gehn, daß wir beide von der Zeit irgendwie gleich erschüttert und in einen Weg nach innen gedrängt wurden, der manchem vielleicht abseitig und wie eine Flucht anmuten könnte, indes wir doch wissen, daß es ein Versuch gerade zum Wesentlichen ist. Mir war es bewundernswert, wie Sie so oft deutlich und mit der Ihnen eingeborenen Plastik zum Ausdruck bringen, was mich in der eigenen Verworrenheit bewegt. Nur sind Sie um soviel gesammelter, vielleicht durch mehr Einsamkeit, soviel klarer, vielleicht durch mehr Leiden und durch ein Voraussein in den Jahren. Ich sehe Ihnen doch nun bald die zwanzig Jahre zu: Ihr Weg, so hart er Ihnen scheinen möge, ist so wunderbar schön. Wie weit ist es von einem so scheinbar reifen Werke wie »Camenzind« bis zu »Klingsors letztem Sommer«! Das spüren Sie selbst nicht so ganz, weil Sie in Ihr Gefühl den Preis einrechnen (unbewußt!), den Sie für jene Läuterung an das Schicksal bezahlt haben, indes wir, Ihre Freunde, nur das lautere Gewicht des Wertes fühlen und um wieviel tiefer jedes Neue in der Schale niederdrückt. Lassen Sie sich darum in der Einsamkeit, in Ihrem selbstgewählten Exil nicht die Stunden dunkel werden, deren Widerglanz im Geiste, im dichterischen Bilde uns so glücklich macht. Und lernen Sie nur dies eine wieder von Ihrer Jugend zurück: Wanderschaft! Sie erneut den Menschen von unten auf. Drei Wochen Italien im letzten Jahr, eine Woche Paris, eine Woche am Meer im Frühling und Sommer haben in diesem Jahr wieder alles freigemacht, was mich zu verschütten drohte, und ich habe es mir geschworen, nicht mehr lang stillzuliegen, solange die Beine mich tragen. Nur nach Lugano konnte ich nicht kommen, teils aus Familienrücksichten (mein alter Vater war recht krank zu jener Zeit und allein in Wien), teils aus Furcht vor den vielen Menschen und meiner gesteigerten Ermüdbarkeit vor vielen Menschen. Aber Sie, lieber, verehrter Hermann Hesse, verlernen Sie die Welt nicht: kommen Sie doch einmal zu uns, wir haben immer ein Zimmer für Sie bereit, wenn Sie vorüberwandern, überall warten Menschen auf Sie, Ihnen zu danken, überall wartet die alte Welt, uns etwas von ihrer ewigen Jugend zu geben.

Dies als Dank für Ihren Gruß! Wir denken Ihrer oft und oft und immer in inniger Liebe! Treulichst

Ihr Stefan Zweig

An Hermann Hesse

Salzburg, am 13. Dezember 1922

Lieber Hermann Hesse!

Innigen Dank für Ihre lieben Worte hinüber in Ihre stille Welt! Auch ich empfinde, zurückschauend auf Jahr und Jahr, zwischen uns beiden ein merkwürdiges Zusammengehen in der Ferne. Es ist nicht Zufall, daß wir lyrisch so nahe vor mehr als 20 Jahren begonnen und dann immer wieder in entscheidenden Fragen, jener des Krieges, Rollands, uns begegnet haben, daß wir beide in einer Legende aus der indischen Welt in derselben Stunde ähnliche Erkenntnisse abwandelten. Ich fühle genau, daß das aus keinem Zufall kommt, sondern daß da ein Schicksal waltet, daß manche geheime Ähnlichkeiten sind, aus denen heraus ich Werke wie den »Klingsor« so unerhört liebe. Vielleicht werden Sie wiederum in meinen neuen Novellen »Amok«, die Ihnen hoffentlich von der Insel zugegangen sind – wenn nicht, bitte um Verständigung! –, einiges lesen, was den andern verdunkelt oder verschlossen bleibt. Ich habe mich gerade in diesen Tagen hingesetzt, um einmal zusammenfassend über Ihre neuen Bücher zu schreiben – vielleicht wirds nicht ganz abgehen, ohne daß ich Persönliches dabei berühre, denn es liegt mir heute nicht mehr recht, von oben her, von einem imaginären literarischen Katheder über Bücher zu reden; ich muß eine Sache zu meiner Angelegenheit machen, sonst interessiert sie mich nicht. Hoffentlich kommt es noch in diesen Tagen mit dem Aufsatz zu Ende, und er zeigt Ihnen dann, bald erscheinend, in wie

hohem Maße ich Ihre Wandlung im Werke gespiegelt finde. Die meisten Novellisten und Prosaisten in Deutschland schreiben für mein Gefühl heute Belangloses (wenn auch in meisterhafter Form) durch Mangel an Mut in der Psychologie, die ganze Problematik scheint mir bei jenen fast ganz auf das Zufällige gestellt, während ich bei Ihnen so stark die vordringende Bewegung zum Zentralen, zum Nerv der Existenz fühle.
Lieber Hermann Hesse, ich habe mich sehr über Ihre Worte gefreut. Einstens, da wir noch jung waren, nicht die Brieflast und die Agentur eines sogenannten Erfolges auf den Schultern trugen, haben wir oft uns ein solches Blatt hin und her zwischen den Zeiten gesandt. Lassen wir diesen guten Brauch von einst nicht ganz verlorengehen, und vor allem: lassen Sie sich wieder einmal sehen: Sie wissen, ich sagte es Ihnen schon, daß Sie bei uns immer gastlich erwartet sind, ich habe mehr als je das sichere Gefühl, wir würden gut beisammen sein.
Seien Sie herzlichst gegrüßt von Ihrem Stefan Zweig

An Otto Heuschele

Salzburg, Kapuzinerberg 5
2. Juni 1923

Verehrter Herr Heuschele, Ich habe Ihnen lange nicht geschrieben: ich hoffte ja immer, im Frühjahr nach Schwaben zu kommen und Hölderlins Heimat zu sehen. Aber jetzt verwirklichen sich unsere besten Wünsche selten, und ich muß diese Reise auf ein anderes Jahr lassen: dafür ist aber der Hölderlin-Aufsatz selbst im Werden und macht mir viel Freude eben durch die innere Spannung, eine solche Natur in ihrer großartigen Einmaligkeit zu gestalten. Das bloße Heroisieren, wie man es jetzt tut, das Ausrufen zum deutschen Genius, zum Seher ist doch nicht bildnerisch, sondern nur pathetisch: gerade daß Hölderlin aus gewissen, sogar enggespannten Grenzen der Begabung nur durch Reinheit emporwächst, finde ich groß. Und

es ist seltsam, wie ähnlich er seinen Gegenspielern Kleist und Nietzsche in diesem Willen zum Unbedingten wird.
Ich fahre vielleicht für acht Tage an die Nordsee – ich brauche ein wenig andere, stärkere Luft in die Lungen. Dann kehre ich im Sommer noch heim, und vielleicht kann ich am Rückweg in Ihren schönen Gauen Rast halten für einen Tag. Man kennt Deutschland nicht, ja man verkennt es immer mehr, wenn man zu oft in die großen Städte kommt: ich spüre es immer erst in den bescheidenen Kreisen der ländlichen Bezirke und trete darum so gern in [eine] kleine Stadt und in unbekanntes Land.
Haben Sie innigen Dank für ihre gute Gesinnung und seien Sie herzlichst gegrüßt von Ihrem ergebenen

Stefan Zweig

An Maxim Gorki

Salzburg, Kapuzinerberg 5
29. Aug. 1923

Verehrter Herr Gorki,
selten hat mir die Post so gute Nachricht ins Haus gebracht als die Nachricht, Sie wollten meine Novelle »Der Brief einer Unbekannten« in Ihrer Sammlung bringen. Selbstverständlich bin ich freudig einverstanden: aber das Freudigste ist für mich *Ihre* Zustimmung. Ich liebe Ihr Werk unendlich: seit Jahren hat mich nichts dermaßen erschüttert wie die Schilderung Ihrer ersten Ehe in den »Erinnerungen«. Wir haben niemanden in der deutschen Literatur, der diese Unmittelbarkeit der Wahrheit hätte – ich weiß, man kann sie auch durch Kunst, vielleicht sogar durch Künste erreichen. Aber Ihre *Unmittelbarkeit* ist für mich einzig: selbst Tolstoi hatte nicht diese Natürlichkeit des Erzählens. Wie liebe ich Ihre Bücher! Wie ehre ich Ihre menschliche Haltung in all diesen verbrecherischen Jahren!
Mir ist nun innig wohl, daß ich Ihnen meine Liebe und Verehrung sagen durfte. Und fassen Sie es nicht als aufdringlich auf,

wenn ich Ihnen zwei Bücher sende, einen Novellenband »Amok« und ein Buch über den Roman »Drei Meister«, das einen Dostojewski-Aufsatz enthält. Sie müssen sie nicht lesen, Sie brauchen mir nicht zu danken. Sie können sie auch ungelesen weiterschenken. Ich habe nur eben das Bedürfnis, Ihnen etwas zu schicken.
Wollen Sie mir aber einmal eine große Freude machen, so schikken Sie mir ein paar Manuskriptblätter aus einem Ihrer Werke. Ich sammle (nicht wie die kleinen Mädchen Autographe) solche Manuskripte erstlich aus Liebe zu den Dichtern, dann um in ihre Arbeit tiefer einzudringen. Von Dostojewski habe ich zwei Kapitel aus den »Erniedrigten und Beleidigten«, von Tolstoi zwei Kapitel aus der Urschrift der »Kreutzersonate« – beides hatte ich vor dem Kriege mit viel Geld und Mühe erworben. Wie glücklich wäre ich, ergänzten Sie diese beiden Dioscuren mit ein paar Blättern Ihrer Hand.
Noch eines: wenn Sie *jemals irgend etwas* in literarischen Dingen in Deutschland brauchen, bin ich glücklich, wenn ich Ihnen dienen kann.
In Verehrung Ihr Stefan Zweig

Versäumen Sie nicht, Rolland zu besuchen!!! Es ist ein *Erlebnis,* ihn zu kennen. Seine Güte, seine Gerechtigkeit sind einzig auf dieser armen Erde, und er ringt diese Leidenschaft einem hinfälligen Körper ab.

An Otto Heuschele

Salzburg, Kapuzinerberg 5
28. Nov. 1923

Lieber Herr Heuschele, Ich bin so beschämt, Ihnen so lange nicht geschrieben zu haben, aber ich war oft in Wien (Familiengründe), und dann stehe ich immer ratlos vor einem Turm von Briefen. Im Sommer – schrieb ich es Ihnen schon? – war Ro-

main Rolland 14 Tage Gast in unserem Haus, wahrhaft unvergeßliche Tage. Er sieht ganz über diese Zeit hinaus, weit über Europa, das noch Jahrzehnte braucht, um wieder genesen zu können. Warum *wollen* die Menschen nicht die Wahrheit? Das Leben ist schwer mit ihr, kostspieliger, anstrengender als in einer warmen Lüge: aber ist nicht das ganze Unglück Deutschlands in dem Weglügenwollen der Tatsache der Niederlage? Was uns in Österreich gerettet hat, war das Eingeständnis, wir sind besiegt. Damit war aller Haß entwaffnet, ja sogar in Sympathie verkehrt (denn was will der Sieger anderes als *fühlen,* daß er gesiegt hat: dann ist seine Leidenschaft zu Ende). Und dann: dieser Mangel an Characteren in der Politik, rechts und links. Der Schrei nach dem Diktator ist ja nichts anderes als die Sehnsucht nach einem *Menschen,* einem Character, statt der schwankenden Gestalten. Und dazu diese Qual der Lebensmathematik, die den Geist ja verstören und zerstören *muß:* was ist da einem Volke zugemutet! Ich kann gar nicht daran denken.
Ich wollte Ihnen gerne als Gegengabe meine Ausgabe Masereels (bei Axel Juncker) senden: hoffentlich bekomme ich noch ein Exemplar. Wenn nicht so hoffe ich einen signierten Holzschnitt zu finden: Ich freute mich so, daß Sie diesen wunderbaren Menschen lieben. Es sind ja jetzt so ganz wenige, an denen man hängt – das neue Buch über Oscar Wilde von Frank Harris war mir so ein Erlebnis, dann das kleine Buch von Hans Carossa, »Eine Kindheit«, sonst flüchtet man ja gerne wieder in die Vergangenheit zurück. Mein Hölderlin – Kleist – Nietzsche Buch geht langsam vorwärts. Welche Kraft der Einsamkeit war doch in diesen Menschen: es tut not, das zu erinnern, denn jeder von uns ist ja heute mehr in sich zurückgestoßen als je: ich wenigstens fürchte mich geradezu vor den Menschen, die vergiftet sind von Politik, Haß und Geld. Wir, die wir noch an eine höhere Einheit im Geist glauben, sind sehr zusammengeschmolzen, eine ganz kleine unsichtbare Gemeinde, und es wird immer schwerer (aber immer schöner und notwendiger), den

Glauben zu bewahren, eben weil *kein* Wunder geschieht, Credo quia absurdum – das alte Kirchenwort ist wunderbar schön: glauben, gerade in einer Zeit, wo es unmöglich scheint.
Auf Ihr Buch freue ich mich sehr! Und wann immer Sie einmal kommen wollen, ist ein Zimmer für Sie bereit, ein Tisch gedeckt. Vielleicht haben Sie Lust, einmal der deutschen Verwirrung zu entflüchten! –
Mit vielen Grüßen Ihr herzlich ergebener Stefan Zweig

An Friderike Zweig

Paris, Hôtel Beaujolais
[undatiert; vermutlich Januar 1924]

Liebste Fritzi,
aus meinem herrlichen Zimmer – Blick in den Garten, mit den prunkvollen Türen aus dem alten Palais Royal – schreibe ich Dir spätabends. Habe viel Menschen gesehen. Zuerst Bazalgette, der prächtig ist, dann war ich bei Kra, war nachmittags in der Galerie Billiet, die neuen Masereel-Bilder zu sehen. Du kannst Dir nicht denken, wie herrlich seine letzten Porträts sind – man soll die Reproduktionen verbrennen, so leblos und farbtot wirken sie. Ich bin grenzenlos begeistert, und ein großes Bild hätte ich leidenschaftlich gern gekauft, aber lieber laß ich mich doch von M. portraitieren. Das nimmt zwar Zeit, aber ich bin glücklich, mit diesem wunderbaren Menschen beisammen zu sein. Er ist nicht mehr so heiter wie früher, irgend etwas Dunkles hängt über ihm. Dann sah ich noch Scheyer, speiste bei Zifferer. Morgen die Hofrätin und Fauconnier, und Unruh kommt. Soll zu Charavay, der Tag wird voll. Mein Herrlichstes – flâner dans les rues, bouquiner – lasse ich mir nicht gern durch Bindungen und Verabredungen nehmen.
Gott, ist diese Stadt schön. Abends ein Glanz ohnegleichen in die Dunkelheit – ich atme mit dem Geruch der süßen, milden Luft meine ganze Jugend mit, beuge mich zum Fenster mit mir

selbst hinaus. Leb wohl! Es ist zwar zu schön, hier vom Fenster im Palais Royal schlafen zu gehen, aber einmal muß es sein. Innigst Stefan

An Friderike Zweig

Paris [undatiert; vermutlich Januar 1924]

Liebe Fritzi,
Ich habe hier Menschen gesehen für acht Monate! Dabei soll ich heute außer Crucy, einem Abendessen bei Fauconnier noch zu James Joyce zum Tee, ferner will ich Madeleine Marx (jetzt Paz nach ihrem neuen Mann genannt) sehen. – Dienstag nachts heim zu Dir. Was für lärmende Tage hast Du gehabt, wie wirst Du glücklich sein, die Arbeiter aus und den fleißigen Stefzi, den Geräuschlosen, in dem Haus zu haben! Aber es hat mir gewiß sehr gut getan. Andrée Jouve hoffe ich bei Jean-Richard Bloch zu treffen, dann habe ich so ziemlich alles. Freue mich schon sehr auf die Arbeit – ohne sie ist das Leben doch auf die Dauer sinnlos, selbst wenn es so farbig ist wie hier in Paris. Herzlichst Dir und Deinen Bobberles Dein Stefzi

An Otto Heuschele

Salzburg, am 12. Jänner 1924

Lieber Herr Heuschele!
Wie werden Sie von mir denken, daß ich so spät erst Ihres guten Briefes und Ihrer schönen Sendung gedenke. Aber es fiel so vielerlei dazwischen, ich mußte nach Wien fahren und war dort mit Familiendingen 14 Tage so beschäftigt, daß ich nicht dazukam, auch nur eine Postkarte zu schreiben. Dann bei der Rückkehr wartete die aufgestaute Arbeit mit vielerlei Dringlichkeit und eine Sendung wie die Ihre wollte ja nicht eilig, sondern liebevoll, wie sie gedacht war, erledigt sein.
Ich finde Ihre »Briefe aus Einsamkeiten« ungemein schön. Das

Buch ist durchaus organisch, obwohl es anfänglich zufällig zusammengestellt erscheint, man spürt erst allmählich, wie gleichsam um ein religiöses Zentrum herum, um jene Fähigkeit unbedingter Verehrung der wahrhaften Verehrung würdig sich die Berichte und Gesichte formen, und gerade daß die Sphäre so weit ist, daß sie von einem Jahrhundert ins andere hinüberreicht, gerade das macht das Buch bedeutungsvoll und schön. Wir haben in unserer politisch vergifteten Zeit nichts notwendiger als eine Anschauung, die auf das Gemeinsame zielt, die in der Bewunderung das Ferment der Menschen und Völker sieht. In diesem Sinn wird Ihr Buch unendlich viel helfen, gerade weil es an die Ideale der Jugend rührt und die Gegenwart so sehr von Haß und Erbitterung verstört ist. Mir ist es seltsam, wievielen Gemeinsamkeiten meines noch unveröffentlichten Buches ich darin begegnete, vor allem jene Schilderung jenes »Dämonischen Zeitalters zu Anfang des 19. Jahrhunderts« – nur daß ich da noch weiter ging und in Frankreich mit André Chénier beginne und von Keats und Puschkin bis hinüber zu Leopardi das Heldenalter der früh gestorbenen Jünglinge darzustellen suche. Daß jene Zeit gleichzeitig eine politische Mißgunst und blutige Kriegswelt war, könnte einem große Hoffnung geben, und diese Hoffnung sind wir verpflichtet zu erhalten, selbst wenn wir nicht daran mit unserer ganzen Seele glauben. Ich empfinde, daß Sie fühlen wie ich: daß Ihnen nämlich die ganze Zeit leichter wäre und erschiene, wüßten Sie um irgendeinen neuen Hölderlin oder Kleist, der bestimmt ist, ihre Kleinlichkeit zu verewigen. Aber schließlich liegt es nur an uns, und vielleicht sind die Großen in unserer Nähe, wir kennen ihre Namen, sprechen sie mit halber Achtung aus, ohne sie wahrhaft zu erkennen. Es ist dies zu allen Zeiten so gegangen, daß die Besten für das Beste in ihrer Nähe meist geheimnisvoll blind gewesen sind. Gegenwart leidet immer an einer merkwürdigen Weitsichtigkeit des Auges: man erkennt alle Größe in der Ferne, fühlt aber das Nahe nur verschwommen und ungewiß. Immerhin, wir sind wenigstens reinen Willens, das Wesentliche zu erkennen, wo immer es sich darbietet: Möge uns die Hoffnung erfüllt sein, es einmal in Nähe und Gegenwart zu erleben und zu erfühlen.

Auch Ihr Festschriftbuch war mir ungemein lieb, doch fast möchte ich wünschen, daß sich Ihre Träume nicht verwirklichen. Alle Wirklichkeiten entbehren der Reinheit: ich fühle das in Salzburg am besten, wo ich in die Kulissen der weltberühmten Festspiele Reinhardts zu sehen Gelegenheit hatte. Es ist zuviel Kulisse dabei, zuviel Betrieb und vor allem das verfluchte Geld, das alles vergiftet und zerstört, was von einer Idee Wirklichkeit werden will. Ich glaube, das Theater ist irgend etwas, womit wir nicht rechnen dürfen, wenn wir von Kunst reden. Nur in Musik entsteht noch manchmal das Makellose, und ich habe es jetzt wieder in Wien beim Rosé-Quartett staunend und bewundernd erlebt. Nur da ist noch fugenlose Vollendung denkbar, nur da verschwindet der Apparat im raumlosen Element. Aber wo Menschen und Kostüme hinter Sofitten wirken, bleibt immer ein Erdenrest. Man muß vielleicht zwanzig Jahre alt sein und so leidenschaftliche Augen haben, um ihn zu übersehen.

Als Gegengabe sende ich Ihnen endlich meine neuen Gedichte, die endlich erschienen sind, und hoffe Ihnen, wenn ich tatsächlich nach Paris fahre, wie ich es für acht Tage plane, ein Blatt von Masereel erobern zu können, damit Sie eine Freude haben und mein gutes Gedenken fühlen. Von neuen Büchern habe ich nur sehr genossen das »Triptychon der Heiligen drei Könige« von Timmermans, dem Verfasser des herrlichen »Pallieter«. Das ist noch ein ganzer, reiner Dichter, in dem man fühlt, was die deutsche Kunst an Urquellen hat. Sonst spüre ich das eigentlich nur bei den Stillen im Lande, wie bei Hans Carossa, Wilhelm Schmidtbonn, die ja geringer sein mögen wie Hauptmann oder Hofmannsthal, aber doch irgendwie rein das Dichterische im deutschen Sinn bewahrt haben.

Verzeihen Sie also, lieber verehrter Herr Heuschele, diesen spä-

ten, diesen unzulänglichen Dank und zweifeln Sie nicht an der großen Freude, die mir die Widmung Ihres Buches macht. Ich finde es eigentlich unzulänglich, sie in Briefworten zu erwidern, und hoffe zuversichtlich, im Frühjahr einmal zu Ihnen hinüberzukommen.
Ich soll in Frankfurt und Baden-Baden zu Vorträgen, aber ich bliebe gern ein paar Tage zur eigenen Freude in Hölderlins Land.
Herzliche Grüße Ihres aufrichtigen Stefan Zweig

Alles Gute für Ihre Zeit und Arbeit! Dieser Winter hat etwas Lastendes und Schweres, er liegt wie ein Gewölk über uns. Aber dieser Frühling wird um so schöner sein: ich glaube, daß aus der allgemeinen Müdigkeit endlich ein Friede zwischen Deutschland und Frankreich entstehen muß. Es ist noch zuviel Haß in der Welt. Was soll eine Jugend begeistern? Ideale der Vergangenheit, die Säbelrasselei, das schreiende völkische Bewußtsein. Oder wird sie nicht doch wieder den ewigen Quellen lauschen, die Sie in Ihrem Buche so schön aufzeigen? Ich möchte gerne noch einmal eine Jugend sehen, wie wir sie (bei allen Fehlern und Kleinlichkeiten) waren: verehrungs*froh*, hingebungsvoll und erfüllt von geheimnisvoller Demut vor der Zeit. Unsere Zeit verbietet es freilich, sie zu verehren: sie macht es eher einem leicht, sie zu verachten, aber das *kann*, das *darf* nur ein Übergang sein. Gott schenke uns einen deutschen Walt Whitman, einen neuen Nietzsche, einen einzigen großen *Jasager* zum Leben! Wir brauchen nichts nötiger als ihn!

An Otto Heuschele

Salzburg, am 27. Oktober 1924

Lieber Herr Heuschele!
Ich erhielt von Axel Juncker die Korrekturbogen und muß nun zunächst noch allerherzlichst für die schönen Worte danken, die es einleiten. Sie sind vielleicht wertvoller als die meinen, die

ich an den Schluß setze und von denen ich Ihnen gleichzeitig eine Abschrift schicke. Ich hoffe, Sie fühlen es ihnen an, daß sie spontan aus einer aufrichtigen Gesinnung geschrieben sind. Vielleicht würde ich ausführlicher geworden sein, wenn mich nicht die Zeit so gewaltsam drängte: ich will nämlich jetzt um jeden Preis mein neues »Drei Meister«-Buch fertig machen, um dann Ende November zu Rolland und nach Paris zu fahren. »Kleist« ist beendet, der »Hölderlin« gleichfalls, nur der »Nietzsche« formt sich noch zu Ende, ich hoffe aber, daß Sie im Ganzen mit dem Buche nicht unzufrieden sein werden, dem ich jetzt ein ganzes Jahr – am Ende schon unwillig und voll Ungeduld fertig zu werden – gewidmet habe. Denn das ist der Nachteil aller groß angelegten und breiteren Bücher, daß man am Ende eine Art Haß gegen sie bekommt, wenn man zu lange mit ihnen zusammengelebt hat und sie einem zuviel Zeit wegnehmen, während kleinere Arbeit einen rasch für die Mühe bedankt und Gedichte gar einem lose und mühelos in die Hand fallen. Aber gerade diese Zucht ist andererseits gut, und ich bereue sie nicht. Nur freue ich mich auf die Beendigung des Buches ein wenig so wie ein Gefangener auf seine Freiheit. Dann eine Novelle zu schreiben wird leicht und gut sein wie ein Spaziergang nach schwerer Holzfällerarbeit. Aber hoffentlich habe ich wenigstens gute Zimmermannsdienste getan und das Haus, in dem die drei geliebten Dichter wohnen werden, hat festes Dach und kann ein paar Jahre überdauern.
Für das Frühjahr habe ich einen Vortrag in Baden-Baden, Freiburg und Wiesbaden zugesagt, da komme ich dann bestimmt in Ihre schwäbische Welt und kann Ihnen schon hoffentlich das fertige Buch ins Haus bringen.
Mit vielen Grüßen Ihr herzlich ergebener

Stefan Zweig

An Otto Heuschele

Salzburg, am 13. Dezember 1924

Lieber Freund!

Ich komme eben aus Paris zurück und habe mit größter Freude Ihr Buch empfangen, mögen Sie daran die Freude finden, die es verdient. Nun sind Sie ja in die literarische Welt eingekehrt, und hoffentlich zerstört Ihnen die Öffentlichkeit nicht die reine Lust am Lauschen und Genießen, die sich so wunderbar in diesem Buche ausspricht.

Mein Freund Felix Braun, den Sie ja gewiß kennen und der während meiner Abwesenheit bei mir wohnte, hat es gelesen und war davon sehr begeistert: bitte weisen Sie doch Ihren Verlag an, ihm ein Exemplar an seine Adresse, Wien XIX, Sieveringerstraße 191, zu senden.

Von neuen Büchern möchte ich Ihnen dringend eines ans Herz legen: Hans Carossa »Rumänisches Kriegstagebuch« (Insel Verlag). Ich weiß nicht, ob ich Ihnen schon einmal von meiner großen Zuneigung zu Carossa schrieb. Für mein Empfinden ist er einer der reinsten und edelsten Menschen, einer der deutschesten Dichter, die wir haben, und daß er noch von so wenigen gekannt ist, muß ihn gerade uns nur noch lieber machen. Ich halte die paar kleinen Bücher, die er bisher geschenkt hat, zum ehernen Bestand der deutschen Dichtung gehörig. Seine rührende Bescheidenheit – er ist Arzt in München und hat fast nur eine Praxis armer Leute, wirkt als wahre Wohltat in der Welt der Anmaßung und Geschäftlichkeit. Ich bin ganz gewiß, daß Sie dieses Buch so wie ich als außerordentliche Gabe empfinden werden: schenken Sie es sich zu Weihnachten, und es wird noch Wochen und Monate mit Ihnen sein.

Ich hatte einige wunderbare Tage bei Rolland, über die ich Ihnen einmal ausführlicher erzählen will, dann war ich bei Masereel, der ein ganz großartiges Werk plant, eine Trilogie: die Städte, das Land und das Meer; in der alle Gestalten der drei Welten teils einzeln, teils in ihrer Massenerscheinung nachgebildet sein sollen. Es wird vermutlich noch Jahre dauern, bis er damit fertig ist, aber was ich gesehen habe, ist über alles Maß großartig und übertrifft unsere leidenschaftlichste Erwartung an diesen großen Künstler. Zu meiner Beschämung muß ich sagen, daß ich bei der Rückfahrt ganz nahe an Ihnen vorbeikam, ich bin eine Nacht in Karlsruhe geblieben und fuhr dann durch Stuttgart, aber es hielt mich nirgends mehr, weil ich noch an meinem Buch zu arbeiten habe. Für das Frühjahr aber ist es ganz gewiß, daß ich nach Schwaben komme, ich halte Vorlesungen in Baden-Baden, Freiburg und Wiesbaden, und am Hin- oder Rückweg komme ich dann sicher zu Ihnen.

Aber vergessen Sie deshalb nicht an Salzburg. Es ist außerhalb der belebten drei Wochen im August eine wunderbare stille Stadt, in der Sie sich wohlfühlen werden.

Nun noch herzliche Wünsche für Ihr Werk und viele Grüße Ihres getreuen Stefan Zweig

An Frans Masereel

[undatiert, vermutlich 1925]

Mein lieber Frans,

Ich danke Dir für Deinen lieben Brief – auch ich hatte große Lust Dir zu schreiben. Aber leider nimmt die Korrespondenz in einem erschreckenden Ausmaß zu und die Freude andrerseits nimmt ab. Ich bin oft der Literatur ein wenig müde; noch ein Buch und noch und noch eines und das Leben geht vorbei, die Jugend vergeht und man schreibt mehr und mehr Bücher! Wenn man einmal bewiesen hat, daß man gute Bücher schreiben kann, dann fehlt die beglückende Erregung und das Ganze wird zum Handwerk. Mein Lieber, es ist fast 25 Jahre – ein Vierteljahrhundert – her, seit ich meine ersten Verse veröffentlicht habe – und im Grunde meiner Seele hätte ich Lust, die Schriftstellerei beiseite zu lassen und zu reisen. Aber der Erfolg, die »Pflicht« wird zur Kette, zur goldenen Kette, wenn

Du willst – eine Freude für andere, aber ich (Du kennst mich), der ich nicht für einen Groschen Ehrgeiz und Stolz besitze, habe Sehnsucht nach meinem einstigen Leben, anonym, abenteuerlich, unstet und sorglos. Von allen Autoren, die ich kenne, bin ich vielleicht der, der seinen sogenannten Erfolg am meisten verabscheut. Ich glaube, daß Erfolg das Leben und den Charakter verdirbt und daß anonymes Leben das wirkliche ist. Ich hätte Lust, einen anderen Namen für mein Privatleben anzunehmen und eine neue Haut wachsen zu lassen.

Du bist einer der Wenigen, die mich verstehen. Die Anderen sagen mir, daß ich Erfolg habe und daß sie mich beneiden ohne zu wissen, wie sehr alles öffentliche Leben mich anekelt. Mein Lieber, wie wäre es, wenn wir wie zwei Jungens zusammen für vier oder sechs Wochen nach Spanien reisten, was hältst Du davon? Du brauchst nur ein Wort zu sagen, und ich komme im Frühling.

Ich bin sehr neugierig, Deine Holzschnitte für das »Liber Amicorum« zu sehen. Es wird sehr schön werden, dieses Buch, und ich bin stolz, diese Idee gehabt zu haben, die unseren Freund ehren wird (dessen Freundschaft eines der seltenen Dinge ist, an denen ich mit ganzer Seele hänge).

Da ich mit den verschiedensten Pflichten überhäuft war, habe ich vergessen, »Ville« voraus zu bestellen. Wenn noch ein verfügbares Exemplar existiert, bitte den Herausgeber, mir eines von der gewöhnlichen Ausgabe zu schicken mit der Rechnung. Ich werde sie sofort begleichen. Ich arbeite augenblicklich an einem neuen Band Erzählungen, und ich bin dabei, eine Komödie vorzubereiten basierend auf einem alten und sehr schlechten englischen Lustspiel aus der Zeit Shakespeares. Es wird eine Posse sein, die das Geld verspottet, die, die es besitzen und die, die es verachten. Wenn dies gelingt, wird es sehr amüsant sein – auf alle Fälle amüsiere ich mich während der Vorbereitung. Sie enthält nicht ein Wort über Liebe, alles dreht sich um das Gold.

Ich bin ungeduldig den zweiten Band Jean-Christophe zu sehen und den Eulenspiegel. Ich werde mich in drei Wochen nach Italien zurückziehen, um die Komödie in Angriff zu nehmen. Aber vielleicht werde ich noch dieses Jahr nach Paris kommen.

Dein alter Stefan

Grüße an Deine Frau.

An Maxim Gorki
[Aus dem Französischen]

Salzburg, Kapuzinerberg 5
In der Woche vor Ostern 1925

Lieber, großer Maxim Gorki, ich habe mir erzählen lassen, daß in Rußland Ostern das große Fest des Jahres ist und jeder denen, die er gern hat, ein Geschenk macht – lassen Sie mich also diesen russischen Brauch übernehmen, um Ihnen meine Zuneigung auszudrücken, Sie aus der Ferne zu umarmen und Ihnen all das zu wünschen, was der große Künstler liebt und ersehnt: Arbeit, Freude, Gesundheit, Vollkommenheit!
Sie können Romain Rolland keine größere Freude bereiten, als ihm Ihr nächstes Buch zu widmen. Für ihn steht die Freundschaft beinah über der Liebe, und jeder Freundschaftsbeweis ist ihm teuer. Sie können sich nicht vorstellen, wie allein er im Grunde ist: im Krieg haben ihn seine engsten Freunde feige im Stich gelassen, und Sie haben vielleicht selbst erfahren, daß man von einem bestimmten Alter an keine solchen Freundschaften mehr schließt. Das ist eines der tausend Privilegien der Jugend!
Ich bin Ihnen von ganzem Herzen dankbar, wenn Sie sich das Buch, das ich Ihnen schickte, vorlesen lassen wollen. Es ist ein Glaubensbekenntnis in Form einer Legende. Aber stehlen Sie sich nicht Ihre Zeit – bringen Sie vor allem Ihr Werk zu einem Ende!
Ich bin glücklich, Sie bei guter Gesundheit zu wissen. Ich hoff-

te, auch ich würde dieses Jahr nach Italien kommen, aber ich bin lieber hier geblieben, um zu arbeiten. Wenn Sie im Herbst noch in Sorrent sind, komme ich womöglich, eigens, um Sie einen Tag zu sehen (nicht um Sie zu stören).

Ihr getreuer Stefan Zweig

An Emil Ludwig

Salzburg, Kapuzinerberg 5
10. Mai 1925

Lieber Emil Ludwig, vielen Dank für Ihren Brief. Aber Sie sollten die Schuld an jenem Mißverständnis nicht ganz auf sich nehmen: ich war damals, aus dem Instinct, Sie gegen sich zu verteidigen, vielleicht zu weit gegangen. Aber ist das nicht unsere eigenste Pflicht, uns zum Wesentlichen bestärken? Wir sind aus einer Generation, wir sind über vierzig Jahre: da heißt es, sich nicht verzetteln, Alles in sich zum Entscheidenden zusammenfassen.

Und wie recht haben Sie: Wir sind so Wenige. Manchmal bedrückt mich das Gefühl, wir encyclopädische, die Bildung leidenschaftlich erweiternde Menschen seien schon etwas Fossiles in unserer hastig sich vereinzelnden Welt. Wie wenige wissen um die Werte, wie wenige von denen, die sie noch ahnen, haben noch dann die Leidenschaft!

Denken Sie: gestern kam hier unvermutet Georg Brandes für zehn Tage Stille an. Mir war es ganz gespenstig zu Mute, mir von ihm über Turgenjew, Flaubert, Sainte Beuve erzählen zu lassen: der Mann umspannt ein geistiges Jahrhundert mit seinem Leben! Ich möchte diese Stunden mit ihm nicht hergeben!

Mein neues Buch sende ich Ihnen heute zu, möge es Sie erfreuen! Und bitte beauftragen Sie Ihren Verleger, mir Ihre 20 männlichen Bildnisse zu schicken, ich kenne viel daraus und hätte es gerne als gegenwärtigen Besitz in meiner Abgeschiedenheit, die Sie hoffentlich einmal zu gutem Beisammensein

aufmuntern wollen. Jetzt fahre ich nach Leipzig zum Händel-Fest: meine Fahrten gelten fast nur mehr Landschaften und Musik.
Mit herzlichen Grüßen von Haus zu Haus

Ihr Stefan Zweig

An Hermann Hesse

Salzburg, Kapuzinerberg 5
am 14. Mai 1925

Lieber Herr Hesse!

Kurgast 1925

Ich muß Ihnen doch ein paar Zeilen schreiben über Ihr Badener Bade-Buch, das gestern eintraf und sofort gelesen wurde. Lassen Sie mich nun einmal zwei Minuten lang unbescheiden sein und aus alter Verbundenheit Ihnen etwas fast Hochmütiges sagen: ich glaube, daß es wenige Leute gibt, die so sehr innerlich spüren, um was es Ihnen eigentlich geht. Mir ist der Weg von »Demian« zu »Klingsor« und »Siddharta« und nun zu diesem Buche so ungemein klar – vielleicht weil ich selbst der Leidenschaft zur Psychologie und zur Wahrhaftigkeit immer mehr verfalle. Ich spüre so deutlich, wie sehr Sie von der obern Schicht des noch jugendlichen Sentimentalen (»Camenzind«) mit einer Unerbittlichkeit tiefer herankommen an Ihr eigentliches unverfälschtes Wesen; und was ich so wunderbar wieder auch an diesem Buche finde, daß Sie das Schmerzhafte und im gewissen Sinne Wissenschaftliche der Diagnose durch Dichterisches und einen leichten Humor so famos abzureagieren wissen.
Wir kennen einander, lieber Hermann Hesse, lange genug, als daß ich Ihnen Honig um den Mund schmieren müßte, so glauben Sie mirs wohl, daß ich dieses Buch mit einem unerhörten Genuß und einer wirklich brüderlichen Freude empfangen habe. Es ist übrigens noch ein Spezialvergnügen zu sehen, wie, durch

einen Zufall, Sie eine verwandte Sphäre mit Thomas Mann streifen (den besonderen Seelenzustand des Kranken im Sanatorium), aber Ihr Buch macht dabei frei, indes das andere bedrückt. Kurzum, ich habe mich Ihnen herzlich nahe gefühlt und wäre ein Faulpelz, wollte ich es nicht mit einem Wort an Sie vermelden. Auch ich habe ein Buch auf Sie abschießen lassen: »Den Kampf mit dem Dämon« – es ist hoffentlich schon seit einiger Zeit in Ihrer Hand. Aber Sie brauchen mir deshalb durchaus nicht jetzt etwas darüber zu sagen, außer – wenn Sie es *nicht* erhalten haben sollten – ein Wort, daß es Ihnen nochmals gesandt wird.
Leben Sie herzlich wohl, lieber verehrter Hermann Hesse; wenn ich mich nicht ganz täusche, so haben wir noch ein Jahr, und dann ist es ein Vierteljahrhundert, daß wir zum erstenmal einen Gruß getauscht haben. Um so herzlicher dann hinüber ins zweite!

Ihr getreuer Stefan Zweig

An Friderike Zweig

Leipzig 7/6 [1925]

Liebe F.
ich kann nur in Eile schreiben, daß ich Deinen Brief dankbar erhielt. Bitte schreibe Freud, er möge an Roniger senden. Händels Belsazar *unerhört*, ein elementarer Eindruck. Kippenberg sehe ich erst heute, auch der junge Friedenthal ist da, mit dem ich viel beisammen bin, unerhört begabt. Wir fahren vielleicht noch nach Kassel. Rolland hat mir den illustrierten Jean-Christophe mitgebracht. Es geht ihm und seiner Schwester recht gut. Lebe wohl, alles Gute

Dein Stefan

An Friderike Zweig
[Karte aus Weimar, mit Goethes Gartenhaus]

10/6, 25

Liebe Fritzi,
nein, schreiben kann ich nicht, ich komme nicht dazu. Es geht mir unverdient gut! Händelfest war göttlich, ich habe ähnliche Chöre und Orgel nie in meinem Leben gehört. Auch viel gebummelt, schreiben und schlafen habe ich mir abgewöhnt. Herzlichst

Stefan

Nos souvenirs affectueux Madeleine Rolland Romain Rolland

An Friderike Zweig

10/6 [1925]

Liebe Fritzi,
heute Mittwoch, geht es leider mit Weimar und Rolland zu Ende; wir haben hier ausgezeichnete Stunden der Ruhe und Behaglichkeit verbracht, waren gestern im Nietzsche-Archiv, wo die uralte Frau Foerster-Nietzsche sich wie ein Kind über Rollands Besuch freute und zu mir über mein Buch ganz gegen meine Erwartung *rührend* und dankbar war. Sie hatte noch eilig ein paar Leute der Haute Société verständigt, und es waren wirklich ein paar Damen von einer vorweltlichen Courtoisie und Noblesse da: manchmal muß man hier wirklich staunen, was die kleinen Städte an Qualität bergen. In Leipzig hatte Rolland das erfreuliche Bild, 25 000 Jungmannschaften Parade abhalten zu sehen: es ist gut, daß die Gutwilligen auch die Gefahren kennenlernen: er war von den Gesichtern beim Paradeschritt geradezu erschreckt, so starrten sie von Verbissenheit und gewaltsamer Ausstraffung. Heute abend nächtige ich in Dresden, bin morgen Reichenberg. Samstag Wien und hoffentlich Sonntag nacht zu Hause. Herzlichst Euch Allen

Stefzi

An Richard Friedenthal

22. Juni 1925

Haben Sie vielen Dank für Ihren guten Brief und die gemeinsam in Leipzig verbrachten Tage, die wir hoffentlich bald irgendwo anders erneuern wollen. Ich habe mich sehr mit Ihnen gefreut und alles bestätigt gefunden, was ich von Ihren ersten Briefen, Ihren ersten Gedichten an spürte: daß Sie mit einer absoluten Sicherheit und Klarheit wie Wenige an das geistige Ziel herantreten und nicht durch irgendeine Ungeduld sich vorzeitig ablenken lassen.

Ich fand hier einen Brief von Frau Professor Kippenberg, die sehr von Ihren Gedichten eingenommen ist und Sie bitten läßt, ihr doch auch ein oder zwei Novellen einzusenden. Ich glaube doch, daß wenn Sie es wollen, Ihnen die Insel ebenso offen stünde wie ein anderer Verlag, und ich würde mich sehr freuen, Sie dort zu begrüßen.

Wissen Sie, daß ich nun selbst bald mit einer Bitte an Sie herantreten werde? So sonderbar es Ihnen klingen wird – ich habe eigentlich wenige oder gar niemand Rechten, der mich in gewissen innern Unstimmigkeiten zu beraten vermöchte. Die sogenannten berühmten Leute haben keine Zeit, die meisten anderen sind zu höflich und wenig eindringlich, um wirklich förderlich zu sein – so habe ich eigentlich jetzt, sowie ich eine Novelle beendet habe, keine andere Instanz als mich selbst. Nun glaube ich bei Ihnen nicht vergebens appellieren zu müssen, wenn ich Sie bitten werde, die eine oder andere meiner neuen Arbeiten, sobald ich sie fertig habe, in der Maschinenschrift zu lesen und mir nicht nur zu sagen, gut oder schlecht, sondern aufrichtigst, wo Sie meinen, daß etwas nicht in Ordnung wäre oder wo Sie im Stilistischen und Künstlerischen etwas mißlungen finden. Wie Sie wissen, bin ich ebenso herzlich bereit, Ihre Sachen vordem zu lesen und nach bestem Wissen und Gewissen Ihnen meine Meinung zu sagen und zu begründen. – Mir wäre es sehr wichtig, jemand zu haben, der mir diesen Freund-

schaftsdienst unbarmherzig erweist. Sie sind vollkommen klar in Ihrem Urteil, nicht an irgendeine Gruppe gebunden, und wenn wir uns in diesem Sinne verbinden wollen, so machen Sie mir eine aufrichtige Freude damit. Ein solcher Pakt im Sinne der Hilfe und Strenge zugleich ist absolut nötig, wenn man innerlich nicht gewillt ist, sich durch äußern Erfolg in eine fertige Production drängen zu lassen. Und ich habe bei Ihnen das Gefühl, daß ich auf beides zählen könnte, was da notwendig ist, Freundschaftlichkeit der Gesinnung und eben darum Aufrichtigkeit der Aussage. – Vielleicht kann ich Ihnen schon in drei oder vier Wochen eine große Novelle zusenden, bei der ich jetzt noch nicht ganz im klaren bin und ebenso freue ich mich Ihrer neuen Arbeit entgegen. Ich hätte jetzt Lust zu tausend Dingen, mir fehlt nur etwas von Ihrer erstaunlichen Nervenkraft, die sechs oder sieben Stunden arbeiten verträgt, und außerdem nehmen mir andere Dinge mehr Zeit weg, als ich es eigentlich verantworten kann.
Seien Sie nun, lieber Herr Friedenthal, auf das herzlichste begrüßt und lassen Sie sich bald wieder einmal sehen – vielleicht erlauben Ihre Kontakte Ihnen einmal eine Reise in unsere Salzburger Welt!
Mit vielen Grüßen Ihr Stefan Zweig

An Friderike Zweig

Grand Hôtel, Zell am See
3. August 25

L. F.
vielen Dank für Brief und Anruf. Hier lebe ich so isoliert wie kaum je, kenne niemanden, weder im Hotel, noch im Ort, nur Reichsdeutsche und Ungarn. Wien gleich Null – alles aus Leipzig und noch sächsischer. Mir aber einerlei, ich arbeite und lese einiges, nicht gar zu viel. Die Novelle, die ich grundiere, ist unziemlich schwer, es reizt mich ja überhaupt nur mehr, das Komplizierte anzugehen.

Meine depressiven Zustände haben keine reellen Gründe, weder in Arbeit (die ist nicht so arg) noch im Nikotin, das ich übrigens jetzt nur zur Probe zwei Tage aussetze. Es ist eine Alterskrise, verbunden mit einer allzu großen (meinem Alter ungemäßen) Klarheit – ich beschwindle mich nicht mit Unsterblichkeitsträumen, weiß, wie relativ die ganze Literatur ist, die ich machen kann, glaube nicht an die Menschheit, freue mich an zu wenigem. Manchmal kommt aus solchen Krisen was heraus, manchmal kommt man durch sie noch tiefer hinein – aber natürlich gehört sie zu einem dazu. Ich sehe sie bei Leonhard ebenso, der sich aber in dümmster Weise beschwindelt – man soll eben resignieren und hat zuvor durch die zehn Jahre Krieg und Nachkrieg nicht das zugehörige Maß an Freude und Jugend gehabt. Und dann sind unsere Kriegsnerven eben doch nicht mehr ganz reparabel, der Pessimismus reicht tief unter die Haut. Ich erwarte mir nichts mehr – denn ob ich 10 000 oder 150 000 Exemplare verkaufe, ist doch einerlei. Wichtig wäre etwas Neues neu anfangen, eine andere Art Leben, anderen Ehrgeiz, anderes Verhältnis zum Dasein – auswandern, nicht nur äußerlich. Die Vortragsreise war ja wirklich nicht klug. Ich habe sie aus Schwäche gemacht, aus Nicht-Nein-Sagen-Können und dann, um mich zu zwingen, ein wenig unterwegs zu sein. Ich möchte in den nächsten Jahren mich gewaltsam beweglicher machen – viel und kurz reisen, das tut uns am besten. Laß es Dir gut gehen und sei vielmals gegrüßt S.

An Richard Friedenthal

5. August 1925

Ich habe mit großem Vergnügen heute Ihren »Heuschober« erhalten und gleich nochmals gelesen und mich sehr daran erfreut. Er ist ungeheuer straff erzählt, vielleicht nur kurz vor dem Schluß um eine Seite zu lang, aber sonst makellos. Vergessen Sie nicht, Frau Professor Kippenberg ein Exemplar zu schicken.

Nun zu meiner Bitte, Ihnen meine novellistischen Arbeiten vorlegen zu dürfen. Ich bin selbst so sehr im Weiterarbeiten, daß ich noch nicht dazu kam, das Bisherige auch nur durchzulesen, geschweige denn zu korrigieren, aber dennoch sende ich Ihnen – als Zeichen meines äußersten Vertrauens – eine Novelle *geradeso,* wie ich sie aus dem Manuskript diktiert habe, mit ihren ganzen Schreibfehlern, Wiederholungen und Fehlerhaftigkeiten zu. Bitte lesen Sie sie, *ehe ich sie jetzt durcharbeite.* Meinem eigenen Urteil gemäß, scheint sie mir gelungen, ich möchte nur noch wissen, ob nicht im letzten Teil ein wenig zu sehr gehastet ist. Ich will nämlich da noch eine ganze Szene, ehe sie auf den Bahnhof geht, einschalten, in der sie ihre Koffer packt, um mit ihm zu reisen, damit die Enttäuschung um so schlagkräftiger wird. Ursprünglich war eine andere Szene eingefügt, nach jenem Spielsaal, wo sie noch einmal zurückgeht, aber schon vergebens. Sie sehen also jedenfalls, daß ich der Schlußszene nicht ganz so vertraue wie den ersten drei Vierteln, mit denen ich bis auf Einzelheiten (und die natürlich noch genaue Feile) eigentlich vollkommen einverstanden bin. Vielleicht ist aber auch der Schluß ganz in Ordnung, jedenfalls bitte ich Sie da um Ihre unverhohlene Meinung. Sie sind selbst zu sehr vom Bau, um nicht zu spüren, wieviel absolutes Vertrauen darin liegt, jemanden in ein unfertiges, noch nicht korrigiertes Manuskript hineinsehen zu lassen. Ich tue es aber mit Absicht, weil ich dadurch noch freier im Umschalten sein kann. Auch eine andere Novelle ist fast fertig, die ich Ihnen bald schicke, und eine oder zwei [sind] unterwegs.

Für das ganze Buch glaube ich einen ausgezeichneten Titel gefunden zu haben. Er soll »Verwirrung der Gefühle« heißen. Der Titel der Ihnen vorliegenden Novelle ist: »Vierundzwanzig Stunden aus dem Leben einer Frau«.

Nicht wahr, Sie schicken mir die Novelle bald zurück. Heute nur noch die herzlichsten Grüße Ihres Stefan Zweig

An Richard Friedenthal
[Postkarte]

[undatiert; vermutlich August 1925]

Lieber Herr Doktor,
Innigst Dank! Was Sie sagen ist mir sehr nahe und wichtig; Ich benutzte übrigens diese autobiographische Form nur in dieser einen Novelle. Eine andere schicke ich Ihnen in den nächsten Tagen, ich bin nur auf der Durchreise hier, warte bis die Festspielerei abgeflaut ist. In mir sind jetzt plötzlich ganze Plantagen von Plänen aufgeschossen, eine neben der anderen. Ich schreibe Ihnen bald. Herzlichst Ihr St. Z.

An Richard Friedenthal

24. August 1925

Lieber Herr Doktor,
Nochmals meinen innigsten Dank für Ihr Gutachten. Glücklicherweise ist es mir gelungen, wirklich noch zu Ende eine kleine Schraube einzubauen, die die Spannung noch einmal hinauftreibt. Ich lasse nämlich die Frau durch allerhand kleine Machinationen zum Eisenbahnzug *zu spät* kommen, so daß sie verzweifelt zurückbleibt und auch im Leser unwillkürlich das Gefühl erwecken wird, sie sehe ihn nie mehr wieder. Sie geht dann auch noch einmal, um sich ihre Eindrücke zu beleben, in den Spielsaal – da bekommt nun das Erschrecken, ihn, den vermeintlich Abgereisten zu sehen, einen viel überraschenderen Akzent.
Ich sende Ihnen noch eine zweite Novelle und bin neugierig, wie sie Ihnen mundet. Einen kleinen Zug darin verdanke ich sogar unserem Gespräch in Leipzig: ich bin neugierig ob Sie ihn erkennen.
Ich freue mich schon sehr auf Ihre Arbeiten und schreibe Ihnen dann ausführlich. Heute nur herzlichste Grüße

Ihres getreuen Stefan Zweig

An Maxim Gorki
[Aus dem Französischen]

Salzburg, Kapuzinerberg 5
5. September 1925

Teurer, großer Maxim Gorki, es wird Ihnen sicher eine Freude sein zu hören, daß das von uns zu R. Rollands 60. Geburtstag vorbereitete Buch eine schöne Gabe sein wird: aus allen Ländern haben die Besten unsere Aufforderung befolgt und Worte des Grußes an unseren großen Freund übermittelt. Sicher ist dieser Erfolg zum Teil der Tatsache zu verdanken, daß Sie mit uns gemeinsam die Aufforderung zur Mitarbeit unterzeichnet haben. Aber jetzt, lieber großer Gorki, dürfen Sie nicht vergessen, auch *selbst* ein Wort oder eine Seite oder auch ein paar Seiten für das Buch zu schicken: Fragen Sie Ihr Herz, und Sie werden wissen, was Sie Rolland zu sagen haben. Es wäre ärgerlich, wenn Ihr Name fehlte!

Ich lege einen Briefumschlag mit der Adresse des Verlegers bei, der das Manuskript zusammenstellen wird, und danke Ihnen im voraus.

Ich hoffe, im November nach Sorrent zu kommen, um Sie zu besuchen; ich war sehr traurig, als ich in den Zeitungen las, Sie seien nach Leningrad zurückgekehrt. Aber die Zeitungen haben – *diesmal* zum Glück – gelogen. Ich freue mich bei dem Gedanken, Sie an diesem schönen Strand bei der Arbeit zu wissen, gesund und glücklich (wenn es erlaubt wäre, in einer Welt wie der unsrigen glücklich zu sein).

Ihr glühender Bewunderer Stefan Zweig

An Friderike Zweig

Hôtel Beauveau, Marseille
4/11 [1925]

Liebe Fritzi,

nachdem ich mit einem Telegramm Dich bereits beruhigt habe, nun erste Nachricht. Ich habe als Hotel gefunden, was mir ganz zusagt, altes Haus ohne Restaurant, das einzige, das Blick auf den Hafen hat (ich fotografiere ihn Dir morgen vom Fenster), ein Zimmer spaziös, so daß ich auch arbeiten kann. Auch sonst scheint Marseille ganz das zu sein, was ich will – eine lebendige Stadt. Mit 5 Minuten Tramwayfahrt ist man an der Corniche mit Tropenbäumen und Blick auf das Meer. Mir lieber als Kurorte, wo nur langweilige Müßiggänger sind. Das Leben üppig und vor allem lebendig. Und Ruhe inmitten Lebendigkeit. Einsamkeit im Zentrum einer Bewegung war das, was ich suchte. Während ich Dir schreibe, sehe ich von Zeit zu Zeit rasch zum Fenster hinaus: mich mahnt's an das Alsterbassin und mein Hamburger Zimmer, nur freilich das Klima: laue durchsonnte Luft mit unzähligen Farbtönen vom Grellen die Scala herunter bis zu diesem Brûme, der an Paris erinnert. – Ich bleibe jedenfalls acht bis zwölf Tage, vielleicht gehe ich noch auf jene Inseln (Hyères) als bescheidene Kompensation meines Balearentraums. Laß es Dir inzwischen gut gehen und sei vielmals gegrüßt von Deinem Dich in französischer Währung tausendmal küssenden – ist das nicht genug? – sonst Schweizer Währung

Stefzi

An Otto Heuschele

Salzburg, am 17. Dezember 1925

Lieber Freund!

Recht herzlichen Dank für Ihren lieben Brief: ich komme jetzt in letzter Zeit so selten zum Briefschreiben, weil ich im allgemeinen recht fleißig bin. Meine Novellen gehen vorwärts und nehmen allmählich festere Formen an, und ich weiß nicht, ob ich Ihnen schon schrieb, daß ich zwischendurch eine ganze kleine dreiaktige Komödie nach einem alten englischen Vorbild hingeworfen habe, die ich vorläufig noch nicht verwerte. Es hat eben die gute Sonne von Marseille mir etwas eingeheizt und die Dinge derber gemacht, als sie im allgemeinen ein braves Publikum verträgt. Vorläufig amüsiere ich mich nur noch selber damit.

Die buchhändlerische Krise scheint ja wirklich eine ausgiebige zu sein. Wir sollten es aber nicht allzu schwer bedauern, denn eine gewisse Reinigung war schon nötig, es gab zuviel Schriftsteller, zuviel Verleger, zuviel Buchhändler und zu wenig Publikum. Selbst unsereiner wurde total desorientiert, und man kam vor lauter halbwichtigen Büchern nicht mehr dazu, die wesentlichsten zu lesen. Den Einzelnen mag es ja hart treffen, aber ich beharre darauf, daß das Ganze doch ein Gesundungsprozeß ist und allmählich gute Wirkungen entäußern wird, denn je weniger Bücher die Leute kaufen, desto sorglicher werden sie wählen und desto sorgfältiger lesen. Hoffentlich fügt sichs, daß wir uns auf unseren Vortragsreisen irgendwo begegnen, ich bestreue mit einem Maschinengewehrfeuer von neun Vorträgen in zehn Tagen die Strecke Wiesbaden, Bonn, Düsseldorf, Berlin, Lübeck und Hamburg, will aber dann im Februar wieder zurück sein, im März vielleicht noch auf 14 Tage südwärts gehen, um den Winter zu kürzen, und die übrige Zeit arbeiten.

Mein Novellenbuch könnte wohl schon fertig sein, ich eile aber nicht damit, weil ich es möglichst qualitativ hoch halten möchte und wenig Neigung habe, in eine Pleitezeit zu kommen. Mir fehlt es Gott sei Dank nicht an Geduld, und das ist ja das Wichtigste. Seien Sie also, lieber Freund, auf das herzlichste gegrüßt, und nutzen Sie die Zeit in Ihrer stillen Stadt zu guter Arbeit. Hoffentlich kommt auch Ihr »Hauff« bald heraus, zumindest jenes Nachwort, von dem Sie nicht vergessen sollen mir einen Separatabdruck zu schicken.

Herzlichst Ihr Stefan Zweig

An Otto Heuschele

Salzburg, Kapuzinerberg 5
am 7. Juli 1926

Lieber Freund!
Ich schulde Ihnen einen langen Brief, aber es kam vielerlei dazwischen, vor allem die Vollendung des Novellenbuches, die nicht so glatt ging, als ich mir vorgenommen. Zwei Novellen standen fest, die dritte war mehrmals bestimmt, wurde immer wieder durch eine andere ersetzt, um dem Buche seine Einheit zu wahren – nun ist es endlich im Druck und grüßt Sie im September als ein Gestaltetes. Mir war es eine Freude zu hören, daß auch Sie vielerlei inzwischen unternommen haben und sich innerlich der Zeit gewachsen fühlen. Ich spüre das so sehr an dem Idealismus, der Ihren Aufruf beschwingt. Alles, was Sie darin sagen, ist ausgezeichnet, nur gilt es meiner Meinung nach mit einem solchen Aufruf zurückhaltend zu sein und ihn nicht ins Leere hineinzuschicken. Proklamationen haben immer nur Sinn, wenn man ein heimliches Kaiserreich gründet, Ansprachen gehören vor eine Entscheidungsschlacht. Einen solchen Aufruf sollten Sie, meine ich, bis zum Augenblick, wo ein solches Jahrbuch schon bereitliegt, sparen, sonst verpufft er ins Leere und Lose hinein – vergessen Sie nicht, mein lieber Freund, wie kurzatmig das Gedächtnis der Zeit geworden ist. Man kann nicht heute einen Aufruf publizieren und dann ein Jahr später das Jahrbuch – inzwischen geht der ganze Zusammenhang verloren. Ursache und Wirkung greifen nicht mehr ineinander. Die Menschen sind heute überfüllt mit Plakaten und Affichen, man kann ihnen kein Gedächtnis zumuten und noch weniger Treue über ein ganzes Jahr: so muß die Tat der Ankündigung folgen wie Donner dem Blitz.
Das ist meine aufrichtige Meinung, lieber Freund. Bewahren wir uns den Idealismus im Geistigen, aber bemühen wir uns sachlich zu denken, wo wir ins Praktische eingreifen wollen. Nicht sich verschwenden, nichts vergeblich tun in einer Zeit, die wie

von den Maschinen, auch von jeder geistigen Aktion äußerste Präzision und Zweckmäßigkeit fordert. Sammlung muß langsam und vorsichtig sein, Ankündigung und Tat [müssen] aber dann sekundenschnell aufeinander folgen. Wenn Sie meinem Rate nicht mißtrauen, so sparen Sie also die Schlagkraft eines solchen Manifestes bis zur gestalteten Form, bis Sie innerlich den Plan und äußerlich die Mitarbeiter bereit haben. Im Grunde haben Sie zutiefst das Verlangen der Zeit erfaßt – es gibt im Augenblick keine einzige Zeitschrift für die Jugend, nichts, wo ein jüngerer Mensch erste Aussprache sich erlauben könnte, kein Blatt, das Verse druckt, außer die abgestempelten. Ich glaube ein Verleger, der ein solches Blatt wagte, würde es nicht einmal bereuen müssen. Sie wären der geborene Führer, der geeigneteste Redakteur dafür, und vielleicht könnten wir Sie alle gemeinsam, auf einem gemeinsamen Blatt einem Verleger vorschlagen, der gesinnt ist, eine solche Zeitschrift zu versuchen.
Ich hätte Ihnen noch viel zu erzählen und hoffe noch immer durch eine Begegnung hier oder bei Ihnen durch heitere Mündlichkeit das geschriebene Wort zu ersetzen. Lassen Sie es wahr werden und seien Sie inzwischen vielmals gegrüßt von Ihrem

Stefan Zweig

An Max Christian Wegner

Salzburg, Kapuzinerberg 5
am 12. Juli 1926

Verehrter Herr Wegner!
Vielen Dank für Ihre freundliche Initiative, daß Sie einen Prospekt über meine Bücher herausgeben wollen. Lassen Sie mich nun ein wenig die Sache überlegen. Ich gestehe Ihnen offen, daß eben weil es heute dermaßen üblich ist, ich einen gewissen Widerstand gegen eine solche Selbstbiographie verspüre: alle Dichter befassen sich jetzt ein wenig zuviel mit sich selbst. Mir wäre eigentlich sympatischer ein kurzer zusammenfassender

Aufsatz, für den ich schon irgend jemand richtigen bestellen könnte, mit einem Faksimile und dann kritische Auszüge, die möglichst international gewählt werden müßten, was ich eventuell auch anlegen könnte.
Vielleicht sagen Sie mir darüber noch ein Wort. Selbstverständlich würde ich es tun, wenn es auch die andern Insulaner, wie Ricarda Huch, Schaeffer, Rilke in gleicher Weise tun und dazu eine Selbstbiografie beisteuern. Aber, wie gesagt, ich empfinde es als ein wenig unbescheiden und möchte es nur tun, wenn mich die Geselligkeit der anderen an der Peinlichkeit solcher Selbstbetrachtung entlastet.
Mit den besten Grüßen Ihr Stefan Zweig

An Otto Heuschele

Salzburg, Kapuzinerberg 5
am 4. August 1926

Lieber Freund,
Das ist schön und sehr erfreulich, daß Sie einen Verlag nun gefunden haben, und Sie können sich vollkommen verlassen, daß ich sofort, wenn ich zurückkomme, Ihnen etwas dafür sende, also Anfang September. Ich fahre morgen fort in das Schweizer Gebirge, um den Festspielen hier zu entgehen, die zwar alle berühmten und interessanten Leute der Zeit zusammenbringen – aber es ist nicht angenehm, gerade am eigenen Ort sie alle zu finden.
Für das Jahrbuch möchte ich Ihnen gern noch einige jüngere Dichter raten, die ich ganz besonders schätze und die Ihnen in dem Jahrbuch außerordentliche Ehre machen würden. Ich denke an *Richard Friedenthal* (Berlin-Charlottenburg, Berlinerstraße 147), *W. A. H. Maass* (Altona, Klopstockstraße 19), *Fritz Brügel,* (Wien XIX, Hauptstraße 43), *Walther Eidlitz* (Wien, Obere Donaustraße 45).
Ich glaube, alle diese werden Ihnen, wenn Sie sich auf mich

berufen, gern etwas sehr Schönes geben, und Sie werden damit, glaube ich, etwas zur Darstellung bringen, was sehr notwendig ist, nämlich daß es auch unter den jungen, noch wenig bekannten Dichtern ganz rein gestaltende Künstler gibt. Die bekannten Namen in einem solchen Buch bestätigen sich meist nur selber, und wesentlicher sind darin für die geistige Neugier die noch unbekannten. Ich glaube sehr, daß Sie von allen Vieren, die ich Ihnen nannte, etwas sehr Wertvolles erhalten werden, und freue mich von ferne Ihrer Freude, die jetzt langsam ein Bauwerk zusammenfügt.

Auf mich können Sie sich verlassen, und ich mache es mir zur Gewissenssache nur etwas zu geben, was wenigstens mir selber wesentlich erscheint.

Viele gute Grüße

Ihres Stefan Zweig

An Maxim Gorki

[Aus dem Französischen]

Salzburg, Kapuzinerberg 5

[November 1926]

Mein teurer, mein großer Meister, ich schicke Ihnen zwei Novellen von mir, in der Hoffnung, daß sie nicht allzu schlecht übersetzt sind – glücklich darüber, daß Sie sie lesen können. Wie ich sehe, wird ein großer Roman von Ihnen in einer Berliner Zeitung abgedruckt, und ich freue mich, daß Sie zum Poetischen zurückgekehrt sind. Ich liebe und bewundere Sie und hoffe, daß ich im Frühjahr kommen kann, um Ihnen die Hand zu drücken.

Ihr getreuer Stefan Zweig

An Hermann Hesse

[6. November 1926]

Mein lieber Hermann Hesse, werfen Sie geruhig die paar Zeilen weg, falls sie Ihnen dumm oder zudringlich dünken. Ich will Ihnen nur sagen, daß Ihre Gedichte in der »N[euen] R[undschau]« mich tief berührt haben nach einem anfänglichen Widerstand – ich mag sonst die altchristlichen Gemeindebeichten nicht, aber hier hat das Lyrische gerade durch das Lockere einen so erschütternden, manchmal absichtlich blechernen oder beinernen Klang, daß mich's überruselte. Aber ich bin Ihnen in vielem Erlebnis – seltsam, ich habe es oft gefühlt – fast magisch nah, ich habe zuschauend, verstehend und mich selbst anschauend manches von Ihnen unter der eigenen Haut erlebt. Ich weiß, wie bei Ihnen – dem allzulang allzu sanften – der Teufel umgeht, ich weiß, wie Sie sich die eigene dünne blasse Haut blutig heruntergeschunden haben, um Ihr eigenes Fleisch rot und heiß zu fühlen. Lieber Hermann Hesse, unter dem ganzen zerlassenen Dreck der Literatur liebe ich Sie sehr, mehr als je und wollte es Ihnen nur sagen. Ich hätte das Gefühl, kämen wir einmal in ein langes Gespräch, wir würden uns verstehen. Wir haben uns seinerzeit immer verstanden, da wir noch nichts wußten; um so besser jetzt mit dem ersten unwillig ertragenen Grau im Haar. Ein dummer Brief, ich weiß! Aber irgend etwas mußte ich Ihnen sagen, wie ich jene Gedichte las; Sie hatten mich gleichsam angerufen. Die Worte sind gleichgiltig. Hoffentlich fühlen Sies, wie ichs meine. Herzlichst

Ihr Stefan Zweig

Ich habe heute im Burgtheater Premiere meiner »Volpone«-Umformung, sitze aber in Salzburg. Ich kann Theater nicht mehr ertragen, ein Haufen Menschen macht mich krank und üblig, als wär ich eine schwangere Frau. Es ist ein zweischneidig Ding um die Einsamkeit.

An Frans Masereel

Salzburg, Kapuzinerberg 5
am 8. November 1926.

Lieber Frans!
Ich sehe heute mit Freude einen Aufsatz von Holitscher über Dich in der »Literarischen Welt« und freue mich über jedes Zeichen der Liebe, das Dir gilt. Du hast jetzt in Deutschland eine ganze Welt für Dich und solltest einmal herüber kommen, um Deine Wirksamkeit zu spüren. Mache es doch möglich!
Heute komme ich mit zweierlei: erstens schicke ich Dir meine Bearbeitung des *»Volpone«*, wobei ich Dir im Vertrauen mitteile, daß in dieser bösen Farce von Ben Jonson keine zehn Worte übrig geblieben sind, sondern alles von mir ist. Das Stück hatte vorgestern einen großen Erfolg im Burgtheater und wird jetzt viel gespielt werden. Ich habe ein sicheres Vorgefühl, daß es Dir gefallen wird, weil es vehement unter einer scheinbaren Sorglosigkeit ist. Bei der Aufführung haben sich die Leute mehr an das Heitere gehalten, was natürlich dem Erfolge sehr gut war, mir ist daran wichtig die Satire, die unbarmherzig gegen die Zeit geht. Lies es und habe möglichst Deine Freude daran. Meine Novellen hast Du hoffentlich erhalten.
Und nun mein lieber Freund, – erschrick nicht! – eine geschäftliche Angelegenheit. Du wolltest seinerzeit einen *Holzschnitt von meinem holden Antlitz* machen und dieser Wunsch ist jetzt von drei Seiten rege geworden, erstens möchte mein Verlag einen haben, zweitens soll jetzt in Rußland eine Gesamtausgabe meiner Werke erscheinen (die Novellen sind in vielen Tausenden verbreitet, manche bei drei Verlegern zugleich erschienen) und da möchte ich statt einer Fotografie einen Holzschnitt von Dir. Nun ist es zu umständlich da eigens nach Paris zu kommen, aber erstens hast Du mein Gesicht, wie ich Dich kenne, gut in Erinnerung, dann wurden vor zwei Tagen in Wien zwei ausgezeichnete Fotografien von mir gemacht, die ich Dir schicke. Könntest Du sie, mein Lieber, baldigst anfertigen?

Ich kann Dir dank der Vereinbarung mit dem Verlag dafür *200 Mark (zweihundert)* zusprechen, im Notfall sogar mehr.
Ich weiß, Du bist ein geplagter Mann und ich wende mich eigentlich schweren Herzens an Dich, aber ich kenne andererseits Deine gute Freundschaft und weiß, daß so wie *ich Deinem* Werk, auch *Du* dem *meinen* gern verbunden bist und wir uns einer des andern nicht schämen.
Herzlichst Dein alter getreuer Stefan

Gruß Deiner Frau und Charlotten

An Friderike Zweig

Berlin, 10/XII [1926]

Gehetzt wie ein Wildschwein, schreibe ich nur im Fluge. Premiere ist am 18. Ich will aber kaum bleiben. – Fest bei Donath sehr nett, ich vergaß Dich zu erinnern, ihm zu gratulieren. Camill entzückend. Unzählige Bekannte, dazu die Auswärtigen, Lernet-Holenia, Polgar, Bruno Frank etc. etc. ich bin aber unauffindbar. Die Sonntagvorlesung schon Mittwoch ausverkauft – wirklich scheußlich, wie ein Tenor komm ich mir vor. »Volpone« einige Annahmen, Felix Bloch hofft auf weitreichenden Erfolg. Ich selbst sehr müde von zuviel Alkohol, Tabak, zu wenig Schlaf, dazu verschnupft und verkühlt von Zentralheizungen und kalten Zügen – in Duisburg mußte ich einmal mitten im Vortrag unterbrechen, die Stimme war fort, aber die 700 Leute da. Samstag, einziger freier Abend, große Fête bei Fischers, wo ich zusagte – heute nach dem Vortrag hoffe ich auf zwei Stunden abzupaschen. Sonntag Diner für mich im Bristol mit allen Bonzen – scheußlich, aber unumgänglich. Oh la gloire quelle saleté, quelle ordure! Aber bald Salzburg, wie will ichs genießen – die Großstadt ist purer Irrsinn, besonders Berlin, wo *Alles* immer zugleich ist. Alle Freunde sind kaputt durch Telefon und tägliche Einladungen, alle stöhnen sie nach Schlaf – ich Salzburger gelte als der Erzweise. Und Du mein Lamm, klage nicht, verzage nicht, wenn Dir das Herz auch bricht, vergiß mich nie, üb Stenografie und ächze nicht, es geht Dir besser als Deinem Stefzi

Grüße Suse und Alix.

An Maxim Gorki

[Aus dem Französischen] Salzburg, Kapuzinerberg 5
19. XII. 1926

Teurer großer Maxim Gorki, ich war mehr als einen Monat unterwegs, um Vorträge zu halten und den Proben eines Theaterstücks beizuwohnen, dem »Volpone«, einer vehementen Komödie nach einem alten Sujet von Ben Jonson. Es hat tollen Erfolg gehabt und soll, wie ich höre, auch in Leningrad gegeben werden. Während dieser ganzen Zeit wollte ich Ihnen schreiben, aber ich hätte mich geschämt, Ihnen in Eile für Ihren gütigen Brief zu danken. Ihre Worte haben mir unendlich wohl getan. Ich glaube, seit unsere Welt äußerlich monotoner wird, seit die Konturen des Lebens gleichmäßiger werden, muß man in der Seele, in der Tiefe die Unterschiede suchen, und man muß kühn sein und dabei aufrichtig. Unsere Aufgabe ist, Zeuge in dem ewigen Prozeß zu sein, der vor unsern Augen abläuft: Mit der größten Intensität der Wahrheit und Klarheit sein Wort auszusprechen, ist alles, was uns zu tun bleibt. Ich weiß nicht, ob wir noch die Kraft haben, ein Universum zu schaffen wie Balzac oder Dostojewski: wir leben vielleicht in einer zu bewegten Epoche, die sich nicht mit nur einem Blick erfassen läßt. Aber die einzelnen Werke werden kommenden Generationen vielleicht ein Gesamtbild unseres Seelenzustands vermitteln.
Mit Ungeduld warte ich, lieber großer Gorki, auf das Erscheinen Ihres großen Romans in Buchform. Ich habe mir schon in unserer bedeutendsten Zeitung Platz reservieren lassen, um aus-

führlich dazu Stellung zu nehmen. Man muß einmal sagen, wieviel die psychologische *Wahrheit* Ihnen zu verdanken hat und wie sehr wir in Europa die schöpferische Klarheit Ihres Werkes brauchen. Unsere deutsche Literatur ist stets und heute mehr denn je dem Volk verschlossen geblieben, sie war den Intellektuellen vorbehalten, jener Klasse, die studiert hat, jener unsichtbaren Vereinigung, die man mit einem abscheulichen Wort die »Kultivierten«, die »Kultur« nennt. Wir haben nicht die Großen, die für alle schreiben, die Tolstois, Balzacs, Zolas, Conrads, Gorkis, die so stark sind, daß sie es sich leisten können, klar und verständlich zu sein. Und ich hoffe, daß Werke wie Ihres die Sehnsucht nach solchen Werken wiedererstehen lassen werden.
Der Gedanke, vielleicht im Frühjahr nach Italien zu kommen, ist wohltuend für mich. Nur fürchte ich ein bißchen die politische Atmosphäre, die dort herrscht, und den Vergleich mit meinen Jugendjahren dort unten, als die Realität nicht existierte und man in der Kunst, der Geschichte, im Enthusiasmus des Irrealen lebte. Doch muß man ein Land so kennenlernen, wie es ist, und seine politischen Willensäußerungen als Schlüssel zu seinem Charakter betrachten. Ich träume auch von einer Reise nach Rußland – Ernst Toller hat mir viel erzählt, und seine Begeisterung für Ihr Volk war enorm.
Nochmals: ich danke Ihnen von ganzem Herzen. Immer wenn ich Ihren Namen ausspreche, geschieht es mit freudiger Erregung und tiefer Zuneigung.

Ihr getreuer Stefan Zweig

An Arthur Schnitzler

Salzburg, Kapuzinerberg 5
7. I. 1927

Lieber verehrter Herr Doktor, Ihr Buch war mir eine große *Freude* und eine besonders persönliche: ich habe immer das Gefühl gehabt, als wüßte man zu wenig von Ihrer *innern Gei-*

stigkeit, Ihrer Gefühlswärme und dem Ernst hinter ihrem Lächeln. Wer einmal den Menschen heiter kommt, scheint verwirkt zu haben, für seriös im strengen Sinne zu gelten, als ob nicht gerade das Spielhafte immer Erlösung von einem tiefen innern Ernst bedeutete: Sie haben nur zu recht, daß die Wenigsten eigentlich von Ihnen hinter Ihrem Ruhme wissen. Zu diesen zu zählen war immer mein Stolz. Das Einzige, was mich an diesen Sprüchen ein wenig verdroß, war, um goethisch zu reden »das *Buch des Unmuts«,* nämlich daß Sie den Kleingeistigen die Freude machen, zu zeigen, daß *Mückenstiche* Sie manchmal ärgerten. Zu viel Ehre! Wer wie Sie auf einem Werke steht, kann herabsehen; Verachtung zu zeigen, verrät eine vorangegangene *Entrüstung* und die hätten Sie niemals an solchen engen Deutungen erfahren sollen. Notwendigerweise hält sich der lockere Geist am Äußeren, aus Faulheit, in die Tiefe zu dringen, er klammert sich an einen Begriff und der ist Ihnen durch das *Diminutiv der »Liebelei«* von anfangs an taxfrei verliehen worden. Lassen Sie der Zeit ihre Zeit und Sie werden selbst noch die Wandlung erfahren, dieselbe, die *allen Österreichern* allmählich bewilligt wurde, sehr unwillig zwar, aber dann umso dauerhafter. Aber Ihr Buch war fördernd für ein ernsteres Anschaun, ein *Sich besinnen* dieser Gleichgiltigkeit, die ich für Sie empörter empfinde als Sie selbst: Ihre hohe Haltung, der nicht im schulmäßigen, wohl aber viel intensiveren Sinne *sittliche Ernst* Ihres Werks waren für mich immer vorbildlich und werden es dauernd bleiben, denn immer wieder steht Ihr neues Schaffen auf einer neuen Stufe, andern Ausblick eröffnend und gleichsam tiefere Quellen aufdeutend. Ich erwarte mir gerade von diesen Ihren reifsten Jahren noch unendlich viel und da Sies nie getan haben, werden Sie mich auch in dieser liebevollen Erwartung nicht enttäuschen.

Von mir darf ich nichts sagen als daß ein neues *Drei-Meisterbuch,* das meiner eigenen Arbeit wie ein Klotz im Wege gelegen, bald fortgerollt sein wird und ich wieder dem Erfinderi-

schen mich nähern kann. Inzwischen fiel mir eine *kleine Komödie* ein, die zu schreiben ich allein zu träge bin; aber schon in Gedanken mit Heiterkeiten zu spielen, entlastet: Ich glaube man kann sich nur von einer Arbeit in der andern erholen oder wenigstens im Spiel mit neuen Plänen und Möglichkeiten. Möge jeder Tag Ihnen freudig und erfüllt sein: Wer verdient dies Bedeutsamste, wenn nicht Sie?
Innigst Ihnen getreu

Ihr Stefan Zweig

An Katharina Kippenberg

Salzburg, Kapuzinerberg 5
8. Januar 27

Verehrte Frau Professor, ich freue mich, Sie so nahe zu wissen, eigentlich wäre ich gerne zu Ihnen hinübergekommen aus einer Ihnen wohl verständlichen Neugier (das Wort möge seinen häßlichen Sinn hier verlieren), mehr von Rilkes letzten Stunden zu wissen: die Nachricht hat mich unsagbar erschüttert, ich konnte, obwohl vielfach bedrängt, kein öffentliches Wort für meinen wirklich blutenden Schmerz finden. Wahrscheinlich nehme ich aber die Aufforderung an, bei einer Totenfeier im Münchener Hoftheater das Wort zu ergreifen: auch in Wien soll ein Requiem ihm veranstaltet werden, doch dort habe ich die Berufung abgelehnt, weil ich in Wien Hofmannsthal als den vor allen Berufenen empfinde.
Vielleicht telefonieren Sie uns einmal hier an, Telefon 598, wir haben so rasch Verbindung wie in der Stadt selbst, dank der großen Nähe, und ich bin fast immer, außer abends, zu Hause.
Ich hätte Sie noch gerne an Richard Friedenthal erinnert, denn hier täte ein *rasches* Entschließen not, er hat glänzende Anträge, und ich weiß nicht, ob ich ihn noch lange zurückhalten kann. Man hat die Jugend heute sehr ungeduldig gemacht.
Jener americanische Druck erwartet Sie bereits in Leipzig.

Bitte sagen Sie Carossa meine freundschaftliche Liebe und seien Sie vielmals gegrüßt von Ihrem ergebenen

Stefan Zweig

An Otto Heuschele

Salzburg, Kapuzinerberg 5
20. Jänner 1927

Lieber Freund!

Eine immer böser wachsende Post sperrt mir fast vollkommen die Möglichkeit zu jenen Briefen, die ich am liebsten schreibe, nämlich jene an die Freunde. Und gerade zu Ihnen hätte ich gerne wieder einmal ausführlich gesprochen, vor allem natürlich über Ihr Buch, das mich sehr hold und natürlich-dichterisch angesprochen hat. Ich weiß wohl, daß in uns allen ein Übermaß von Pietät ist, das uns vielleicht nicht vollkommen gegenwärtig macht. Die Art, wie Sie die Landschaft sehen und wie wir alle sie sehen, ist doch die liebevolle, zärtliche des 19. Jahrhunderts. Und auch die Art, wie Sie behutsam den Gegenstand entwickeln und lyrisch ausfalten, weiß noch nichts vom Kino. Merkwürdig, ich glaube sonst nicht an Rassen und an jene literargeschichtliche Einteilung in Provinzen – aber bei Ihnen ist doch die Linie, die geradewegs zu Hesse und von Hesse wieder hinauf zu Hölderlin führt, das absolut Schwäbische mit seinem zarten Gedicht, seinem reinen Lyrismus vollkommen unverkennbar. Sie haben da ein wunderschönes Buch geschrieben, noch immer jugendlich durch den reinen Enthusiasmus und darum sehr ergreifend. Gerade als Freund muß ich Ihnen dafür besonders herzlich danken.

Wissen Sie, daß ich einen Tag nach Ihnen in München war? Einen Tag nach der Rede Hofmannsthals, die ich leider versäumte. Dafür spreche ich selbst am 20. Februar die Totenrede für Rilke im Hoftheater München. Vielleicht können Sie da herüberkommen, da Sie schon so ungetreu waren, nicht nach

Salzburg zu kommen. Hier hätten Sie gerade Toller angetroffen und noch den einen oder anderen von der Jugend.
Meine Arbeit geht langsam und schwer. Ich mache die Vorarbeiten und bin schon tief im Tolstoi des nächsten »Drei Meister«-Buches. Es ist doch so ziemlich der komplizierteste Fall der ganzen Literatur, und ich werde mir noch die Zähne daran lange ausbeißen.

Herzlichst

Ihr Stefan Zweig

An Maxim Gorki
[Aus dem Französischen]

10. III. 1927
Cannes, Hôtel Saint Georges
(nur für ein paar Tage)
Adresse: Salzburg

Mein lieber, großer Maxim Gorki, es war nicht Faulheit, daß ich Ihnen nicht schrieb. Ich war und bin auf Reisen und hoffte, statt Ihnen zu schreiben, plötzlich in Sorrent zu erscheinen, um Ihnen die Hand zu schütteln, Ihnen zu danken. Doch konnte ich eine gewisse Scheu nicht überwinden, nach Italien zu fahren: Ich war seit Jahren nicht dort, müßte so viele Orte wiedersehen und bin ein bißchen müde von einem arbeitsreichen Winter. So habe ich mich auf zwei Wochen in ein kleines Hotel in der Nähe von Cannes zurückgezogen, um zu arbeiten und das blauschimmernde Meer zu sehen.
Mein lieber großer Gorki, Freunde haben mir Ihr Vorwort übersetzt, und ich war sehr beschämt von Ihrer Güte. Sie haben eine schwere Last auf meine Schultern gelegt: Nun muß ich durch harte geduldige Arbeit das Vertrauen rechtfertigen, das Sie mir großmütig schenken, muß zu dem werden, den Ihre Güte bereits jetzt in mir sieht. Mir ist vollkommen klar, was mir zu wahrer Größe fehlt: die große Einfachheit, die Konzentration auf weitgespannte Pläne. Vielleicht hätte ich ein Werk von

Tragweite begonnen, wenn sich die schrecklichen Jahre nicht der Konzentration in den Weg gestellt hätten. Wir mußten zu viel Kraft auf das Tagesgeschehen verwenden, um als Künstler bleibendes Geschehen zu gestalten: die Helden der letzten großen Epoche, Dostojewski, Tolstoi, die großen Engländer, lebten nur ihrem Werk in einer ruhigen leidenschaftslosen Welt. Unserem Werk war die Epoche feind.

Um so glücklicher war ich zu hören, daß Sie ein Werk von solchen Dimensionen geschaffen haben, und ich beglückwünsche Sie, noch ohne es zu kennen. Der Roman erwartet mich in Salzburg, doch habe ich mir jetzt schon in unseren großen Zeitungen Platz reserviert, um ausführlich darüber zu sprechen. Da ich gewissenhaft bin, habe ich schon angefangen, erst einmal Ihr Gesamtwerk zu *lesen,* das heißt, es noch einmal zu lesen – und mit welcher Freude! Sie verfügen über das, was uns fehlt: den klaren, reinen Blick, die Gabe, einen Menschen ganz lebendig zu erfassen, ihn lebend aus dem Buch hervortreten zu lassen. Ich kenne nichts aus der zeitgenössischen Literatur, was beispielsweise an Ihr Lenin- und Ihr Tolstoi-Porträt herankäme. Sie sind das einzige Authentische, das einzige, was bleiben wird.

Ich arbeite an einem großen Essay (einem kleinen Buch) über Tolstoi. Es gibt deren bereits eine Menge, aber alle sind sie banal. Das große psychologische Drama ist noch nicht dargestellt, und ich für mein Teil will es mit meinen bescheidenen Kräften versuchen. Man braucht Mut dazu, um das Banale und das Geniale freizulegen, was (wie bei Rosseau) in diesem einzigartigen Hirn seltsam ineinander verknüpft war, diesen heftigen Wunsch, einfach wie die Bauern zu werden – der Wunsch eines Menschen, der verdammt war, in alle Tiefen hinunterzublicken, die kleinste Lüge bei einem jeden und besonders bei sich selbst zu erfühlen. Er mußte, glaube ich, ein bißen *Angst* vor Ihnen haben, weil er spürte, daß Sie ihm auf den Grund sehen – auf den düsteren vielschichtigen Grund seines Wesens,

diesen tiefen Abgrund, den er zuzeiten mit allen wilden Feuern der Vernunft zu erleuchten und zuzeiten zu überdecken liebte. Ich beneide Sie, ihn gekannt zu haben. Ihnen war das seltene Glück beschieden, mit den letzten Helden einer Welt ohne Mythologie Umgang gepflegt zu haben, und dank Ihrer Kraft und deren Ausstrahlung sind Sie für die neue Generation selbst einer geworden.
Ich hoffe von ganzem Herzen, daß es Ihnen gut geht. Die Zeitungen sagen, daß Sie nach Rußland zurückkehren wollen. Ich verstehe Ihr Bedürfnis, sich das Land lebendig zu erhalten, dessen notwendigster Zeuge vor der künftigen Geschichte Sie sind. Möge Ihre Freiheit, Ihre Gesundheit nicht darunter leiden. Sie ist vor allem für uns und für jene, die uns überleben, kostbar.

Ihr getreuer Stefan Zweig

An Claire Goll

Salzburg, Kapuzinerberg 5
6. April 1927

Liebe Claire Goll!
Ich habe selbstverständlich mit größter Freude gleich die kleinen Novellen gelesen. Sie sind sehr zart und tragen durch den Blick in's Lyrische hinein, sehr menschlich, und sicherlich geben sie ein ergreifendes und zartes Buch. Ich habe nur wenig Hoffnung mit der Inselbücherei, die fast ausschließlich die eigenen Autoren der »Insel« und die illustren Toten bringt, aber ich will demnächst doch noch einen Versuch machen, nur möchte ich Ihnen vorher noch sagen, daß meine Macht dorten gering ist – fast so gering, wie mein Wunsch, es durchzusetzen, intensiv ist.
Und nun muß ich Ihnen sehr innig noch für die Gedichte danken. Ist es nicht eigentlich schon wunderbar an sich selbst, daß Iwan und Sie seit einem Jahrzehnt schon so prächtig geistig und menschlich gebunden sind, ohne sich abzunützen in den seelischen Kräften, und daß Sie beide (als die einzigen fast)

zwischen den Sprachen schreiben. Ich habe immer lebhaft an Sie gedacht, als die Frage einer deutsch-französischen Monatsschrift in Berlin Formen anzunehmen begann. Sie wären doch in Paris die Gegebenen, und ich hoffe noch immer, daß dies schöne und notwendige Unternehmen zustande kommt.

Seien Sie für all Ihre Sympathie herzlichst bedankt. Ich hoffe wirklich von Herzen, daß ich Sie bald einmal in Paris wiedersehe. Der Herbst bringt mich sicherlich hin!

Mit vielen Grüßen

Ihr Stefan Zweig

An Maxim Gorki

[Aus dem Französischen]

Salzburg, Kapuzinerberg 5
20. Mai 1927

Teurer, großer Maxim Gorki, nehmen Sie bitte mit Nachsicht und Wohlwollen diesen Essay entgegen, den ich kürzlich über Ihren Roman in mehreren deutschen Zeitungen zu gleicher Zeit veröffentlicht habe. Möge er Ihnen von der großen Freude künden, die ich bei der Lektüre dieses grandiosen Buches empfand.

Man erzählte mir, daß Sie nächstes Jahr zu den Festlichkeiten aus Anlaß des Geburtstags von Leo Tolstoi in Rußland sein werden. Ich will sehen, daß ich Sie vorher aufsuchen kann; es ist mir ein seelisches Bedürfnis, Ihre starke Hand zu drücken und Ihnen zu sagen, wie ich Sie bewundere. Ich schätze das Werk der jungen Russen sehr: aber die große Vision des Volkes, der Nation fehlt bei ihnen. Der Letzte, der Rußland als Universum, als elementares Ganzes betrachtet, sind Sie. Und es wird auch Ihre Pflicht sein, nach Ihrer Rückkehr das verwandelte Rußland aufzuzeigen: es bedarf dazu einer wahrheitsliebenden Stimme, denn alles, was wir lesen, ist schlechte Information, oft böse und vor allem ohne die magische Kraft, den Dingen auf den Grund zu gehen, die niemals notwendiger ist

als in den kritischen Augenblicken einer Nation. Niemals war die glutvolle allumfassende Vision notwendiger; die Methode des kleinen, zufällig gesammelten Details bleibt unwirksam bei der gewaltigen Größe dieses Landes. Man kann Rußland nicht »sehen«, wie man Italien vom Speisewagen aus sieht; man muß es erlebt haben. Es ist an Ihnen als dem Aufrichtigsten, an diesem wundervollen Bild weiterzuarbeiten; so sind die Artamonows, hoffe ich, nur das erste Triptychon.
Nehmen Sie, teurer großer Gorki, die Liebe und Dankbarkeit meines Denkens und meines Seins mit ihrer so oft erprobten Güte entgegen und glauben Sie an meine treue Ergebenheit.

Stefan Zweig

An Max Christian Wegner

Salzburg, Kapuzinerberg 5
27. Juli 1927

Sehr geehrter Herr Wegner!
Ich schreibe gerne ein paar Zeilen für Friedenthals Novellen. Aber mißverstehen Sie mich nicht, wenn ich Sie bitte, sie nur im Weihnachtsverzeichnis zu verwerten und nicht auf dem Umschlage selbst. Im Vertrauen gesagt, mich schüchtert ein wenig das Beispiel Thomas Manns ein, der jetzt als Allesempfehler auf jedem Umschlag, in jedem Prospekt und Inserat fungiert und ich glaube, diese Empfehlungen sind auch schon vollkommen verbraucht und eben dadurch, daß sie allgemein geübt werden, entwertet worden. Ich werde übrigens über das Buch Friedenthals dann sofort schreiben, sobald es erschienen ist, stehe also vollkommen und ganz dafür ein. Aber ich möchte nur nie die Rolle des öffentlichen Protektors und *professionellen* Türaufmachers spielen. Ich glaube, Sie geben mir da im Grunde recht.
Mit vielen Grüßen

Ihr Stefan Zweig

An Maxim Gorki
[Aus dem Französischen]

Salzburg, Kapuzinerberg 5
10. Dez. 1927

Teurer großer Meister, glauben Sie nicht, daß ich Sie vergessen habe, im Gegenteil: Wir alle, Ihre Freunde und Bewunderer, bereiten uns schon auf Ihr Jubiläum vor, das, hoffe ich, fühlbar machen wird, was Ihnen die Welt zu verdanken hat. Heute möchte ich Sie um etwas bitten. Ich arbeite an einem umfangreichen Band, der die großen Meister der Autobiographie oder vielmehr deren drei Stufen vorführen will: Casanova (der naive Autobiograph), Stendhal (der Psychologe) und Tolstoi (der Moralist). Worum ich Sie bitte, wäre die Erlaubnis, diesen Band öffentlich mit einer *Widmung an Sie* schmücken zu dürfen zum Zeichen meiner Dankbarkeit und Bewunderung.

Machen Sie sich nicht die Mühe, mir zu antworten; wenn Sie sich nicht gegenteilig äußern, halte ich das für Zustimmung. Ich habe das Bedürfnis, mit dieser kleinen Geste vor aller Welt von meiner tiefen Zuneigung Zeugnis abzulegen.

Dieses Jahr nahmen mich die großen essayistischen Arbeiten gefangen, aber ich habe mehrere Erzählungen skizziert. Gleich wenn mein Buch fertig ist, möchte ich einen Monat nach Rußland fahren. Ich glaube, man muß Rußland mit eigenen Augen sehen; die ausländischen Zeitungen besudeln sich mit den absurdesten Lügen, und es ist unsere Pflicht, klar und richtig zu sehen. Seit zwanzig Jahren habe ich den Wunsch, Ihre große Heimat kennenzulernen, und ich bin ängstlich gespannt, ob diese große Sehnsucht endlich in Erfüllung geht.

Ich wünsche Ihnen gute Gesundheit und gute Arbeit. Ich habe oft daran gedacht, nach Italien zu fahren, aber im Augenblick scheint mir eine Reise nach Rußland wichtiger zu sein. Wenn ich die Zeit für diese Reise aufbringen kann, werde ich für Sie persönlich meine Eindrücke niederschreiben, denn ich glaube nicht, daß ich es nach kurzem Aufenthalt und ohne Kenntnis

der Sprache wagen werde, meine Eindrücke zu veröffentlichen.
Getreu Ihr sehr ergebener Stefan Zweig

An Max Herrmann-Neiße

Salzburg, Kapuzinerberg 5
14. Dez. 1927

Sehr verehrter Herr Max Herrmann!
Ich bitte Sie, an meine Aufrichtigkeit zu glauben, wenn ich Ihnen sage, daß Sie mir eine ganz besondere und ungemeine Freude durch die Übermittlung Ihres Gedichtbuches gemacht haben. Wenn man, wie wir beide, ungefähr gleichaltrig ist und nun schon fünfundzwanzig Jahre einander ab und zu an der Straßenecke der Öffentlichkeit begegnet, kennt man sich von Physiognomie und Profil. Es ist fünfzehn, es ist zwanzig Jahre her, daß ich einige Gedichte von Ihnen besonders liebe, wozu dann noch das Erstaunliche kam, mit welcher Spannkraft und bewundernswerten Kontinuität das Lyrische in Ihnen schöpferisch und intensiv geblieben ist. Wie wenige halten durch, und von diesen wenigen wie Seltene nur vermögen Farbe und Sinn der Zeit noch in sich aufzunehmen.
Es war oft mein Wunsch, Ihnen zu begegnen. Er hat sich nie erfüllt. So war es mir eine besondere Freude, daß Sie mir dieses Buch auf einen (fast schon unter der Last gebrochenen) Weihnachtstisch legten. Es ist mir nicht gegeben, Bücher dieser Art blitzschnell zu lesen und zu beurteilen; in drei oder vier Wochen will ich einmal fort ins Winterliche mit drei oder vier Büchern, und da soll das Ihre dann bestimmt dabei sein, heute schon begrüßt von anspruchsvollstem Vorgefühl. Meine Gegengabe ist beschämend schmächtig: das einzige, was ich neu veröffentlichte, ist das beifolgende kleine Büchlein, das Sie freundlich empfangen mögen.
Mit den besten Grüßen Ihr seit langem und aufrichtig ergebener
Stefan Zweig

An Maxim Gorki
[Als Vortrag verlesen]

März 1928

Als Ihr Name berühmt wurde, Maxim Gorki, drückte ich noch die Schulbank, und wir Knaben wußten von Rußland nur ein Geringes. Auf den Landkarten, die wir lernten, lag es weitab von unsern Städten und Flüssen, breit und mächtig, eine riesige dunkle Gewitterwolke, herüberziehend vom Pazifischen Ozean und unser winziges Europa fast erdrückend. Und die Lehrer erzählten dazu: ein gewaltiges Reich, aber – leider! – kulturell arg rückständig, noch sehr verwahrlost und barbarisch, mit bedauerlich viel Analphabeten. Aber meinen Sie nicht, es sei politischer Haß gewesen, der sie so hochmütig reden ließ! Es war nichts als der gutmütig dumme Stolz auf unsere herrlich vorgeschrittene Schulbildung und Zivilisation, in der Europa schon eine Gewähr höherer Menschlichkeit erblickte. Wir haben lange selbst an diese Zivilisationsüberlegenheit dank Seife und Büchern geglaubt, wir Europäer, und nicht auf der Schulbank bloß. Erst 1914, als beim ersten Ruck dieser dünne Überwurf zerriß und die Muskeln des Schlächters in unserer Menschheit nackt hervortraten, wußten wir um ihre ganze Armseligkeit.
Dann kam die Universität, und Rußland trat abermals an mich heran in den Gestalten Tolstois und Dostojewskis; dies unerwartet Neue warf mich in leidenschaftlichen Seelenrausch. Ungeheure Menschlichkeit tat sich auf, eine niegeahnte Tiefe des Gefühls, verführerisch wie ein Abgrund. Mit welch erschreckter Bewunderung lebten wir sie nach, diese großartig über sich selbst hinaus, über alles Mittlere der Menschlichkeit zu ihren äußersten Polen, zum Verbrecher und zum Heiligen getriebenen Gestalten! Wir liebten sie und erschauerten vor ihnen, wir waren ihnen verbunden in einem sehr verwirrten und fast angstvollem Gefühl. Wir liebten sie und erschauerten vor ihnen, denn etwas von Fremdheit war zwischen ihnen und uns, etwas Maßloses

und Selbstfeindliches, vor dem wir erschraken. Leidenschaftlich liebte ich diese Gestalten mit der Seele und hatte doch deutlich das Gefühl, ich könnte mit ihnen nicht leben, mit diesen ewig fiebernden, ewig sich selbst gewaltsam ausdenkenden, wider sich selbst exzedierenden Riesengestalten. Damals erkannte ich erstmalig Rußlands Genie; aber noch wußte ich nichts von seinem Volk, von seiner wirklichen Kraft.

Und dann kamen Ihre Bücher an mich heran, Maxim Gorki; an ihnen erkannte ich abermals ein Neues: die russische Kraft, die russische Gesundheit, Herz und Form dieser großen Nation. Hatten jene uns den außerordentlichen Menschen gezeigt, gleichsam das Extrem des russischen Menschen, übergeistigt und überleidenschaftlich, ahnte ich dank jener die zerstörenden Kräfte dieses Volksgeistes, so gewahrte ich dank Ihnen die erhaltenden, die still und verborgen gestaltenden. Ich fühlte beglückt, daß das eigentliche Volk hüben und drüben und allerorts, in allen Ländern, unter allen Himmeln dasselbe ist so wie die Urkräfte der Erde selbst, wie Weizen und Gerste, der von gleichem Erdreich genährte, von der gleichen Sonne gekelterte heilige Urstoff. Das Brot wird anders gebacken und geformt, heller oder dunkler, süßer oder herber bei den verschiedenen Nationen und Völkern, die schöpferische Substanz aber, das Korn ist dasselbe. Und diesen Urstoff Volk haben Sie wie keiner unserer Zeit dichterisch sichtbar gemacht. Sie haben ihn künstlich in Gärung versetzt und zum Gott aufgeschwellt wie Dostojewski und Tolstoi, nicht auch versüßlicht und verzukkert wie die meisten Volksschriftsteller: Sie haben das Volk aufgezeigt mit einer hinreißenden Sachlichkeit, einer ungezwungenen Ehrlichkeit, mit der einzigartigen Unbestechlichkeit Ihres geraden und menschlichen Blicks. Sie übertreiben nicht, und Sie unterdrücken nicht. Sie sehen alles und sehen alles klar und wahr. Darum bedeutet Ihr Blick, Ihr Auge für mich eines der Wunder der gegenwärtigen Welt. Tolstoi und Dostojewski hatten die Gnade, alles groß und übergroß zu schauen, was

ihr Blick berührte – Ihr Genie dagegen, Maxim Gorki, ist: gerecht zu sehen und im allerwahrhaftigsten Maße. Wenn Sie einen Menschen schildern, bin ich bereit zu beschwören: so war er, wie Sie ihn sehen, nicht größer und nicht geringer. Denn Ihr Maß irrt niemals, es fälscht und verändert nicht, es ist das genaueste und präziseste optische Instrument der Seele, das wir heute in der Literatur besitzen. Ich kenne kein Bild Tolstois unter seinen zehntausend Photographien und zehntausend biographischen Berichten, das diesen Menschen so atmend wahr der Nachwelt erhält, als die sechzig Seiten, in denen Sie ihn gefaßt und durchlichtet. Und genau wie diesen Größten haben Sie mit gleicher Gerechtigkeit den ärmsten Vagabunden, den verlorensten Zigeuner der russischen Straße gesehen. Durch Sie ist die russische Welt uns dokumentarisch geworden, der russische Mensch nicht nur in seiner weiten Seele, sondern auch in seinem täglichen Dasein, in seiner sinnlichen Irdischkeit uns nah und erschließbar.
Eine solche grandiose Gerechtigkeit des Blicks kann bei einem Künstler nie bloße Augenfunktion sein, Geheimnis und Technik der Pupille, sie muß organisch aus der Redlichkeit eines Herzens stammen, aus einem angeborenen urtümlichen Gerechtigkeitsgefühl, das den ganzen Menschen umfaßt. Ich habe nie das Glück gehabt, Ihnen persönlich zu begegnen, aber ich weiß aus jeder Zeile Ihres Werkes um die sieghafte Wahrhaftigkeit Ihres Wesens. Denn man kann die Wahrheit von tausend und tausend Gestalten nicht so bilden, ohne wahrhaftige Gestalt zu sein. Es ist, als hätte Sie ein ganzes Volk aus seiner ungeheuren anonymen Masse als Zeugen vorgesandt, daß Sie sein Wesen zur Anschauung, seine geheimsten Gedanken und Wünsche zum Worte erheben, und Sie haben diese gewaltige Botschaft treu und großartig übermittelt. Wenn wir heute viel von dem russischen Volke wissen, wenn wir es lieben und seiner Seelenkraft vertrauen, so danken wir zum großen und größten Teile dies Ihnen, Maxim Gorki, und indem wir heute ergriffen und dankbar Ihre Hand fassen, fühlen wir in ihr das

Fleisch und das warm rollende Blut der ganzen russischen Welt.
In Liebe und Verehrung Stefan Zweig

An Maxim Gorki

[Aus dem Französischen] Salzburg, Kapuzinerberg 5
22. März 1928

Mein lieber großer Maxim Gorki, der Tag ist nahe, der ein Feiertag für alle sein wird, die in der Kunst und im menschlichen Gewissen die Wahrhaftigkeit lieben. Ich hatte versprochen, das Wort zu ergreifen, um Ihnen auf der Sitzung in Berlin im Piscator-Theater von der Verehrung der Millionen Deutschen zu künden. Leider hindert mich eine verflixte Grippe an der Reise, und ich kann diese Rede nicht persönlich halten. Aber meine Worte werden nach Berlin übermittelt und dort gelesen, und ich hoffe, auch Sie werden Sie lesen. Aber diese verflixte Indisposition, die mich hindert, selbst zu sprechen!!

Sie erhalten auch eine gemeinsame Grußadresse der Schriftsteller und Künstler; ich bin stolz, den Anstoß zu diesem Akt der Dankbarkeit gegeben zu haben. Ich hasse die Loblieder der Schriftsteller, gemeinsame Manifestationen, Bankette und Reden – nur eine Pflicht erkenne ich an: die Dankbarkeit gegenüber den Meistern. Man darf sein Leben nicht vorübergehen lassen, ohne ein Wort der Dankbarkeit an jene zu richten, die man innig verehrt. Man braucht nicht viel zu sagen. Aber man muß einmal im Leben ein Wort ausgesprochen haben.

Mein teurer großer Gorki, ungeheure Wellen der Dankbarkeit werden dieser Tage Sorrent überfluten – ein Vesuv von Briefen wird in Ihr Haus die brennende Lava der Liebe tragen. Deshalb heißt es sich darauf beschränken, wenig zu sprechen und nur zu sagen, was wichtig ist:

Bleiben Sie so, wie Sie sind, so wie wir Sie seit zwanzig und dreißig Jahren lieben. Sparen Sie mit Ihren physischen Kräften und seien Sie in der Inspiration und im Schaffen gesegnet.

Bewahren Sie sich Ihre glühende Liebe für die Menschheit: sie bedarf ihrer mehr denn je!
Ich verehre Sie sehr, ich bewundere Sie von ganzem Herzen!

Ihr getreuer Stefan Zweig

An Rudolf G. Binding

Salzburg, Kapuzinerberg 5
13. IV. 1928

Lieber verehrter Herr Binding, mit einem so illustren Gegner in Freundschaft die Klinge zu kreuzen, tut ritterlich wohl. Nun, ich stehe zu meiner Behauptung (und die Vorrede dieser »Drei Dichter ihres Lebens«, jener typologischen Abwandlung des Problems der Selbstdarstellung erläutert sie ausführlicher). Alle Psychologie lehrt uns, daß Träume gehemmte Wünsche sind, aus der Phantasie vorgetriebene Steigerungen über die Wirklichkeit hinaus: und was wäre Dichten denn wacher Traumakt des Künstlers? Wir steigern uns seelisch und moralisch in Werke über die eigene Unzulänglichkeit empor, wir erfinden Intensitäten des Schicksals, die uns von der Realität nichts gegeben haben: Dichten bedeutet für mich Intensificieren, sei es der Welt, sei es des Ich. Ich bin fest überzeugt, daß der Künstler fast nie so viel groben und factischen Lebensstoff verconsumiert als der Abenteurer und bloße Genußmensch, aber darin fußt ja sein Genie, daß er aus dem Tropfen das Meer, aus der Andeutung die vollendete Form, aus dem Zufall die Notwendigkeit erschafft. Der bloße Genießer muß fressen, um sich wohl zu fühlen, der Dichter, der Phantasiemensch erschafft das Bibelwort der sättigenden Brote täglich neu, er braucht keine ständige Zufuhr, keine breiten Quanten, und er hätte auch gar nicht die Möglichkeit, ständig Neues zu erleben, weil er nicht passiv-weibisch an sich nimmt, sondern auch activ-männlich aus sich selbst schaffen will. Ich hoffe meine Vorrede im Buche, das in vierzehn Tagen in Ihren Händen liegt, wird Ihnen deutlicher machen als dieses Briefblatt, daß ich nicht zwischen Dichten und

Erleben einen reinen Gegensatz stelle, sondern zwischen phantasieloses Erleben (grobes Genießen) und dichterisches Erleben (actives Gestalten). Diese Stelle im Casanova ordnet sich dort größerem geistigen Zusammenhang ein, und wir werden die gezückten Klingen hoffentlich dann senken oder gar nach griechischer Heldenart austauschen. Manches wird Sie – daran zweifle ich nicht – noch befremden, so etwa, daß ich das Ideal der Selbstbiographie in einer schrankenlosen, ja sogar schamlosen Aufrichtigkeit sehe und den fast exhibitionistischen Nacktheiten eines Casanova und Hans Jäger allerhöchsten documentarischen Rang in der Weltliteratur zuweise. Aber ich betrachte (im Gegensatz zu Gundolf) den Künstler nicht von der poetischen, der literarischen Sphäre allein her, sondern als Typus, als Geschehnis im Menschlichen. Und da ja der Künstler allein das Menschliche im Menschen verrät (indes die andern Individuen es bloß in ihre Existenz auflösen), so muß er mir als Pegel dienen. Psychologie, dargetan an Gestalten, das wird immer mehr meine Leidenschaft, und ich übe sie abwechselnd an realhistorischen und poetisch-imaginierten Objecten: nun, da dies Werk (dessen Untertitel lautet: »Die Stufen der Selbstdarstellung«) vollendet ist, kehre ich wieder ins Novellistische zurück. Auch in Ihrem Werk und Wesen erkenne ich diese Teilung (oder besser gesagt: Doppelwirksamkeit), nur sind Sie sich des Dichterischen als der entscheidenden Aufgabe entschlossen bewußt (indem mich die Psychologie, die reine Seelenwissenschaft, immer gefährlicher in ihre Labyrinthe lockt).

Wie gut die Gelegenheit, Ihnen wiederum sagen zu dürfen, daß ich Sie ehre und liebe. Möge Ihnen der Frühling ein paar neue Lieder zaubern und die Sonne Ihre Prosa keltern: Sie wissen, als Feinschmecker liebe ich diese unter allen deutschen mit jener Carossas am meisten.

Dank und Gruß Ihres getreu ergebenen Stefan Zweig

Das Buch kommt in vierzehn Tagen! Ich bin eben erst von Paris zurück.

An Maxim Gorki
[Aus dem Französischen]

Sorrent, 27. 4. 1928

Teurer großer Maxim Gorki, ich schicke Ihnen heute das erste Exemplar meines Ihnen gewidmeten Buches. Sie werden darin Ihren Namen genauso oft zitiert finden wie in der großen Studie über Tolstoi.

Mein Vortrag über Sie wird im Wiener Rundfunk am ersten Mai, dem Tag der Arbeiter, 5 Uhr 30 gelesen: Vielleicht wird man sogar in Rußland hören, wie sehr ich Sie bewundere.

Ihr treu ergebener Stefan Zweig

An Emil Ludwig

Salzburg, Kapuzinerberg 5
2. Mai 1928

Lieber Emil Ludwig!

Ich bin nicht so höflich wie Sie und schreibe nicht mit eigener Hand, was Sie mir verzeihen mögen!

Ich habe mich sehr gefreut, mein Buch in Ihre Hand legen zu können, und füge übrigens noch ein zweites kleines bei, das ich Ihnen in Berlin damals noch in die Tasche stecken wollte.

Von Ihren ungeheuren Erfolgen in Amerika habe ich mit Freude gehört. Sie wissen genauso wie ich selbst, daß Sie diesen Erfolg mit einem Widerstand daheim zu bezahlen haben werden, ja, daß man Ihnen die Verantwortlichkeit für die widerliche Flut der Biographies romancées zuzuschreiben beginnt. Sie haben zwar zur Zeit in der Welt die verdiente Aufnahme und Erfolg, aber ich habe eigens in einem Interview, das ich in Paris hatte, darauf hingewiesen, wie man Sie jetzt in Deutschland mit einer gewissen Ironie abtun wollte. Die Menschen verstehen nicht, daß Sie diesen Erfolg nicht gesucht haben, sondern er zu Ihnen gekommen ist. Biographien dieser Art zu verfassen, galt vor zehn Jahren als das absolut Aussichtsloseste, und

ein Buch über Napoleon schien das Überflüssigste, es sei denn eines über Goethe. Lassen Sie sich deshalb nicht verwirren, so wenig als ich es tue, daß ich meine Reihe langsam und geduldig ausbaue. Nebenbei werde ich vielleicht ein kleines Lebensbild von Fouché veröffentlichen – Biographie eines Menschen, den ich nicht mag –, um ein Bildnis des reinen Politikers zu geben, der jeder Überzeugung dient, jeden Posten annimmt, in allen Sätteln sitzt und nie eine eigene Idee hat und die gewaltigsten Menschen seiner Zeit eben durch diese Flexibilität überdauert. Es soll ein Hinweis und eine Warnung für die Politiker von heute und allezeit sein und das Gefährliche in bildnerischer Form andeuten, das der »brauchbare«, der geriebene Politiker für alle Nationen und Europa bedeutet.
Ihr neues Buch war mir nicht neu – ich hatte es sorgsam und sehr teilnehmend schon in der »Neuen Rundschau« gelesen. Der Versuch, den Sie unternommen haben, ist gefährlich und darum sehr groß, und jeder, auch ich, wird ihn unwillkürlich mit einer innen schon vorliegenden Vision konfrontieren, denn hier dichten Sie eine Legende in Tatsache um und schreiten aus dem Historischen in's Imaginäre hinüber, die geheimnisvollste Sphäre berührend, die es im Irdischen gibt: das Religiöse. Als Vorzug empfand ich dabei, als eminenten und gar nicht zu schätzenden, vor allem das Negative, daß es *niemals* das Vernunftgefühl des Ungläubigen wie das schon eingeschworene des Gläubigen verletzt, daß es nicht lyristisch und hymnisch wird, sondern eine Einfachheit des Lebensganges in vorbildlicher Weise wiedergibt. Freilich versagt das ungeheure Thema Ihnen dabei, in eben demselben Maße *endgiltig* zu sein wie im Napoleon. Es wird, wie Papini richtig voraussagte, diese Gestalt immer wieder gestaltet werden (begann es doch mit einer Vierzahl von Evangelisten, um mit einer Vielzahl zu enden oder vielmehr nicht zu enden). Aber innerhalb dieser Gestaltungen wird es als eines der gerechtesten und plastischsten meinem Gefühl nach dauerhaft bleiben. So wenig Rembrandt, Dürer vermochten, einen

vollkommen einheitlichen und allgültigen Typus aufzufangen, kann dies dem beschreibenden Worte gegeben sein, aber in dieser ungeheueren Bilderreihe beharrt es als Bild und Gestalt.

Wenn ich selbst nicht öffentlich diesmal dazu Stellung nehme, so geschieht es nur, weil ich mich dem Gegenstand nicht bildungsmäßig gewachsen fühle, gerade jene Zeitgeschichte nur ungenau kenne.

Aber Sie wissen ja, daß sonst jeder Anlaß, mich mit Ihren Büchern zu beschäftigen, mir immer selbst produktiv wird. Nur wer selbst an Gestalten gearbeitet hat, weiß um die Widerstände, die überwunden werden müssen. Und gerade jetzt weiß ich es, denn gegen Tolstoi gerecht zu sein, war eine unheimliche Aufgabe.

Ich bin sehr neugierig auf das nächste Problem, das Sie gestalten wollen. Sollte es Sie nicht einmal reizen können, ein Werk der großen sozialen Bewegung zu schreiben, quasi eine Geschichte der sozialen Revolutionäre. Je mehr ich lese, desto mehr wird mir klar, daß Jean-Jacques Rousseau und Marx *ein* Typus sind und sich alle Varianten von Thomas Münzer bis Marat (Der Revolutionär als Phantast) ebenso wiederholen als der Revolutionär als Dogmatiker.

Es wäre herrlich, das einmal der Welt darzustellen, als eine Monographie des revolutionären und sozialen Geistes in Gestalten. Ich habe nur eine zu schwere Hand dazu.

Mit vielen Grüßen Ihr Stefan Zweig

P. S. Ihr »Tom und Sylvester« ist meines Gefühls nicht recht eingeschätzt worden, und wenn ich eine Stelle finde, möchte ich es gerne nachholen.

An Hans Carossa

Salzburg, Kapuzinerberg 5
10. Mai 1928

Lieber verehrter Freund und Meister, ich zögere noch immer Ihnen zu sagen, wie außerordentlich und bis in die Tiefen Ihr Buch mich bewegt hat, denn ich hoffe noch immer eine Stelle zu finden (im Berliner Tageblatt und N[eue] F[reie] Presse kam ich zu spät). Aber ich *muß* jetzt einmal ausführlich Atem holen, um so viel Freude aussprechen zu können.

Ich begrüße sehr Ihre Loslösung vom Prakticieren. Ihre Heimkehr ins Naturhafte – nicht daß ich meinte, jene Jahre seien verloren und vergebliche gewesen, im Gegenteil, nun erst werden Sie uns das Arztliche, das seelisch Hilfreiche gestalten können. Aber Sie haben jetzt Anrecht auf Rast. Ihre Fähigkeit des Schauens hat sich derart vertieft, daß auch das Geringste durch dies Medium bedeutend wirkt: ich bin ohne Sorge um Ihr Gestalten und bitte Sie, auch keine Sorgen an sich heranzulassen: wer wenn nicht Sie dürfte vertrauen und gerade jetzt, da Ihr Erfolg wahrhaft erst anhebt. Hoffentlich entfernt Sie Ihr neuer Wohnort nicht, sondern bringt Sie uns noch näher; was könnten Sie gerade aus unserer Landschaft noch schaffen und gestalten!

Felix Braun widmete uns einige Tage und wir haben, glühend wie Schuljungen, von Ihnen gesprochen. Wir sind durch den Stolz, Sie zu lieben und um Sie zu wissen, nur noch inniger verbunden.

Alles Gute für jetzt und immer von Ihrem anhänglich ergebenen Stefan Zweig

An Frans Masereel

Salzburg, Kapuzinerberg 5
29. Juni 1928

Mein lieber Frans!
Ein Buch von Dir ist immer ein Festtag, und es gibt eine kleine Boxszene zwischen mir und meiner Frau, wer es zuerst besehen darf. Aber welches Vergnügen auch, Deiner Fantasie bis in den Weltraum hinein zu folgen und mit freundschaftlichem Stolz zu spüren, daß das Erfinderische Dich nicht verläßt, sondern sich immer fantastischer und verwegener ausformt. Auf seine Freunde stolz sein zu dürfen, außerdem daß man sie liebt, gehört zu den paar exquisiten Dingen des Daseins: schade, daß so selten einem die Freunde den Gefallen tun!
Nun noch dies: Ich beabsichtige, im Sommer nach Belgien zu fahren und zwar möchte ich gerne in die Nähe von Ostende oder nach Ostende selbst. Die kleinen Plätze sind mir widerlich durch Kleinbürgerlichkeit und Kinderanhäufung. Ich brauche – erinnere Dich an Boulogne! – einen Hafen mit Schiffen und wirklichen Menschen und eine Stadt. Da hängen nun zwei Fragen daran: 1. soll ich in Gand Deinen Vater aufsuchen und wie ist seine Adresse? 2. soll ich versuchen, in Brüssel oder sonstwo etwas für Deine Sache zu tun? Ich erhalte gerade heute eine Aufforderung, in Brüssel im Palais des Beaux-Arts einen Vortrag zu halten, und ich werde darum wahrscheinlich mit den Herren zu konferieren haben. Du magst Dir den Schrecken denken, wenn ich ihnen nicht mehr und nicht minder als einen Vortrag über Dich unter anderem vorschlage. Ich bin neugierig, wie sie darüber denken werden.
Leb wohl und sei vielmals gegrüßt! Wenn ich im Herbst nach Paris komme, so freue ich mich schon sehr, diesmal auch Deine Bilder zu sehen.

Innigst Dein Stefan

An Friderike Zweig

Moskau 11/9 [1928], Grand Hôtel

Liebe Fritzi,

gestern angekommen. 2 Uhr wurde ich durch die Nachricht überrascht, daß ich noch am selben Abend über Tolstoi und das Ausland sprechen sollte. Nun, vorbereitet hatte ich nichts, aber nach kurzem Überlegen entschloß ich mich, frei zu sprechen – allerdings das große Opernhaus (das herrlichste, das ich jemals sah, mit seinen 4 000 Plätzen) und die Blitzlichter und elektrischen Scheinwerfer des Kinematografierens sind etwas, um einen verzagt zu machen, aber schließlich ging es für eine Ansprache nach einer 54stündigen Eisenbahnfahrt ganz anständig. Die Feier begann um sechs Uhr, um 11 hatte ich meine Rede, um 1 Uhr ging ich schließlich schlafen. Wunderbar dieses herrliche Publikum! Bei uns wäre ein solches gespanntes Zuhören unmöglich. Und das Orchester, ich habe nie ein besseres gehört. Heute sehe ich einiges an, um 12 Uhr Eröffnung des Tolstoihauses, abends Konzert, um 12 Uhr nachts Fahrt nach Tula, wo wir übernachten (um 3 Uhr ankommend), um in Autos nach Jasnaja zu fahren. Du siehst, die Zeit wird hier gut ausgenützt, dazu habe ich heute Prachtwetter.

Herzlichst Stefan

An Friderike Zweig

[Moskau], Grand Hôtel, Platz der Revolution
[11. September 1928]

L. F.,

rasch ein paar Zeilen. Heute das Dostojewski-Museum, das herrliche historische Museum, dann das Tolstoi-Haus eröffnen geholfen, tausend Leute kennengelernt, dann ins Tolstoi-Museum (mein Tolstoibuch an den Straßenecken für 25 Kopeken verkauft und wie die »Stunde« von Kolporteuren ausgerufen). Nachmittags bei Boris Pilniak mit allerhand Russen, nachher bei Antiquaren und über alle Straßen in der Droschke, abends Opernhaus »Eugen Onegin«, jetzt, 12 Uhr, Abfahrt nach Tula, Ankunft morgen Mittwoch 6 Uhr, dann nach Jasnaja Poljana, nachts wieder Schlafwagen zurück (was ist ein Bett?), Donnerstag vier Museen, zehn Besuche vorgesehen, auch zu Gorki, abends Theater, nachts Bummel, Freitag ähnlich viel, ebenso Samstag. Sonntagabend, von meinem Verleger geladen, »Ausflug« nach Leningrad, zwölf Stunden Schlafwagen, Sonntag Rembrandts und Leningrad, 12 Stunden Schlafwagen zurück, Montag, falls der Zug geht, im Schlafwagen nach Warschau, Dienstag Schlafwagen nach Wien, bin Donnerstag nachmittag, spätestens Freitag in Salzburg. Alles rasend interessant. Ich bin glücklich, alles gesehen zu haben, es ist ein Eindruck für das ganze Leben. Mir geht es gut, ich fühle mich durch die Intensität der Eindrücke frisch und besser als je.

Herzlichst St.

An Maxim Gorki

[Aus dem Französischen]

Salzburg, Kapuzinerberg 5
6. Nov. 1928

Lieber großer Maxim Gorki, ich bekomme dies Telegramm aus New York vom Komitee zur Veröffentlichung der Briefe Saccos und Vanzettis (die bewunderungswürdig sind). Man hatte Ihnen ein Telegramm nach Rußland geschickt und Sie gebeten, dem Komitee zum Schutz dieser Publikation anzugehören, aber anscheinend hat Sie das Telegramm nicht erreicht. Wenn Sie einwilligen, diesem Komitee mit Rolland und einigen anderen anzugehören (was ich sehr hoffe, denn es geht um ein Dokument von großer Bedeutung für den Kampf gegen den Justizterror), schicken Sie ein Telegramm an *Viking Press New York.*

Ich habe in den Zeitungen meine Rußland-Impressionen veröffentlicht und werde sie Ihnen in ein paar Tagen schicken.

Ich habe mir ganz und gar versagt zu prophezeien oder zu urteilen. Ich glaube, dazu hat man nach 14 Tagen nicht das Recht – und die anderen hätten besser daran getan, meinem Beispiel zu folgen. Ich kann sagen, daß meine Artikel eine sehr gute Wirkung gezeitigt haben, gerade weil sie auf ein Urteil verzichten und nur konstatieren. Und weil ich vor allem den Heroismus Rußlands in diesen Jahren aufgezeigt habe.
Sie finden darin auch eine Anspielung auf den Besuch bei Ihnen, der mir in unvergeßlicher Erinnerung ist. Ich will bald nach Rußland zurückkommen und *studieren,* nachdem ich mich diesmal nur umschauen konnte. Wir haben eine große moralische Schuld gegenüber Rußland: denn es hat mehr als alle anderen Völker gelitten. Und das Leid hat ihm noch mehr Größe verliehen. Bei uns verwechselt man Politik mit den Wirkungen, die in Reichtum und Wohlstand sichtbar werden, und man hält das Volk für das größte, das die meisten Autos besitzt. Aber die Geschichte wird das korrigieren.
Meinem teuren großen Meister getreu ergeben

Stefan Zweig

An Anton Kippenberg

Salzburg, Kapuzinerberg 5
am 8. März 1929

Lieber Herr Professor!
Ich gratuliere Ihnen und Ihrer lieben Frau Gemahlin auf das herzlichste, obwohl ich (unter uns Männern gesagt) das nahe Avancement ins Großväterliche als eine bittere Wendung empfinde. Schon die zweite Generation zu werden erfordert eine gewisse Resignation, aber erst die dritte – das ist die erste Stufe in den kalten Tempel des Jubelgreisentums. Nun – Sie haben einen reichlichen Vorrat an Jugend und Vitalität in sich und werden sich noch einigermaßen gegen das Großväterliche zu wehren wissen: ich werde redlich trachten diese Kunst der Ver-

teidigung Ihnen abzulauschen. Für eine Frau bedeutet es reinere und vollere Freude als bei einem Mann, bei dem sich doch noch irgendeine Eifersucht gegen den männlichen Eindringling und Tochterräuber wehrt; jedenfalls, Sie haben jetzt stolz bewegte und beschäftigte Tage.

Ich fahre in wenigen Tagen nach Belgien, um dort in französischer Sprache im Palais des [Beaux] Arts und dann im Haag einen Vortrag über »Die europäische Idee in der Literatur« zu halten. Gern tat ich es nicht, aber es spielen da politische Hintergründe und Gesinnungsabsichten mit. Es war nämlich bisher noch nicht möglich gewesen infolge der journalistischen Stimmung, einen Deutschen in diesem internationalen repräsentativen Zyklus zu Worte kommen zu lassen, und da wollte man von allen obern Stellen gerade mich, weil ich durch Verhaeren legitimiert und als Österreicher der rechte Eisbrecher bin, so hielt ich es für meine Pflicht. Am 22. und 23. März bin ich nach den holländischen und hannoveranischen Vorträgen in Berlin. Nach Leipzig wäre ich gern gekommen, aber mich hat gerade wieder eine neue Arbeit, ein Stück gepackt, und ich will dann rasch und rapid zurück, endlich wieder an eine größer angelegte Sache, von der ich mir etwas verspreche. Auch der »Fouché« wird zuverlässig bald fertig.

Herzlichen Grußes Ihr Stefan Zweig

P. S. Der erste Enkel muß natürlich Johann Wolfgang heißen, nicht wahr?

An Maxim Gorki

Salzburg, Kapuzinerberg 5
4. März 1930

Teurer und verehrter Maxim Gorki!

Ich habe gezögert, Ihnen zu schreiben, weil ich ausführlich schreiben wollte und allerhand Dinge mich ständig in Atem hielten. Nun weiß ich durch den glücklichen Zufall der leider zu kurzen Begegnung in München, daß Baronin Budberg bei Ihnen ist, und sie wird so gütig sein, Ihnen meine Worte zu übermitteln.

Zunächst muß ich Ihnen von Rolland sagen, daß ihn wie mich die Affäre Istrati sehr erregt hat. Er ist persönlich noch mehr davon getroffen, weil in der Öffentlichkeit die Meinung besteht, Istrati sei ihm treu ergeben und hätte gewiß nicht ohne seine Zustimmung die große Attacke unternommen. In Wirklichkeit hat er das Buch geschrieben, trotz der dringenden Warnungen Rollands, und weiß auch heute selbst genau, welchen Unsinn er angerichtet. Für die ganze Unaufrichtigkeit oder vielmehr Sorglosigkeit dieses Menschen spricht ja die Tatsache, daß er mit einem widerlichen Aufwand an Pathos der Welt verkündet, nun werde er, endlich einmal er, in diesen 3 Bänden die Wahrheit verkünden. Dabei ist aber das Peinliche, daß nur der *erste* Band von ihm ist, der zweite ist von Viktor Serge geschrieben, der dritte von Boris Suwarin, die sich hinter seinem Namen verstecken – ein Vorgang, für mein Empfinden so unehrenhaft als möglich, denn zumindest hätte Istrati andeuten müssen, daß er Mitarbeiter bei seinem Buche gehabt hat, wenn ihm schon die Courage fehlte zuzugeben, daß er sein buchhändlerisches Renommée für fremde Arbeit ausnütze. Uns allen, die wir Istrati kennen, war es von vornherein klar, daß ihm vollkommen die Fähigkeit fehlt, sachliche und nationalökonomische Darstellungen zu geben – sein Talent besteht einzig nur in der Impulsivität und einer angeborenen orientalischen Phantasiefähigkeit. Ich halte ihn nicht *bewußt* schlechter Handlungen fähig, er ist ein Opfer seiner Leichtgläubigkeit und glaubt jede Lüge, auch jene, die er selber erfindet. Sie haben in einer Ihrer Novellen einmal selbst eine solche Gestalt geschildert, der Mensch, der einfach nicht in der Wirklichkeit lebt, sondern in seiner eigenen Erfindung, ein geborener Phantast und Fabulierer. Dies kann eine Tugend im Erzählen sein, obwohl ich ge-

rade in der Epik den Wahrheitsmenschen unendlich mehr liebe – aber in die Politik ist dieser Phantast jetzt hineingefahren wie der Elefant in den Porzellanladen. Rolland legt großes, ja größtes Gewicht darauf zu betonen, daß er dem Buche nicht nur fern steht, sondern es vollkommen mißbilligt. Er ist der einzige, der sich nicht einen Zoll von seiner profunden Einstellung zu den Geschehnissen Ihrer Heimat abbringen läßt.
Freilich weiß er so wie ich um die Fehler, die im einzelnen begangen werden, und hat speziell in einem Fall um Ihre Hilfe gebeten. Ich betrachte es als einen der wenigen sympathischen Züge unserer Menschheit von heute, daß sie besonders sensibel ist, wenn irgendwo ein Künstler oder ein geistiger Mensch getroffen wird. So wie beim Kampf es mehr Eindruck macht, wenn ein 7jähriges Kind getötet wird, als wenn 200 Erwachsene fallen, so erregt ein geistiger Mensch, dem Unrecht geschieht, mehr Aufsehen als tausend Anonyme. Hier wird eine Solidarität jenseits des Nationalen herausgefordert, die Solidarität der geistig Passionierten und Intellektuellen, und dies ist glücklicherweise noch immer eine Macht auf Erden.
Ich kann da nicht in alle Details eingehen, und Sie denken sich, weshalb – ich wollte nur vermeiden, daß Sie in der Haltung Rollands irgendein Ändern oder Nachlassen erblicken, und ihm liegt viel daran, daß Sie es wissen. Er gehört zu den wenigen Menschen, die sich durch Zeitungsnachrichten nicht irremachen lassen. Wir haben während des Krieges gelernt, daß nach einem und demselben jahrhundert*alten* System gearbeitet wird, wenn es gilt, eine bestimmte, öffentlich natürlich nicht verlautbare Absicht vorzubereiten und durchzusetzen. Auch jenes Buch gehört in diese Kategorie, wobei das Peinliche ist, daß Istrati, dieser unmündige Geist, gar nicht wußte, für wen und gegen wen er sein Eisen schmiedete.
Nun, *teurer* Maxim Gorki, muß ich Ihnen noch vielmals danken für Ihren Roman, den ich langsam und aufmerksam gelesen habe, abermals überrascht von der Fülle und *Präzision* der

einzelnen Figuren und von dem Glanz der entscheidenden Szenen. Ich bin ungeheuer gespannt auf die nächsten Bände, denn – daß ich es offen sage – dieses Buch spielt im Schatten, es schwebt gleichsam dunkel eine Wolke darüber, und *ich denke mir,* daß die nächsten Bände das Gewitter und seine Entladung bringen. Durch Bücher wie dieses wird man eigentlich erst gewahr, *wieviel* Unruhe, wieviel geheimniserregte Unruhe in jenen Jahren vor dem Kriege in der ganzen Generation mächtig war. Wir von heute verstehen diese Unruhe und wissen, daß sie eigentlich nicht von innen aus in die Menschen kam, sondern aus der atmosphärischen Spannung der Zeit. Es waren gleichsam die Übligkeiten und die irritierten Zustände einer schwangeren Frau, die selbst noch nicht weiß, daß sie schwanger ist. Wenn man die literarischen Dokumente der ganzen Generation zusammenhält, so wird man dieses einheitliche und einmütige Vorempfinden einmal gleichsam meteorologisch feststellen können.
Von mir kann ich Ihnen nur erzählen, daß ich nach sehr angenehmen Tagen in Rom plötzlich *heim mußte,* weil mit meinem Stück durch einen Kontraktbruch eines Schauspielers plötzliche Umschaltungen nötig waren, ich mußte ein paarmal hin und her und reise jetzt nach Deutschland, wo einige Aufführungen stattfinden, um selbst einen Eindruck zu gewinnen, ehe wir dann in Wien und Berlin die eigentliche Uraufführung versuchen. Aber ich habe gelernt, wie wesentlich es ist, jedes Jahr längere Zeit außerhalb des gewohnten Lebenskreises zu verbringen, und wie sehr dies die Arbeit fördert; so hoffe ich, auch im nächsten Jahr einmal länger in Italien oder Spanien zu bleiben.
Die Erinnerung an die Herzlichkeit, die wir bei Ihnen fanden, läßt uns schon heute sehr an Italien denken, um solche Stunden wieder zu erneuern – sie sind selten wie alles Gute im Leben.
Mögen Sie gut arbeiten und sich voller Gesundheit erfreuen!
Und grüßen Sie, bitte, *innigst* Ihre Familie, Ihre Freunde,
von Ihrem dankbar ergebenen

Stefan Zweig

An Otto Heuschele

Salzburg, Kapuzinerberg 5
7. Mai 1930

Mein lieber Otto Heuschele!
Gerade gestern dachte ich daran, wie lange ich nichts von Ihnen gehört habe und wollte Ihnen schon schreiben, da kam Ihr guter Brief. Es wäre so viel einmal zu besprechen und wohl auch öffentlich zu sagen. Die Fragen, die Sie andeuten, nämlich das erschreckende Uninteresse in Deutschland für alles, was persönliche Ausdrucksform ist, beunruhigen mich gleichfalls. Stoff ist heute alles, die Welt will dokumentarischen Bericht über Menschen, Tatsachen und Zeiten, ein Buch muß ein »genre« haben, muß neuen Stoff zum Ausdruck bringen, fast gleichgültig, in welcher Form es geschieht, daher der Triumph der Kriegsbücher, der Biographien, des rein Sachlichen. Ich speziell hätte ja nicht zu klagen, da viele meiner Arbeiten auf dieser Linie liegen, aber ich sehe im nächsten und allernächsten Freundeskreise, gerade bei jenen Menschen, die ich als Dichter besonders liebe, ein Zurückgeworfen- und Vergessensein, das sich in gefährlicher Weise auch bis ins Materielle, bis in die äußere Lebenshaltung hinein bedrückend auswirkt; ein Mann wie Wildgans muß die Burgtheater-Direktion annehmen, weil er von seiner Dichtung nicht leben konnte, Felix Braun versitzt seine Zeit an einer lächerlichen Pseudo-Universität in Palermo, und von vielen Anderen bringt mir jeder Brief Klage auf Klage. Seit Jahren hat sich kein Dichter durch sein Gedicht halbwegs Geltung erringen können, und ein Buch, wie jenes, von dem Sie sprechen, das der Erika Mitterer – Sie erinnern sich, daß ich Sie vor Jahren bat, als Erster Proben von ihr zu bringen – wird kaum bemerkt werden; ich will mein Bestes dafür tun, aber weit langt es ja nicht, denn Lyrik ist für Deutschland eine Art Koptisch und Aramäisch geworden, eine Sprache, von der einzelne Privatgelehrte noch Kenntnis haben und an der die Anderen mit kalten Augen vorübergehen. Ich kann mir nicht denken, daß

dies andauern könne, denn der Gegenwartsstoff ist nicht unbegrenzt, einmal werden der Krieg, die Großstadt, der Sport, die Biographien, thematisch erschöpft sein, dann muß eine Rückkehr zu dem rein Psychologischen und durch die Form Geadelten wieder kommen. So tut es not zu warten, bis die Welle ausgelaufen ist, und es hat keinen Sinn, sich gegen sie zu werfen. Unterirdisch geht die Strömung ja weiter. Ich erfuhr eine schöne Überraschung: ein ganz junger Dichter, der Walter Bauer heißt, Arbeiter in Fabriken war und sich nun mit 24 Jahren zum Volksschullehrer in einem Nest emporgearbeitet hat, gab vor einem Jahr ein prachtvolles Buch heraus »Kameraden, Euch rufe ich!«, das bei Kaden & Co. in Dresden erschien, die menschlichste Arbeit der Lyrik, die ich in Deutschland kenne, jetzt nach einem Jahr fiel mir das Buch in die Hand; es hat keine drei Rezensionen gehabt, niemand hat sich darum gekümmert. Nun lese ich ein zweites Buch in Manuskript von ihm, »Das Leuna-Werk«, gleichfalls hervorragend, und tue alles, um es zum Erscheinen zu bringen. Hoffentlich gelingt es mir – aber wie schwer ist das geworden, wie wenig Verleger haben heute noch den Mut, einmal zwischendurch ein Buch absoluter Dichtung zu wagen.
Da Sie anscheinend mein Stück nicht von der »Insel« bekommen haben, schicke ich es Ihnen gerne zu. Es hat merkwürdigerweise starke Wirkung geübt, obwohl es von Grund aus ein »unpleasant play« ist, ein antiheroisches Stück, mit einem sog. unbefriedigenden Ende, aber mich reizt gerade die Schwierigkeit, und so bekämpfe ich jeden Vorschlag eines »happy end« oder eines tragischen Endes aus der Überzeugung, daß es im gewöhnlichen Leben etwas wie eine Art undramatischer Tragik gibt, die Tragik des Resignierens, giltig für Millionen und darum wahrer als die wenigen pathetischen Ausnahmefälle.
Die anderen Arbeiten, Mesmer, Eddy, Freud, die gemeinsam ein neues Buch bilden sollen, sind scharf im Gange. Dann möchte ich einen kleinen Roman schreiben, zu dem manches Material

vorliegt und für den mir beim ersten Anlauf der Mut fehlt. Aber man soll die größeren Dinge innerlich auskochen und sich klar formen lassen. Wir gehören ja zu den Altmodischen, die noch an eine Art Architektur im Werke glauben und wohl auch auf die Dauer damit recht behalten werden.
Ihre Arbeit über die Günderode stelle ich mir äußerst interessant vor; wenn Sie auch jetzt nicht recht Unterkunft für sie finden, so haben Sie deshalb keine Sorge. Sie sollten mehr an Bücher in organischer Gestaltung denken (alles Vereinzelte bleibt ohne Kraft) und vielleicht noch neben die Günderode ein paar andere Gestalten stellen, Rahel, Bettina, Droste – das gäbe eines Tages ein wahrhaftig weites und großes Buch über die deutsche Dichterin in ihren verschiedenen Typen, ein Buch mit Weitwirkung und von wirklicher Wesenheit, zu dem Sie besser als jeder andere berufen wären. Hoffentlich können wir davon ausführlich sprechen, wenn Sie hier vorbeikommen, ich bleibe jetzt bis zu den Festspielen hier und der Weg von der Schweiz her ist nicht weit. Versäumen Sie dort nicht die Landschaft von Wengen, die mir die schönste scheint, und wählen Sie den Weg vielleicht über das Engadin via Landeck nach Tirol hinein, wo noch keine Bahn geht, nur das Postautomobil, und so können Sie in einem Tage die ganze Skala von den Hochalpen bis zum Tale gleichsam musikalisch niedersteigen. Kennen Sie in Zürich Faesi, einen Freund, Professor der Universität und einer der besten Dichter? Ich würde Ihnen gerne ein Wort mitgeben, obzwar zweifellos die bloße Berufung genügt, da er Sie aus Ihrem Werk genau kennt. Er ist angenehm, klug und klar, und kann Ihnen auch manchen Weg zu Vorlesungen ebnen.
Ja, lieber Freund, lassen Sie sich bald sehen, Sie sind immer besonders herzlich willkommen, und seien Sie vielmals gegrüßt von Ihrem Stefan Zweig

An den Maler *Hermann Struck*
Haifa – Israel
49 Massada Street

Salzburg, Kapuzinerberg 5
am 18. Juni 1930

Ich danke Ihnen auf das allerherzlichste für Ihren freundlichen Brief. Eigentlich war es mir längst ein Bedürfnis Ihnen zu schreiben. Seit vielen Jahren, ja seit dem Beginn meines geistigen Wachseins bin ich ein großer Bewunderer Ihres Werkes, und ich habe in der Tat oft Ihren Namen genannt, auch im Sinne eines moralischen Vorbildes. Wenn ich seit Anfang der zionistischen Bewegung eines gewissen Mißtrauens mich nicht erwehren konnte, so war es, weil die geistigen und künstlerischen Führer es vorzogen, in Europa zu bleiben, angeblich um dort besser für die Idee wirken zu können. Meine Überzeugung war immer, daß ein Beispiel wirksamer ist als tausend Worte und Reden, daß also mit dem Vorbild der Aufopferung die wahrhaften Bekenner hätten vorangehen und in Palästina Aufenthalt nehmen müssen. Ich bin überzeugt, daß dies auf die jüngere Generation moralisch stärker gewirkt hätte als alle Reden, Worte, Bücher und Broschüren. Sie sind der einzige, der – gewiß viele persönlichen Erfolge und materiellen Erträgnisse aufopfernd – es entschlossen getan hat, und immer wenn in einem Gespräch oder einer Diskussion das Thema zu Worte kam, habe ich auf Sie hingewiesen, bei dem allein innere Lebensüberzeugung und äußere Lebenshaltung völlig übereinstimmt. Mir war es ein starkes Bedürfnis, dies Ihnen einmal persönlich zu sagen, aber es schien mir vordringlich und unberufen. Deshalb war mir Ihr Brief besonders wichtig und lieb, nun konnte ich auch zu Ihnen aussprechen, was ich so oft zu andern gesagt, und es ist mir eine große Freude, Ihnen über eine solche Ferne hin wenigstens brieflich zu begegnen.

Ihr Hinweis war mir sehr wertvoll. Ich hatte die Legende nur in ihrer übernommenen Form gekannt, in der Umdeutung auf

die christliche Religion. Selbstverständlich werde ich in der Buchausgabe den Fehler berichtigen. Seit Jahren verzögern mir äußere Lebensumstände den Wunsch, nach Palästina zu Besuch zu kommen, aber lange bleibt wohl die Absicht nicht mehr aufgeschoben, und nun weiß ich, daß ich guten Herzens bei Ihnen vorbeikommen darf. Das gibt mir ein gutes Gefühl und bestärkt mich in meinem Wunsch, mich bald zur Reise zu entschließen.
In herzlicher und sehr alter Verehrung,

Ihr sehr ergebener Stefan Zweig

An Maxim Gorki

z. Zt. Hamburg,
12. August 1930

Lieber und verehrter Maxim Gorki,
ich habe beschämend lang nichts von mir hören lassen, aber wir haben oft und sehr herzlich Ihrer gedacht, insbesondere jüngst, als wir hörten, daß die so geliebte italienische Landschaft durch ein Erdbeben bedroht war. Nun bin ich auf Urlaub und habe einen Großteil meiner Arbeit bereits glücklich erledigt, so daß ich wieder Atem holen darf und nun herzlich wieder das Wort an Sie richte. Es ist sehr leicht möglich, daß ich in diesen Tagen Wladimir Lidin entweder hier oder in Berlin sehen werde, und bin ungeheuer neugierig darauf, durch ihn mehr von den russischen Verhältnissen zu hören, als ich indirekt aus den Zeitungen entnehmen kann, die nur zum geringsten Teil objektiv berichten und meist die Geschehnisse ins Pessimistische umformen. Ich glaube, daß niemals die Situation so gespannt war, niemals so tragisch und großartig wie in diesem Jahr: die nächste Generation russischer Schriftsteller wird einen Gegenstand finden, so groß und noch größer als die Ereignisse der Französischen Revolution. Zum ersten Mal bekommt das Wirtschaftliche die Majestät und das Elementare eines Naturereignisses, ein Wirtschaftsplan, der etwas von dem Aufregenden einer Giganten-

schlacht hat. Man muß sein Wissen, seine Gefühle, seine ganzen überlebten Begriffe umstellen, um diese Geschehnisse zu begreifen, und ich gebe mir alle erdenkbare Mühe, um soviel wie möglich davon zu verstehen, während die meisten Geistigen bei uns mit einer mir unerklärlichen Indifferenz und Indolenz über die Begriffe hinweglesen. Sie scheinen nicht zu ahnen oder wollen es nicht zugeben, daß im Schicksal Rußlands sich auch das Schicksal der ganzen nächsten Generation, vielleicht sogar des nächsten Jahrhunderts, entscheidet. Für Sie, teurer, lieber verehrter Gorki, muß es sehr schmerzlich sein, daß Sie Ihren Wunsch, wieder einmal nach Rußland zu reisen, in diesem Jahre nicht erfüllen konnten. Hoffentlich ist nicht Ihre Gesundheit schuld, der ich das beste wünsche und die Sie auf das sorgfältigste behüten sollen. Sie sind uns noch das Ende Ihres großen Epos schuldig, und ich warte mit einer geradezu ingrimmigen Neugierde auf das Werk.

Es ist sehr leicht möglich, daß ich in diesem Winter wieder nach Neapel oder Sorrent hinunterkomme. Lieber freilich würde ich aus Europa ganz herausgehen für zwei oder drei Monate oder zum mindesten auf die Balearen. Aber alles dieses steht noch im ungewissen, denn zunächst muß ein größeres psychologisches Buch geendet sein, das mich an Bibliotheken und Städte bindet: dann erst vermute ich, Ende September bin ich frei und will einen kleinen Roman schreiben. Dazu braucht man nichts als zwanzig Bogen weißes Papier und eine Feder, und die findet man überall. Ich freue mich schon auf diese Art Freiheit, denn innerlich werde ich von Jahr zu Jahr nomadischer und von Orten, Ländern und Sprachen unabhängiger. Für Italien spricht sehr der Wunsch, Sie und die Ihren wiederzusehen, und wenn das Herz den Ausschlag gibt, so wird sich unser Aufenthalt gewiß in diesem Sinn entscheiden.

Von Rolland haben Sie inzwischen hoffentlich öfters Nachricht. Er ist heute in Frankreich der Einzige, der ein freies, klares und überpolitisches Verhältnis zu Rußland hat, der Einzige, mit dem man human über diese Dinge sprechen kann, sonst herrscht dort eine bejammernswerte Unkenntnis und eine von den Emigranten aufs sorgfältigste genährte und gesteigerte Feindschaft. Sie würden die Luft dort nicht acht Tage atmen können.

Dieses nur ein flüchtiger Gruß, um Ihnen zu zeigen, daß wir auch im Schweigen Ihrer herzlich gedenken.

Mit den besten Grüßen an Sie alle Ihr getreu ergebener

Stefan Zweig

An Otto Heuschele

Salzburg, Kapuzinerberg 5
am 10. Dezember 1930

Lieber Otto Heuschele!

Innigsten Dank für Ihren Glückwunsch. Freilich, man kommt schon in die Jahre, wo man im Geburtstag schon gewisse Melancholien oder vielmehr Resignationen findet. Ich habe ihn insofern gut gefeiert, als ich dieses große Essaybuch endlich beendet habe und mir damit den Weg freigelegt zu eigener Arbeit. Ich bin tiefer hineingeraten, als ich wollte, und mußte viel kürzen, damit es nicht ein Wälzer wird. Es ist ein Buch, das auf Widerspruch angelegt ist, aber ich hoffe, gewisse Gedankenkreise in Bewegung bringt. Ihren Hofmannsthal habe ich mit sehr viel Freude gelesen. Sie haben das Richtige getan, indem Sie Ihre Darstellung ganz dem enthusiastischen Gefühle hingaben und nicht einschränkten. Den Walter der Sprache, den wahrhaften Dichter zu rühmen, ist ja das eigentliche Amt, dem Sie zugesandt sind, weil Sie selbst um die Sprache wissen und im Wort Dichter werden. Gerade heute war es notwendig, das Edle dieser Erscheinung der Geschäftigkeit des Literarischen gegenüberzustellen. Was ich gern über Hofmannsthal noch schriebe, muß ich mir versagen. Ich möchte gern die Tragödie seines Daseins darstellen, das Wissen um das Allerhöchste, das Nahekommen im Werke und einen geheimnisvollen Mangel an letzter Kraft, ein Werk großen Umfangs zu vollenden. Der »Tod des Tizian« sollte ja ein Weltwerk sein und blieb in diesem Fragment im neunzehnten Jahrhundert stecken. Der letzte Roman wieder, den Sie in der »Corona« gelesen haben, beginnt so herrlich wie kein deutsches Prosawerk, und dann kam immer jene Schwäche der Nerven, jene merkwürdige Angst in ihm, jene Unruhe, sich rasch wieder etwas Leichterem, Näherem, Handgreiflicherem zuzuwenden, und all das wirkte zusammen zu einer tragischen Unzufriedenheit im Menschen, in dem doch der Genius deutlicher da war, als in irgendeinem andern unserer Zeit.

»Dichtung und Leben« liebe ich sehr und es ist mir leid, daß ich jetzt momentan gar nicht über Bücher schreibe, sonst hätte ich es zum Anlaß genommen, aber es ist für mich eines der Bücher, zu denen man zurückkehrt, um damit auch das richtige Maß zur Gegenwart zu finden. Sie tun das Rechte, nämlich nicht den strengen Maßstab an die Zeit anzusetzen, sondern den hohen. Dies ist ein Unterschied, den wenige merken. Man braucht nicht das Zeitliche verurteilen: es tut nur not, das Ewige zu loben. Damit allein schafft man Distanz, ohne die anders Bemühten zu kränken, und indem man rühmt, richtet man in einem höhern Sinn. Haben Sie den schönen Roman bei der Insel gelesen »Kin ping Meh«. Er war mir neben Joseph Roths »Hiob« die reinste Freude dieses Herbstes. Sehr wichtig ist mir noch, Sie auf das Buch von Walter Bauer »Stimmen aus [dem] Leunawerk«, im Malik Verlag [aufmerksam zu machen.] Ein vierundzwanzigjähriger Schullehrer, früherer Arbeiter, hat diese Gedichte geschrieben, und ich finde sie zum Teil in ihrer großen Ehrlichkeit und Einfachheit außerordentlich.

Getreulichst Ihr Stefan Zweig

An Frans Masereel

Salzburg, Kapuzinerberg 5
am 23. März 1931

Lieber guter Freund!
Ich bin zurückgekehrt und nicht über Paris, da ich tief in Arbeit stecke und nicht in das Getriebe hinein wollte. So kam ich freilich um die Freude, Dich zu sehen und verschiebe unser Wiedersehen auf die Eröffnung in Winterthur. Heute nur ein rasches Wort: Der Transmare-Verlag hat mir die Stücke zum Preisausschreiben geschickt. Einen gräßlichen Wust miserabler Gedichte, nur eines, Nr. 7, von Walter Bauer, scheint mir wirklich bedeutsam, und das ist kein Zufall, denn Walter Bauer ist ein junger proletarischer Dichter, der einen herrlichen Gedichtband »Stimme aus dem Leunawerk« im Malik-Verlag veröffentlicht hat. Ich werde für ihn und nur für ihn allein stimmen und verweise Dich auf diesen einen Beitrag besonders. Das andere ist grauenhafte Reimerei. Ach, lieber Freund, es ist manchmal bitter, die Stimme seiner Bewunderer zu vernehmen, dies magst Du nun auch erfahren. Hoffentlich geht es Euch allen wieder gut, auch Charlotte, die ich herzlich grüßen lasse.
Sei umarmt von Deinem

Stefan Zweig

An Otto Heuschele

Salzburg, Kapuzinerberg 5
am 6. Juni 1931

Lieber Freund Heuschele!
Ich war sehr froh, wieder von Ihnen zu hören – wie selten bekomme ich jetzt einen reinen freundschaftlichen Brief, fast immer nur Bitten und Klagen, Ausbrüche der Verzweiflung. Die Zeit ist ja wirklich hart geworden, und es gehört schon eine besondere Energie dazu, sich den Lebensglauben, der allem Schöpferischen zugrunde liegt, aufrechtzuerhalten. Nur habe ich

den heimlichen Gedanken, es müßte in der Literatur bald ein Umschwung kommen. Die Stunde kann nicht mehr fern sein, wo die Leser der »Zeitbücher« und »Zeitdramen« endgiltig müde werden, wo alle aktuellen Prozesse und historischen Gestalten von Rang endgiltig ausgeschrotet sind und der Genuß an den Formen, an der reinen Sprache wieder erwacht. Es kann nur ein Übergang sein, was wir jetzt erleben, und man wird bald erkennen, um wieviel mehr ein Buch wie Hofmannsthals »Berührung der Sphären« an wirklicher Welt enthält als alle die Pseudo-Wirklichkeitsreferate. Mir wenigstens ist es kaum mehr möglich, eines der Kriegsbücher zu lesen: Buch muß wieder Flucht werden, Aufhebung und Verwandlung, statt Fotografie der Realität.

Von unseren Freunden höre ich nicht viel Gutes. Der arme Felix Braun ist in einer harten Krise, und da er durchaus des Poetischen bedarf, um atmen zu können, so entbehrt er in seiner Umwelt der nährenden Substanz. Dazu kommt die innere Krise, die uns alle unvermeidlich anrührt, wir spüren, nicht nur unsere eigene Jugend sei vorbei, sondern auch die *Welt* unserer Jugend. Wie selten begegne ich jemandem mit dem ich über *unsere* Dinge sprechen kann; heute werde ich hoffentlich so eine Stunde haben, da kommt Erika Mitterer. Und wann kommen Sie? Es wäre gut, einmal wieder beisammen zu sein. Ich habe ja das Vorlesen ganz aufgegeben und reise nur eigentlich an Orte, wo ich arbeiten kann: momentan ist es ein Roman, von dem ich noch nicht weiß, ob er gelingt. Ich plane ihn ganz einfach, ganz allverständlich und beinahe antiliterarisch.

Lassen Sie sich nicht irremachen, wenn Sie selbst jetzt an der Herausgabe Ihrer Bücher verhindert sind. Vielleicht erzeugt diese Schwierigkeit eine neue Spannung, vielleicht nötigt sie Sie, Ihre Kräfte in ein *entscheidendes* Buch zusammenzufassen. Es sind wirklich zu viele Bücher erschienen, zu viele solche, die nicht aus innerem Zwange entstanden, mit jener letzten zielhaften Intensität, und ich könnte mir denken, daß der meta-

physische Sinn dieser Krise ist, wieder Raum zu schaffen für das Wesentliche. Es ist zuviel Überflüssiges in der Welt, nicht nur in der Literatur, sondern in jedem Haushalt, zuviel Ziergegenstände, Ornamente, Bibelots. Rußland hat den Anfang gemacht, im Neuaufbau der Welt alles spielhaft Überflüssige im ökonomischen Haushalt wegzuräumen, Deutschland und die Welt folgen jetzt nach. Der einzelne wird sich nichts Überflüssiges mehr anschaffen, und der Sinn des wahrhaft Notwendigen wird sich immer mehr plastisch ausprägen. Dies wird auch auf dem Buchmarkt geschehen und nach diesem reinigenden Gewitter der Ausblick sich klären. Ich bin fest überzeugt, dann kommt Ihre Zeit, denn Sie wissen um Werte und haben die Kraft, sie darzustellen. Lassen Sie sich also nicht entmutigen, nicht eine Sekunde lang. Auch die Pause gehört zum Rhythmus und jedes Unterbrechen der Produktion, ob aus äußern oder innern Gründen, wird im letzten schöpferisch.
Wie schön wäre es, über all das sprechen zu können, geben Sie mir, lieber Freund, doch bald einmal Gelegenheit.
Herzlichst

Ihr Stefan Zweig

An Frans Masereel

am 13. Juni 1931
Salzburg, Kapuzinerberg 5

Lieber Freund!
Ich bin sehr glücklich, wieder von Dir zu hören, wir haben oft und immer liebevoll an Dich gedacht, und ich sprach jüngst erst mit dem Bruder Reinharts davon, wann die feierliche Enthüllung Deiner Arbeiten stattfindet. Es ist gar nicht ausgeschlossen, daß ich komme, entscheidend für mich wäre nur, ob ich bei diesem Anlaß Rolland sehen kann oder nicht, der jetzt noch in Zürich ist, aber sehr müde und bedrückt wegen der Gesundheit seines Vaters und seiner Schwester. Ich weiß nicht recht,

ob wir ihm jetzt willkommen wären, obwohl wir beinahe die letzten sind, die ganz und unverbrüchlich zu seinem engeren Kreise gehören. Du hörst noch davon.

Ich bin furchtbar neugierig, was Du jetzt machst und möchte gern von der momentanen Masereel-Baisse profitieren und die Honorare für »Fouché« in Öl anlegen, freilich in solchem, das gerade Du zu Deinen Farben verwendet hast. Hier in Österreich und Deutschland herrscht eine beispiellose Pleite und zwar in Dimensionen, von der Ihr Euch im goldunterkellerten Frankreich keine richtige Vorstellung machen könnt. Natürlich sind wir alle davon gestreift, auch die Bücher verkaufen sich nicht mehr so wie dereinst in der seligen Zeit, aber immerhin hat sich der Radius meiner Wirkung soweit gespannt – Spanien, Italien, Rußland, Amerika – daß ich ungerecht wäre, wollte ich klagen! Natürlich arbeite ich – was soll man anders tun? – und zwar an einem Roman, von dem ich noch nicht weiß, ob er etwas wird oder nicht. Im Sommer verkrieche ich mich an einen kleinen Ort, um diese Beschäftigung forzusetzen. Mir graut immer mehr vor aller Öffentlichkeit, und mein pessimistisches Gefühl in allen politischen Dingen behält in einer erschreckenden Weise recht. Wir Rollandisten, die nie an die Europäer Briand und Stresemann, an die Berufspolitiker und Völkerbundsbüros geglaubt haben, sehen unser Mißtrauen in gräßlicher Weise bestätigt. Ex oriente lux, nur von Rußland her kann eine Auffrischung in dieses morsche Gebäude Europas kommen (in dem wir doch so gern und früher so heiter gewohnt haben). Aber laß Dich nicht entmutigen, wenn jetzt der Kunsthandel schlechter geht. Viele Maler, die nie Maler waren, hören jetzt auf, es zu sein, ebenso viele Schriftsteller. Und die es wirklich sind, werden es bleiben und in dieser Reinigung der Atmosphären erst sichtbar werden.

Lieber Frans, zu den guten Dingen, die ich mir manchmal ausdenke, gehörte einmal ein Tag, zwei Tage mit Dir allein am Meer oder in einer Stadt oder auf einer Reise zu sein. Es ist zu

wenig, so wie wir uns sehen, bei einem Abendessen in der Familie auf zwei Stunden, auf drei Stunden, vielleicht kriegen wir das einmal wirklich zusammen. Was ich am liebsten täte, wäre, daß wir in diesem Herbst zusammen auf zwei Monate nach Rußland fahren und dorten zusammen ein Buch machen, Darstellung und Zeichnung. Ich garantiere Dir, daß das Buch über die Welt ginge. Bitte, betrachte dies nicht als eine vage Träumerei, sondern denke Dirs gut und genau durch. Am liebsten wäre mir Oktober, November, ich habe allerhand Gründe, um diese Zeit nicht zuhause zu sein.
Lebe wohl und grüße die Deinen! Dein Stefan

An Hans Carossa

Salzburg, Kapuzinerberg 5
am 28. Oct. 1931

Lieber verehrter Freund Carossa, keine eigene Sache hätte mich mehr freuen können als die Nachricht, daß Ihnen, dem Würdigsten, der Gottfried Keller Preis zuerkannt wurde. Nun geht die Uhr richtig! Wir beglückwünschen Sie von ganzem aufgetanem Herzen und beklagen nur, daß wir so lange Sie nicht sehen konnten und durften! Sie sind immer hier erwartet – und wenn Sie einmal länger in München sind, bitte eine Zeile, und ich eile hin. Ihr getreuer Stefan Zweig

An Hans Carossa

Salzburg, Kapuzinerberg 5
11. Nov. 1931

Mein lieber und verehrter Freund, das nenne ich eine Gabe! Zwei Stunden sprachen gestern Felix Braun und ich nichts als von Ihnen und Ihrem Gion: er hat uns beide und nicht minder meine Frau tief bewegt. Sie haben die Gabe, das Wirkliche nicht nur geistig, sondern gewissermaßen geistlich zu machen, mit

Ihrem frommen Blick (ich weiß kein anderes Wort) sehen Sie die Natur ehrfürchtig, den Menschen mitleidend-begreifend an; alles wird dadurch Zusammenhang, nichts bleibt losgelöst vom Ganzen, jedes Geschehnis füllt sich mit Sinn und so entsteht aus dem scheinbar Abseitigen jenes Innerliche, das uns alle bewegt. Wie ist in diesem Buche die Grenze von Ihrem Ich zu den Gestalten aufgehoben, Sie in ihnen und jede Einzelheit ganz eingegangen in die innerliche Schau und darüber noch schwebend als magische Atmosphäre der bindende Weltgeist! Nie haben Sie Ihren Reichtum so offenbar gemacht als in diesem gedrängten, bis in die kleinste Zelle mit goldenem Seim gespeicherten Buch, das eine Vorratskammer der Seele für unzählige sein wird, eine unerschöpfliche, weil hintergründig noch immer wieder gesparte und dichterisch geprägte Erfahrung sich verbirgt. Ja, lieber, verehrter Freund, wir sind sehr stolz auf Sie, denn Sie wissen unsere alte Liebe, unser getreues Vertrauen immer aufs neue zu bestätigen und zu übertreffen, Ihnen wächst in diesen späteren Jahren, wo andere, ausgelaugt und ermüdet, in ihrem Lebensalter erschlaffen, erst die wahre Bildnerlust zu, das Leben gestaltend zu begreifen. Ihr Blick in die Tiefe hat sich wunderbar geschärft und die Ruhe dieser gesättigten Sprache meistert herrlich die innerliche Spannung; eine milde Lampe in Händen; goldenen Rand um die Dinge gießend, gehen Sie sicher hinab in die Dunkelheiten des Herzens und es wird Glück und Belehrung, Sie auf Ihrem Weg zu begleiten. Wie glücklich haben Sie uns mit diesem Buche gemacht und wie hat Ihre schaffende Geduld unsere Ungeduld nach neuem Werke beseligt!

Gerne erfreute ich mich eines freundschaftlichen Gesprächs mit ihnen. Ich bin von Dienstag bis Freitag in München, Hotel Leinfelder. Sollten Sie in diesen Tagen hinkommen, so bitte ich Sie um ein Wort. Mein Dank ist ja mit diesen Worten nicht befreit, er hat noch viel Ihnen zu sagen.

Mit vielen Grüßen meiner Frau Ihr getreuer Stefan Zweig

An Anton
und Katherina Kippenberg

München, 28. Nov. 1931

Lieber Professor, verehrte gnädige Frau, tausend Dank für Ihren Gruß. Ich habe mir die ominöse Zahl 50 heute genau betrachtet: der Fünfer galt in der Schule als die schlechteste Note, die Null dahinter scheint anzudeuten, daß nichts Wesentliches mehr kommt. Aber vielleicht deute ich mir das Zahlenspiel aus der nachdenklichen Wehmut solchen Augenblicks, wo man versucht, redliche Bilanz zu machen, das Soll und Haben, die Activen und Passiven gegeneinanderzuhalten. Unter die Activen, unter die Guttaten des Lebens rechne ich vor allem menschlichen Gewinn, freundschaftlichen Besitz, humanes Vertrauen, und da finde ich Sie beide auf dem ersten Blatt. Möge es unverstellt so bleiben und gerade die dunklen und verantwortungsvollen Zeiten bewähren, was in helleren, jugendlicheren begonnen wurde: innigen Dank also für Alles und die Bitte, mir Ihr Vertrauen, Ihre Freundschaft weiterhin zu bewahren. Ihr aufrichtig verbundener

Stefan Zweig

An Hans Carossa

Salzburg, Kapuzinerberg 5
am 1. XII. 1931

Lieber verehrter Freund, wie Ihnen danken! Sie wissen, daß Ihr Werk in Ihrer [an] den Goethischen Duktus deutsam gemahnenden Schrift unter den Geschenken zu oberst steht – es sei denn Ihre Freundschaft selbst, die ich zu den wertvollsten Gewinnen meiner fünfzig Jahre zähle. Und nun kein Wort mehr, nur noch herzlich Ihre meisterliche Hand ergriffen und geschüttelt!

Immer Ihr Stefan Zweig

An Anton Kippenberg

Salzburg, Kapuzinerberg 5
9. Dez. 1931

Lieber Professor, ich schreibe Ihnen dies ganz privat, damit wir gemeinsam die Dispositionen treffen: es ist furchtbar schwer jetzt in Österreich, denn die Regierung beharrt auf ihrem fictiven Curs für den Schilling, der (wenn wir nicht nächster Tage an Frankreich resp. Donauföderation verkauft werden) ins Bodenlose sinken kann. Ich möchte also Folgendes vorschlagen. Sie überweisen, damit etwas Mark zu meiner Disposition bleibt, *10 000 Mk* an die Bayerische Vereinsbank.
30 000 Mk erklären wir einverständlich an die Insel bis zum 1. 1. 1933 gebunden (was Sie natürlich nicht hindert, sie mir allenfalls früher abzustoßen),
20 000 Mk habe ich Ihnen gegenüber die Verpflichtung übernommen, in österreichischen Schillingen zu übernehmen, weil die Insel mich seinerzeit ersuchte, die aus Österreich fließenden Gelder in Schillingen zu übernehmen. Diese melde ich daher, da sie nicht Mark darstellen, *nicht* an (salvavi animam meam, ohne gegen das Gesetz zu verstoßen). Daß ich Sie privat bitte, diesen Betrag bis zur Ordnung und Klärung der Schillingverhältnisse *nur bis 5 000 Mk* in Anspruch zu nehmen, ist eine private Gefälligkeit, die ich von Ihnen erbitte und anderseits Ihnen erweise.
So melde ich an: 30 000 Mk gebunden bis 1. III. 1933*
6 000 Mk frei nach Maßgabe der Freigabe
von der deutschen Devisencentrale. Diese 6 000 Mark werden selbstverständlich sofort angefordert werden, und Sie müssen dann Ihrerseits bei der Devisencentrale einreichen, daß sie der österreichischen Devisenstelle übergeben werden. Bewilligt es (oder einen Teil) die deutsche Stelle, dann gut. Bewilligt sie es nicht, desto besser. Salvavi animam meam.

* [An den Rand geschrieben:] ich glaube es war ungefähr so viel

Soviel ich weiß, bin ich der Einzige, der überhaupt anmeldet – die andern sagen sich mit Recht, daß heute jedes überwiesene Geld in Österreich einen Verlust von 30–50 % bedeutet und daß andererseits doch eine Amnestie kommt. Im Spaß erzählt man, es würden bei uns trotz der Notlage zahllose Zuchthäuser und Irrenhäuser gebaut, Zuchthäuser, für die, [die] nicht angemeldet haben, und Irrenhäuser für die, die wirklich anmeldeten. Ich ziehe aber doch das Irrenhaus vor.

Ich glaube, das ist klar für uns beide und Sie nehmen meinen Vorschlag ad notam und wir gehen streng conform, den österr. Betrag bitte an die Länderbank Filiale Salzburg, die 10 000 Mk an die Bayerische Vereinsbank, die übrigens mir eine Erlaubnis zum Teil schon durchgesetzt hat (vergl. Beilage) zu überweisen.

Am 20. fahre ich hoffentlich nach Paris, um dort endgiltiges Material für »Marie Antoinette« zusammenzustellen (auch Illustrationen).

Herzlichst

Ihr Stefan Zweig

An Maxim Gorki,
den Hilfreichen
[Postkarte]

Salzburg, Kapuzinerberg 5
10. Mai 1932

Lieber, verehrter Meister Gorki, ich komme heute mit einer kleinen Bitte, die einem Menschen Hilfe bringen soll. Ein tapferes junges Mädchen, die es in ihrer Heimat, in dem reaktionären Rumänien nicht ertragen konnte und ein neues wirkliches Leben in einem neuen Lande mit ehrlicher Arbeit beginnen will, ist – da unser Europa für Menschen, die ehrlich arbeiten wollen, keinen Raum mehr hat – tapfer nach Rußland gegangen. Sie hat dort bereits eine Anstellung in Aussicht, nur fehlt ihr noch die Garantie, daß sie ehrlicher Gesinnung und nicht etwa eine heimliche Emissärin der reaktionären Heimat ist. Diese Garantie

kann ich aus vollster Überzeugung geben, Eva Maria Horn – so heißt sie – wird Rußland und jeder Arbeit Ehre machen. Aber leider gilt meine Garantie nicht – vielleicht können Sie sie durch ein Wort bestärken, und Sie haben einem wertvollen (auch literarisch sehr begabten) Menschen die Lebensbahn frei gemacht.
Ich denke oft an Sie und immer mit Liebe und Verehrung. Abermals haben wir in engerem Kreise gefordert, daß die Welt Sie endlich mit dem Nobelpreis auszeichne – aber wo Professoren entscheiden, ist die Wahrheit unter dem Tisch. Hoffentlich sind Sie gesund und freuen sich Ihres Landes, auf das wir mit immer heftigerer Hoffnung blicken: die Dummheit Europas macht jeden Denkenden beschämt.

In Treue Ihr Stefan Zweig

An Maxim Gorki
[Telegramm]

15. September 1932

VIA DEUTSCHLAND = MAXIME GORKI MOSKAU

VON GANZEM HERZEN FEIERN WIR DAS FEST EINER VIERZIGJAEHRIGEN ARBEIT MIT DIE DER WELT EINE ZWEITE WELT ERSCHUETTERNDER SCHICKSALE UND GESTALTEN GESCHENKT UND ALLEN VOELKERN DIE GROESSE DES RUSSISCHEN VOLKES DARGETAN HAT BLEIBEN SIE TEURER MEISTER LANGE NOCH TAETIG FUER DIE KUNST FUER DIE ARBEITENDE UND LEIDENDE MENSCHHEIT UND FUER IHRE BEWUNDERNDEN FREUNDE DEREN EINER IST UND GETREULICHST BLEIBT

IHR STEFAN ZWEIG

An Anton Kippenberg

Salzburg, Kapuzinerberg 5
am 23. Dezember 1932

Lieber Professor!
Die Freude des richtigen Schenkens verstehen Sie auf das trefflichste: jenes Paket, das ich ehrfürchtig erst heute aufmachte,

enthält wirklich genau das, was ich mir geheim schon gewünscht hatte zur Vervollständigung meines Archivs, die wunderbare Gabe der Reichsregierung. Da hat wieder einmal die deutsche Technik gezeigt, was sie im Stande ist, die Faksimile sind wunderbar und das ganze eine rechte Augenweide für den Kenner. Seien Sie auf das innigste bedankt.
Ich faulenze noch immer hin und her, das heißt, ich habe den zweiten Akt der Oper für Richard Strauß gemacht, aber Anfang Januar will ich scharf einsetzen und einiges Epische beginnen, etwas davon wird hoffentlich gelingen. Mit diesem Jahre will ich herzlich zufrieden sein, es hat mich belehrt über etwas, was ich freilich schon an Ihnen hätte persönlich wahrnehmen können, daß auch nach fünfzig die Sonne noch gut im Zenit steht und man vielleicht sogar Wärme genug hat, um sie an andere weitergeben zu können. Hoffentlich sind auch Sie geschäftlich zufrieden gewesen, so wie ich es reichlich bin in dieser gottgeschlagenen Zeit.
Und nun weiter ins neue Jahr! Wir haben beide genug saure Wochen gehabt, also nun: frohe Feste!

Herzlichst | Ihr Stefan Zweig

Viele Grüße an all die Ihren!

An Otto Heuschele

Salzburg, Kapuzinerberg 5
am 13. Januar 1933

Lieber Freund Heuschele!
Ihr Buch und Ihr Brief kam in eine gute Stunde der Faulheit, ich arbeite jetzt noch nichts Rechtes, sondern spiele mich nur an einer kleinen Oper für Richard Strauss herum. So bin ich wieder – ein neu entdecktes Glück – den Büchern offen, und das kleine schmale, aber gewichtige, das Sie mir geben, war herzlich willkommen. Von der Günderode wußte ich nur wenig,

und fast mit Bewußtheit hatte ich sie mir aufgespart, und nun kommt Ihre Deutung und entriegelt mir mit einem sowohl ihre Dichtung als ihr Leben, ein voller Gewinn, den ich Ihnen nicht vergessen will. Wunderbar ist ja immer die Frau, die durch seelische Glut ihr geistiges, ihr seelisches Volumen plötzlich erweitert, und hier in diesem seltenen Falle fehlt dann das tragische Nachspiel, das allmähliche Erstarren und Zurücksinken – Ekstase und Tod fließen machtvoll ineinander. Ja, lieber Freund, das haben Sie mir herrlich ins Herz geschrieben.
Und innigen Dank auch für Ihren Brief. »Marie Antoinette« ist in der Tat ein über alles Erwarten großer Erfolg geworden, aber wenn meine Bücher seit einem Jahrzehnt ihre Wirkung auch über die ganze Welt hingetrieben haben, so lasse ich mich von dieser Woge nicht mitreißen und sehe beinahe mit Schrekken auf dieses ständige Sichsteigern der äußeren Wirkung, weil es nach innen hin immer neue Anforderungen bringt. Mir ist es nicht gegeben, Erfolge zu genießen und glücklicherweise auch nicht selbstbewußt zu werden, und wenn Sie wieder einmal – wie lang ist es her! – in unser Haus kommen, so werden Sie mich immer ähnlich finden. Die Zeit sehe ich nicht so hoffnungslos wie die andern; je mehr sich der Haß überschreit, je irrwitziger die Parteiung wird, um so sicherer sehe ich den Ekel, der diese ewige Überfütterung mit vergifteten Worten nicht mehr erträgt. Die neue Jugend wird nach dem ewigen Gesetz des Wellenschwungs von Politik nichts mehr wissen wollen, und vielleicht blühen in den Gärten dann wieder die Gedichte und die Luft beginnt abermals rein zu tönen.
Von Herzen Ihr Stefan Zweig

An Frans Masereel

Salzburg, Kapuzinerberg 5
am 18. Januar 1933

Lieber Freund!

Du bist ja ein furchtbar gut funktionierender Empfangsapparat für Grippen, Dir diesen Luxusscherz alle zwei Jahre zu leisten. Hoffentlich ist nun schon alles vorbei. Mit Kippenberg habe ich gesprochen, er möchte leidenschaftlich gern (und will sich deshalb mit dem Transmare-Verlag ins Einvernehmen setzen) zur Einführung eine Deiner früheren Sachen, etwa »Idee« in der Inselbücherei zu 80 Pfennig bringen, und ferner Deine neuen Bücher. Er erwartet da konkrete Vorschläge, da er nicht weiß, wieweit Du noch an den Transmare gebunden ist. An Buch-*Illustrationen* glaubt er zur Zeit nicht mehr, wohl aber an ganze Novellen und Romane ohne Worte, wie Du sie geschaffen hast. Ich bin überzeugt, daß Du mit ihm ins Reine kommen wirst und wenn es soweit ist, nehme ich die Verhandlungen selbst in die Hand.

Es wäre wirklich schade, wenn Du Dein Atelier aufgeben würdest, denn die schwerste Zeit ist wohl schon vorbei. Wäre es nicht eigentlich klüger, Du würdest Dich an eine der zahlreichen englisch-amerikanischen Agenturen wenden und es lieber für ein Jahr oder ein halbes Jahr vermieten und mit dem Geld freizügig in die Welt fahren, nach Spanien oder Rußland? Man muß sich auffrischen und erneuern und selbst Du, der Du jünger bist als ich, hast nicht mehr viel Zeit dazu. Lasse Dich aber nur nicht innerlich davon berühren, daß die äußern Verhältnisse keine ganz glücklichen sind, ich habe das Gefühl, daß die Welt langsam wieder in Schwung kommt und besonders im Kunsthandel die Depression hauptsächlich darauf beruht, daß man heute kaum international etwas kaufen kann, weil die Überweisungen nicht gestattet sind. Die Werte aber sind innerlich unberührbar – im Gegenteil, je mehr sich die Fabriksware verbilligt und alles was mechanisch erzeugt wird, umsomehr

muß das was nur individuell gemacht werden kann, in der Wertung stehen.
Ich ruhe mich jetzt auf den Lorbeeren meiner »Marie Antoinette« noch immer aus und habe nur eine kleine Oper für Richard Strauss gemacht, an der der alte Meister wacker komponiert.
Tausend Grüße Deiner lieben Frau und Dir, von Deinem

Stefan

An Friderike Zweig

9. März 33

L. F.,
Bern und Zürich erledigt, sehr glücklich beides. Zürich will dringend Wiederholung, weil der Saal ebenso wie in Bern überausverkauft war und die Zurückgewiesenen Krach machten – in den beiden Buchhandlungen habe ich an die 800 Exemplare meiner Bücher signieren müssen. Hier wird noch tüchtig gekauft. Von den Flüchtlingen aus Berlin sah ich einige, sehr nett Döblin, der beim Vortrag und nachher mit mir war (er hat Roths Frau behandelt, ein verlorener Fall), dann Max Herrmann-Neiße und Toller, dessen Wohnung in Berlin sie ausgeräumt haben, außerdem Wilhelm von Scholz, Regierungsrat Wettstein, in Bern ein unverwüstlicher Benno mit seiner italienischen Ida (die bildhübsch ist). Die Panik der Intellektuellen ist recht groß, die Hetzartikel gegen die jüdischen Schriftsteller wiederholen sich jeden Tag mit neuer Heftigkeit, und angeblich geschieht mehr als in den Zeitungen steht.
Bisher geht es mir recht gut, obwohl ich gar nicht zum Schlafen kam. Diesen Brief schreibe ich in der Bahn und mit Bleistift, weil meine Tintenfedern vom vielen Signieren erschöpft sind. An neuen Verabredungen fehlt es nicht. Am 15. werde ich die Beethoven-Autographen-Sammlung sehen und mit Ernest Bloch ein Privatkonzert haben, überall tauchen unvermutete und vergessene Leute auf. Im Ganzen war diese Vortragsreise aber doch

richtig, denn hier ist noch reine Atmosphäre, und die Menschen von der Hitlerei angewidert. Es wird hier bald eine große deutsche Kolonie entstehen.
Auf den Ruhetag freue ich mich schon. Abgesehen vom Politischen wäre der Vortrag in Straßburg doch zu erschöpfend gewesen. Mittag bin ich bei Rolland und freue mich, so wie in den alten schweren Tagen, auf seinen Rat. Der Abend in Genf wird schwer werden, die vielen Bekannten, und noch soll ich für Payot Bücher signieren, eine neue Vortragsplage, aber man soll sich den Menschen nicht entziehen, die einem gutgesinnt sind – es gibt doch jetzt Millionen, die einen auf Kommando hassen und verachten. Leb wohl, mein Kind, ich durchfahre jetzt Bern, wo der unsterbliche Benno mich am Bahnhof begrüßen wird. Leider habe ich den angebotenen Importen nicht ganz widerstehen können und faktisch keine Zeit gehabt, mir auch nur einen Kaugummi zu kaufen. Herzlichst

St.

[Nachschrift auf dem Kuvert:]
Hier in Montreux ist zauberisches Wetter, ich könnte heulen, daß ich fort muß.

An Frans Masereel

Salzburg, Kapuzinerberg 5
am 15. April 1933

Lieber Freund!
Ich müßte Dir sechs Briefblätter schreiben, denn seit dem Tage, wo wir [uns] sahen, hat sich die Welt reichlich verändert. Nach Schweden bin ich natürlich nicht gegangen und das war sehr klug, denn man hätte das natürlich als Flucht deklariert oder als Anmaßung, daß wir es überhaupt noch wagen, ein Wort in deutscher Sprache zu sprechen. Vielleicht hast Du das gestrige Dekret der deutschen Studentenschaft gelesen, die auffordert,

aus allen Privatbibliotheken alle »undeutschen« Bücher verbrennen zu lassen (auch die Studie über Dich gehört dazu) und daß in Hinkunft wir unsere Bücher zuerst hebräisch erscheinen lassen und allenfalls davon Übersetzungen erlaubt werden. Du lachst wahrscheinlich wenn Du dies liest, aber die Haßpsychose in Deutschland ist so, daß dies buchstäblich wahr ist und in der deutschen Studentenschaft als Befehl verkündet wird. Was sonst geschieht, spottet jeder Beschreibung, jede Art von Recht, Freizügigkeit ist in Deutschland aufgehoben, und es wird nur ganz kurze Zeit dauern, und wir haben in Österreich das gleiche Schicksal. Was man dann tun wird, ist unklar, ich habe die stärkste Abneigung, Emigrant zu werden und würde das nur im äußersten Notfall tun, denn ich weiß, daß alles Emigrantentum gefährlich ist, man macht dadurch die Zurückgebliebenen zu Geiseln und erschwert ihnen das Leben. Jetzt wären die Verhältnisse für uns noch viel fürchterlicher als im Kriege, dort war wenigstens die Entschuldigung einer Psychose aus wirklicher Gefahr, während hier eine rein provokatorische Haltung vorliegt, die auch über kurz oder lang zu den schwersten internationalen Konflikten führen muß. Alle diese national-antisemitischen Exzesse sind ja vorläufig nur da, um das Volk zu beschäftigen und auf billige Weise zu begeistern. Nach und nach wird aber die Regierung außenpolitische Erfolge unbedingt brauchen und dann sehe ich wirklich verhängnisvolle Entwicklungen voraus. Seit zwanzig Jahren, seit 1914 ist alles was geschehen ist, der Krieg, der Frieden von Versailles, gegen die Vernunft geschlossen und für uns, die mit einem unerklärlichen Optimismus immer wieder an Aufstieg, Einigung geglaubt haben, der Beweis erbracht, daß wir falsch gedacht haben und daß vielleicht die Hälfte, oder vielleicht die ganze Mühe vergeblich gewesen sind. Am ärgerlichsten bei allem aber ist, daß man unter dieser täglichen Gehässigkeit, den Bedrohungen und Spannungen nicht recht arbeiten kann. Aber vielleicht gewöhnt man sich auch daran. Man muß nur lernen, innerlich zu resi-

gnieren, härter, strenger, abgeschiedener und vielleicht auch gleichgültiger zu leben.
Sei vielmals gegrüßt von Deinem getreuen Stefan Zweig

An Klaus Mann

Salzburg, Kapuzinerberg 5
am 15. Mai 1933

Lieber Klaus Mann!
Herzlich gern bin ich mit Ihnen, vorausgesetzt, daß die Zeitschrift nicht einen direkt aggressiven Charakter trägt. Wir sind durch unser Dasein und unser Außen- und Draußensein an sich schon Opposition und mit diesen Leuten ist nicht zu diskutieren. Wer einmal erklärt hat und erklärt, daß er nicht gerecht sein will und in jeder Hinsicht jede Idee dem Parteigedanken unterordnet, den soll man nicht bekehren. Es hat keinen Sinn zu jemand zu sprechen, der sich die Ohren verstopft.
Was ich jetzt arbeiten will, ist eine Studie über Erasmus von Rotterdam, den Humanisten auch des Herzens, der durch Luther die gleichen Niederlagen erlitten hat wie die humanen Deutschen heute durch Hitler. Ich will durch Analogie darstellen und auf unkonfiszierbare Weise mit höchster Gerechtigkeit an diesem Menschen unseren Typus entwickeln und den andern. Es wird hoffentlich ein Hymnus auf die Niederlage sein. Da gebe ich Ihnen dann gern einen in sich geschlossenen Abschnitt. Sie sehen, daß ich also bereits auf dem Wege bin, zu einer neuen tätigen Form zu kommen. So wie ich im Kriege durch den »Jeremias« eine jedermann verständliche Stellung nahm, ohne aktuell zu polemisieren, so versuche ich auch hier durch ein Symbol vieles Heutige deutlich und verständlich zu machen.
Das rein Aggressive liegt mir charaktermäßig nicht, weil ich an »Siege« nicht glaube, aber in unserem stillen, entschlossenen Beharren, in der künstlerischen Kundgabe liegt vielleicht die stärkere Kraft. Kämpfen können die andern auch, das haben

sie bezeugt, so muß man sie auf dem andern Gebiet schlagen, wo sie inferior sind und dort wo sie ihre Schlageter und Horst Wessel kitschig aufmachen, in künstlerisch unwidersprechlicher Form die Bildnisse *unserer* geistigen Helden aufzeigen.
Von Herzen immer Ihr Stefan Zweig

Viele Empfehlungen Ihrem verehrten Herrn Vater.

An Emil Ludwig

Salzburg, Kapuzinerberg 5
am 16. Juni 1933

Sehr verehrter Emil Ludwig!
Gerade heute schreibe ich in einem andern Briefe, daß nichts notwendiger wäre, als wenn wir uns an einem bestimmten Tage, etwa zehn oder zwölf gemeinsamen Schicksals, an einer Stelle in der Schweiz treffen würden, um gemeinsam uns auszusprechen und gewisse einheitliche Grundlagen unseres Handelns festzulegen. Dazu gehört auch der Verlag. Die verschiedenen Angebote wollen mir gleichfalls nicht sonderlich gefallen, was not täte wäre ein Konzern, bestehend aus den englischen, holländischen, italienischen etc. Verlagen, der die deutschen Bücher herausgibt und gleichzeitig alle diese Bücher für das betreffende Übersetzungsland erwirbt. Damit allein wäre jene Machtgruppe geschaffen, die wir brauchen und die auch stark genug wäre, eine unabhängige Zeitschrift herauszugeben und sie zu tragen. De facto wäre ein solcher Verlag gegründet, wenn es uns gelänge, für vierundzwanzig Stunden an einer neutralen Stelle zusammenzukommen, und das müßte bei einigem guten Willen möglich sein, wobei ja allenfalls Autoren, die selbst nicht kommen können, irgendeinen von uns als bevollmächtigten Vertreter bestimmen könnten.
Ich bin zu einer solchen Reise immer bereit, obwohl ich ja reichlich in Österreich mit Spannungen gesegnet bin und nicht weiß,

ob ich in Salzburg werde bleiben können oder nicht. Aber die Sache ist von so eminenter Wichtigkeit, nicht nur im Persönlichen, sondern auch im kulturhistorischen Sinne, daß man alle Bedenken fortstoßen sollte. Nichts fürchte ich mehr als eine Zersplitterung der besten geistigen Kräfte durch Voreiligkeit. Querido in Holland ist recht anständig, aber Sie wissen wohl schon, daß auch Allert de Lange einen deutschen Verlag macht. Schon steht da Konkurrenz gegen Konkurrenz.
Herzlich würden wir uns natürlich freuen, Sie hier im Sommer begrüßen zu können, aber Bruno Walter möge sein herrliches Vertrauen erhalten bleiben – mir scheint die tatsächliche Durchführung der Festspiele noch gar nicht gesichert, zur Zeit ist die Situation durch deutsche Sperre hier katastrophal, und die Nationalsozialisten werden von drüben herüber, wenn es zu keiner Einigung kommt, kein Mittel scheuen, durch Terrorismus das ausländische Publikum zu verstören. Die Luft schmeckt ja reichlich nach Pulver.
Von Herzen an Ihre verehrte Frau und Sie herzliche Grüße,

Ihr Stefan Zweig

Gerne würde ich mir für den Winter in Locarno oder Lugano eine kleine Wohnung mieten oder kleine möblierte Villa, 4 Zimmer etwa. Wenn Sie jemand wissen, der derlei vermittelt, eine agency oder jemand Privaten, wäre ich Ihnen dankbar. Salzburg wird durch die Grenznähe immer unangenehmer, zumindest im Winter. Auch drückt die Angst der andern einem die Seele: ich selbst bin Gott seis gedankt, ein *Fürchtenichts* und mag weder Verbitterung noch Hochmut.

An Klaus Mann

Salzburg, Kapuzinerberg 5
am 19. Juni 1933

Lieber Klaus Mann!

Der Brief geht an Sie, und gleichzeitig an Ihre ganze Kolonie dort unten und ich bitte Sie, mir möglichst bald Antwort zukommen zu lassen. Es handelt sich um Folgendes: eine Reihe auswärtiger Verleger wendet sich jetzt von rechts und links an uns um deutsche Ausgaben, vier oder fünf große Zeitschriften sind geplant, auch Ihre darunter und ich sehe am Ende aller dieser lobenswerten Dinge eine große Gefahr: die der völligen Zersplitterung. Es werden zehn Zeitschriften entstehen und vergehen, fünfzehn Verleger anfangen mit deutschen Serien und wieder aufhören, eine Bemühung wird die andere konkurrenzieren – ich habe dasselbe seinerzeit 1918 erlebt, als 800 wirkungslose Friedensvereine und 200 Friedensblättchen in den verschiedensten Ländern gegründet wurden, statt *einer* schlagkräftigen Organisation.

Was not täte, wäre *eine* große Zeitschrift, *eine* Zusammenfassung aller Verlage in einen, denn zusammen stellen die abgetrennten Autoren eine Weltmacht dar, einzeln ist kaum einer imstande, einen wirklich großen Verlag zu tragen. Es entsteht nun die Gefahr, daß wir durch einzelne Abschlüsse und Bindungen eigentlich *gegen*einander arbeiten, die wir durch gemeinsames Schicksal verbunden sind und daß wir der großartigen Geschlossenheit der Gleichschaltung, die verhängnisvolle Haltung der Auseinanderschaltung gegenüberstellen. Nun haben einige den Gedanken, daß es absolut notwendig wäre, sehr bald uns zu einer gemeinsamen *Besprechung* zusammenzufinden, in der nicht nur diese materiellen Dinge, sondern auch unsere gemeinsame moralische Haltung festzulegen wäre. In Briefform kommt man nicht weiter, ich glaube, um der historischen Bedeutung zur Zeit willen, hätten wir die Verpflichtung, jeder einmal zwei, drei Tage unsere Arbeit und Bequemlichkeit zu opfern und uns aus Frankreich, Czechoslovakei, Österreich und den andern Orten der Versprengung geeinigt in der Schweiz zu treffen, wo ja schon Döblin, Ludwig, Remarque, Bruno Frank sind. Ich bin der festen Überzeugung, daß eine solche gemeinsame Aussprache nicht nur für unsere eigene Haltung bestimmend sein würde, sondern daß wir, sei es zu einem Manifest, sei es zu einer kameradschaftlichen Vereinigung kämen. Ich gebe mich der Hoffnung hin, daß sowohl im Materiellen wie im Moralischen etwas sehr Wichtiges resultieren könnte, wenn wir einmal zusammen rund um einen Tisch sitzen, Plan gegen Plan besprechen, uns gegenseitig informieren und aufklären, vielleicht kleine Eifersüchteleien und Zwistigkeiten, die bewußt oder unbewußt zwischen uns bestehen, ausgleichen, kurzum, ich halte es *für eine absolute Verpflichtung, die wir gegen die Zeit und die Zukunft haben,* daß wir zwanzig oder fünfundzwanzig öffentlicher Menschen in einer solchen Schicksalsstunde einmal beisammen sind.

Nun, lieber Klaus Mann, übergebe ich Ihnen die Aufgabe, bei Ihrem verehrten Herrn Vater, bei Heinrich Mann und bei allen den andern Wesentlichen, die dort in Ihrem Winkel beisammen sind, anzufragen, wer von ihnen zuverlässig kommen würde oder sich durch einen Vertrauensmann vertreten lassen würde, und ob in Zürich oder Basel oder an irgend einem unauffälligen Ort eine solche Begegnung stattfinden könnte. Emil Ludwig meint, daß es *sehr bald* geschehen müßte, weil schon wieder eine neue Unternehmung im Werden ist und einige Autoren bereits vorschnell sich gebunden haben oder sich zu binden im Begriffe sind. Vergessen Sie nicht den mächtigen Machtzuwachs in der Welt, den eine Zeitschrift, ein Verlag oder jedes sonstige Unternehmen hätte, wenn wir *alle* einig sind.

Herzlichst Ihr Stefan Zweig

An Klaus Mann

Kapuzinerberg 5
Salzburg, am 20. Juni 1933

Lieber Klaus Mann!
Wie ärgerlich, gestern hatte ich an Sie nach Sanary einen langen Brief geschrieben, den ich hier in Abschrift beilege, und den Sie nun eben Ihrem Herrn Vater senden wollen. Das Kapitel aus dem »Erasmus« kommt bestimmt, ich werde es wohl in acht Tagen fertig haben.
Mit den besten Grüßen Ihr Stefan Zweig

An Klaus Mann

Salzburg, Kapuzinerberg 5
am 11. September 1933

Lieber Klaus Mann!
Ich habe das Heft »Die Sammlung« noch immer nicht bekommen, es hat mir nur ein paar gereizte Briefe von den andern auswärtigen Zeitschriften eingetragen, weil ich dort abgesagt hatte und bei Ihnen angekündigt wurde. Man kommt da nie zu einem Ende und so habe ich beschlossen, nirgendwo mitzuarbeiten, ehe wir nicht alle zu einer endgültigen und einheitlichen Haltung gekommen sind (im Sinne jener Zusammenkunft, auf die ich noch immer hoffe). Es entstehen wirklich dadurch nach außenhin Konflikte und der Verdacht eines Gegeneinanderarbeitens und einer sichtlichen Uneinigkeit, wenn an der einen Stelle der einzelne zusagt und an der andern Stelle wieder fehlt, mir scheint jene entscheidende freundschaftliche Annäherung und Einigung, die ich vom ersten Tage an – vergebens! – forderte, unbedingt nötiger als je. Alle diese Abstufungen müssen meinem Empfinden nach abgeschliffen werden zu Gunsten einer Einheitlichkeit. Ich bitte Sie darum, inzwischen meinen Namen von den Ankündigungen wegzulassen, denn heute erst mußte ich Willy Haas und vor einigen Tagen Wie-

land Herzfelde absagen und möchte nicht, daß Unstimmigkeiten oder scheinbare Bevorzugungen entstehen zwischen Menschen, die durch einheitliches Schicksal auch einheitlich verbunden sein sollten.

Ich werde im Oktober für ein paar Tage in Paris sein, wo ich Ihren verehrten Herrn Vater und einige andere zu sprechen hoffe, vielleicht, daß wir doch endlich die richtige Ebene und das klare Forum finden. Ich habe mich, bei Gott, unendlich um diese Bemühung herumgequält, mehr glaube ich als irgend ein anderer, jetzt muß ich versuchen, ob ich überhaupt noch konzentriert arbeiten kann, in den letzten Wochen und Monaten ist es mir nicht gelungen.

Mit den herzlichsten Grüßen   Ihr Stefan Zweig

An Klaus Mann

Salzburg, Kapuzinerberg 5
am 18. September 1933

Lieber Klaus Mann!

Ich bekam vor drei Tagen »Die Sammlung« und heute Ihren Brief; lassen Sie mich offen und in aller Herzlichkeit reden, ohne jeden Hinterhalt. Als Sie mir seinerzeit schrieben, Sie wollten mit Annemarie Schwarzenbach eine literarische, unpolitische Zeitung machen für diejenigen, die in Deutschland nicht zu Worte kommen können, war ich mit Freude einverstanden und sicherte Ihnen einen Beitrag zu. Aber Sie selbst sind es, lieber Klaus Mann, der diesem Plan ein anderes Gesicht gegeben hat und der Zeitschrift einen aggressiven Charakter: daher jetzt auch die verschiedenen Absagen. Ich hatte die Zeitschrift noch nicht gesehen, aber gerade aus jenen Reklamationen sah ich schon, daß sie eine politisch eingestellte sein müsse und war darum genötigt um der Gerechtigkeit willen zu sagen, daß ich zunächst nicht mittun kann. Wo es um Leistung geht, stelle ich mich weiß Gott, ohne Hochmut neben jeden, auch den

Jüngsten und Unfähigsten, weil dort das Nichtkönnen einen Könnenden nicht belastet. Anders steht es im Politischen und Parteimäßigen, wo einer für Fehler und Übertreibungen des andern haftbar wird. Ich persönlich glaube, und wahrscheinlich auch Ihr Vater und Werfel und Bruno Walter, daß auf die Herabsetzung unserer Bemühungen die einzige Antwort *Leistung* ist. Ich bin keine polemische Natur, ich habe mein ganzes Leben lang immer nur *für* Dinge und *für* Menschen geschrieben und nie gegen eine Rasse, eine Klasse, eine Nation oder einen Menschen und ich bin der Überzeugung, daß Leute wie Kerr unserer Sache unendlichen Abbruch tun. Einer so ungeheuren Katastrophe muß man in großen Darstellungen entgegentreten, nicht mit kleinen Sticheleien. Ich war gewiß nicht dagegen und habe mich wochenlang bemüht, um ein großes gemeinsames Manifest von hoher Haltung zu schaffen, das ich nicht nur unterschreiben wollte, sondern dessen Entstehung ich sogar organisieren und mit meiner vollen Verantwortung decken wollte, ich bewahre entscheidenden Dingen gegenüber meinen Mut, aber, das gestehe ich offen, kleinliche impotente Angriffe halte ich für ein Ärgernis, für ein Unglück und möchte sichtbar zeigen, daß ich nichts mit diesem Kampf zu tun habe, der meiner Meinung nach unserer Sache nur schadet. Ich denke natürlich nicht an den deutschen Markt, der ist längst verloren, aber ich denke sehr an die Menschen, die in Deutschland sind und denen wir, statt zu helfen, heute nur schaden und ich erkläre ruhig, daß ich jeden Angriff für ein Unheil halte, der nicht große geistige Linie hat, der nur stichelt und nicht trifft. Wäre Ihre Zeitung, lieber Klaus Mann, wirklich nur eine Darstellung unserer Leistung, unseres Wirkens und Willens gewesen, ohne jede polemische Einbegleitung, ich hätte gern mitgetan. Aber ich habe sieben Monate oder länger, ebenso wie Ihr Vater, kein Wort in einer inländischen oder ausländischen Zeitung veröffentlicht, weil ich der Ansicht bin, daß dadurch, daß wir keinen Anlaß geben die Tatsachen umzudrehen, das Unrecht deutlicher und

unwiderleglich würde und man nicht den Spieß umkehren könnte und sagen, wir hätten provoziert.
Ich weiß daß man in Deutschland über jeden Angriff von uns geradezu glücklich wäre, um sagen zu können: Seht ihr! Wie recht haben wir gehabt! – Darum hätte ich es so sehr gewünscht, daß unsere Demonstrationen zunächst einzig in Leistung bestanden hätten, in hoher und unwidersprechlicher Qualität und ich sehe, daß die Auffassung der andern da mit meiner vollkommen übereinstimmt. Es wäre so unendlich wichtig gewesen, neben den politisch aggressiven Blättern ein Blatt zu haben, das ausschließlich die künstlerische Leistung der »Ausgelöschten« zeigte, dadurch wäre den andern, den Kämpfern noch nicht das Wort abgeschnitten gewesen, denn sie hätten ihre Zeitschriften für sich gehabt.
Ich verstehe, lieber Klaus Mann, daß Sie durch diese Absagen bestürzt sind, aber Sie müssen auch uns verstehen, die wir uns verpflichtet fühlen durch Verantwortlichkeit gegenüber den in Deutschland zurückgebliebenen Freunden und daß insbesondere für einen Juden das Verantwortungsgefühl noch stärker gesteigert sein muß.
Jetzt wird es wohl schwer sein, die Zeitschrift zurückzuschrauben ins Unpolemische und rein Literarische, aber ich glaube noch immer, es wäre für die Sache ein großer Gewinn, wenn Sie schon im nächsten Heft das Aggressive zu Gunsten des Produktiven zurückstellten: es gibt jetzt politische Zeitungen genug, aber wir hätten notwendig eine, welche nur der Leistung dient.
Ich komme vielleicht nächste Woche auf einen halben Tag nach Zürich. Ich besuche zuerst Rolland und fahre dann nach ein paar Tagen von Paris nach London, und hoffentlich können wir uns dann ausführlicher über alle diese Dinge aussprechen.
Herzlichst Ihr Stefan Zweig

An Hans Carossa

11 Portland Place, London
(Adresse immer Salzburg)
13. Nov. 1933

Hochverehrter teurer Hans Carossa, so lese ich denn hier in London, ein weiches Nebellicht vor den Fensterscheiben, Ihr eben erst eingelangtes Buch. Aber ich habe kein besseres und verläßlicheres Maß für den Wert, den ich einem Dichter entgegensetze, als die Eile, die Ungeduld, mit der ich nach seinem Buche fasse. Die eigene Arbeit schiebt sich vom Tisch, die Briefe bleiben verklebt und uneröffnet, alles muß warten oder wird vergessen, ich kann diese Passion der Neugier nicht zügeln, noch weiß ich mich ehrlich gewillt, es zu tun. Denn immer enger wird ja die Zahl der Menschen, die einen zu derart beglückender Ungeduld herausfordern, und ich sage Ihnen, der Sie Ähnliches erlebten, alles mit dem einen aus, daß ich nur auf die Bücher Rilkes und Hofmannsthals so gewartet habe wie heute auf die Ihren. Es ist Ihnen, wer weiß, ob Sie es spüren, eine magische Kraft über die Sprache zugewachsen, von selbst spricht sich in jedem Vergleich, jedem Attribut Ihnen das erlösende, das beglückende Wort entgegen: nur wir wissen ja, wie ein einzelnes Wort, eine Zusammenfügung einen bis in das Herz hinein beglücken kann, so stark in das Herz, daß es heftiger zu pochen beginnt, daß jener leise Schrecken entsteht, der vielleicht immer die vollendete Form des Genießens begleitet. Wie Ihre Donau, so strömt Ihr Buch mit einem breiten langsamen Gefäll, man fühlt sich getragen und meint eher zu träumen, als zu reisen und doch glänzen vom Ufer immer andere Stationen heran, – welch beglückende Fahrt, auf so sicher gesteuertem Schiff. Sie haben als Mensch es wie keiner in Deutschland verstanden, Ihr Leben als ein Geheimnis anzuschauen und sichs selbst schaffend zu verständlichen; große Ehrfurcht dieser Art ist selten geworden und gerade die Ehrfürchtigen wagen sich sonst aus Bescheidenheit nicht an ihre eigene Existenz. Sie aber haben das Geheimnis des schaffenden Spiegels sich neu entdeckt: im Anschauen sich zu steigern und alles Erlebte in Güte so einzukleiden, daß es fromm wirkt und fromm ist. Ein geistlicher Zug wird immer deutlicher in Ihrem Gesicht und sonderbar, meine Frau sagte es auch, als Sie das letzte Mal bei uns waren; sie meinte es im Physischen und ich spüre es im Werk. Ich glaube, daß Sie heute einer Zorntat, einer Grimmigkeit nicht mehr fähig wären, Sie haben sich gleichsam selbst reingebrannt, indem Sie Ihr Leben dreimal in die Retorte warfen: nun ist die Goldprobe bestanden und so wie ein bloßer Strich genügt, um die Vollhaltigkeit des Metalls zu erweisen, so sagt eine Zeile bei Ihnen schon giltig den Rythmus des Ganzen aus. Ich weiß, Sie, der Wissende, spüren manches in diesem Buche als bloß aneinandergereiht; uns aber ist es verbunden durch die herrliche Stetigkeit der Sprache, durch die erhobene Haltung. Welche Wohltat dies Buch mir gewesen, das erste deutsche und gleich das beste, das ich hier in England las, kann ich schwer ausdrücken: ich mußte zuerst den ganzen dunklen Horizont meines Lebens aufzeichnen und dessen wehrt sich die Hand. Mein Leben ist seltsam unsicher geworden und gerade jetzt, auf der Höhe äußerer Wirkung, spüre ich ein unbezwingliches Verlangen nach Vergessen und Verschwinden, mich ekelt es, wenn ich meinen Namen, ob im guten oder im bösen (jetzt meist in letzteren Sinne) genannt lese und ich möchte ihn abstreifen wie eine Schlange die Haut. Eine Unfähigkeit zu hassen oder Haß zu erwidern, was andern als Tugend erscheint, weiß ich jetzt als eine tiefe Gefahr, denn so wie der Weinende sich durch die Träne befreit, so der Hassende durch sein zuschlagendes Gefühl: er hat eine Waffe. Der andere aber quält sich in seiner Kraftlosigkeit, seiner Antwortlosigkeit; ich habe auf alle Geschehnisse bisher nur mit Bestürzung innerlich geantwortet und daß ich es nicht anders tat, hat mir nur neue Gehässigkeit zugebracht. Sonderbare dunkle Prüfung, man sollte sie achten eigentlich, aber Geprüftwerden ist eine Sache der Jugend. In reifen Jahren lernt man nichts mehr zu, man ist schon zu weit, denn wozu lernen für den schmalen und immer abgedünnteren Rest des Lebens, der einem bleibt? Fast lockt es mich der Lockung nachzugeben, gleichfalls einzelnes aus meinem Leben aufzuzeichnen, aber Ihr Werk wäre eher angetan, zu entmutigen, denn die beherrschte Hand ist mir jetzt nicht gegeben. Aber hinweg über alle diese kleinlichen Gedanken will ich mich jetzt zu Ihnen tragen lassen von dem Gefühl großer Dankbarkeit und Verpflichtung – seien Sie, lieber, verehrter Hans Carossa um dieses Werks und um Ihres Lebens willen von so vielen als nur möglich geliebt; ich habe keinen bessern Wunsch für Sie und für die andern! Und gedenken Sie in alter Freundlichkeit und Verbundenheit Ihres getreu ergebenen

Stefan Zweig

Ich hörte, Sie waren in Rom; ich bin in Carthago, der schiffstüchtigen Hauptstadt der Welt. Aber hier ist das Parthenon und Egypten, hier Rom und Teheran in den Museen, hundert Städte in einer, eine verwirrende Welt.

An Klaus Mann

Dieser Brief ist an Sie privat, Sie können ihn jedem zeigen, aber ich möchte keinen Abdruck und keine öffentliche Discussion mehr.

18. Nov. 1933

Lieber Klaus Mann,
diese Sache hat mich krank gemacht. Sie können es sich nicht ausdenken – ich war unterwegs seit Wochen, hörte hier in London, es würden gegen mich Angriffe gerichtet wegen einer Erklärung, die ich im Buchhändlerbörsenblatt erlassen hätte. Ich eine Erklärung? Ich wußte von nichts, bis ich nach abermals

einer Woche erfuhr, daß ein Brief, den ich dem Inselverlag zu seiner persönlichen Information auf seinen Wunsch geschrieben, *ohne mich anzufragen oder auch nachträglich zu verständigen* veröffentlicht worden war. Muß ich sagen, daß ich nie im Leben eine solche demonstrative Veröffentlichung gewünscht oder geahnt habe, die doch eine Art moralischen Selbstmords für mich wäre? Ich war sehr verärgert, daß Sie Ihre Zeitschrift gegen die seinerzeitige Ansage politisierten, das gestehe ich offen, weil es mir heute von äußerster Wichtigkeit schien, einen Zerfall der Literatur (so wie in Rußland) in eine Emigrantenliteratur und eine Staatsliteratur durch eine politisch neutrale und repräsentative Zeitschrift zu verhindern – diese große Gelegenheit haben Sie zerstört, und dies war ein Fehler, denn an Kampfzeitschriften fehlt es nicht, wohl an dieser repräsentativen und bindenden Zeitschrift. Aber selbstverständlich habe ich doch nie im Traum daran gedacht, durch eine öffentliche Desavouierung mich gegen Sie und viele alte Freunde zu stellen; meine Erklärung in der Jewish Telegrafic Agency, die ich sofort abgab, und die Sie geruhig abdrucken dürfen (Sie erweisen mir und der Sache sogar einen Dienst damit) legt meinen Standpunkt doch völlig klar. Selbstverständlich wird mein »Erasmus« nicht mehr bei der Insel erscheinen, so daß auch öffentlich dargetan ist, wie wenig ich daran dachte, mir irgend eine persönliche Bevorzugung in Deutschland zu sichern.

Bestens Ihr Stefan Zweig

An Klaus Mann

11 Portland Place
London, den 23. November 1933

Lieber Klaus Mann.
Ich sandte Ihnen heute das folgende Telegramm nach Bern. Da Sie aber vermutlich dort nicht lange bleiben, so geht dieser Brief nach Amsterdam. In den Neuen Deutschen Blättern wird,

soviel mir die Leute berichten, die Sache ja in allergrößter Weise breitgetreten, auch die Privatkorrespondenz benützt, ohne daß man vorher bei mir angefragt hätte. Sie verstehen, daß ich also das Bedürfnis habe, nicht noch einmal bei Ihnen dasselbe zu wiederholen oder wiederholen zu lassen, meine persönlichen Entscheidungen sind ja inzwischen längst weitergereift.

Sie tun unrecht, meine Situation mit jener der anderen Schriftsteller, die Sie nannten zu vergleichen. Die sind mit ihrem Verlag, also ihrer geistigen Habe, weitergewandert, während ich die meine erst auslösen muß und dies gern in Stille und Frieden getan hätte (woran ich gewaltsam gehindert wurde). Meine Beziehung zur Insel ist eine besondere. Wir sind in diesen 28 Jahren gewissermaßen zusammen aufgewachsen und auch neben meinen Büchern steckt (ohne daß ich je materiell beteiligt gewesen wäre) ein Teil meiner geistigen Arbeit in dem Verlag. Ich verlasse ihn schwerer als mein eigenes Haus, denn es ist ein Teil meines gelebten Lebens und kaum davon abzulösen. Nun wird es dennoch geschehen.

Ich weiß natürlich, daß Sie Recht haben, wenn Sie sagen, daß die Scheidung zwischen Staatsliteratur und Emigrantenliteratur ohne jeden Übergang und ohne jede neutrale Mitte vielleicht unvermeidlich ist, weil die Regierung keine geistig Ungebundenen dulden will. Ich glaube aber, daß man nie den Willen der Regierung einfach hinnehmen soll. Ich halte und hielt es für wichtiger, daß man offenkundig *mit Gewalt* von einer freien und unabhängigen Stellung abgedrängt wird, statt freiwillig zu gehen. Der äußere Anblick ist natürlich, das gebe ich zu, von der Gegenwart aus gesehen nicht heroisch. Aber es handelt sich da um ein Dokumentarisches. Denn damit ist vor der Welt bezeugt, daß in Deutschland nicht nur die Aggressiven unterdrückt wurden, sondern daß auch jene, die mit Politik sich nie befaßten und deren Wesen die Aggression nicht lag, Unabhängigkeit nicht bewahren durften. Und wenn die Aufgabe auch undankbar ist, es kann einmal wichtig sein, dafür ein Beispiel

gewesen zu sein: vielleicht haben wir, die Vielgeschmähten da gegen ihren Willen gedient als Zeugen.
Mit den besten Grüßen

Ihr Stefan Zweig

An Hermann Hesse

Salzburg, Kapuzinerberg 5
am 9. Dezember 1933

Lieber verehrter Herr Hermann Hesse!
Die Zeit ist so sonderbar geworden und man selber aller Beziehungen derart ungewiß, daß ein einzelner Gruß heute einen noch glücklicher macht als vordem ein üppiges Geschenk. So war mir Ihr Gedicht mehr als ein Gruß, sondern wahrhaftige Beglückung. Ich habe ja oft an Sie gedacht, und mein Schweigen hat das Ihre verstanden. Ich habe durch Monate mich wie ein Verzweifelter gewehrt, in den Irrwitz auch nur ein Wort hineinzusprechen, obwohl man mich von rechts und links zerrte, nun ist es den Leuten, dank Veröffentlichung von privaten Briefen gelungen, mich auch einigermaßen durch den politischen Dreck zu ziehen. Aber in zwei, drei Monaten erhalten Sie von mir ein kleines Buch des Bekenntnisses. Ich habe mir Erasmus von Rotterdam als Nothelfer gewählt, den Mann der Mitte und der Vernunft, der ebenso zwischen die Mühlsteine des Protestantismus und Katholizismus geriet, wie wir zwischen die großen Gegenbewegungen von heute. Es war für mich ein kleiner Trost zu sehen, wie schlecht es ihm ging und daß man nicht allein ist, wenn man sich anständigerweise mit schweren Entscheidungen und Entschließungen quält, statt es sich bequem zu machen und mit einem Ruck auf den Rücken einer Partei zu springen.
Vor zwei Monaten sprach ich lange von Ihnen mit Rolland. Er liebt Sie sehr und machte mir heftige Lust, Sie einmal aufzusuchen, aber ich war jetzt für sechs Wochen in London und

fand dort schönere Einsamkeit in der Bibliothek des britischen Museums als irgendwo anders in der europäischen Welt!
In alter Liebe und Verehrung,

Ihr getreuer Stefan Zweig

An Klaus Mann

Salzburg, Kapuzinerberg 5
am 13. XII. 1933

Lieber Klaus Mann,
der Volksmund hat wieder einmal kräftig übertrieben, ich war in Zürich gerade zwischen zwei Zügen zu einer Besprechung und sah von Freunden nur Joseph Roth auf eine halbe Stunde, mein Leben ist eine Hetzjagd. Und *wie* notwendig wäre es mir seelisch gewesen, Ihren Herrn Vater zu sehen, wie gerne hätte ich mit Ihnen gesprochen!
Über Holland bin ich leider völlig incompetent, ich war in meinem ganzen Leben *drei* Tage dort! Und ich muß bis Mitte Januar meinen Erasmus fertig haben gerade weil ich ihn deutsch zunächst nicht erscheinen lassen will sondern die Exemplare für England und Frankreich erst brauche – das fordert vor allem meine arg durchgerüttelten Kräfte. Die Idee ist an sich ausgezeichnet, nur sollten Sie bei der geistigen Rivalität *alle* neutralen Länder berücksichtigen, ich habe seinerzeit im Kriege den großen Hymnus an das Schweizer Rote Kreuz publiciert, um dieser Dankespflicht Genüge zu tun. Mitte Februar hoffe ich mit den Correcturen fertig zu sein und wieder freie Hand zu haben, vordem fehlt mir jede Viertelstunde und nur deshalb halte ich mich jetzt von allem zurück. Aber dann fahre ich wieder fort und will meine Freiheit mir zunutze machen, mich drückt dieses Buch, das ich alles Philologischen und Literarischen entweidet habe um es weltanschaulich zu gestalten, schon seit Monaten wie ein Alp auf dem Herzen. Dann hören Sie bald von Ihrem Stefan Zweig

An Erich Ebermayer

[undatiert, vermutlich Januar 1934]

Lieber Freund!

Es ist mir ein guter Gedanke, Sie räumlich so nahe zu wissen, und wie sehr bedauere ich, daß wir jetzt nicht beisammen sein können; jüngst erst sprachen wir sehr lange und herzlich von Ihnen, an einem jener bis tief in die Nacht hinein dauernden Abende bei Jannings in St. Wolfgang. Jetzt ist ja Jannings in Berlin, um zu filmen, und Sie werden ihn wahrscheinlich dort bei Ihrer Rückkehr sehen. Ich war fast ein Vierteljahr fort, davon zwei Monate in London, und will um einer Arbeit willen wieder im Februar zurück. Ich habe mich dort ungewöhnlich wohlgefühlt und bin Paris in weitem Bogen ausgewichen. Es ist für mich eine Wohltat, nichts von dem innerlich doch ganz leeren und wertlosen Geschwätz über die Zeitfragen zu hören. Dort sah ich wenige Menschen, aber die besten: Shaw, Wells, Schalom Asch, die Galerien und viel Musik und arbeitete viel in der Bibliothek. Auch Novellen beginnen wieder zu entstehen, und ich habe das Gefühl, ad personam die Krise überwunden zu haben. Mich freut eigentlich nichts so sehr als die richtigen Dinge: zu arbeiten, Bilder, Musik, Lektüre und ein überhaupt nicht öffentliches Leben; ich habe darum auch jetzt einen finanziell ganz phantastischen Antrag nach Hollywood abgewiesen, obwohl es eine moralische Anstrengung bedeutete, so furchtbar viel Geld in den Brunnen fallen zu lassen. Aber man weiß nicht, für welchen Schund und Schmarren man seinen Namen setzen muß und mit welchem Volk man sich in diesen Filmkreisen herumschlägt. Man soll auf seiner klaren Bahn bleiben und das tun, wozu einen Neigung und Verpflichtung führt.

Man meldet mir eben Wassermanns Tod; er war noch im Herbst bei uns, stark gealtert und von äußeren Lebensdingen sehr bedrängt. Immerhin, er ist gestorben, ohne daß man ein Nachlassen seiner Kraft spürte, geistig auf der Höhe, und in klarer menschlicher Haltung. Ich war ihm viele Jahre ziemlich entfremdet, erst in der letzten Zeit haben wir wieder zusammengefunden, aber ich habe immer seine unerhörte künstlerische Zucht, seinen dämonischen Fleiß und seinen sittlichen Ernst sehr bewundert. Rilke, Hofmannsthal, George und dann er – es ist viel in den letzten Jahren, und so muß man aller lebendigen Freundschaft doppelt dankbar sein.

Von Herzen Ihr Stefan Zweig

An Hans Carossa

11 Portland Place
London, den 9. 3. 34

Lieber verehrter Freund!
Ihre Karte war mir ein lieber Gruß und ich erwidere ihn herzlich aus London, wo ich mich nach einer kurzen österreichischen Pause sehr eingelebt habe. Die wunderbare Bibliothek des Britischen Museums ist mir eine Art Heimat und die Großstadt London so groß, daß man sie wie eine Heide oder eine Landschaft empfindet, die man immer mit neuer Neugier betrachtet und in der man auf das Wunderbarste verloren gehen kann. Salzburg hat durch seine Grenzlage einen dermaßen politischen Akzent bekommen und die Erregung dringt – so energisch man die Seelenfenster dagegen schließen mag – durch alle Ritzen und Fugen ins Haus: Man wohnt gleichsam auf einem militärischen Brückenkopf, und das ist der Arbeit nicht sonderlich förderlich. So war es für mich eine innere Notwendigkeit, mich für einige Zeit hier herüberzuschalten in eine gänzlich apolitische Atmosphäre, und die ruhige Sicherheit dieses Landes teilt sich einem auf das Wohltätigste mit. Hier ist Italien in der Nationalgalerie, die Welt in der Bibliothek und in den Menschen und über all dem weht auch in den schlimmsten Tagen ozeanische Luft, die mir merkwürdig wohltut; manchmal frage ich mich, ob nicht das alpine Klima ein Irrtum für mich war, dem jeder Föhn die Nerven krümmt und den jede lange Regenzeit verdü-

stert. Sie wissen als Arzt und Dichter besser als jeder, wie sehr eine radikale Umwandlung der Drucksphäre im physikalischen und im seelischen Sinne den Organismus erneuert und Erneuerung haben wir, lieber verehrter Freund, nötig, jene mehrmaligen Pubertäten, von denen Goethe spricht, und so sie sich nicht von selbst einstellen, müssen wir sie zu erzwingen suchen. Im Herbst will ich vielleicht nach Amerika zu ein paar Vorträgen und wenn ein filmisches Angebot Formen annimmt, die mir erlauben, darin eine Kunstform zu suchen, so würde ich die dollarische Beute vielleicht verwenden, um mit einem Schiffe durch den Pacific über Indien und Ägypten zurückzusteuern, ein paar Monate scheinbar zu verlieren, aber sie in Wirklichkeit zu gewinnen, indem ich mich ganz aus den Spannungen unserer europäischen Welt für einige Zeit ausschalte. Hätte ich dazu noch Ihr still belauschendes Auge, Ihren klarsammelnden Sinn, so könnte eine solche Reise auch noch allerhand dichterisches Gut heimbringen. Vorläufig spiele ich nur mit dem Gedanken und ein solches loses unverantwortliches Spiel ist wahrscheinlich klüger als feste Pläne zu bauen in einer Zeit, in der nichts fest und voraussehbar ist.

Ich hoffe, Sie arbeiten wieder an einem neuen Buch und man läßt Ihnen Ihre Zurückgezogenheit. Vor einem Jahre sprachen wir davon, wie aller Erfolg gleichzeitig zur Bedrängnis wird und zur Gefahr, aber von Wenigen bin ich so gewiß, daß sie dieser Gefahr gewachsen sein werden, und wenn wir einander wiedersehen, von Ihrem Lebensbaum schon neue reife Frucht herniederhängt.

Lieber Hans Carossa, nehmen Sie es nicht als törichte Phrase sondern als Wahrhaftigkeit, daß es mir immer eine Wohltat ist, wenn ich an Sie denke. Daß Sie da sind in dieser Zeit und so sind, wie Sie sind, gleichsam lebende Bekräftigung des rein Dichterischen in der deutschen Welt und Ihren Freunden ein unersetzliches Element seelischer Sicherheit.

In alter Verbundenheit Ihr getreuer Stefan Zweig

An Joseph Roth

[undatiert; vermutlich Mai 1934]

[Anfang fehlt] [...] Ich habe hier noch einmal zu lernen angefangen wie ein Gymnasiast. Ich bin noch einmal wieder unsicher geworden und neugierig. Auch eine junge Frau ist mir hier gut, mir dem Dreiundfünfzigjährigen! So ist ein Buch wie das Ihre vielleicht eine Lehre für mich, nicht das Bittere dieser Welt zu vergessen. Mein politischer Pessimismus ist maßlos. Ich glaube an den nahen Krieg wie andere an Gott. Aber gerade weil ich an ihn glaube, lebe ich jetzt stärker. Ich klammere mich an das letzte Stück Freiheit, das wir noch genießen. Ich sage mir jeden Morgen ein Dankgebet, daß ich frei, daß ich in England bin. Denken Sie sich mein Glück, ich fühle mich in einer solchen Irrsinnszeit stark genug, noch andere moralisch aufzurichten. Darum drückt es mich so, daß Sie jetzt nicht hier sind, wer weiß, wielange diese Kraft in mir anhält, die, ich wiederhole es, nicht aus einer stupiden Unbewußtheit kommt, sondern aus einem luciden Erkennen der Brüchigkeit unserer Existenz. Wir müssen das »Trotzdem« zum Leitwort unseres Lebens machen: »die Menschen kennen und dennoch lieben« wie Rolland unvergeßlich gesagt hat.

Ich umarme Sie, lieber Freund. Und ich leide darunter, daß Sie so weit sind. Das letzte Mal habe ich, ganz unter dem Druck der schweren Erlebnisse – ich sagte es Ihnen nicht: man hatte bei uns zwei Tage vorher eine Hausdurchsuchung in Salzburg gemacht nach Waffen des Schutzbundes (!!!) bis in meinen Wäscheschrank, und ich hatte die Kraft, diese maßlose Beschimpfung und Mißachtung in einer Stadt, wo ich 15 Jahre lebte, vor Euch allen zu verschweigen, und Gottseidank kam es in keine Zeitung, man jagte mich mit Spitzelberichten wie einen Verbrecher – all das lastete auf mir, ich war, als ich mit Ihnen in Paris sprach von diesem Verschweigen, vor Scham (über die andern) ganz verstört. Aber ich möchte Sie doch sehen jetzt, wo ich wieder gefaßt bin und beinahe froh.

Mein »Erasmus« kommt in 14 Tagen zu Ihnen. Ich glaube, es ist ein anständiges Buch (für wenige geschrieben, nur für die, die sich auf Zwischentöne verstehen.)
Also nochmals: Dank und Liebe

Ihr S.

Im August gehe ich wahrscheinlich nach Österreich, einiges ordnen. Aber Salzb. ist für mich abgetan, ich gehe nach Südamerika oder Nordamerika zu Vorlesungen im Herbst. Ich habe wieder Hunger nach Ferne und den Wunsch, diese Welt noch einmal rund zu sehen, ehe sie zusammenkracht.

An Klaus Mann

11, Portland Place, London, W. 1.
10. Mai 1934

Lieber Klaus Mann,
Ich danke Ihnen, daß Sie so milde über meinen scheinbaren Wortbruch denken. Aber wenn Sie über mein plötzliches Erscheinen in der »Pariser Zeitung« überrascht waren, so muß ich Ihnen sagen, daß jemand anderer davon noch überraschter war: nämlich ich selbst. Die P. Z. hatte diesen Absatz aus dem »Erasmus« einfach aus dem »Pester Lloyd« herausgeschnitten und – ob mit Absicht oder ohne Absicht mit Unterlassung der Quellenangabe so publiziert, als ob ich ihr den Abschnitt übergeben hätte, während sie sich in Wahrheit nicht einmal die Mühe genommen hat, bei mir anzufragen. Sie sehen also, daß von meiner Seite keine Inkorrektheit Ihnen gegenüber vorlag, sondern die Inkorrektheit gegen mich begangen worden ist, der ich übrigens verlernt habe, mich über derlei Dinge aufzuregen. Ich habe in den letzten Monaten einiges mitgemacht, worüber ich nicht sprechen mag, aber Sie dürfen mir glauben, daß ich bei weitem nicht so gleichgültig bin oder betrachtet werde als ich erscheine. Ich weiß genau und weiß es seit langem, daß Kompromisse nicht möglich sind. Aber ich habe es für richtig ge-

halten, einen abwartenden Standpunkt einzunehmen. Vielleicht ist es besser wenn sachlich einmal dargetan ist, daß selbst die von Natur zu Koncilianz und zur Bindung geneigten Charaktere ihrer inneren Natur und Neigung Absage leisten und nicht aus eigenem Willen, sondern zwanghafterweise Stellung beziehen mußten.

Mein Buch über »Erasmus« habe ich in Deutschland nicht mehr erscheinen lassen. Es kommt in Wien zunächst in einer kleinen Auflage bei Herbert Reichner heraus, damit niemand behaupten könne, ich habe es in deutscher Sprache versteckt, während es in fremden Ausgaben erscheint. Es ist eigentlich ein recht privates Buch und keineswegs für den Erfolg bestimmt. Ich habe mir nur selber geholfen, indem ich den heiligen Erasmus als Nothelfer anrief.

Über das »Maria Stuart«-Buch habe ich noch keine Entscheidung getroffen, aus dem abergläubigen Gefühl heraus nie über ein Buch zu verfügen, solange es nicht fertig ist. Ich muß mir die Möglichkeit vorbehalten, es wegzuwerfen oder in die Lade zu legen, für den Fall, daß es mir selber nicht gefällt. Aber in einem viertel Jahr dürfte es fertig sein, und dann tritt ja die große Entscheidung an mich heran, nicht nur, was mit diesem, sondern was mit allen meinen Büchern geschieht. Es ist dies eine Lebensentscheidung, und Sie werden verstehen, daß sie mir nicht leicht fällt. Alles, was man im Leben nur einmal tun kann und den furchtbaren Gedanken: ›unwiderruflich‹ in sich trägt, kann nicht aus leichter Hand getan werden. Ich habe diesen ganzen Komplex zunächst von mir gewissermaßen abgespalten, um nichts zu tun als meine Arbeit. Ist sie getan, so kommt die eigentliche Entscheidung.

Lieber Klaus Mann, ein Versprechen, das ich einmal gegeben habe, brauche ich nicht zu erneuern. Es ist für mich eine Ehrensache, Wort zu halten, und ich sage Ihnen nur nochmals, daß der erste Beitrag dann Ihnen gehört.

Ihr herzlich ergebener Stefan Zweig

An Maxim Gorki

11 Portland Place London W. 1.
12. Mai 1934

Lieber, verehrter Maxim Gorki,
ich lese eben mit größtem Erschrecken in der Zeitung von dem schweren Verlust, den Sie erlitten haben, und es drängt mich, Ihnen meine innige Anteilnahme zu sagen. Ich habe noch eine so herzliche Erinnerung an Ihren Sohn, ich sehe deutlich in dieser Minute sein helles, menschliches Gesicht und fühle alles, was Sie jetzt fühlen müssen, innerlich mit. Sagen Sie bitte auch Ihrer Schwiegertochter meine tiefe Empfindung. Ich habe in dieser Minute mit ganzer Stärke gefühlt, wie sehr ich Ihnen verbunden bin und wie alles Glück oder Unglück, das Sie berührt, in einem solchen Augenblicke zum Eigenen wird.
Ich will Ihnen heute nicht von mir schreiben. Das letzte Jahr war furchtbar schwer für mich, weil man eben um der Verantwortlichkeit willen sich seine innere Stellung zu den deutschen Ereignissen klären mußte. Dann kamen die Wiener Ereignisse, und immer mehr hat man das Gefühl, daß sich jetzt innerhalb Europas Entscheidungen vorbereiten. Der moralische, der geistige Unruhezustand ist in allen Ländern anders und in allen Ländern gleich stark. Welche Aufgabe, dem nun seinerseits Ruhe und Entschlossenheit entgegenzusetzen.
Ich denke Ihrer oft und immer in Ehrfurcht. Und nie habe ich herzlicher an Sie gedacht wie in dieser Stunde.
Ihr getreu ergebener Stefan Zweig

An Klaus Mann

11 Portland Place London
den 20. Juni 1934

Lieber Klaus Mann!
Schade, daß Sie nicht herüberkamen, ich hatte Sie schon sehr erwartet. Die Sache Rimbaud ist aussichtsreich und wieder nicht

aussichtsreich. In den letzten zwei Jahren ist nämlich *ungemein* interessantes Material herausgekommen, vor allem die ganzen monströsen Prozeßakten in Brüssel mit phantastischen homosexuellen und auch pornographischen Details – sie wurden vor etwa zwei, drei Jahren in einer belgischen Revue veröffentlicht – dann gewisse Memoiren und Biographien Verlaines, die viel Licht auf Einzelheiten werfen. Man weiß also viel mehr und kann, besonders wenn man kühn ist und dem Physiologischen entschlossen auf den Grund geht, das persönliche Bild ganz neu aufbaun. Mit den äußeren Chancen dagegen scheint es mir schlechter zu stehen. Frankreich hat in den letzten zehn Jahren eine Rimbaudliteratur, daß man Zimmer damit ausfüllen kann. In England ist er Homo ignotissimus, erstens, weil man überhaupt über französische Lyrik wenig weiß, zweitens, weil man gerne an ihm vorbeischweigt so wie an Oscar Wilde. Sie blieben also da wahrscheinlich auf den dünnegewordenen deutschen Kreis extra muros Germaniae beschränkt, und ich weiß nicht, ob dies die ungemeine Arbeit lohnt, die ein solches Werk doch verursacht.
Feuchtwanger werde ich gewiß persönlich schreiben, aber öffentlich möchte ich jetzt überhaupt nichts von mir in Zeitungen geben, weder in Deutschland noch im Ausland, sondern nur meine Bücher schreiben, so gut oder so schlecht ich es kann.
Alles Herzliche Ihres Stefan Zweig

An Leonhard Fanto

zur Zeit 11, Portland Place
London, den 26. Juni 1934

Sehr verehrter Herr Professor!
Ich danke Ihnen herzlich für Ihre freundliche Nachricht und freue mich, daß Sie es sind, der wieder – wieviel Jahre sind es her seit dem ersten Mal? – mit der zeichnerischen und regiemäßigen Ausstattung meines Werks betraut sind. Lassen Sie mich

also kurz und möglichst klar Ihnen die Zeit veranschaulichen, die der »Schweigsamen Frau« zugrunde liegt. Es ist das England der Händelzeit, und wenn Sie wollen auch der Memoiren Casanovas und der Karikaturen Rowlandsons, in dessen Geiste ja eigentlich die ganze Figur gedacht ist, die roten breiten Backen eines Landedelmanns, das runde Bäuchlein, ein Cholerikus mit gelegentlichem Humor. Die Kostüme müßten also dieser Zeit gemäß ziemlich üppig sein, aber nicht so luxuriös und prunkvoll wie die französischen. Der englische Stil ist immer diskreter und gleichzeitig behaglicher gewesen bei größerem Reichtum. Die Schauspieltruppe ist um keinen Preis wirklich elegant zu halten, sondern scheinelegant, Theaterkulissenarmut, die ausgezeichnet zusammengeputzt ist. Dem Barbier könnten Sie etwas Scheckiges und Buntes dazutun, und Sie werden sicherlich die richtige Grenze finden, daß er damit nicht Harlekin- oder Clownhaft wirkt, aber doch durch die scharfe Farbe immer als der treibende Schalk der ganzen Handlung vortritt. Ich kenne Ihren Geschmack zu genau, um nicht zu wissen, daß Sie ein Zuviel da nicht tun werden. Bei Morosus muß zuerst der billige unordentliche Flausch des Morgenrocks mit einer schlechten ungepuderten Perücke deutlich kontrastieren zu seiner eigenen Erscheinung, wenn er dann als Hochzeiter im Staatskleide auftritt, mit breitem Ordensband und wie aus der Spielzeugschachtel auflackiert.

Um der Dekoration etwas Besonderes zu wahren, müßten Sie im Anfang etwas Schrulliges haben. Also eine Unzahl Gegenstände, die von Schiffen stammen, Maste, eine Kanone, Kompasse, Fischgerippe, Pulverhörner, Harpunen, Enterhaken, Gewehre, Schiffsmodelle, Tonpfeifen, kurz alles, was Sie in einem hanseatischen Museum beisammen finden, all die tausend Spielzeuge, wie sie die Seeleute von den Fahrten mitbringen. Auch die Sitzgelegenheiten müßten an eine Schiffskabine erinnern, und vielleicht wäre es möglich, in die Fenster auch sogenannte Bullaugen anzubringen. All das soll natürlich nicht verzerrt und ins Groteske übertrieben sein, man soll nur fühlen, daß hier ein Sonderling wohnt und ein alter Seemann. Zu Beginn des dritten Akts muß das Zimmer schon vollkommen umgestaltet sein, die verhängten und vermummten Fenster hoch und offen, drei Viertel des seemännischen Unfugs weggeschafft, Kandelaber, brokatene Behänge – aber auch dies nicht voll und komplett, sondern man muß, während die Arbeiter walten, noch den Übergang fühlen. Aber die Lichtwirkung müßte im dritten Akt jedenfalls eine ganz andere sein, das Haus des verheirateten Morosus den Einfluß der Frau wohltuend fühlen lassen.

Die Diener, respektive der Chor, sollten mit Tänzern durchwirkt sein, damit man leichte, flinke und parodistische Bewegungen herausbekommt. Es gehört für mich zum Sinn des Stückes, daß gegen die Schwerheit des Morosus, gegen das bedrückte, vermuffelte Milieu die Operntruppe in hellem frischem Gegensatz steht, Italien des 18. Jahrhunderts mit seinem barocken Übermut, aber Gott behüte keinen schwarzgewandeten Sevillabarbier, sondern eine rechte Schalksfigur mit brennrotem, an den Seiten kurz gekräuseltem Haar, einen frischen Burschen, der dem ganzen Spiel eigentlich den Takt gibt.

So ungefähr denke ich es mir und Sie werden es, lieber verehrter Herr Professor, schon richtig machen. Ich bin jetzt noch hier mit meiner Arbeit drei bis vier Wochen in England, und im August bin ich dann wohl wieder in Österreich, und jede Einzelheit, die Sie mich fragen, werde ich immer freudigst und schnellstens beantworten.

Mit den besten Wünschen für Sie und Ihre schöne Arbeit

Ihr immer ergebener Stefan Zweig

An Lotte Altmann-Zweig

[undatiert; vermutlich 1934]

Liebes Fräulein Altmann,
Die See ist dermaßen still bis auf ein paar weiße Schafe, die herumhupfen, daß ich Ihnen noch vom Schiff aus schreiben kann und Ihnen auf das herzlichste danken für all die Mühe, die ich Ihnen gemacht habe. Ich hatte besonders in den letzten Tagen, da Sie nicht gesund waren, das schlimme Gefühl den Sklavenhalter zu spielen, und schämte mich innerlich vor meiner Frau. Aber Sie wissen ja, welcher Andrang gerade jetzt zu bewältigen war, und entschuldigen meine Hartnäckigkeit.
Nun bitte noch einmal die Instruktionen. Ich telegraphiere Ihnen, sobald ich eine Adresse habe, an die Sie jenen Aufsatz und die Teile [der] »Maria Stuart« schicken können. Das geschieht selbstverständlich rekommandiert, und zwar bitte ich Sie um zwei (nicht am gleichen Tag abgehende) Sendungen, damit, wenn die eine (Original) verlorengeht, die andere (Kopie) gesichert bleibt. Lächeln Sie bitte nicht über diese Schrulle, ich fühle mich dann sicherer.
Die Briefe besorgen Sie freundlichst, die noch zu erledigen sind. Und wegen allfälliger Besorgungen muß ich Sie vielleicht noch bemühen.
Alles andere wird sich ja erst in nächster Zeit deuten und klären. Ich weiß durchaus nicht, was das Schicksal mit mir vorhat, und muß alles der Entwicklung überlassen. Ich möchte Ihnen aber noch in aller Herzlichkeit sagen, wie sehr ich mich Ihnen für die Hilfe bei meiner Arbeit verpflichtet fühle und wie sehr ich mich freuen würde, diese Hilfe bald wieder in Anspruch nehmen zu dürfen. Ich bin etwas ungeschickt und gehemmt im Danken, aber ich bitte Sie, liebes Fräulein Altmann, meiner aufrichtigen Erkenntlichkeit darum doch gewiß zu sein.
Bitte seien Sie nicht ungehalten, wenn ich Sie ab und zu in London noch mit kleinen Aufträgen belästige, Sie wissen, ich

behellige Sie wirklich nur im Notfall. Sie müssen sich zunächst einmal gründlich erholen.
Bitte sagen Sie noch Ihrer Frau Schwägerin und Ihrem Bruder, wie ärgerlich es mir war, so überstürzt mich empfehlen zu müssen, aber diese letzten Tage waren ja wirklich bis zum Rande angefüllt, und ich wundere mich selbst, wie wir schließlich doch alles bewältigt haben. Ich bin gewiß, daß Ihrem Herrn Bruder alles nach Wunsch gelingen wird und ich beim nächsten Besuch in London schon ein blankes Doktor-Schild an der Tür sehe.
Also nochmals vielen Dank, ich hoffe bald über meine nächsten Wochen im klaren zu sein.
Mit vielen Grüßen (das Schiff wackelt doch, Sie sehen es an der Schrift)

Ihr aufrichtiger Stefan Zweig

Folkestone-Boulogne

Noch ein Nachtrag. Ich glaube Ihnen nämlich wirklich schlecht und unzulänglich gedankt zu haben für alle die Güte, die Sie mir erwiesen haben. Es ist nicht so leicht wie Sie als junges Mädchen meinen, jemanden zu finden, der mit solcher Hingabefähigkeit Wünsche versteht und sogar errät; mir ist es immer ein Angstgefühl, als sei ich zu alt, zu zeitfremd, um von einem jungen Menschen ein wirkliches Eingehen erhoffen oder gar verlangen zu können, und es wird mir eine dankbar Erinnerung bleiben, bitte glauben Sie mir das, daß in all diesen Wochen nicht eine einzige Mißstimmung zwischen uns war. Ich bin vielleicht keine ganz leichte Natur. Im Allgemeinen werde ich Menschen rasch müde, es stört mich bald eine ihrer im Anfang verborgenen Eigenschaften, aber bei Ihnen spürte ich von Anfang eine solche Aufrichtigkeit, daß ich mich gesichert fühlte. Ich werde mit Bedauern an diese Londoner Zeit denken. Sie haben mich sehr verwöhnt und meine arme Frau Meingast und manche andere werden, fürchte ich, das merken, daß ich jetzt andere Ansprüche stelle; ja man gewöhnt sich unheimlich rasch an das Gute, und es ist fast ein Glück, wenn man es nicht ununterbrochen hat, sonst merkte man erst am Ende gar nichts mehr und verlernte die Dankbarkeit dazu. Nun, dies danke ich Gott, ich habe sie, und manchmal ist mir sogar gegeben sie auszudrücken.

Es wäre für mich ein guter Gedanke, Sie jetzt heiter, glücklich und mit neuen Dingen beschäftigt zu wissen. Sie müssen sich ganz erholen und sich frisch fühlen und [zu] allem freudig bereit. Manchmal habe ich das Gefühl, als ob Ihnen Ihr eigenes Glück nicht wichtig genug wäre, als ob Sie nur nehmen wollten, was Ihnen zufällt, ohne ihm einen Schritt entgegenzugehen, als ob Sie nicht genug *Mut* hätten, glücklich sein zu wollen. Wenn ich Ihnen da doch helfen könnte und ein Beispiel geben. Ich habe immer das Beste begehrt und oft ist es mir zugefallen, und grade wenn ich es nicht zu hoffen wagte, war es doppelt schön.

Bitte glauben Sie mir auch dies: meine Freundschaft ist nicht vergessen. Ich vergesse Bekannte und Begegnungen. Aber wo ich wirklich Freundschaft empfand, habe ich immer Stand gehalten, und treuer als andere, die es laut und pathetisch versprechen. Ich glaube, daß, wer immer mir einmal geholfen hat, auf mich zählen kann.

Also nochmals innigen Dank für Alles!

Ihr ergebener St. Z.

P.S. Sollten Sie bei Woolworth gelegentlich vorbeikommen, so bitte [ich] Sie, denken Sie dann freundlich an all die Kleinigkeiten, die ich dort besorgte: man kann das leider per Post (wegen der Zoll-Plackereien) nicht schicken, aber es ist mir doch ein gutes Gefühl, daß Sie es allenfalls für mich besorgen könnten und daran denken.

An Hans Carossa

11 Portland Place
London, 21. September 1934

Lieber verehrter Hans Carossa!
Ich danke Ihnen von Herzen für Ihren guten Brief, der mich hier in London erreicht, wo ich mich ziemlich eingewohnt –, nicht eingewöhnt – habe. Ich genieße hier ein wunderbares Gefühl von Stille und wenn ich eine gewisse Fremdheit zu den Menschen und Sitten betone, so werte ich sie darum nicht als negatives Element, denn man hat dadurch einen gewissen Luftraum von Ruhe, der dem arbeitenden Menschen immer wohltut. Die Beziehungen sind locker und höflich, aber gerade das herzliche bindet und bedrängt und verpflichtet. So tut es mir ganz gut, mitten in einer Weltstadt und gleichzeitig abseits zu leben. Freilich will ich dies im Frühjahr oder schon im Januar, Februar mit Italien eintauschen und dieses an sich so wundervolle Land wäre noch verschönt, könnten wir einander dort begegnen. Ich habe jetzt, nachdem ich die Leidenschaft an der Psychologie fast wie ein Handwerk getrieben habe, schon heftiges Heimweh nach dem Dichterischen. Ich möchte dann etwas für mich und ganz nur für mich schreiben, aber dies war nicht möglich, solange die Zeitgeschehnisse einen so stark beschäftigten und rein äußere und äußerliche Fragen die innere Ruhe bedrängten. Wahrscheinlich geht es Ihnen ähnlich, daß eine fremde Landschaft und eine neue Art Sonne alle die Keime herauslockt, welche die Heimat gepflanzt hat.
Deutsche Prosa, an einer italienischen Küste zu schreiben, so wie einst Keats und Shelley dort ihre englischen Verse, scheint mir über alles wünschenswert. Möge es sich wenigstens Ihnen erfüllen.
In treuer freundschaftlicher Verbundenheit und Verehrung

Ihr Stefan Zweig

An René Schickele

11 Portland Place
London, den 26. September 1934

Lieber René Schickele!
Vielen Dank für Ihren guten Brief. – Die größte Gefahr, in die wir uns begeben können, ist, ungerecht zu werden. Ich verstehe vollkommen die Tragik der Emigration und der darin kombattanten Schriftsteller. Wie ein Rad ständig laufen muß, um nicht umzufallen, so müssen sie ständig opponieren – eine furchtbare Verpflichtung, von mir aus gesehen, sein ganzes Leben damit zu verbringen, *gegen* etwas zu sein. Aber unsere Schwierigkeiten sind nicht geringer. Es besteht kein Zweifel, daß Deutschland alles tun wird, um an uns vergessen zu lassen, daß unsere Bücher allmählich verschwinden werden – wahrscheinlich sogar die Verleger selbst – und eine Art Staatsverlag wie in Rußland sich aus der Firma Eher entwickeln wird. Wir haben das gleiche in Rußland, das gleiche in Italien gesehen und müssen innerlich vorbereitet sein. Wir sollen aber, meine ich, nicht unsere beste Kraft verschwenden, um mit der Stirn gegen die Gefängniszelle zu rennen, sondern lieber diese Stirn uns erhalten und nach dem Vorbild des Cervantes in diesem unsichtbaren Gefängnis gute Bücher schreiben. Daß es zwischendurch an Gewissensfragen nicht fehlt, wissen Sie und weiß ich. So macht es mir der Inselverlag (alles was Sie hörten, ist dummes Gerede) eigentlich nur dadurch schwer, daß er meine Bücher bringen *will* und es ist schwer, so alte und persönliche Bindungen zu lösen und die Isolierung drüben durch eignes Zutun zu vermehren. Aber ich glaube immer mehr, daß man »Duldung« nicht dulden soll. Wie immer man tut, macht man es schlecht und kommt schließlich auf die Banalität aus dem Lesebuch zurück, daß es das Beste ist, vor sich selber ein reines Gewissen zu haben.
Ihren letzten Roman »Witwe Bosca« habe ich leider nicht bekommen. Vielleicht können Sie mir ihn noch herschicken lassen.

Ich will alles Denkbare versuchen, obwohl hier eigentlich das Interesse für Sachliches, Historisches, Dokumentarisches stärker ist als für europäische Epik (gerade da liegt noch der Kanal quer zwischen hüben und drüben). Nun erinnere ich mich immer und noch immer nach Jahren einer großartigen kleinen Darstellung von Ihnen, die Sie von Jaurès gegeben haben. Es war nur ein Bild, aber könnten Sie es nicht erweitern, die Zeit um die Gestalt stellen, unsere Jugend, unseren Glauben von damals? Fast könnte ich Ihnen versprechen, daß für eine Biographie Jaurès', die gleichzeitig gewissermaßen das Abendrot des idealistischen Sozialismus bedeutete,* hier und wohl auch in Frankreich großes Interesse wäre. Ich mag sonst die Biographienfabrikation nicht und lasse selbst von allem Biographischen, weil es so sehr Mode und Erfolg wird. Aber in diesem Falle wäre es doch *Ihre* Zeit, *unsere* Jugend, die Sie gleichzeitig mit in Erscheinung brächten, und wenn Sie eben auch an das Materielle denken müssen, dies nach meinem Empfinden die gewisseste Aussicht. Hier fehlt [es] an einer Gestalt noch mit all den Neben- und Gegengestalten, Clemenceau, Rochefort, und gerade weil es nicht aus dem Geiste der Partei, sondern eine Darstellung aus dem Geiste wäre, würde ich darin eine notwendige Aufgabe sehen. Und noch eines. Haben Sie einmal ein kleines Buch, bei dem Sie an eine bibliophile Ausgabe denken, irgend etwas, was Ihnen dichterisch besonders lieb ist, so glaube ich, daß Sie bei diesem Verlage Reichner, der meinen »Erasmus« gemacht hat und der jetzt kultivierteste deutsche Literatur jenseits aller Politik in bibliophilen vollendeten Ausgaben bringen will, sehr zufrieden wären. Vielleicht haben Sie da etwas in der Lade oder im Herzen.

Was Sie von Rolland sagen, ist nur zu wahr. Wir stehen eigentlich mehr zu ihm als er zu sich selbst, seit er (unter persönlichen privaten Einflüssen) alles in Rußland bejaht und al-

* Der Revolverschuß *erschoß* die ganze Bewegung zugleich

les entschuldigt, auch die Unterdrückung. Dagegen hat Wells jetzt offene Stellung genommen. Er war eben in Moskau, um noch einmal zu versuchen, für die Literatur dort eine gewisse Freiheit durchzusetzen, ohne den geringsten Erfolg zu erzielen. Er ist in diesem Sinne vollkommen entschlossen, den Kampf gegen jede Unterdrückung im Namen welcher Ideologie immer durchzuführen. Man hat ja manchmal hier das Gefühl, auf dem letzten Bollwerk der Freiheit zu stehen – eine Freiheit, die unserem Ideal im Sittlichen und vielen Anderm gar nicht ähnlich sieht. Sie riecht manchmal etwas säuerlich und abgestanden. Aber immerhin ist es Luft, in der man atmen kann.
Seien Sie gewiß, lieber Schickele, daß ich keine Gelegenheit versäume, und verfügen Sie über mich, wie immer ich Ihnen meine alte herzliche Gesinnung erweisen kann.
Mit vielen Grüßen Ihr Stefan Zweig

An René Schickele

11 Portland Place
London, 1. November 1934

Lieber René Schickele!
Hoffentlich haben Sie nicht übel von mir gedacht, daß ich Ihnen erst heute schreibe und Ihnen für Ihre Bücher danke. Ich habe mit einer Art Heimweh in der »Witwe Bosca« die ganze südliche Landschaft gespürt und alle die Kunst, mit der Sie Natur zu erwecken wissen. Immer sind die Menschen, die Sie darstellen, nur durch die Atmosphäre ganz verständlich, in der sie atmen (das »Erbe am Rhein«!), und darum habe ich es nie als ein Zuviel empfunden, wenn Wald und Wiesen und Blumen und Meer bei Ihnen in die Geschehnisse hineinrauschen. Es ist dies nie etwas künstlich Überwucherndes, sondern der Grund, der unterste und elementare, aus dem Sie die Gestalten entwickeln. Vielleicht binden Sie damit – und nicht zumindest durch die Sprache – Ihre Bücher stärker an das Heimatliche, als es einer

Übertragung in fremde Sprachen förderlich ist; dort wirkt natürlich alles am stärksten, was (um im deutschen Jargon zu bleiben) auf Asphalt gebaut ist, der in Paris und London und Berlin und New York ein und derselbe ist. Aber nichts wäre irriger, als wenn Sie sich deshalb von Ihrer persönlichen Art abwenden ließen, die eben Ihre persönliche und nur Ihnen gehörige darstellt.

Das andere kleinere Buch liebe ich schon seit Jahren und Jahren. Ja, gerade jenes Kapitel über Jaurès war es, das mir die Überzeugung gab, nur Sie könnten seine Gestalt unpolitisch darstellen und gleichzeitig in jener feurigen Luft der apokalyptischen Tage, die wir erlebt haben, um sie nicht mehr zu vergessen. Es wäre schon gut, wenn ein Mann wie Sie ein Zeugnis abgeben könnte für das, was historisch zwanzig Jahre und in Wahrheit tausend Jahre vor unserer Gegenwart liegt. Wir fühlen uns oft physisch zu jung, um zu empfinden, wie das, was wir unsere Jugend nennen, schon etwas Historisches geworden ist, das wir die Pflicht hatten auszusagen. Hoffentlich reizt Sie einmal die Arbeit, ich glaube, sie würde weit über den Anlaß hinaus sich zu einer wichtigen Aussage runden und könnte einer jener internationalen Erfolge werden, die uns Ausgedeutschten jetzt so nötig sind.

Vielleicht komme ich sehr bald in Ihre Nähe und würde mich dann ungemein freuen, Sie zu sehen.

Herzlichst — Ihr Stefan Zweig

An René Schickele

11 Portland Place
London, den 19. November 1934

Lieber René Schickele!

Ich bekam Ihr Buch über Lawrence vom Verleger und habe es sofort in einem Zuge gelesen – man kann es nicht anders, der Rhythmus nimmt einen mit. Ein wenig hatte ich davor Angst, denn ich habe den jetzigen Enthusiasmus für Lawrence nie geteilt. Ich achte seine Kunst, aber empfand ihn immer als einen verkehrten Moralisten (ähnlich wie unseren Wedekind), der das Sexuelle mit einem so tödlichen und dogmatischen Ernst feiert wie der Pfarrer den lieben Gott. Von seinem Leben wußte ich nicht viel, aber durch Ihr Buch hat er für mich plötzlich einen andern Gehalt und eine andere Gewalt. Nur, daß ich *Sie* als viel souveräner und freier im Menschlichen empfinde als ihn. Ich habe Sie sehr im Verdacht, daß Sie ihm die Schwingen erst geliehen haben, mit denen er sich so hoch über die Zeit erhebt, daß Sie ihn aufgefüllt haben mit Ihrer eigenen dynamischen Kraft – was durchaus kein Vorwurf sein soll, weiß Gott nicht. Wir steigern uns an den Anlässen und wir übersteigern wiederum die Anlässe. Wir werden leidenschaftlich angeregt durch andere Menschen und machen durch diese Leidenschaft das Bild des anderen farbiger und brennender, und das ist tausendmal wichtiger als alle Analytik. Ich habe *große* Freude gehabt an diesem schwungvollen und freien Buch, und wenn ich diese Freude nicht noch ausführlicher aussage, so ist der Grund, daß ich wahrscheinlich sehr bald für kurze Zeit in Ihre Gegend komme.

Alles Herzliche von Ihrem Stefan Zweig

An Anton Kippenberg

Hotel Westminster
Promenade des Anglais, Nice
20. XII. 1934

Sehr verehrter Professor, ich danke Ihnen innigst für Ihren freundschaftlichen Brief. Wir brauchen nicht viel Worte. Sie wissen, daß diese Unterbrechung (hoffentlich eine kurze) mir das schmerzlichste war, was ich in geistigen Dingen zu tragen hatte.

Wenn ich Reichner wähle, so ist es, weil *ich* dort die Bedingungen stellen kann, vor allem die, daß nie bei ihm ein Buch erscheint, das auch nur im entferntesten mißdeutet werden könnte. Lieber in einem strikt bibliophilen und kleinen Verlag als Zwischenpause als in irgendeinem, der mit einem Accent belastet ist.

Gerne hätte ich in einer Zeile gesagt, daß ich Ihnen dankbar bin für die vielen Jahre, um auch öffentlich zu zeigen, daß keine Unstimmigkeit diese Pause verursacht hat. Sie haben da allein zu entscheiden, und fern von mir sei es, Sie drängen zu wollen.

Ich bin recht müde von der Arbeit und freue mich auf die Fahrt (10. Januar) im »Conte di Savoia« übers Meer, Toscanini fährt mit, und so habe ich einen lieben Freund als Reisegenossen.

Und nun frohe Feste! In alter unerschütterlicher und dankbarer Verbundenheit

Ihr Stefan Zweig

An Hermann Hesse

UNITES STATES LINES
On Board S. S. Manhattan
30. Jan. 1935

Lieber Hermann Hesse, Ich habe mich ein wenig in Amerika herumgetrieben; nun da die Welt wacklig wird, tut man gut, sie sich noch einmal von allen Seiten zu betrachten. Es war großartig und ermüdend und tröstlich sogar, aber wunderbarerweise hat man auf dem Schiff dann Ruhe und Zeit. Da gedenke ich nun einer moralischen Schuld. Denn selten hat mich etwas Dichterisch-Denkerisches so berührt wie Ihr »Glasperlenspiel«, und ich wollte es Ihnen sagen, aber die Zeit strömte über mich her. Nichts ist wichtiger als der Gedanke, wie das Individuelle sich gegenüber der Mechanisierung (wie sie Amerika schon optisch zeigt) entfalten wird, und daß Sie dieses Problem im bejahenden Sinne lösen und nicht in der üblichen Form des flachen Resignierens, hat mir wohlgetan. Lieber Hermann

Hesse, wie schön ist Ihr Weg, wie wissen Sie immer nach einer inneren Phase eine neue, höhere anzufangen im Sinne von Goethes Spirale: Wiederkehr zum Ausgangspunkt auf erhobener Fläche! Wie weit ist es vom »Camenzind« zu dem Manne in Ihnen, und wie sicher stehen Sie dadurch in diesen Zeitläuften. Ich achte und liebe sehr Ihre Haltung, die innerlich entschieden, nicht auf die peripherischen Bewegungen reagiert; ich habe gelernt, die Politik, die immer überdimensionieren muß, das Wort an das Schlagwort verraten, das Dogma an seine Übertreibung, redlich zu hassen als den Widerpol der Gerechtigkeit. Ich habe sie jetzt in zu vielen Ländern gesehen, um zu wissen, daß sie nicht wie Napoleon meinte, das moderne Schicksal ist, sondern nur der unsichere Schatten von Bewegungen, die zu erkennen uns selbst nicht gegeben ist, aber wirklich nur ein Spiel und um so zufälliger, je gesetzmäßiger und theoretischer er sich nach außen gebärdet. Ich glaube fest, daß gerade diese Veräußerlichung bei den Besten eine Verinnerlichung erzwingen muß, je mehr sich die andern zusammenrotten, um so hartnäckiger werden die Einzelgänger ihr Recht behaupten.
Ich hoffe sehr, Sie wieder einmal zu sehen. Ich hänge ziemlich unsicher an einem schwachen Ast; mein Haus in Salzburg (von den Fenstern sehe ich nach Bayern hinein) ist mir nicht recht Heimat mehr, zum Emigranten habe ich kein Talent, so lebe ich jetzt beinahe studentisch, bald da, bald dort und spüre es beinahe als ein Glück, aus diesem sichern Behagen herausgestoßen zu sein. Ich habe viel gelernt in dem Londoner Jahr und nun in Amerika. Hoffentlich kommt es zu Tage, denn das biographische Intermezzo ist vorbei, und ich will versuchen, wieder das zu sagen und zu gestalten, was mir von innen her wichtig ist. Nehmen Sie diesen kleinen Silberling als Anzahlung einer stattlichen inneren Schuld und als Zeichen meiner Anhänglichkeit: lächeln Sie nicht, aber es ist fünfunddreißig Jahre her, daß wir zum erstenmal einander geschrieben haben!
Herzlichst Ihr Stefan Zweig

An Hermann Hesse

Hotel Regina, Wien
den 4. Mai 1935

Lieber, verehrter Hermann Hesse,
ich kann Ihre schöne Sendung nun mit einer kleinen Gegengabe erwidern, die als Beilage zum »Philobiblon« erschienen ist. Für mich sind Handschriften das, was für Sie die Bilder, und vielleicht sogar um einen Grad mystischer, weil sie verschlossener sind. Ich vermute, daß ich jetzt selber für zwei, drei Wochen in der Nähe von Zürich die zwei Elemente angenehm verbinden werde, die einen Wandernden beglücken, eine schöne Landschaft mit einer guten Bibliothek. Meine eigene steht recht verlassen in Salzburg, und ich habe das Gefühl, sie ausgelesen zu haben, selbstverständlich ein trügerisches Gefühl, aber jedesfalls bin ich meiner eigenen Zimmer müde und genieße das Nomadische mit studentischer Muße. Ich glaube, Sie hatten genau in meinen jetzigen Jahren eine ähnliche Ausbruchsneigung, und sie scheint wohl zu einem richtigen Leben zu gehören, organisch zu sein für einen normalen Organismus und keine Abnormalität. Jedesfalls lasse ich mich laufen, solange ich inneren Auslauf habe, und frage nicht lange, wohin. Ich weiß, so wild auch der Kreisel tanzt, einmal fällt er doch hin. Jedesfalls war auch Wien schön, und ich hätte Sie gerne hierher gewünscht, zu den starken Gesprächen, die wir mit Bruno Walter hatten vor und nach dem Händel'schen »Messias«, denn auch mich zieht (anscheinend wie Sie) die Musik stärker heran, weil sie so herrlich überweltlich und überpolitisch wirkt und dadurch beruhigend. Nichts hat mir vielleicht mehr geholfen im letzten Jahr als die enge Beziehung zu Toscanini und Bruno Walter, und wenn ich das Gleichgewicht nicht verloren habe (wie die Meisten), so danke ich es diesem tröstenden Element.
Ich weiß, daß Zürich nicht weit ab liegt vom Tessin, und vielleicht erlauben Sie mir, daß ich dann auf einen Sprung einmal zu Ihnen herunterkomme. Ich weiß mich einen ungefährlichen

Gast, der niemanden lange behelligt und nicht gern hat, wenn ihm andere zuviel wegnehmen.
Leider hatte mir seinerzeit meine Frau untersagt, unter die Sonnenuhr unseres alten schönen Hauses in Salzburg das kleine Gedicht malen zu lassen, das ich mir ausgedacht hatte:

Die Sonne hält nur kurze Rast, –
nimm Dir ein Beispiel, lieber Gast.

Meiner Frau schien es zu unfreundlich. Aber ich glaube, es hätte mir viele langweilige Stunden gerettet.
Immer in alter Neigung und Verbundenheit

Ihr verehrungsvoller Stefan Zweig

An Katharina Kippenberg

Hotel Bellerive
Zürich, den 29. Juni 1935

Hochverehrte Frau Professor!
Ich danke Ihnen von Herzen für die nicht nur gütige, sondern auch wunderbar plastische Beschreibung, die Sie mir von jenem Abend gegeben haben. Ich selbst bin ja merkwürdigerweise froh, daß ich nicht anwesend war, weil ich bei Premieren so stark die Geladenheit des Publikums mit Neugier, Klatsch und sonstigen Tugenden spüre, daß ich von dem künstlerischen Eindruck beinahe abgelenkt bin. Gerade dieses Werk scheint mir, soweit ich mir ein Urteil erlauben darf, nicht ganz elementar zu wirken. Die Zeit wird erweisen, ob dies eine Schwäche ist oder eine verborgene Stärke; manche haben dabei die Empfindung, daß sich erst bei mehrmaligem Hören die raffiniert verschlungenen und verborgenen Schönheiten herausarbeiten. Immer muß sich ein Kunstwerk an der Zeit erst erproben, ob die Zeit es hebt oder niederdrückt, ob sie ihm dazugibt oder wegnimmt. So vermögen wir auch die Gesamterscheinung Straussens heute kaum zu bewerten. Aber mein Gefühl sagt mir, es werde ihm heute noch vielfach Unrecht getan, weil er immer

nach Einzelnem gemessen wird und nicht nach dem Kolossalischen seiner Gesamtleistung. Für mich ist er der letzte der großen Schar.
Bitte glauben Sie mir, verehrte Frau Professor, wie rührend ich es empfinde, daß Sie einen so umfänglichen Brief bei einer solchen niederschmetternden Hitze an mich wandten. Wir halten hier den anderen Zipfel dieses wolkenlosen und erbarmungslos niederbrennenden Himmels fest, und man wundert sich, aus den Fenstern blickend, daß der See noch nicht weggetrocknet oder von Durstigen ausgetrunken ist. Dafür stehen höhnisch ein paar Berge mit Eismützen, um die man sie beneidet, in der Ferne, und man muß sich begnügen, sie anzusehen. Ich will nun noch etwa vierzehn Tage hierbleiben, dann nach Österreich zurück. In Salzburg streife ich nur eben vorbei, um den »Falstaff« Toscaninis zu hören, dann schließe ich mich wieder irgendwo in Arbeit ein. Es ist mir in einer Fülle von Ärgernissen noch immer die alte verläßliche Freude, dieses von Gott erfundene Kinderspiel, aus einem Ries weißer Blätter tintenfarbene zu machen und sich dabei vorzutäuschen, man tue etwas Wichtiges und Wertvolles. Wenn ein Betrug, so ist es wenigstens ein frommer und man hat eine Art stilles Behagen daran, das niemand anderen stören oder verärgern kann.
Wie sehr würden wir uns freuen, Sie wieder einmal begrüßen zu dürfen, verehrte Frau Professor, und hoffentlich darf es bald einmal geschehen. Grüßen Sie mir bitte vielmals Ihren lieben Mann. Möge ihm alles so gelingen, wie ich es ihm wünsche! Und ich hoffe, er kennt diese meine Gesinnung.
Nochmals dankend Ihr aufrichtig ergebener

Stefan Zweig

An Friderike Zweig

Portland Place, London
29/9 [1935]

L. F.
gleich bei Ankunft. Sehr angenehme Überfahrt. Leider der erste Blick in die Zeitungen betrüblich, die plötzliche Wendung Ungarns, seit Italien, beschäftigt mich. Es sieht schlimm aus, ich wenigstens finde, daß unsere Hoffnungen auf Sicherheit ganz übel stehen. – Lasse das Rechenbuch, wieviel Wochen und Monate wir in diesem Jahr und jenem Jahr beisammen waren, unaufgeschlagen. Gegen meine Entschlossenheit, Arbeit und Freiheit zu verteidigen, ist es besser, nichts zu beginnen und die Dispositionen friedlich mir zu überlassen. Ich wiederhole, daß wir nach Beendigung der Arbeit zusammensein können, ich bin aber nicht im Stande zu sagen, ob ich am 15. oder 30. November fertig sein werde und das Gefühl »man wartet auf mich«, drückt auf mich. – Es ist keine Schande nachzugeben. Herzlichst

St.

Mit dem Verlag ständig Ärger.

An Friderike Zweig

10. Oktober 35

L. F.
Ich bin sehr bedrückt – einerseits die Lage, die sich zusehends verschlechtert, zweitens die entsetzlichen Briefe, die ich jetzt aus Deutschland bekomme, diese *gellenden* Hilferufe der Juden, die es sich zu lange überlegt haben und jetzt ins Ausland wollen, das heißt müssen, und doch nicht können. Den erschütternden von E. H. hast Du ja gelesen – eines der nobelsten Menschen, die ich kannte – gleichzeitig schreibt mir direkt hierher Justizrat N. (größte Goethesammlung früher neben Kippenberg), ob ich seinen Sohn hier als Kellner unterbringen könne, und hun-

dert solche erzählte Dinge. Es war nie etwas so Furchtbares als jetzt durch diese letzten Haßmaßnahmen in D. geschehen. – Ich sehe leider die Dinge voraus, vielleicht *zu* früh, was mein Fehler ist, aber ich kann das nicht ändern.
Bitte unterdrücke nur jetzt alle privaten Sorgen. Über meine Sachen sprich nicht anders, als daß ich jetzt ständig in London bin, weil ich hier die beste Bibliothek habe und am besten arbeite, und daß ich mich dort eingerichtet habe, seit ich Salzburg aufgegeben. Immer nur Klarheit über das, was wirklich wichtig ist. Herzlichst St.

An Lotte Altmann-Zweig

10. 12. 1935

Liebes Fräulein Lotte,
Noch vom »Conte di Savoia« einen Gruß, ich telegraphiere Ihnen sofort dann nach London. Lassen Sie mich noch etwas Ärgerliches berichten, ich fand in meiner Kabine einen Brief vor, leider interessierte sich mein Partner, der mich begleitete, auf das *heftigste* dafür, es war eine wirklich lästige Szene, weil das zwischen Fahrt und Abfahrt war. Manchmal sage ich mir, daß ich Pech habe, manchmal vielleicht, daß es besser ist, wenn gewisse Klarheiten geschaffen werden. Ich bin gewisser Versteckenspiele müde, sie passen nicht mehr zu mir, und manches, was einem wichtig ist, muß man sich eben durchkämpfen. Sie dürfen mir glauben, liebes Fräulein, daß mich die innere Verantwortung sehr drückt, ich weiß, wie schwer es sein muß, dieses Unternehmen weiter durchzuhalten, welche Kämpfe es mich noch kosten wird, aber es wäre unmännlich, nicht eine schöne Sache auch mit Schwierigkeiten durchzustehen. Sie wissen ja, von Anfang an hatte dies Unternehmen alle guten Sterne gegen sich, und die es auf sich nahmen, waren jeden Augenblick bewußt, daß all dies vielleicht nicht dauerhaft ist und jeder Tag eine Art Geschenk. Glauben Sie nicht, daß der leichtere Teil auf

den Älteren und Erfahreneren fällt, für ihn wäre Verlieren vielleicht ärger als für den anderen, aber es ist schwer und manchmal habe ich (jetzt zum zweiten Mal) das Gefühl, als ob ein besonderes Pech in diesem Unternehmen waltete. Aber nehmen wir das andere Gefühl zusammen, den starken Willen.
Es ist mir ein guter Gedanke, daß Sie es gut haben, hoffentlich freuen Sie sich und machen angenehme Bekanntschaften: Sie brauchen, glauben Sie mir, zu Ihrem Gesundsein nichts als Freude. Könnte ich sie Ihnen geben, Sie wissen, es würde meinen eigenen Mißmut beseitigen. Ich hoffe so sehr auf London, ich hätte Ihnen viel zu erzählen nach einer so langen Fahrt. Denken Sie immer gut an Ihren ergebenen St. Z.

An Klaus Mann

Hotel Westminster
Promenade des Anglais, Nice
[Poststempel: 24. 1. 1936]

Lieber Klaus Mann, ich höre, daß Sie in Küsnacht sind – also dorthin ein Wort, um Ihnen endlich für den Tschaikowski zu danken: ein passioniertes, mit Rhythmus durchdrungenes Buch, Ihr bestes vielleicht, weil aus einer geschlossenen Intensität entstanden. Ich habe mich *ganz besonders* daran gefreut – in einer Zeit vielen Ärgers. Alles, was ich Großangelegtes für den Siebzigsten Romain Rollands machen wollte, ist gescheitert an der Feigheit, der Faulheit, der Indifferenz; und was jetzt endlich in Paris zustandekommt, ist Schema 3 oder 4: Feier eines revolutionären Schriftstellers, wie es im neuen Schulbuch für alle Festlichkeiten festgelegt ist, halbamtlich festgelegt. Nur ich träumte von einer Feier des freien, des unabhängigen Mannes, der seit fünfzig Jahren im Kampf gegen alle Bindungen steht, den geborenen, nicht den geschworenen Revolutionär. Ach, und ebenso steht es mit dem Zeitschriftplan – er ist schon ganz nah der Realisierung und dann kommt etwas dazwischen.

Ich übersiedle 15. Februar in mein kleines Dauerflat

London W 1

49, Hallamstreet

wo ich Sie endlich wieder zu sehen hoffe. Hier bin ich sehr angenehm mit meinem alten Freund Jules Romains, mit Roger Martin du Gard, Schickele zusammen: es ist doch eine gesegnete Welt hier, trotz aller Kleinseligkeit und Verbürgerung. Herzlichst Ihr (nochmals glückwünschender) Stefan Zweig

Ehren Sie Vater und Mutter, das heißt, bitte grüßen Sie beide innigst von mir!

An Maxim Gorki

[undatiert; vor dem 26. 1. 1936]

Verehrter Maxim Gorki, dies nur um Sie zu erinnern, daß *Romain Rolland* am

26. Januar 1936

seinen siebzigsten Geburtstag hat. Ich habe alles Erdenkliche versucht, um die Freunde in Paris zu bewegen, eine große Manifestation zu machen ähnlich dem Kongreß des vergangenen Jahres. Aber sie sind alle langsam und träge. Und die Zeit drängt. Hoffentlich hat Ihr Wort mehr Gewalt – ein Telegramm von Ihnen würde gewiß sie anfeuern, die Freundespflicht zu tun.
In getreuer Verehrung Ihr Stefan Zweig

An Klaus Mann

Nizza, den 7. Februar 1936

Lieber Klaus Mann!
Herzlichen Dank für Ihren Brief und auf Wiedersehen also in London. Ach, wie widerlich war dieses Gezänke um den Fischer Verlag. Immer die gleiche Situation, nämlich daß wir im Grunde in all diesen Angelegenheiten völlig gleicher Meinung

sind. Nur der Ton macht die Musik und ich hasse diese jüdische Prophetenfanatik, wenn sie sich ins Journalistische übersetzt. Nein, Freunde, nicht diese Töne! Wie immer hat Ihr Vater mit seinem fehllosen Takt, mit seiner beispiellosen und beispielgebenden Noblesse wieder einmal die Situation gerettet. Seine Antwort an Korrodi will mir ein denkwürdiger Beitrag zur Zeitgeschichte erscheinen. Aber ließen nun endlich schon einmal die Herren in Paris von der Anmaßung ab, immer Zensuren schreiben zu sollen, daß sich ein Thomas Mann heute brav und morgen schlimm, heute richtig und morgen unrichtig benommen hat, statt ihn einfach zu ehren und zu achten und ihm dankbar zu bleiben für sein Mit-uns-sein.
Lassen Sie sich auch nicht über Jules Romains durch irgendwelche Alarmmeldungen von jener Seite täuschen, er ist nach Deutschland gegangen, so wie er nach Italien, Rußland und Argentinien geht. Aber er ist nicht der Mann, sich einfangen zu lassen und Sie haben doch wohl seinen Aufsatz gegen alle Faschismen in »Vendredi« gelesen, der an Klarheit und Entschiedenheit nichts zu wünschen übrig läßt.
Schickele erwidert sehr herzlich Ihre Grüße und ebenso Ihr

Stefan Zweig

Die Angelegenheit jenes deutschen »Candide« oder »Marianne« ist noch immer sehr in Discussion, ich glaube, wir sind um ein großes Stück weiter. Mehr als je brauchen wir ein *gelesenes*, ein ganz *billiges* Wochenblatt, das wie die französischen, wirklich die ganze Nation erreicht. Ich hatte viele Besprechungen und wir haben, wie gesagt, schon erhöhtere Chancen als vor einem halben Jahr.

An Joseph Roth

49 Hallam Street, London W 1
31. März 1936

Lieber Freund!
Ich sehe, Sie sind mir unbewußt böse, daß ich Ihnen keinen vernünftigen Rat gebe. Sie haben das Gefühl, daß ich Sie nicht verstehe oder das Schwierige Ihrer Situation nicht begreife. Aber liebster Freund, dies ist ja das Unglück, daß ich diese Situation nicht jetzt begreife, sondern wie alle Ihre Freunde schon im voraus seit zwei oder drei Jahren. Alles, was Sie jetzt miterleben, haben wir schon vorauserlebt, Ihre Sorgen vorausgesorgt, und mehr noch, wir spürten im voraus die Leberschmerzen, die Sie von Ihrem Trinken noch haben werden, und die Bitterkeit, die Sie unvermeidlich gegen uns wenden werden. Man mußte kein Prophet sein, um das alles zu sehen. Lieber Freund, wenn Sie wirklich klarsehen wollen, so müssen Sie erkennen, es gibt keine Rettung für Sie als ein vollkommen zurückgezogenes Leben irgendwo an dem billigst möglichen Ort. Nicht mehr Paris, nicht mehr Foyot, überhaupt keine Großstadt, ein freiwilliges Kloster. Sie sahen ja unser Entsetzen, als Sie mit dem Doppelten und Dreifachen dessen nicht auskamen, was Sie jetzt haben werden, und irgendeine geheime Ahnung tröstet mich, Sie würden sich im Grunde viel wohler fühlen, wenn Sie einmal von Paris weg sind und ganz in der Zurückgezogenheit leben, wenn Sie überhaupt die entscheidende Umstellung vollzogen haben werden, die Sie nicht freiwillig vornehmen wollten. Bitte nehmen Sie sich den Gedanken aus dem Kopf, man sei irgendwie hart gegen Sie. Vergessen Sie nicht, daß wir in einem Weltuntergang leben und wir glücklich sein dürfen, wenn wir nur überhaupt diese Zeit überstehen. Klagen Sie nicht die Verleger an, beschuldigen Sie nicht Ihre Freunde, schlagen Sie sich nicht einmal gegen die eigene Brust, sondern haben Sie endlich den Mut, sich einzugestehen, daß, so groß Sie als Dichter sind, Sie im materiellen Sinne ein kleiner armer Jude sind,

fast so arm wie sieben Millionen andere, und werden so leben müssen, wie neun Zehntel Menschen dieser Erde, ganz im Kleinen und äußerlich Engen. Dies wäre für mich der einzige Beweis Ihrer Klugheit, daß Sie sich nicht dagegen immer »wehren«, nicht es Unrecht nennen, sich nicht vergleichen, wieviel andere Schriftsteller verdienen, die weniger Talent haben als Sie. Jetzt ist es an Ihnen, das zu erweisen, was Sie Demut nennen. Und wenn Sie mir vorwerfen, ich hielte Sie nicht für klug genug, so antworte ich nur: geben Sie uns die Probe! Seien Sie endlich klug genug, alle diese falschen Begriffe von »Verpflichtung« hinter sich zu werfen. Sie haben nur *eine* Verpflichtung, anständige Bücher zu schreiben und möglichst wenig zu trinken, um sich uns und sich selber zu erhalten. Ich bitte Sie innigst, vergeuden Sie nicht Ihre Kraft in unnützer Revolte, klagen Sie nicht andere an, biedere Geschäftsleute, die normal und ruhig rechnen, während Sie selber nie zu rechnen wußten. Jetzt oder nie ist für Sie der Augenblick, Ihr Leben entscheidend umzustellen, und vielleicht war es sogar ein Glück, daß Sie eben auf den Punkt gestoßen wurden, wo der alte Weg nicht mehr weiterging und Sie gezwungen sind, umzukehren.

Innigst

Ihr Stefan Zweig

An Joseph Roth

49, Hallam Street, London W 1
6. April 1936

Lieber Freund!

Sie können mir noch so böse Briefe schreiben, ich werde Ihnen nicht böse sein. Glauben Sie wirklich, daß wenn ich nur den Schatten eines Rates wüßte, ich schweigen oder vorbeireden würde? Vielleicht können Sie aber selbst einen Plan ausbauen und uns vorlegen, wie man Ihnen helfen kann in den begrenzten Möglichkeiten, die uns allen die Zeit auferlegt. Machen Sie es uns leichter, indem Sie selbst klar einen solchen Vorschlag entwickeln. Und schmieren Sie außerdem ohne Rücksicht auf Stil und Kunst ein paar Filmsujets hin, damit man irgendeine Grundlage hat für mögliche Verhandlungen. Berthold Viertel kämpft hier seit zwei Jahren für Ihren »Radetzkymarsch« und hofft ihn doch über kurz oder lang einmal durchzusetzen.

Herzlichst Ihr S.

An Hans Carossa

49, Hallam Street, London W 1
2. August 1936

Sehr verehrter Hans Carossa, wie sehr haben mich Ihre Zeilen erfreut! Ich bin jetzt viel unterwegs; in wenigen Tagen schiffe ich mich ein nach Brasilien, wo ich Gast der Regierung bin, und nach Argentinien – es ist ein alter Wunsch von mir, noch einmal diesen Teil der Welt zu sehen, ehe die Knochen morsch und die receptiven Organe träge werden. Auch innerlich soll es eine Pause sein. Das letzte Buch, das ich Ihnen nicht sandte, weil ja meine Bücher in Deutschland (ohne jede politische Gründe, ohne persönliche) nicht mehr circulieren sollen und ich nicht den Empfänger belasten möchte, war ein Abschied für lange vom biografismo. Ich habe jetzt wieder Prosa geschrieben, eine größere Legende und will weiter im Novellistischen, mich vielleicht sogar an einen Roman wagen; die letzten Jahre waren innerlich zu unruhig und die Beschäftigung mit dem Historischen eine Art Flucht vor der Zeit. Aber der menschliche Organismus reagiert auch im Geistigen nach einiger Zeit nicht mehr so heftig auf äußere Einwirkungen; Einkapselung ist eine Methode, die auch für den Künstler gilt, wenn er seine Concentration, seine Production schützen will. Auch zur Musik bin ich stark hingeflüchtet und die Freundschaft Toscaninis und Bruno Walters war mir da große Hilfe, wie ich ja auch durch Richard Strauss dem Wesen des musikalischen Producierens durch teilnehmende Erfahrung näher kam. So habe ich nicht persönlich zu klagen – es gibt Stöße, die einen vorwärts treiben statt einen zu zerstampfen – man wünschte sich nur losgelöster zu sein, mehr auf sich bezogen und nicht gewaltsam eingedrängt in Geschehnisse, die man weder fördern noch hemmen kann. Sehr erwarte ich Ihr neues Buch. Und da Sie ja unentwegter Italienfahrer sind, hoffe ich Sie doch wiederzusehen. Hier in England haben Sie eine gemessene, aber treffliche Leserschaft und würden hier auch auf der Universität zu einer Vorlesung mit Jubel empfangen sein. Treulichst Ihr immer ergebener

Stefan Zweig

An Friderike Zweig

Buenos Aires, Sonntag, 12. September [1936]

L. F.

Ich bin in Buenos Aires nicht dazu gekommen, eine Zeile zu schreiben. Die Luft ist hier nicht nicht so gut wie in Rio. Der Kongreß voll Zusammenstöße zwischen Fascisten und anderen, dann wieder todlangweilig – alles wird ja in drei Sprachen übersetzt. Ich habe nirgends gesprochen, die Präsidentenschaft der Sitzung abgelehnt, es ist nichts für mich, vor Galerien zu treten – zum Schluß werde ich vielleicht Dankworte an Wells richten, um irgendeinmal den Mund aufgemacht zu haben. Aber es hilft nichts, noch so diskret zu sein, die Zeitungen verfolgen einen von früh bis nachts mit Photographien und Stories – in Riesenformat war ich abgebildet, wie ich bei der Rede Ludwigs *weinte* (!) Ja, so stand es mit Riesenlettern – in Wahrheit hatte ich mich so widerlich gefühlt, als man uns als Märtyrer hinstellte, daß ich den Kopf in die Hände stützte, um mich nicht photographieren zu lassen, und gerade *das* photographierten sie und erfanden den Text dazu. Mich ekelt dieser Jahrmarkt der Eitelkeiten. – Ich überlasse alles den andern – ebenso tun es die paar wirklich noblen Leute des Kongresses, wie Kalidas Nag. Dafür bin ich der Vertrauensmann aller Leute und habe durch unterirdische Schlichtung den großen Krach verhütet. Es war klug von mir, mich ganz in den Hintergrund zu stellen, obwohl es gewiß auch mißdeutet wird. – Gerne werde ich das Schiff besteigen, obwohl ich sehr Interessantes sah, heute, während die andern tagten: das Schlachthaus, eine einzigartige Sache. Herzlichst S.

An Klaus Mann

49, Hallam Street, London W 1
24. November 1936

Lieber Klaus Mann!
Den »Mephisto« habe ich endlich erhalten und mit viel Freude gelesen. Ach, es hilft nichts, daß Sie auf der letzten Seite liebenswürdig schwindeln, es handle sich nicht um reale Personen! Man erkennt sie doch und man erkennt, was wichtiger ist, die ganze Zeit in ihren Übergängen und Spannungen. Es war schon gut, daß Sie in so spannender Form ein Exempel der Charakterakrobatik gegeben haben und das Unterhaltsame, das Satirische und das Künstlerische so glücklich zu verbinden wußten.
Mitte oder Ende Januar, fürchte ich, bin ich nicht da. Es ist schon ein Unstern über unsren Begegnungen. Ich plane nach dem Süden zu reisen, aber bestimmt ist gar nichts, denn wer wagt noch Pläne zu machen in einer Zeit, die 1914 zum Verzweifeln ähnlich sieht.
Herzlichst Ihr Stefan Zweig

An René Schickele

49, Hallam Street, London W 1
28. April 1937

Lieber Freund!
Ich danke Ihnen spät, aber ich hatte selbst ein Buch fertig zu machen, und zwar ziemlich eilig, um bald ein anderes beginnen

zu können, das mir wichtiger ist. Aber es liegt doch heute schon so, daß man Pausen nicht machen darf und vielleicht auch gar nicht machen will, weil man im Schreiben am besten die Widrigkeiten der Zeit überhört. So verstand ich auch Ihr Buch, das die absolute Isolation eines Menschen, eine Isolation bis zum geistigen Exzeß sich zur Aufgabe nimmt, und während man es liest, lebt man ganz in einem Kosmos, der andere zerebrale Gesetze hat als der gemeine (dies im doppelten Sinne des Wortes). Ihr Buch erregt, wenn ich so sagen soll, wie ein großartiges akrobatisches Kunststück. Dieser Mann geht auf einem sehr dünnen Weg über den Abgrund, und man zittert mit ihm und für ihn – ein Zustand, der sehr aufregend ist und doch unerträglich wäre, wenn Sie nicht in den Nebenfiguren diese gespannte Atmosphäre immer wieder auflockerten. Daß ich Sie um Ihre Prosa freundschaftlich beneide, nur nebenbei. Es wäre doch ein furchtbarer Verlust gewesen, hätten Sie damals Ihren Entschluß durchgeführt, französisch zu schreiben. Bleiben Sie mit uns, wir brauchen Sie sehr!
Ich konnte dieses Jahr nicht an die Riviera kommen, sondern ging nach Italien, um dort die eingesperrten Honorare von drei Jahren aufzuzehren. Sonst schlage ich mich weiter durch und manchmal mit Müdigkeiten herum. Man hat sich die Augen wund gesehen nach dem berüchtigten Silberstreifen am Horizont. Statt dessen wird es immer dunkler.
Lieber Schickele, ich hoffe, daß es Ihnen gesundheitlich gut geht. Dies bleibt noch immer das Wichtigste. Im nächsten Jahr komme ich hoffentlich nach Nizza herunter, unsere guten Stunden zu erneuern.
Herzlichst Ihr Stefan Zweig

An Friderike Zweig

Hotel Regina, 12. Mai 1937
nach Salzburg, Kapuzinerberg

Liebe Fritzi,
ich möchte nicht, daß Du glaubst, es sei dies eine frohe Stunde für mich gewesen – im Gegenteil, ich schreibe Dir das in der Nacht, schlaflos und voll Gedanken an die vergangene gute Zeit. Wir haben beide Fehler gemacht, und ich wollte, es wäre anders gekommen – bei Gott, ich spüre im Herzen nichts als Traurigkeit über diesen äußeren Abschied, der innerlich keiner für mich ist, vielleicht nur wieder ein Näherkommen, weil wir nicht mehr so nahe sind mit all den Kleinlichkeiten und Peinlichkeiten. Ich weiß, ohne eitel zu sein, daß es Dir bitter schwer sein wird, ohne mich zu sein – aber Du verlierst nicht viel. Ich bin nicht mehr derselbe, ein menschenscheuer, ganz in sich zurückgezogener Mensch geworden, den eigentlich nur mehr die Arbeit freut. Du siehst, von wieviel ich Abschied genommen habe, und ich weiß auch, daß es an mir liegt, wenn es um mich stiller und leerer wird; jener Schlag von Deutschland her hat uns alle tiefer getroffen, als Du vermutest, und alles Festliche, Vergnügliche ist mir gespenstisch fremd geworden. Nein, Du verlierst nicht viel, und innerlich bin ich Dir gewiß nicht verloren – ich weiß genau, wer Du bist. – Ich bitte Dich, glaube mir, daß ich nichts anderes wünsche, als Dich zufrieden zu wissen – auch Deinen Kindern wünsche ich alles Glück. Wenn ich unzufrieden mit ihnen war, so doch nur, weil sie nichts von jenem brennenden Eifer des Lernens hatten, von dem wir doch beide wissen, daß er der Sinn und die Schönheit unserer Jugend war. – Aber ich wiederhole Dir, es ist kein Tropfen Bitternis in mir gegen Dich, nur ein großes Bedauern. – Ich fühle diese Zeit als grausamsten Druck. Verzeih mir jedenfalls, wenn ich durch diese Art von Pessimismus Dir manche Stunde verstörte, aber Du weißt, ich habe es mir nie leicht gemacht und mache es andern schwer, mit mir – außer in einzelnen glücklichen

Intervallen – fröhlich zu sein. Ich bitte Dich nun herzlich, habe kein Mißtrauen zu mir. Ich bin voll Fehler und Unzulänglichkeiten, aber eines weißt Du, daß ich nie einen Menschen vergessen habe, den ich jemals gerne gehabt, und wie sollte ich Dir fremd werden können, Dir, die mir am nächsten stand. Du weißt es, wie ich Freundschaft halte, wie ich nie mich dieser innern Pflicht entziehe, selbst wenn Freunde mir Schweres antun (wie jetzt Roth) – bitte gib nie dem Gedanken Raum, Du hättest mich irgendwie »verloren« und kümmere Dich nicht um die Leute. Wenn sie mich verurteilen, haben sie zum Teile recht, zum andern Teil wissen sie nicht, was ich in den letzten Jahren durch den Komplex Salzburg gelitten habe. – Dich aber wird niemand verurteilen, und wer zu Dir hält, wird mir nur lieb und teuer sein (während ich jetzt alle verabscheute, die zwischen uns die Lage spannten). Ich glaube selbst, es ist besser so, wie es jetzt geworden ist, und doch mir ein tiefer Schmerz; aber was gilt denn all das noch, was wir jetzt noch zu erleben und durchzuleben haben? Die beste Zeit ist unwiederkehrbar vorbei, und wir haben sie gemeinsam gelebt, viel davon in wirklichem Glück, und ich auch in gesegneter Arbeit. Denken wir an dies, wenn wir bedrückt sind, und glaube mir, daß ich Dir für alles Gute dankbar bin und daran gerade jetzt denke, während das Schlimme, das uns so oft verwirrt, nun vergessen ist. Vergiß auch Du, wenn ich oft zu Dir ungerecht war. Glaube nicht einen Augenblick, daß ich Dir verloren bin, und denke an mich wie an Deinen besten Freund – möge mir oft Gelegenheit gegeben sein, Dir dies zu beweisen, und verzeih mir allen Schmerz, den diese Trennung Dir angetan. Es ist meine eigene Trauer, die Du fühlst, und wenn ich irgend zu einer Stunde mit Dir oder für Dich sein kann, wird es trotz aller melancholischen Beschattung eine gute Stunde sein. Ich danke Dir für alles und vergesse nichts von dem Guten und Gemeinsamen dieser Jahre und werde es nie vergessen. Immer

Dein Stefan

An Felix Braun

49, Hallam Street London W 1
21. Juni 1937

Lieber Felix!
Sei mir nicht böse, daß ich Dir nicht schrieb. Man schreibt nicht gern Unerfreuliches. Ich hatte eine sehr schwere Zeit, die Auflösung des Hauses, wo alles, was ich in dreißig Jahren gesammelt, in die Winde zerflatterte. Einiges behielt Friderike, besonders die Bücher der Freunde, einiges verkaufte ich, einiges verschenkte ich, der Rest (und wie schöne Dinge) wird einfach Makulatur, weil man in Salzburg für alle diese Dinge niemanden hat und nicht einmal die Bibliotheken sie nehmen wollten. Dann kamen andere, noch schwerere Dinge, und ich war zunächst vollkommen erledigt, als ich hierher zurückkam. Wir wollen über alle diese Dinge, die von der Ferne Dir unverständlich scheinen werden, einmal mündlich sprechen. Laß Dich nur nicht beirren. Das Tragische ist, daß wir alle jetzt erst nach Jahren spüren, was wir für einen mörderischen Hieb empfangen haben und wie unmöglich eigentlich für uns eine Umstellung ist. Ich habe mich ganz in die Arbeit zurückgezogen. Der Entwurf für jenen Roman ist ziemlich weit und vorläufig bin ich nicht unzufrieden. Die wirkliche Qual beginnt ja dann erst bei der Feilung und Prägung und dafür will ich mir diesmal Monate oder ein Jahr lassen. Ich habe immerhin ja mit dem Magellan ein Buch fertig. Reichner bringt auch dann die Auswahl meiner Aufsätze aus dreißig Jahren mit verschollenen Dingen wie die Erinnerungen an Verhaeren, die Rilke-Rede, die Desbordes-Valmore. Außerdem habe ich neue Sternstunden geschrieben. Mir geht es eigentlich so, daß ich in depressiven Zuständen immer am meisten arbeite. Ich möchte diese Abwendung von allem Biografischen nun dauernd durchhalten und die Stoffe, die ich mir in all diesen Jahren aufgespart habe, noch entwickeln in den entwerteten und recht einsam gewordenen Jahren. Die einzige Studie, die ich vielleicht noch schreiben

möchte, ist (und deshalb erwarte ich Deinen Aufsatz so sehr) ein Leopardi. Voraussetzung wäre freilich, daß es gelingt, an die Wahrheit seines Lebens heranzukommen, die von der Familie künstlich verdeckt, von den meisten Biografen sentimentalisiert wurde. Ich habe sehr viel von ihm und über ihn gelesen, bin aber noch nicht zu jener innern Sicherheit seiner Persönlichkeit gelangt, daß ich ansetzen könnte. Wenn Dir irgend etwas besonders Gutes in der italienischen Presse beim Jahrestage auffällt, besonders eine klinische Studie seiner Krankheit, so wäre ich Dir dankbar, wenn Du es mir sendetest, – falls Du nicht selbst Deine Arbeit zu einer großen Studie erweitern willst. Mein Lieber, die Krisen dieses Jahr waren so heftig, daß ich Deine liebe Anregung, die »Legende eines Lebens« an die Melato zu schicken, völlig vergessen habe. Ich hatte nur ein dumpfes Gefühl die ganze Zeit über, daß ich Dir für etwas danken müsse und schäme mich nun sehr. Aber Einzelheiten mögen uns nicht mehr verwirren in unserer alten Beziehung. Und so bekenne ich auch meine zweite Schuld, dem »Rosengärtlein« noch nicht ganz gerecht geworden zu sein, weil ich ganz von Arbeit besetzt und auch sonst nicht Büchern mit der gehörigen innern Helligkeit offen war. Aber aufgeschrieben habe ich mir das Wort »Viele heben an, wenige schreiten fort, die wenigsten gelangen zur Vollendung« Ach, ich bescheidete mich schon, nur die zweite Stufe erreicht zu haben. Möge mir Dein nächster Brief melden, daß das Chaos in Dir den Stern geboren und Du weiter an Deinem Drama schaffst.
Herzlichst Dein Stefan

An Friderike Zweig

27. Juni 1937

Liebe Fritzi,
eben Dein Luftpostbrief. Ja, es mußten endlich zwischen uns die Spannungen beendet sein. Dein Selbständigkeitsgefühl ist

zu groß – nicht, daß Du nicht geistig das Recht hattest –, aber für mich zu groß geworden und ich keine Kraft mehr hatte, für den unbewußten Widerspruch. Auch in diesem letzten Moment der Regelungen konntest Du mir nicht vertrauen: vielleicht hast Du recht gehabt, denn ich vertraue mir selbst nicht mehr. Ich werde mißtrauisch gegen mich selbst, seit ich sehe, daß die ältesten Freunde wie Roth, wie Rolland (wegen politischer Unstimmigkeit) sich entfremden, und es ist vielleicht wirklich schwierig, mit mir zu sein – ich habe vor vier Jahren eben den Stoß tiefer bekommen, als Du bemerkt hast. Es ist besser, hoffe ich, wie es gekommen ist, denn Du hast wenigstens Frieden und Sicherheit und dazu, ich schwöre es Dir, meine herzlichste Freundschaft, die sich weit über den toten Buchstaben hinaus erweisen wird.

Ich bin sehr erschöpft, konnte Walters schönes Konzert nur mit halben Sinnen genießen. Wallmann nahm mich in das Philadelphia-Ballett, sah auch Burghauser. Hübsch ist da, ich habe lange Besprechungen mit ihm wegen der neuen Dinge, dazu gehören neben der Arbeit die nächsten Wochen der Korrektur des »Magellan«, den ich nicht angesehen, und die Fahnen des Essaybuches. Wohin ich dann gehe, weiß ich noch nicht. Vielleicht muß ich doch über Wien – und wir würden uns dann, ich glaube gegen Ende August oder Mitte August, treffen. Ich habe das Gefühl, daß wir über Verschiedenes uns noch auszusprechen haben.

Du weißt nicht, wieviel ich zu tun habe, es wird alles schwieriger und finanziell unergiebiger. – Und ich möchte mich so gerne ganz auf das neue Buch konzentrieren.

Herzlichst S.

An Joseph Roth

25. Sept. 37

Lieber Roth, warum, warum sind Sie gleich gekränkt – wird nicht schon genug auf uns herumgedroschen, als daß wir einander die Zähne zeigen sollten, auch wenn ... Ich bin so sehr von meiner Fehlbarkeit durchdrungen, daß ich gegen andere nichts an Kraft des Absprechens aufbringe. Nein, mein Freund, nicht Artikel jetzt – für unsereinen wäre es das Klügste, in Shanghai oder Madrid sich von einer Gasbombe auslöschen zu lassen und damit vielleicht einen Lebensfreudigeren zu retten. Ich war nur 1 1/2 Tage in Paris, sah außer Masereel und Ernst Weiß niemanden, nur ein paar wunderbare Bilder, und jetzt geht es an die Arbeit. Dieses Jahr 37 ist ein schlimmes für mich, alles faßt mich mit Teufelsklauen an, die halbe Haut ist abgeschunden, und die Nerven liegen bloß, aber ich arbeite fort, käme auch weiter, wären nicht die familiären und andere Dinge, die mich lähmen und das Doppelte an Energie herauszwingen. Vergessen Sie nie, daß ich 55 Jahre vorbei bin und, da wir doch ununterbrochen Kriegsjahre erleben, manchmal müde – ich flüchtete geradezu herüber, um hier mich an den Schreibtisch zu klammern, unsern einzigen Halt. Und was es für ein Bedürfnis für mich gewesen wäre, mit Ihnen zu sprechen, ahnen Sie nicht, ich habe eben wieder von einem »Freunde« einen Hieb bis hinein in die Gedärme bekommen, und die Galle liegt mir knapp an der Lippe, ich beiße nur die Zähne zu. Es wäre wichtig, einmal ausführlich beisammenzusein, und wenn jetzt nicht das Zusammenspiel der Diktatoren zu dem geplanten concentrischen Angriff gegen Rußland führt (erst die Bolsch[ewisten], dann die Democraten, so wurde es ja auch 33 gemacht), wenn auch nur ein schwindsüchtiger Friede bleibt, dann will ich im Januar einen Monat nach Paris; ich habe das Bedürfnis nach Freunden wie nie, und dort sind noch ein paar, und kämen Sie selbst hin, es wäre herrlich! Man muß wieder einmal intensive Luft im Gespräch atmen, sich steigern und stärken: es ist zuviel, was an uns allen von der Irrsinnszeit verschuldet wird. Toscanini mußte im letzten Augenblick in Gastein bleiben, ich sehe ihn hier; für mich ist immer erschütternd, wie er, der die größten »Erfolge« der Erde hat, statt dies egoistisch zu genießen, an allem leidet, was geschieht – nun, in meinem Roman wird vielleicht etwas über das Leiden am Mitleid gesagt sein. Nein, Roth, nicht hart werden an der Härte der Zeit, das heißt, sie bejahen, sie verstärken! Nicht kämpferisch werden, nicht unerbittlich, weil die Unerbittlichen durch ihre Brutalität triumphieren – sie lieber widerlegen durch das Anderssein, sich höhnen lassen für seine Schwäche, statt seine Natur zu verleugnen. Roth, werden Sie nicht bitter, wir brauchen Sie, denn die Zeit, soviel Blut sie auch säuft, ist doch sehr anämisch an geistiger Kraft. Erhalten Sie sich! Und bleiben wir beisammen, wir wenige!

Ihr St. Z.

An Joseph Roth

[undatiert; vermutlich Herbst 1937]

Lieber, eben Ihr Brief. Er macht mich traurig. Ich erinnere mich, wie wir einander vordem schrieben: wir erzählten einander unsere Pläne, wir rühmten Freunde und freuten uns unseres Verstehens. Ich weiß jetzt von nichts, was Sie vorhaben, was Sie schaffen; in Italien erzählte man mir von Ihrem andern Roman und hat ihn gelesen, und ich weiß nichts von ihm. Roth, Freund, Bruder – was geht uns der Dreck um uns an! Ich lese einmal in der Woche die Zeitung und habe dann an dem Lügen aller Länder genug, das Einzige, was ich tue, ist, daß ich versuche, hie und da einem Einzelnen zu helfen – nicht materiell, meine ich, sondern auch Leuten herauszuhelfen aus Deutschland oder in Rußland oder sonst in Nöten: vielleicht ist das die einzige Art, in der ich activ zu sein vermag. Ich widerspreche nicht, wenn Sie mir sagen, daß ich flüchte. Wenn man Entscheidungen nicht durchkämpfen kann, soll man vor ihnen davonlaufen – Sie vergessen, Sie, mein Freund, daß ich mein Problem im »Erasmus« *öffentlich* gestellt habe und nur eines verteidige, die Unantastbarkeit der individuellen Freiheit. Ich verstecke mich nicht, schließlich ist der »Erasmus«, in dem ich auch die sogenannte Feigheit einer concilianten Natur darstelle, ohne sie zu rühmen, ohne sie zu verteidigen – als Faktum, als SCHICKSAL. Und ebenso der »Castellio« – das Bild des Mannes, der ich sein MÖCHTE.

Nein, Roth, ich war nie eine Sekunde einem wahren Freunde untreu. Wenn ich Tosc[anini] sehen wollte, so weil ich ihn ehre, weil man mit einem 72jährigen Menschen jede Gelegenheit nutzen muß, und ich habe ihn ja dann gar nicht gesehen (das überlasen Sie in meinem Brief), weil ich fort mußte, Amsterdam lag ab von meinem Weg, und ich wußte gar nicht, ob̄ Sie in A. oder in Utrecht seien. Roth, wie wenige sind wir, und Sie wissen, so sehr Sie Sich gegen mich wehren, daß kaum irgend jemand so sehr an Ihnen hängt – wie ich, daß ich alle Ihre Erbitterungen ohne Gegenerbitterung fühle: es hilft Ihnen nichts. Sie können gegen mich tun, was Sie wollen, mich privat, mich öffentlich herabsetzen oder befeinden, Sie kommen doch nicht davon los, daß ich eine unglückliche Liebe zu Ihnen habe, eine Liebe, die an Ihrem Leiden leidet, an Ihrem Haß sich kränkt. Wehren Sie sich nur, es hilft Ihnen nichts! Roth, Freund, ich weiß, daß Sie es furchtbar schwer haben, und das genügt mir, um Sie noch mehr zu lieben, und wenn Sie böse, gereizt, voll unterirdischer Ressentiments gegen mich sind, so spüre ich nur, daß das Leben Sie quält und Sie aus richtigem Instinct gegen den schlagen, gegen den Einzigen vielleicht, der es Ihnen nicht übelnimmt, der gegen alles und alle Ihnen treu bleibt. Es hilft Ihnen nichts, Roth. Sie können mich nicht abbringen von Joseph Roth. Es hilft Ihnen nichts!

Ihr St. Z.

An Joseph Roth

17. Oct. 1937

Lieber Unfreund, ich will Ihnen nur sagen, daß ich endlich dank Barthold Fles, den ich gestern sah, etwas über Ihre Arbeit weiß und mich riesig freue, daß Sie so hartnäckig am Werke sind: ich weiß, daß Ihnen die beiden Bücher gelingen werden. Er erzählte mir, daß Sie eine Einladung nach Mexico hätten, und ich kann Ihnen gar nicht sagen, wie wichtig das meiner Meinung nach für Sie wäre, einmal Klima, Ort, Umwelt zu wechseln, neu sich aufzufüllen, und wie wunderbar würden Sie eine solche neue Welt darstellen – so etwas muß auch, ich sagte es Fles, leicht zu finanzieren sein. Der Verwesungsgeruch Europas steckt uns allen in der Nase: ein wenig Luft von außen, und Sie wären, Sie lieber, Sie wichtiger Freund, von der Seele her erfrischt. Ich freue mich, daß Sie wenigstens in Paris sind – vergessen Sie nicht in der Ausstellung den literarischen Pavillon (»ébauche d'un musée de littérature« anzusehen, der stärkste Eindruck der ganzen Ausstellung für mich). Ich habe gestern die erste Form meines Romans fertiggemacht, 400 Seiten, natürlich eine ganz unzulängliche Skizze, die eigentliche Arbeit beginnt jetzt erst, und wie wichtig wäre es für mich, mich mit Ihnen zu beraten! Aber nach London wollen Sie ja nicht (obwohl es wichtig wäre), und ich muß jetzt einmal stillsitzen bis Dezembermitte, dann will ich auf 14 Tage nach Wien und vielleicht einen Monat nach Paris. Wann sehen wir einander? Sie kennen jetzt alle meine Pläne. Nächster Tage bekommen Sie von mir die zwei Bücher, die Sammlung meiner »Essays« und den »Magellan«. Ich habe die letzten Jahre wirklich gearbeitet und herausgeholt, was zu holen war an Kraft und Quantum; möge die qualitas keine zu schlechte sein! Dies nur ein Gruß ins Foyot, und vergessen Sie nicht Ihren unglücklichen Liebhaber und abgelegten Freund St. Z.

An Joseph Roth

49, Hallam Street, London W 1
[undatiert; vermutlich Januar 1938]

sofort nach Ihrem Brief.

Mein Lieber,
ich bin furchtbar erschrocken über Ihren Brief; die Schrift war wirklich krank, und ich spüre atmosphärisch schon lange, daß Sie sehr verzweifelt sind (mehr vielleicht noch als ich, den diese Zeit, in der ALLES unsern Erzfeinden gelingt, rasend macht). Kann ich etwas für Sie tun? Es ist ja so schwer, weil ich gar nichts von Ihnen weiß. Kann die gute Keun mir nicht einmal über Sie schreiben – Sie wissen ja nicht, wie ich (gleichgiltig gegen Ihre Einstellung zu mir) an Ihnen hänge und für Sie eigentlich in Permanenz besorgt bin. Vielleicht komme ich doch jetzt nach Paris, ich wollte eigentlich zuerst nach Lissabon, Estoril und dort an der stillsten Rivieraküste arbeiten. Jener Roman ist in den Grundzügen festgelegt, auch schon einmal geschrieben, jetzt in der zweiten Stufe. Aber es fehlt mir noch viel, im Dialog, in der Sprache. Ich werde, müde wie ich bin, doch länger daran arbeiten als ich dachte und da bewundere ich Ihre Stoßkraft – freilich, Sie sind 15 Jahre etwa jünger, und was für Jahre! Mein Lieber, ich schwätze da herum, Sie mögen aber durchaus das Bedürfnis sehen, wieder einmal mit Ihnen beisammenzusein, mich auszusprechen und vor allem von Ihnen, von Ihren Arbeiten zu hören. Ich weiß gar nichts von Ihnen und will Sie doch nicht verlieren, es beleidigt mich, wenn dann plötzlich ein Buch kommt, um das Sie, mein Freund, ein Jahr gekämpft haben, und ich weiß nichts davon, ich bin der Letzte, der davon erfährt, und hatte doch einmal den Stolz, der Nächste, der Verläßlichste zu sein. Bitte schonen Sie sich. Tut Paris Ihnen gut? Wäre nicht doch der Süden besser für Sie? Ach, ich frage und weiß doch, Sie antworten mir nicht mehr. Aber ich frage eben oder vielmehr mein Herz fragt nach Ihnen.

Innigst Ihr alter St. Z.

Sobald ich ein wenig Übersicht habe, wann ich fahre, schreibe ich Ihnen sofort.

An René Schickele

49, Hallam Street, London
22. April 1938

Lieber René Schickele,
Eben kommt Ihr Brief, da ich Ihnen für die Novelle danken wollte. Leider kann ich Ihnen nichts so sehr Erfreuliches über die englische Situation berichten. Wir sind, sowohl Sie als ich, durch unsre ganze Einstellung dem englischen Geschmack äußerst fremd, und meine Einflußkraft hier eine kläglich geringe. Ein Vorwort müßte hier unbedingt von einem englischen Schriftsteller geschrieben sein, um irgendwelche Wirkung zu haben und nicht eher Mißtrauen zu erregen. Dagegen will ich Hübsch sofort schreiben, daß Thomas Mann ein Vorwort für Sie geschrieben hat, obwohl er es nicht mit einer Ausgabe bringen könnte. (Vielleicht den Schlußsatz ein wenig verändert.) Seine Autorität ist drüben ja jetzt sehr groß, leider herrscht drüben auch die Bücherpleite. Unser Unglück ist ja, daß unsre persönliche Krise mit einer Weltkrise zusammenfällt.
Wir stehen vor einer moralisch auch sehr verantwortlichen Situation. Da wir unsern »Markt« verloren haben, unser Publikum uns gestohlen worden ist, materiell nur der englische Markt gilt, müßte man versuchen, sich dem angelsächsischen Geschmack bewußt anzupassen, was ich nicht kann, und Sie wahrscheinlich ebenso wenig. Mich haben einigermaßen die biographischen Bücher über Wasser gehalten, aber wie es mit dem Roman werden wird, an dem ich arbeite, scheint mir mehr als dubios. Vielleicht wird es für Sie notwendig sein, irgendein Buch neben der dichterischen Produktion zu schreiben, ich dachte damals an Jaurès als Symbol des Untergangs der Internationale, als Zerstörung der letzten europäischen Einheit (oder vielleicht

ein andres Thema, das Ihnen gelegen ist, ließe sich vielleicht fruktifizieren.) Aber eine innere Umstellung unsers literarischen Habitus wird und soll uns nicht mehr gelingen. Hier müssen wir resignieren und vielleicht auf zwei Geleisen versuchen weiterzukommen, auf einem, das nur dem Güterverkehr dient, und dem anderen, das unsre eigentliche geistige Bewegung darstellt.

Verzeihen Sie mir, lieber Freund, den Pessimismus, der vielleicht aus diesen Zeilen spricht. Aber die österreichische Sache hat mich doch sehr getroffen. Nicht nur, daß ich meine Mutter dort habe und Freunde, nicht nur, daß das ganze Opus noch einmal eingestampft wird und noch einmal von neuem angefangen werden soll – es ist auch der Verlust des beinahe letzten Wirkungskreises, der Sturz ins Leere. Hieße es nur »durer«, wie Sie sagen, man brächte dazu noch die Kraft auf. Aber dazu noch das immerwährende Neuanfangen mit einem von tausend dreckigen Äußerlichkeiten verschmutzten Kopf, Paßfragen, Heimatszugehörigkeitsfragen, Familienproblemen, Lebensproblemen. Man wird manchmal schon recht müde.

Verzeihen Sie diesen schlimmen Brief, aber ich habe mir das Gute listigerweise für den Schluß behalten, nämlich die Freude an Ihrer Novelle. Sie haben immer aus dem Rhythmus der Sprache heraus geschaffen und durch diesen Überschwung auf das Französische einen ganz neuen Ton gefunden, der mich merkwürdig an Ihre ersten Gedichte erinnert, an das himmlisch Lyrische. Alle Gnade eines neuen Anfangs ist darin, und ich freue mich furchtbar für Sie, daß Sie sich einen Aufschwung dieser Art geben konnten. Es zeugt für die Vitalität Ihres Fühlens und verrät die noch unangebrochenen Reserven, die wir mit der Wünschelrute der Freundschaft immer bei Ihnen gespürt haben. Lassen Sie sich jetzt nicht niederbeugen. Ich schreibe noch heute an Hübsch. Bitte, vergessen Sie nur nicht, ihm dann ein Exemplar der Vorrede zu senden, die ihn sicher beeindrucken wird, und was hier geschehn kann, soll alles freudigst geschehen. Da ich alles Gute mir zum Schluß aufsparen wollte, sage ich Ihnen noch, daß wir hier an irgendeinem eigenartigen Verlagsplan herumarbeiten, der die früheren verschollenen Bücher unserer Besten in billiger Form ans Licht heben soll. Und im Plan stehen Sie natürlich auf Liste Nummer eins. Wenn es nur gelingt! Ich verwende viel Zeit darauf.

Herzliche Grüße Ihres Stefan Zweig

An Joseph Roth

[undatiert; vermutlich Sommer 1938]

Lieber Freund, Sie schweigen mich hartnäckig an, ich aber denke oft und herzlich an Sie. Mein Leben ist in letzter Zeit arg überhäuft, ich habe das Buch glücklich auscorrigiert (was bei mir beinahe: Nocheinmalschreiben heißt), dann Material gesammelt zu einer Novelle (oder Art symbolischer Novelle), an der ich jetzt schon schreibe, nur immer wieder verstört. Ich muß bei der Arbeit allein sein (bei der conceptiven zumindest) und wollte seit 10 Tagen nach Boulogne flüchten, aber das Wetter ist erbarmungslos. In Deutschland hat »Castellio« seinen Schatten vorausgeworfen, auch die Auslieferung nach Ungarn, Polen, etc. die – Österreich hat kein Clearing mit diesen Staaten – bisher über dieses edle Land ging, ist unmöglich, und auch sonst kommt viel an kleiner Ärgerlichkeit zusammen – ich wundere mich, daß wir dabei noch arbeiten können. Hier lebe ich wie in einer Höhle, kenne ein Zehntel der Leute wie vor zwei Jahren, auch sonst fällt und raschelt viel Laub von alten Herzensbanden. Nun, man hat aber auch kräftig mit der germanischen Axt auf uns losgedroschen!

Und Sie! Ich bin immer ungeduldig, wenn ich an Sie denke. Ihr Roman I muß ja ganz vollendet sein, und wie geht die Arbeit an dem neuen? Wo werden Sie sein? Wo kann man Sie finden? Vor Amsterdam fürchte ich mich, weil ich dort 15 Leute besuchen müßte und außerdem fährt nur die deutsche Lufthansa hin. Wie lange bleiben Sie noch dort? Haben Sie ir-

gendwelche Entschlüsse gefaßt? Roth, halten Sie sich jetzt zusammen, wir brauchen Sie. Es gibt so wenig Menschen, so wenig Bücher auf dieser überfüllten Welt!!
Herzlichst Ihr Stefan Zweig

An Felix Braun

[undatiert, vermutlich Frühjahr 1939]

Lieber Felix, ich freute mich sehr Deines Briefes. Wir sind ja nur in unwesentlichen Punkten verschiedenen Gefühls – Dich beschäftigt mehr das »deutsche«, mich das allmenschliche Schicksal, die fünf Millionen gemordeter Chinesen, die zwei Millionen Spanier sind mir wichtiger als unsere persönlich-literarische Vernichtung, die doch nur eine zeitweilige sein kann. Du weißt, daß ich nie den Kriegshetzern zur Seite stand und wo ich konnte, habe ich zu rechtzeitigem Nachgeben geraten – einer der wenigen, der in Spanien zur Einigung, in Frankreich zu einer Concession an Italien vor zwei Jahren riet. Alles wäre mit Vernunft und Concilianz vor zwei Jahren möglich gewesen; jetzt ist H[itler] von Erfolg betrunken und *will* den Krieg.
Ich lese so wenig als möglich Zeitungen. Furchtbar ist, was mir durch die Briefe auferlegt ist. Ich helfe materiell soviel ich kann, habe die ganzen Newyorker Tantièmen für Jeremias dem Refugeefond dort gespendet, aber wie soll ich hier Garantien und Permits schaffen – ein Gang nach dem Woburnhaus nimmt hier einen Tag! Felix, wenn Du diese Schicksale, die aus den Briefen aufschreien, lesen würdest, käme Dir unser ganzes Dichten entsetzlich phantasielos vor! Und dabei weiß ich, daß das ganz Böse erst kommt (ich schrieb dasselbe Dir vor einem halben Jahr in die Schweiz). Ich weiß mehr, als Ihr wißt. Ich weiß, daß die Hilfsfonds bald versiegen werden. Jeder Jude hier hat jetzt fünf, sechs Leute auf dem Rücken zu tragen, Verwandte, Freunde, dazu ein Rückgang in den Einnahmen und Erhöhung der Steuern – nach dem Vertriebensein kommt das Ver-

hungern von Hunderttausenden! Mich hat das Schicksal mit einem unbestechlichen Auge, einem harten Auge und einem weichen Herzen geschlagen – diese Mischung ist entsetzlich, lieber Freund.
Ich billige sehr Deine Ansicht, Stunden oder ähnliches hier zu suchen (falls das Concentrations-Camp uns nicht all dieser Sorgen enthebt). Von Literatur ist nichts zu erwarten, ich habe meinen Roman hier zurückhalten lassen, denn wer kauft jetzt Bücher! Deine Schwester soll jene Wolfbriefe *raschestens* verkaufen, der Preis ist sehr gut und in zwei Wochen kann es zu spät sein. Von Car[ossa] bekam ich mit herzlichster Widmung seine Goetherede; daß Du nach dreißig Jahren troubadourischen Dienstes über Mells Person klar siehst, ist nur erfreulich, ich habe Dich immer gewarnt: er ist ein verbogener, verbitterter, hinterhältiger Mensch von Anfang gewesen; einer herzlichen Kameradschaft unfähig. Freude hatte ich an Hermann Broch und Auernheimer in Newyork. Hier drängt jetzt alles heran; ich sah Fülöp-Miller, Körmendi gerne, auch ab und zu Zarek und Robert Neumann, und wieviel Ausländer, wieviel Hilfesuchende muß ich sehen! Ich bin jetzt tief in den Vorarbeiten für ein Buch literarhistorischer Art, ein Portrait (nicht Biografie) ganz großen Stils, auf zwei Bände angelegt und mindestens zwei Jahre erfordernd – ich brauchte eine *Welt*, um mich der anderen zu entziehen, die mich bedrückt und von der ich mich nicht zerdrücken lassen will. Aus Selbstverteidigung habe ich mir das Allerschwerste gesucht, um mich abzulenken.
Mit den Freunden sieht es dunkel aus. Victor ist bedrohter als er es weiß, Erwin müde und von Conflicten zerrissen – wir *mußten* gehen, er weiß nicht, ob er das Rechte getan hat. Von den Wienern sind die meisten – Scheyer etc. – die mit ihrer Stellung auch den innern Halt verloren haben, verbittert, Josef Roth ist versoffen: geblieben ist wenig und die ausländischen Freunde, die nicht vom Unglück verdorben sind, der letzte Trost. Ich lebe hier so zurückgezogen wie möglich, gehe nie in Gesell-

schaft (was ein Fehler ist) – meine Naturalisierung wird, weil ich sie nicht mit Protectionen betreibe, wohl noch ein Jahr dauern, wichtig ist nur für mich das Opium der Arbeit.
Von Fr[iderike] aus Paris höre ich oft, sie lebt genau so geschäftig wie früher, sammelt von früh bis abends Leute um sich, beide Töchter sind da und beide ohne Beruf – Sie verstehen nicht den Ernst der Zeit und ich, dessen Verlangen nach Zurückgezogenheit und Arbeit immer ernster wird, bin froh, daß ich nicht noch diese häusliche Unruhe um mich habe – ich kämpfe schon ohnedies wie ein Verzweifelter um die vier bis fünf Stunden Arbeit im Tag.
Laß Dich auch bald sehen. Ich bleibe hier – vielleicht gehe ich einmal nach Holland, aber höchstens auf einen knappen Tag. Ich darf im letzten englischen Jahr nicht viel reisen [...].
Falls mein Freund Fuchs nach dort auf Besuch kommen kann, hier konnte ich für ihn als Arier nicht einmal ein Besuchsvisum erreichen. Entsetzlich das Gefühl unserer Ohnmacht – nie ist der Mensch seit den Sclavenzeiten so erniedrigt worden, wie in diesem Jahrhundert, das in der Wissenschaft (ich sah es in America) in jedem Jahr die unerhörtesten Wunder erschafft. Die Menschheit steigt auf, der Mensch wird erniedrigt – dem Wahn der Rotte, der Herde, des Staats wird unser Leben als Futter hingeworfen.
Lebwohl mein Lieber Herzlich S.

An Hermann Broch

Adresse London, nur über Weekend hier
und ohne Maschine

Grand Pump Room Hotel, Bath
7. V. 39

Lieber Freund!
Ich danke Ihnen sehr für Ihren lieben und ausführlichen Brief und daß Sie mir in so überzeugender Weise den Plan Ihres

Überstaats anvertrauen. Denn darin scheint mir der Kern des Problems zu stecken. Uns ist etwas verlorengegangen. Ursprünglich stand über dem Staate noch eine höhere Instanz, zuerst die Kirche, dann im liberalistischen Zeitalter die Moralphilosophie und der weltbürgerliche Idealismus, Mächte, unsichtbare, an die eine Appellation möglich war und die Übergriffe im Binnenraum durch ihre Autorität verhüteten. Es gab eine Weltmeinung (Fall Dreyfus, türkische Massaker), vor der die would-be-Diktatoren sich fürchteten.
Diese Instanz ist im Kriege vernichtet worden durch die Teilung der Welt in zwei Gruppen, und diese Gruppenteilung hat sich abermals erneuert durch die politisch-revolutionären Aktionen (Faschismus, Nationalsozialismus). Es müßte also neu aufgebaut werden, und ich weiß nicht, ob es genügt, *innerhalb* der alten Demokratien die Organisation zu erneuern, weil doch die Demokratien, die früher die Weltmeinung ausdrückten, nunmehr im organischen Widerstand gegen die andere Hälfte der Welt stehen. Forderungen, die einseitig von den demokratischen Staaten erhoben werden, würden von der anderen Seite schon aus Princip abgelehnt werden, und für mich ist es die Frage, ob dieser Aufbau der *Über*instanz nicht jenseits der Demokratien und von ihnen unabhängig erfolgen sollte. Ein solches Programm scheint mir heute das Wichtigste zu entwerfen: Einige Punkte haben Sie ja *endgiltig* schon fixiert.
Damit sei aber nicht das Mindeste, lieber Freund, gegen Ihren Plan gesagt, gleichzeitig einen Umbau der Demokratien theoretisch und agitatorisch zu fundieren. Das Wichtigste an Ihrer Idee scheint mir zu sein, daß sie eigentlich nur die Formulierung und Organisierung einer schon unsichtbar im Gang befindlichen Bewegung darstellt – Chamberlain, Daladier, Roosevelt – sind ja in einem gewissen Sinn schon Machthaber – und es wäre jetzt nur – diese Distanzierung scheint mir wichtig – notwendig, hier einer Mißdeutung den Weg zu verlegen und einen dicken Strich zu ziehen zwischen den beiden Begriffen

»Diktatur« und »Tyrannei«. Was *Sie* fordern, ist Diktatur, was die faschistischen und nationalsozialistischen Staaten haben, eine Tyrannei. Und so wie jene uns den Begriff »Freiheit« und »sozial« weggenommen haben, müßte man jetzt ihnen das brauchbare Wort »Diktatur« einfach stehlen, und es gewissermaßen chemisch gereinigt der Tatsache der *Tyrannei* entgegenstellen. Ich frage mich sogar, ob nicht der richtige Titel oder Untertitel jener kommenden Untersuchung wäre »Diktatur contra oder statt tyrannis« und auszuführen, daß tyrannis immer an einen einzelnen Menschen gebunden ist, Diktatur aber ein überpersönliches System bleiben kann, dessen Träger zeitweilig ersetzt werden muß, also »Führer« nicht auf Lebenszeit, nicht angeblich von Gott eingesetzt, sondern vom Volke, nicht unkontrolliert aus privaten Stimmungen und Ressentiments handelnd, sondern unter Kontrolle – ja, ich würde es für nötig halten, daß jeder dieser zeitweiligen Diktatoren der Demokratie nach einer bestimmten Zeit vor einem Senat oder einem Parlament sich rechtfertigen muß und für Fehler und Übergriffe verantwortlich gemacht werden kann. Wenn es Ihnen nützlich sein könnte, daß ich in Ihrem geplanten Buche zum Beispiel diesen Unterschied breiter ausführe, so bin ich gerne bereit.
An die Muirs schreibe ich sofort wegen Ihres Romans, denn es gehen in nächster Zeit verläßliche Bekannte von mir hinüber. Daß ich so eilfertig bin, es zu besorgen, hat natürlich auch den egoistischen Grund, daß ich inzwischen den Roman lesen will. Hier ist eben gleichzeitig mit meinem Buch, das hier erstaunlich gut aufgenommen wird, der neue Joyce erschienen, an den ich mich noch nicht gewagt habe.
Lassen Sie sich dadurch nicht zu lange von Ihrer Arbeit ablenken und töten Sie Vergil um seiner Auferstehung willen. Über die Weltereignisse wissen wir alle gleich wenig. Ihr Traum von einer totalitären Demokratie ist insoweit schon erfüllt, als die Zeitungen hier längst auf verstopften Hörnern blasen, jede Kritik erstickt, jede wirkliche Information unmöglich ist, und

dabei unter einem »Führer«, an den niemand mehr glaubt und der wahrhaftig den historischen Weltrekord an Unverstand geschlagen hat.

Alles Herzliche von Ihrem Stefan Zweig

Ich bin manchmal schon ganz gleichgiltig gegen das Politische. Die Nerven reagieren nicht mehr auf Überschriften, auf Reden und Ankündigungen. Schon glaube ich glücklich das Organ wie einen bösen Zahnnerv abgestorben – da eine Nachricht wie Litwinows Sturz, und sofort zuckt es mich durch. Daß für uns als Productive dieses Angekoppeltsein an den Weltdraht ein Verhängnis ist, fühle ich immer deutlicher, man müßte lernen, sich zu »désolidariser!« Lang können wir diese Spannungen nicht ohne Lädierung unserer empfindlichsten Substanzen durchstehen – hoffentlich ist drüben, infolge der langen Leitung, die elektrische Schlagkraft dieser Ereignisse schwächer in den Nerven fühlbar. Ich habe manchmal Lust, systematisch zu versuchen, Zeitung so zu lesen wie Geschichte von vor 100 Jahren. Der Begriff, daß etwas Wahres und Wichtiges ist, weil es heute geschieht, müßte zerstört werden – *das* scheint mir unsere innerste Rettung, oder die Geschehnisse in eine Formel fassen, sie mathematisch und methodisch anzusehen statt als Actualitäten (und dies versuchen Sie ja) – gewissermaßen wie bei einem Erdbeben der Wissenschaftler Schwingungen mißt, statt auf die Toten zu blicken.

An Felix Braun

[undatiert, vermutlich 1939]

Lieber Felix, ich habe keine Zeile von Dir und bin in solcher Sorge um Euch alle, daß ihr nur rechtzeitig Vorkehrungen trefft – ich erlebe es von Tag zu Tag (ich habe doch eine Art Büro mit hundert Anfragen), wie es schwerer wird mit den Bewilligungen. Ich fürchte, auch in England wird bald der eiserne

Vorhang niedergehen. Auch Südamerika ist jetzt zu Ende – dazu kommen jetzt die Flüchtlinge aus Sudetendeutschland. Daß Schreiben immer unnützer wird, wo uns abermals ein Stück deutscher Wirkungsmöglichkeit in Böhmen geraubt wird, macht einen verzweifelt. Und daß man sonst so wenig helfen kann, so schauerlich machtlos ist mit grauen Haaren und nach vierzig Jahren Arbeit. Ich war die letzten zwei Wochen unfähig, auch nur das Geringste zu tun als Correcturenlesen oder ähnliche Kärrnerarbeit.

Wofür all dieser Wahnsinn der Welt? All das wäre mit ein ganz klein wenig Einsicht und Einigkeit zu verhindern gewesen; jetzt ist die Lawine im Rollen. Hätte sie einen nur schon mitgerissen!

Felix, ich bitte Dich, laß Dich nicht vom falschen Wahn betören, daß was man in dieser Verwirrung macht, wichtig wäre für die deutsche Literatur, wichtig ist jetzt vor allem, Existenzen zu retten, sogar sich selber. Versäume keinen Tag, versuchs auch nicht mit Verlängerungen in der Schweiz, die halten nicht lange – man muß jetzt von Grund auf sich neuen Boden unter den Füßen suchen, und der Raum wird von Tag zu Tag schmaler! Ich habe Angst für Robert, auch er hat viel Zeit vertan, indem er durchaus nach Schweden wollte (als hätte man heute noch Wahl). Ich sehe von hier alles – leider – viel klarer und illusionsloser (welche Qual, es so sehen zu müssen)

Herz. S.

An Felix Braun

[undatiert; vermutlich 1939]

Lieber Felix, nur eine Zeile. Ich weiß nicht was tun – ich erhalte von einer Frau Mayer, der Schwester von Frau Dr. Rappaport in Wien einen dringenden Brief aus Amsterdam, die Juden aus Wien würden nach Lublin verschickt und man müßte jetzt Fräulein Eugenie verhelfen nach England zu kommen. Dazu das mich immer beschämende Wort, ich könnte dies doch hier gewiß dank meines Einflusses durchsetzen – ich, der ich nicht aus Bath ohne Erlaubnis ins Nachbardorf gehen [darf] und jetzt schon Wochen geduldig warten muß, vor ein Tribunal zu kommen. Es ist doch ganz aussichtslos, daß England jetzt während des Krieges jemanden (außer zur Durchfahrt nach America und selbst da kaum mehr) eine Erlaubnis gewährt. Ich bin sehr getroffen von meiner Machtlosigkeit, die im Contrast, im schärfsten, zu dem steht, was man mir an Macht zumutet – in Frankreich, in Schweden, in allen Ländern kann ich etwas durchsetzen, hier nicht das geringste, wie mein eigenes Exempel zeigt, aber ich fürchte, man wird es – wie immer und immer – für Gleichgiltigkeit, für Trägheit halten. Dabei würde doch Fr. Eugenie gewiß nicht die Schwester im Stich lassen und für die gleichfalls sehe ich keinen Weg. Ich bin ganz zerschlagen von diesem Gefühl der Unfähigkeit – gerade hier in diesem Lande, wo ich jetzt bin, so gänzlich außerstande zu sein. Allerdings – es wäre ja auch gar keine Rettung, nur eine andere Verzweiflung; denn wie soll sie hier die gebrechliche Schwester pflegen in einem Lande, das mit Rationierung beginnt, dem jeder Tropfen Milch kostbar sein wird. Ein Freund Csokors versucht mit meiner Garantie für ihn hier eine Einreise zu versuchen. Csokor, als polnischer Staatsbürger kann wenigstens dienen in irgendeiner Form, aber nie werden die Behörden zwei ganz alte Frauen aus Deutschland jetzt herübernehmen. Schrecklich an Fräulein Eugenie zu denken, inmitten dieser Bestien! Aber was tun? Man sitzt hier in seiner Ecke wie die Fliege im Dreck, man kann nicht helfen, kann diese papiernen Mauern nicht zerstoßen. Wäre nur der Schatten eines Schattens einer Möglichkeit, ich zähmte meinen Stolz und bäte um ein Permit nach London. Aber wen dort anrufen? Und dabei ohne die Überzeugung, daß England es eigentlich tun *kann!*

Alles Herzliche! Verzeih, aber ich mußte es Dir sagen als gemeinsamer Freund. Dein Stefan

An Klaus Mann

[undatiert; vermutlich Juli 1939]

Lieber Klaus Mann,
ich muß Ihnen doch so rasch als möglich sagen, welche außerordentliche Freude mir Ihr Roman bereitet hat; ich spürte so lange schon in Ihnen die wachsende Entschlossenheit, das männliche Sicherwerden, ich habe, Sie wissen es vielleicht, immer auf Sie »gesetzt«, aber dieses Buch übertrifft doch weit diese anspruchsvollen Erwartungen durch seine Fülle und geistige Überschau, seine strenge und bis ans Unerbittlich-Verzweifelte getriebene Gerechtigkeit. Ich denke jetzt nicht an einzelne Scenen (herrliche sind darunter, absolut unvergeßbare) sondern an die Verteilung von Farbe, Licht und Schatten in dem ausgespannten Rahmen und die Vehemenz der Pinselführung; mir war es so wichtig, daß Sie dieses Problem nicht flächig darstellten, Geschehnis neben Geschehnis mit Menschen, die als Statisten auftreten und sich wie Marionetten hölzern bis zum Schluß in ihren Scharnieren bewegen, sondern daß die Wandlung, die *Verwandlung* der Charactere durch die Emigration das eigentliche Thema wird, also durchaus das innere Schicksal als Reflex und Folgeerscheinung der organisch-atmosphärischen Veränderung.
Einwände habe ich keine, gewünscht hätte ich vielleicht noch etwas mehr Armut und Geldverzweiflung, wie ich sie oft, allzuoft sehe, den Untergang bloß aus dem nackten Faktum von fehlenden paar Mark – etwas mehr Kläglichkeit, Dreck, Düsterkeit also. Und dann hat natürlich der November 1938 noch manches übertroffen: Hitler schreibt Weltgeschichte mit teuflischerer Brutalität als wir sie zu erdichten vermögen. Er wird Ihnen, wenn nicht gepanzerte Engel niedersteigen, andere als Ihr Engel der Heimatlosen, noch einen zweiten Band schreiben.
Lieber Klaus Mann, ich habe noch ein persönliches Gefühl bei diesem Buch – als ob Sie sich dabei und dadurch selbst immunisiert und gerettet hätten. Lese ich richtig, so haben Sie es gegen ein früheres Selbst, gegen innere Unsicherheiten, Verzweiflun-

gen, Gefährdungen geschrieben: so erklärt sich mir seine Gewalt. Es ist eben kein beobachtetes Buch (wie z. B. Feuchtwangers Fresco zu werden scheint) sondern ein erlittenes. Man spürt das.
Wo immer diese Zeilen Sie erreichen mögen, sollen sie Ihnen meinen Glückwunsch sagen. Ich habe mich herzlich an Ihnen gefreut und danke Ihnen, daß Sie mein jahrealtes Vertrauen in Sie so erfüllt und übertroffen haben. Von Herzen Ihr

Stefan Zweig

Eine Beckmesserei, aber nur als Zeichen, *wie* genau ich Ihr Buch las. Auf Majorca läßt Bernheim den Greco und Renoir zurück. Wieso hat er ihn wieder in Wien in seiner Villa? Ist das nicht eine Flüchtigkeit, die in der nächsten Auflage zu tilgen wäre.

An Max Herrmann-Neiße

Bath
25. Sept. 1939

Lieber Macke,
Ich war heute ein paar Stunden in London nach einer gespenstischen Fahrt durch die Dunkelheit – die Stationen wie Städte in einem Nebelsee ertrunken, mit kleinen blauen ängstlichen Flammen, die Menschen grau und geisterhaft, schleichende Schatten, jedes Coupé ein Sarg. Nein, fühlte ich, das *kann* nicht lange dauern, das zerdrückt die Seele auch des gelassensten Volkes. Ich konnte Dich nicht aufsuchen und nicht einmal anrufen. Mich bannte eine trübe Pflicht. Ich hatte als einer der ältesten und innigsten Freunde die bittere und verantwortliche Aufgabe, am Sarge Sigmund Freuds zu sprechen, ehe man seinen Leib den Flammen übergab – zum zweitenmal Totenredner eines Freundes innerhalb eines Vierteljahrs. Ich hatte vor diesem Manne eine reine Ehrfurcht um der geistigen Strenge wil-

len, die sich bei ihm mit einer rührenden Güte des Herzens paarte – er war der Mann auf dieser Insel, der am tiefsten die geistige Welt verändert hatte, und sie merkten es nicht, mit A.R.P. und Alienstribunalen befaßt.
An diesem Kriege ist so furchtbar, daß er nicht ehrlich ist. Daß er vorläufig (außer in Polen) nur gespielt wird, und hier hakt meine Hoffnung ein, daß es nicht lange dauern wird. Aber das faulste Compromiß ist redlicher, als daß Tausende Menschen an Gasdämpfen verfaulen – lösen wir uns doch endgiltig los, wir Freien, von allen Vaterländern. Es gibt eine Heimat, aber es gibt keinen »Staat«, und ich wehre mich, dieser überreizten Ideologie zu verfallen, die in drei Jahrzehnten einer andern wieder weichen wird. Humanität hat keine Schulterklappen, sie ist überall und überall selten, aber, wo immer, ist sie und sei sie unser wahres Vaterland.
Deine Gedichte haben mich tief ergriffen. Welcher Trost ist Dir gegeben, das Unmittelbare gleichsam entkleidet seiner Gemeinheit darzustellen. Selten hast Du schönere Strophen geschrieben, und auch wenn sie jetzt nicht erscheinen, möchte ich doch Deiner stillen Tat einmal öffentlich gedenken – bisher erscheinen sie mir als das reinste dichterische Document dieser Zeit. Wäre die »Propaganda« hier nicht so gottverlassen, man müßte sie Dich deutsch im Radio lesen lassen statt der durchsichtig-dummen Hinterfrontmeldungen. Nur so könnten wir auf die Deutschen wirken, wenn sie fühlen, daß wir, die Ausgestoßenen, menschlicher sind als ihre Führer und Verführer. Aber ich beginne zu träumen, und um uns ist noch gräßliche Wirklichkeit. Ich danke Dir innig für

»Immer steht ein Ausweg offen
wenn die Not am höchsten war«

Du weißt, ich glaube an diese Erfüllung.
Alles Innige Euch beiden! Euch dreien

Dein Stefan Z.

An Max Herrmann-Neiße

29. Sept. 1939

Mein lieber Macke,
wie gut wäre es, jetzt mit Dir ein redliches Gespräch zu haben; von Anfang an haben wir einander immer in allen entscheidenden Dingen verstanden. Mein Herz ist schwer. Ich kann nicht aufjubeln, daß es jetzt endlich gegen die Nazis »losgeht«. Gewiß, ich verstehe, nostra res agitur, und wenn die Bestie jetzt erledigt wird, so werden Deine Verse wieder in Deutschland leben – vielleicht nicht wir selber, aber doch die Bücher. Diese Hoffnung sollte mich und Dich beglücken, aber, mein Lieber, ich mag keine Vorteile, die andere mit Bauchschüssen und Gasvergiftungen bezahlen. Und dann: für die Freiheit, welche die Deutschen gewinnen, wird hier viel Freiheit verloren. Es wird hier und überall nach [ein] paar Monaten Zwangswirtschaft, Beamtenallmacht geben, und diese schlimmen Dinge *bleiben*. Wir sind in eine jener Katastrophenzeiten gekommen, in denen früher die Weisen und Geistigen in Klosterzellen flüchteten, aber die gibt es nicht mehr.

Ich habe mich gerüstet, soweit ich kann. Ich habe mir hier ein kleines Haus mit großem Garten gesichert, Hallamstreet aufgegeben und will den Krieg hier zu überstehen suchen. Die Arbeit weigert sich mir bisher hartnäckig, der Hammerschlag auf den Kopf war zu hart. So ist es beinahe ein Glück, jetzt mit Einrichten, Herrichten zu tun zu haben; ich hoffe, wenn es in 8 oder 10 Wochen soweit ist, kommt Ihr einmal herüber. Ein Gastzimmer wird immer bereit sein. – Mein Lieber, ich glaube, Du bist einer der ganz Wenigen, mit denen ich jetzt sprechen kann. Von den wilden »Activisten« hat sich gewiß kein Einziger an die Front gemeldet und alle ins Propagandabüro.

Wir, die Friedlichen, haben im letzten immer mehr Mut gehabt als all die Schreier – den Mut, uns zum Abscheu vor allen Gewaltsamkeiten zu bekennen. Bleiben wir fest, selbst in unserer Trauer!

Dein getreuer Stefan Zweig

Gruß an Lene und So.

An Felix Braun

[undatiert; vermutlich Herbst 1939]

Lieber Felix, ich bin in Bath und recht zwecklos wie wir alle. Im letzten Kriege konnte ich sprechen – gegen den Krieg sprechen, weil ich meine Sprache hatte, Zeitungen, Zeitschriften, die Möglichkeit der Bindung. Alles dies haben unsere Freunde in neutralen Ländern und in Frankreich. Hier sind wir nutzlos. Wahrscheinlich wird mich das B.B.C. eines Tages entdecken wollen, aber ich bin trotz aller Erbitterung gegen Hitler zu keiner Kriegspropaganda geeignet. Meine Arbeit über Balzac ist abgebrochen – ich habe keine Bücher hier, kein Material und es scheint mir sinnlos. Alles was ich tue, sind Versuche, mein *privates* Leben in Ordnung zu bringen inmitten einer chaotischen Welt. Ich habe mir hier ein Haus mit Kartoffeln und Gemüse im Garten gesichert. Ob ich »erlaubt« werde, es zu bewohnen ist eine andere Frage, jedenfalls habe ich meine Wohnung in London aufgegeben – ich tat es schon früher, ehe noch an Bomben gedacht wurde. Ich mag die Stadt nicht mehr; besonders London, wo man nicht spazierengehen kann, ist mir allmählich unerträglich geworden. Geschrieben habe ich nichts außer mein Tagebuch (wie im andern Kriege) und eine Sternstunde über den Tod des Cicero bereite ich ein bißchen vor: auch einer, der der Diktatur erlag, der von Ordnung träumte und auf dem Recht beharrte. Wenn ich nur meine Bücher hier hätte, wäre mir alles leichter; die Stadtbibliothek hilft nur einigermaßen, aber es sind nicht die Bücher, die ich innerlich suche.

Felix, laß die Astrologie und Horoscopiererei! Wie oft hast Du mir Hitlers Ende auf Grund solchen Altweibergeschwätzes schon versprochen, für 1936, 1937. Laß doch den Vorwitz, wissen und raten zu wollen. Geduld, sie ist es, die wir brauchen, unendliche, demütige Geduld. Ich habe sie, weil mir das Leben und mein Leben schon im wesentlichen weggelebt erscheint; ich fühle mich als Zuschauer und zu meiner Schande bringe ich nicht mehr genug Mitgefühl auf: ich habe zu viel verbraucht

in diesen Jahren. Ich kann nicht an die gehetzten polnischen Juden denken, an die drei Millionen, die jetzt langsam verhungern werden unter diesen viehischen Eroberern. Nur an die Freunde kann ich denken. Am meisten Sorge habe ich für Csokor. Er ist (als Deutscher, der sich zu den Polen bekannte) in Polen. Unausdenkbar was ihm geschähe, diesem anständigsten Menschen. Erwin dürfte in Tunis sein, er macht mir weniger Angst. Die Freunde in Frankreich haben nicht die geistige Einsamkeit um sich wie wir hier. Etwas berührt mich hier immer wieder fremd – gerade jetzt in höchster Bewunderung: wie ruhig die Menschen sind, wie unerschütterlich und verhalten! Ich war hier zufällig im Amt, da kam ein Clerk herein, sagte »Deutschland ist in Polen eingebrochen. Das ist der Krieg« Der Beamte mit dem ich sprach, hob gar nicht den Kopf und sprach amtlich weiter, während mir die Ohren dröhnten. Wie sie weggehen zur Armee! Wie zu einem Match – es ist großartig und doch, ich schauere dabei; denn dieser Krieg kann bei solcher ruhigen Entschlossenheit zehn Jahre dauern. Ich hörte einen sehr hohen Mann vor zwölf Leuten in einem Zimmer sagen »Natürlich wird ein beträchtlicher Teil Londons zerstört werden, wenn Hitler lange durchhält« – er sagte es mit einer solchen Ruhe und niemand widersprach. Das ist römisch im alten Sinne, ist spartanisch. Ich verstehe es und verstehe es nicht. Jedenfalls ahnen diese Verbrecher (an deren Tische, oh Schmerz, unser Carossa saß) nicht im entferntesten, was sie herausgefordert haben. Denk Dir, was für ein Heros Hitler geworden wäre, hätte er sich mit Danzig und einem Stück des Corridors friedlich begnügt. Nun wird er die Hybris büßen. Aber wie viele, wie viele mit ihm!
Laß Dich nicht entmutigen. Der Gedanke, daß Du so verschlagen bist in Einsamkeit, bedrückt mich. Aber es geht uns allen so. Unser Leben ist zertrümmert. Retten wir die Reste.

Dein Stefan

An Felix Braun

[undatiert; vermutlich Anfang 1940]

Lieber Felix, ich war bei Victor, fand ihn natürlich matt, aber tapfer, ich hoffe, er haut sich auch diesmal wieder heraus im (sinnlosen) Kampf um das Leben. Ich fahre auch diese Woche ihn besuchen. Ich arbeite noch immer in tempo sostenuto, wie es in der Musik heißt; zum brio reicht es nicht mehr in dieser Zeit, aber ich will nicht undankbar sein. Ich freue mich, daß Du den grundgescheiten, profunden und vor allem mutigen Roman Thomas Manns liest – welche Absurdität, daß Deutschland dies deutscheste Buch nicht lesen darf. Ich habe eine eilige, aber heftige Anzeige für ein neues Blatt geschrieben, das Otto Pick jetzt in London startet. Sonst ergriff mich sehr der »Epilogue« von meinem geliebten Freunde Roger Martin du Gard (der Schluß der »Thibaults«), und Irwin Edmans »Candle in the dark« habe ich als Fingerübung, um unser Deutsch nicht zu vergessen, zusammen mit Richard Friedenthal übersetzt – man fühlt die Distanz der Denkweise zweier Völker am besten dadurch, daß sich entscheidende Begriffe durchaus in den bezüglichen Worten nicht decken wollen, es bleibt wie bei einer größeren und kleineren Münze immer bei einer ein unbedeckter Rand zurück. Gerade bei einem philosophischen Werk – Edman ist Ordinarius der Philosophie an der Columbia Universität, aber dabei ein heller, jugendlicher Mensch – spürt man die Incongruenzen am meisten; das Untere in jedem Volk articuliert gleich, das Sublime distanziert sich. Sonderbarer Zeitvertreib denkst Du Dir, aber dazwischen treibe ich mich noch im Garten herum und suche zu lernen, wie Gemüse und Blumen gesetzt, gewärmt, gestützt, gepflegt werden müssen; zum Candide der selber den Garten bestellt, habe ich wenig Talent. Außerdem betreibe ich eine Reise nach Paris, ich soll im Théâtre Marigny einen großen Vortrag halten über Wien und habe allerhand Notizen gesammelt – aber erst muß ich den Permit von hier, die heilige Erlaubnis haben, ach, Erlaubnis zu leben, zu atmen, zu denken, das werden wir auch alles bald einholen müssen, obwohl die oberste Instanz, der liebe Gott, sie uns doch eigentlich generell bewilligt hat; es sind immer die Unterbeamten, die das Leben schwer machen. Herzlichst

Dein Stefan

An Felix Braun

Lyncombe Hill, Bath

[undatiert; vermutlich Anfang 1940]

Lieber Felix, in gran fretta – ich fahre eben nach London, Victor zu besuchen, der wieder operiert wurde, und Einiges durchzukämpfen wegen meiner Reise nach Frankreich (Formalitäten über Formalitäten). Mir ist lieb, daß Du beginnst, der Weltlage klar ins Auge zu blicken, statt wie früher auf horoscopische Faseleien und Weissagungen der Therese von Konnersreuth zu achten. Ich habe Irwin Edmans Buch übersetzt, weil er verlangt, man solle bis zur Tiefe der Despair hinabfallen und denken, um dann erst wieder Hoffnung zu finden in der Frage: was bleibt trotz alledem? Wir wissen es: das Bleibende! und selbst wenn man es selbst nicht schaffen kann, so vermag man doch ihm zu dienen und wird dadurch beschwichtigt.

Arthur Symons ist seit Jahren im Irrenhaus. Du kannst von ihm keine Erlaubnis erhalten.

Erwin schweigt auch zu mir. Es hat nichts zu besagen bei ihm. Daß Du Vorwürfe wegen Briefeschreibens bekommst ist monstreus. Nur solltest Du wirklich vermeiden auch auf Umwegen mit Freunden der andern Zone in Verbindung zu bleiben. Bitte tu's! Es wird für die aliens alles gefährlicher je länger der Krieg dauert, je weniger sichtbare Resultate er fördert. Jede Nation sucht dann eine Ursache; man sagt nur »wir« im Siege, andernfalls waren irgendwelche anderen die Schuldigen. Ich beschwöre Dich, halte Dich zurück. Man kann nicht helfen, man kann nur sich und den andern schaden. Nur dies Wort. Wir müssen einander unbedingt bald wiedersehen. April hoffe ich, oh wie hoffe ich es, in Frankreich zu sein und dort Freunde und Friderike zu sprechen. Hier sehe ich niemanden, auch in London nicht, ich *will* nicht sprechen als Fremder, als Gast, nicht kritisieren, nicht prophezeien. Dein alter

Jeremias

An Frans Masereel

Lyncombe Hill, Bath
20. II. 1940

Mein lieber Alter,
Ich habe Dir lange nicht geschrieben, aber ich schreibe nicht gern über Grenzen hinweg, und überdies hoffe ich im April für eine Vorlesung in Frankreich zu sein. Natürlich wird es eine Menge von Schwierigkeiten zu überwinden geben – eine Reise nach Frankreich heute ist viel komplizierter als eine zum Nordpol früher, und dazu kommt noch eine Charakterschwierigkeit – es liegt mir nicht zu bitten, Behörden zu bestürmen und Freunde zu mobilisieren; aber ich tue was ich kann. Ich brauche eine freundschaftliche Atmosphäre so nötig wie ein Anregungsmittel. Ich habe hier wenige wirkliche Freunde, eben Freunde von früher wie Fleischer und Friedenthal, aber wenig intimen Kontakt mit Schriftstellern – die Künstler haben weder die Gabe noch den Willen für freundschaftliche Mitteilsamkeit. Ich habe große Sehnsucht nach Frankreich.
Mein Freund, nach diesem Krieg werden wir eine andere Welt sehen. Ich weiß nicht, ob es eine bessere Welt sein wird, und ob wir, die wir immer Vergleiche mit der alten anstellen, in ihr glücklich sein werden; aber es geht jetzt nicht mehr um Glück und sich Wohlfühlen; man muß dieses kleine innere Gebiet verteidigen, unsere persönliche Freiheit, wie schwer es immer sein mag, auch nur einen Zoll davon zu bewahren. Ich arbeite, ich

habe (aus Verzweiflung) ein großes Gemälde angefangen – einen »Balzac« in zwei dicken Bänden, einen über sein Leben, den anderen über sein Werk. Es wird das erste vollständige Buch über Balzac sein, vorausgesetzt daß ich am Leben bleibe und daß ich die nötige Kraft und Ausdauer habe. Ich werde noch anderthalb oder zwei Jahre dazu brauchen und wir wollen hoffen, daß es seiner würdig sein wird und Deines Freundes

Stefan Zweig

Freundliche Grüße an Deine Frau!

An Felix Braun

[undatiert; vermutlich 1940]

Lieber Felix, ich war in London bei Victor, leider ist noch eine Operation nötig. Der Arme ist so mutig und vertrauensvoll, träumt von einer Reise nach Südafrica zu seiner Frau, und ich wage nicht ihm zu sagen, daß da noch lange keine Aussicht besteht; bald da, bald dort ist in seinem Körper ein Überfall oder vielmehr Verfall. Lange werden wir ihn kaum mehr haben. Sein Körper will anscheinend nicht mehr.

Ich habe noch lange über Deine Lage nachgedacht. Erwarte Dir um Himmelswillen nichts Materielles von einem Vortrag in der »Österr. Academie«; das ist vom guten Guido gut gemeint und rührend geplant, aber wer hat Zeit, wer Geld für Vorträge, und nur Kinder können an die Märchen von einer Wiederherstellung Österreichs glauben. Aber in dieser Einöde und unter ständiger Controlle darfst Du nicht bleiben; an literarisches Unterkommen ist mit Arbeiten kaum zu denken, die wie Gedichte und Dramen ganz in der eigenen Sprache gebunden sind. Entweder müßte eine Lehrtätigkeit gelingen (Dein Englisch ist meinem wohl schon vorausgekommen dank ständigen Umgangs, den ich vermeide) oder ein Buch jener Art wie ich es oft von Dir wünschte, das auch an Engländer und selbst in Übertragung appelliert. Ich leide sehr an dem Gedanken, wie Du dort leben

magst und bitte Dich zu glauben, daß Du bei einem Übergang jederzeit auf mich materiell zählen kannst – was ich Dir rate, ist nur im voraus genau zu planen, ehe Du Dich zu einem definitiven Aufbruch des Nomadenzeltes entschließt. Wichtig ist jetzt, sich innerlich gewahr zu sein, daß die alte österreichische Welt, in der wir wuchsen und lebten, vom Erdbeben verschüttet ist und *endgiltig* dahin; daß wir leben, wirken müssen ohne sie und nicht mit Gespenstern hausen, um nicht selbst Lemuren und Schatten zu werden. Es ist nicht leicht, wer weiß es besser als ich, der ich recht müde bin und zu einer Arbeit die vierfache Zeit brauche als vordem. Aber dennoch und dennoch!
Und bitte, keine Briefe mehr ins Ausland und womöglich wenige in neutrale Länder *in deutscher Sprache!* Die Situation wird bedrohlicher werden; ich weiß, Du nennst mich einen Schwarzseher, aber habe ich nicht noch immer zu hell gesehen? Denk Dir, aus Deutschland würde heute jemand englische Briefe ins Ausland schreiben!! Das Böse geht jetzt von Land zu Land durch die Welt, in manchen Nächten höre ich es, halb im Traum, schon hier an unsere Türen klopfen. Lassen wir nicht einen Fuß breit offen durch Leichtsinn oder Verwegenheit!
Ich weiß nicht wann und ob ich reisen kann. Wer vermag Ämter zu bestimmen, präcises Ja oder Nein zu verlautbaren? Und hier sind etwa 14 Instanzen im Spiel, der doppelte Dantekreis.
Leb wohl, Lieber, und sag mir, wenn Deine Entschlüsse reifen, ein Wort
Dein Stefan

An Felix Braun

»Rosemount«
Lyncombe Hill, Bath
[undatiert; vermutlich März 1940]

Lieber Felix, da es doch wahrscheinlich wird, daß ich gegen den 8ten oder 10ten nach Paris kann – wie schwer wird einem heute Alles gemacht – will ich Dir nur sagen, daß es Victor etwas

besser geht; die Bluttransfusion scheint ihn noch einmal herübergerettet zu haben. Ich will übermorgen wieder nach London, nachzusehen.
Ich bin manchmal recht entmutigt. Ich arbeite an dem riesigen Block Balzac, aber wie soll das erscheinen? Man kann Manuscripte nur mit größter Schwierigkeit ins Ausland senden, jeder Bogen Correctur würde acht Wochen hin und her brauchen und ich revidiere doch alles drei Mal – also bei 50 Druckbogen bedeutet das zwei Jahre!!! Somit sind wir während des Krieges geknebelt. Und nachher? Ich kann und will nicht umlernen in eine andere Sprache, wir sind zu unserem Verhängnis gebunden, in derjenigen zu schreiben, die uns verschweigt. Soll man sich wirklich auf die bloße Function von Essen und Schlafen reducieren und dies als Leben ansehen, da das unsere doch Schaffen, Erklären, Vermitteln, Gestalten meint? Was hat man mit uns gemacht, und dabei sind wir hier die Bevorzugten, die Beneideten! Ich hätte Dir gern den Vortrag über Wien gezeigt, man müßte jetzt wirklich einmal wieder beisammensein.
Herzlichst Euch allen Stefan

Soll ich Deinem Schwager, falls ich ihn sehe, etwas besonderes bestellen?

An Max Herrmann-Neiße

»Rosemount«
Lyncombe Hill, Bath
18. V. 40

Lieber Macke, ja, ich war in Frankreich, drei Wochen, und es war – vor der Offensive – wie eine Wiederkehr vergangener Zeit. Die Stadt heiter und sorglos, interessiert in Theater und Kunst, ich selbst, der Verschollene, war auf einmal wieder ein Autor und las vor 1 600 Leuten im Theater und dann mehrmals im Radio (das im »Tagebuch« war eine unzulängliche

Rückübersetzung meines Radio-Vortrages aus dem Französischen), ich sah Freunde und speiste und trank vortrefflich – man *vergaß* für einen Augenblick das Grauen. Und dann *dieses* Erwachen, der Krieg gräßlicher und weltumfassender. Was soll aus Europa [werden], wenn die freien Länder wie Holland (und schließlich auch die Schweiz) uns verloren sind! Wohin sind wir geraten! Selbst ich alter Schwarzseher hatte nicht von solchen Abgründen geträumt. Aus Verzweiflung schreibe ich die Geschichte meines Lebens. Ich kann nicht concentriert arbeiten. So will ich wenigstens ein Document hinterlassen, was wir geglaubt, wofür wir gelebt haben; ein Zeugnis ist heute vielleicht wichtiger als ein Kunstwerk. Nie ist eine Generation so geprüft, so gepeinigt worden wie die unsere. Sagen wir es der nächsten zur Warnung. Vorläufig ist alles fragmentarisch. Aber diese Arbeit tröstet, bald da, bald dort ein Blatt seines Lebens aufzuschlagen.

Deine Koffer werden, sobald sie eintreffen, sorglich behütet. Momentan ist Victor Fleischer bei uns, leider als schwerer Patient (nach einer noch nicht ausgeheilten Operation). Sonst sehe ich niemanden. Ich hüte mich, wenn ich »schwarzer Leber« bin, mich zu zeigen. Aber wenn ich wieder nach London komme, rufe ich Dich gleich an.

Dabei ist es bezaubernd schön hier, im Mai, wie man ihn nur bei den französischen Impressionisten sah, hell jedes Blatt, der Ausblick rein in den Himmel, aber auf daß man sich nicht zu sehr seiner freue, rasseln immer wieder übende Flugzeuge vorbei und erinnern einen, daß die Menschheit wahnsinnig ist.

Grüß Deine Frau und Sondheimer. Ich denke oft und innig an Euch!

Dein Stefan Zweig

An Emil Ludwig

»Rosemount«
Lyncombe Hill Bath
[undatiert; vermutlich Juni 1940]

Lieber Emil Ludwig, ich lese, daß Sie in London sind auf dem Weg nach America, ich bin auch nach Südamerica geladen, aber zögere – Wolfensteins Gedicht ist wie von mir geschrieben – nicht aus Reisefurcht, sondern aus dem Gefühl nicht zum zweitenmal wie in der Schweiz damals die Dinge nur von außen gesehen zu haben.

Ich konnte Ihnen für Ihre Bücher nicht danken, weil ich unter Censur überhaupt keine Briefe mehr schreibe. Aber ich möchte Sie *sehr* gerne sehen und will es versuchen, wenn ich diese Woche nach London muß. Noch schöner wäre, Sie sähen sich eine der wenigen wirklich charmanten Städte an, die England hat – ein lohnender Ausflug für sie und für mich eine Freude.

Ihr Stefan Zweig

An Max Herrmann-Neiße

[undatiert; vermutlich Ende Juni 1940]

Liebster Macke, ich muß Deine schönen Gedichte mit einer schlimmen Nachricht erwidern – wir werden einander lange nicht sehen. Ich soll schon lang zu einer Vortragsreise nach Südamerica, habe immer gezögert, aber jetzt ist es mir sogar nahegelegt worden, weil man dort unten etwas für unsere Sache leisten kann, während man hier doch keinerlei Möglichkeit besitzt, fähig und wirksam zu sein. Es ist, wie Du Dir denken kannst, kein leichter Entschluß, ich meine damit nicht die Gefahr einer solchen weiten Reise, Gefahr ist ja überall. Aber ich verlasse meine Arbeit damit, unterbreche sie für Monate, verlasse mein Haus, meine Bücher, meine Freunde und dann – ich bin eigentlich müde, und es wird eine furchtbare Anstrengung sein. Aber was wir auch tun oder nicht tun, es ist und

bleibt freudlos, solange der Antichrist triumphiert, und wir sind verdammt, unbehaust, ungesichert unbedankt unser Leben zu Ende zu sterben – denn so ist es geworden, ein Sichweiterzerren mehr und ein Herunterrutschen statt eines Geradeaus-seinen-Weg-Gehen. Ich hoffe, Ende Oktober, Anfang November zurück zu sein, denn bleiben kann und will ich dort nicht. Solange es Europa gibt (es wird immer kleiner), möchte ich mich daran ankrallen. Ich bin zu nahe dem sechzigsten Jahr, 58 3/4, und alte Bäume verdorren, wenn man sie umpflanzt. Mein Lieber, wie oft denke ich an Dich. Es war hoffentlich keine Strafe für Dich, das Radio abzuliefern, dieser teuflische Mund hat in der letzten Zeit ja nur mehr Grauen ausgespien. Sei tapfer, ich will versuchen es gleichfalls zu sein – ich bin nur in einem stärker als Du, nämlich daß ich das Leben nicht mehr so liebe und gegen eine rauhe Abfahrt von diesem verschobenen Lastzug nichts einzuwenden hätte.
Ich schreibe Dir knapp vor der Abfahrt. Du hörst von mir, sobald ich kann, und wenn überhaupt nicht mehr, dann schenke mir eine Zähre und ein schönes Nachrufgedicht.
Alles Gute an Leni und Sondheimer Dein Stefan

An Richard Beer-Hofmann

The Wyndham Hotel, New York
11. Juli 1940

Mein lieber verehrter Richard Beer-Hofmann, wie haben wir um Sie gebangt, und wie glücklich war ich, Sie hier geborgen zu wissen, freilich, ich weiß es, in jeder Stunde der Gütigen gedenkend, die sonst Sie überallhin mit ihrer Sorge begleitet. Aber selig die Toten in dieser Zeit – ich bin so tief erschüttert, weil ich mehr Europäer als Österreicher war und der Sieg, der zeitweilige, der Gewalt mich für immer heimatlos macht. Ich bin mit meiner kleinen Klugheit so wie von Österreich rechtzeitig von England fort, alles hinter mir lassend, was Besitz war, und sogar das halbfertige Manuscript eines Buches, an dem ich seit Jahren arbeite, und irre jetzt mit einem Transitvisum, hier eingelassen und fortgetrieben, nach Südamerica zu Vorlesereisen, die ich nicht mag. Werde ich je zurückkehren können? Werde ich es dürfen, werde ich es wollen? Aber ich frage schon nicht mehr, ich lasse mich treiben, nur von einem Gedanken beseelt, nicht diesem braunen Burschen in die Hände zu fallen – dies die einzige Furcht, die ich im Leben noch habe, die andern sind verlernt. Ich hatte mich schon ganz zurückgezogen, auf Umgang verzichtend und nur jenes [Umgangs] mit Büchern und meinem Garten froh, nun heißt es weiter ahasverisch wandern, und als einzige Arbeit erzähle ich mir (und später andern) mein Leben, das eines Europäers und Juden in dieser Zeit. Ich hoffe, wenn man mir es erlaubt, auf der Rückreise in America wieder etwas zu bleiben, Sie im Spätherbst zu sehen in alter Liebe, Treue und Verbundenheit!

Ihr Stefan Zweig

An Thomas Mann

The Wyndham Hotel, New York
17. Juli 1940

Verehrter Herr Professor, dies nur ein Gruß, der keine Antwort benötigt. Ich wollte Ihnen bloß sagen, wie sehr ich es bedaure, Sie versäumen zu müssen, aber meine Tage sind hier amtlich gezählt, und es war schon harte Arbeit, von England das Exit, von America das Transit für Vorträge in Südamerica zu bekommen. Aber ich habe in England doch zu sehr unter dem Gefühl der Macht- und Nutzlosigkeit gelitten. Nahe Freunde wie Robert Neumann wurden interniert, Verwandte mußten unser Haus verlassen, die Fifth-Column-Hysterie, erst gefördert von oben nur, dann in den breiten Massen zu einem wilden Mythos anschwellend, macht jemandem, der einen deutschen Namen hat, das Leben unbehaglich. Hoffentlich kann ich nach

England rebus bene gestis zurückkehren und muß nicht die Schar der Umgeschüttelten und Heimatlosen und somit die Last für die anderen vermehren.
Ich tue dies alles, was in meinen kleinen Kräften steht, um Freunde (und auch meine frühere Frau) aus Frankreich zu retten, aber auch in gods country mahlen Gottes Mühlen grauenhaft langsam, und ich weiß, wie drüben die Menschen von Stunde zu Stunde, von Minute zu Minute warten, oft an unserem Eifer, unserer Hingabe im geheimen zweifelnd – wichtig wäre, daß jenes erlösende Telegramm von Washington mit den Visas für die wirklich Gefährdeten endlich abgeht. Ich weiß, Sie haben einen Sohn, einen Bruder dort und verstehen so vom eigenen Blut her unsere Sorge.
Der arme Otto Pick gründete knapp vor seinem Tod noch eine deutsche Zeitschrift in London. Ich weiß nicht, ob Sie meinen Aufsatz über Ihre herrliche »Lotte« noch erhielten, der dort erschien – ich konnte Ihnen selbst kein Exemplar schicken, weil ich deutschen Text nicht mehr versendete. So blieb auch das ganze fast vollendete Manuscript meiner großen Balzacbiographie, einer seit Jahren begonnenen Arbeit zurück, aber ist es nicht wichtiger sich die Arbeit zu retten, die man noch tun kann, statt die halb oder ganz getane?
In herzlicher Verehrung Ihr Stefan Zweig

Alles Gute den Ihren!

An Thomas Mann The Wyndham Hotel, New York
29. Juli 1940

Sehr verehrter lieber Herr Doktor, Ihr gütiger Brief erreichte mich noch hier, denn ich habe – aus der Sentimentalität Europa näherzubleiben – die Südreise noch um 10 Tage verschoben. Wie viel hätte ich Ihnen von England zu erzählen gehabt! Ich hatte in meiner amphibischen Situation mich vom ersten

Kriegstage zurückgezogen, jedem Gespräche ausweichend, in eine absolut trappistische Clausur, aber mit Sorge beobachtete ich vom ersten Tage, wie die Engländer – von historischen Analogien verführt – den Krieg im Tempo und mit der Gelassenheit des Friedens führten, einzig darauf bedacht, das easy going des privaten Lebens möglichst wenig zu stören. Sie träumten von diesem Kriege als einer Blockade, setzten nicht rechtzeitig weder Menschen noch die letzte Energie ein – jetzt an die Wand gedrückt, entfalten sie erstaunliche Kräfte, aber was vermögen Nerven wider Tanks? Das werden die nächsten Wochen erweisen.
Schmerzlich ist mir, für America die gleiche selbstbewußt-passive Haltung zu sehen, dieselbe verhängnisvolle Politik, mit Worten und Tadel die Angreifer zu verärgern und sie gleichzeitig durch eine übertrieben-gerechte Neutralität erstarken zu lassen. Mit der englischen Flotte opfert America seine erste Verteidigungslinie auf, so wie England seinerzeit mit Österreich und den Czechen seinen sichersten Wall. Auch hier kein einheitlicher Plan für die nächsten Jahre; auch hier keine auf den kommenden wirtschaftlichen Conflict schon im voraus eingestellte Ökonomie, auch hier nur Abwartewehr. Inzwischen nähern sich schon Hitlereuropa und Japan, die Schneiden der Zange werden im stillen geschliffen, daß ein Angriff gegen die letzte Democratie in den Generalstäben bereits ausgearbeitet wird, ist für mich Axiom. Wir sind leider noch nicht am Ende. Aber so wie wir Emigranten in England die Gefahr deutlicher erkannten als die Engländer, so sehen wir Europäer die Notstunde Americas in seiner heutigen Prosperität bereits voraus, ungelöst dort wie hier.
Daß ein Mann wie Sie, der wie keiner Solidarität mit der Emigration bekundet, von Einzelnen angefeindet wird, überrascht mich und andererseits doch wieder nicht. Emigration bedingt eine Verschiebung des Gleichgewichts, sie ist eine Gleichgewichtsstörung, weil der einzelne plötzlich nicht mehr dasselbe Gewicht im Sinne der Geltung hat wie vordem; das führt dann

epidemisch zu seelischen Verstörungen. Mir ist es nicht viel besser ergangen als Ihnen – der unselige Zarek schrieb mir plötzlich, ich »verhinderte«, daß die andern deutschen Schriftsteller, vor allem er, in englischer Sprache erschienen, und ähnliches pathologisches Zeug; nun, ich nehme es bedauernd als Verstörung, allerdings im Falle Ludwig die mildernden Gründe abziehend, denn wenn einer, so ist er durch internationale Geltung und Schweizer Paß seit Jahren all den Sorgen entgangen, die für uns verheerend, zerstörend, weil deconcentrierend waren.
Sie sind so gütig, mich nach meinem Wohin zu fragen. Ich weiß es nicht. Ich bin eigentlich entschlossen, nach England zurückzukehren, außer im Falle, daß Mosley dort Dictator wird. Ich habe einfach nicht mehr die Kraft, bei Consulaten, Ämtern um Erlaubnisse, Verlängerungen einzukommen. Ist es in England halbwegs möglich trotz deutscher Sprachzugehörigkeit und jüdischer Belastung zu leben in der Weise, wie ich immer lebte – nicht öffentlich, unsichtbar – so werde ich es tun. Kommt Mosley oder sonst eine Form des Fascismus, dann ist Amerika gleichfalls kein Hort für lange Dauer mehr. Ich suche zunächst, den ganzen Complex des »Wohin« möglichst abzublenden und lasse mich treiben. Einmal muß entweder der Sturm enden, oder man endet selbst. Inzwischen versuche ich zu arbeiten und in einer Art Selbstdarstellung die Zeiten zu schildern, durch die ich gegangen – wir sind schließlich Zeugen einer der größten Weltverwandlungen, und solange ich nicht dichterisch zeugen kann (im Sinne der Schöpfung), will ich wenigstens Zeugenschaft leisten im Dienst des Documentarischen. Mein Aufsatz – ich glaube der hymnischste, den ich je geschrieben – über »Lotte in Weimar« liegt in London, ich hatte nur ein gedrucktes Exemplar und wagte Deutsches nicht durch die Censur zu nehmen. Aber später – hoffen wir auf dies Später! – kann ich Ihnen dies kleine Zeichen großer Verehrung gerne übermitteln.

Ihr getreuer Stefan Zweig

Grüßen Sie, bitte, die Ihren!

An Berthold Viertel

c/o Editora Guanabara
132 Rua do Ouvidor
Rio de Janeiro
Terezopolis, 11. Oktober 1940

Lieber Freund!
Vielen Dank für Ihren Brief. Wir sind für ein paar Tage hier ins Gebirge heraufgeflüchtet in eine tschechoslowakische Pension, weil wir ein bißchen zu viel durch Publizität, Empfänge, Vorträge, Gesellschaften hergenommen worden sind und ich am 25. Okt. nach Buenos Aires weiterrassele, um auch Argentinien und Uruguay mit Vorträgen zu bestreichen.
Zunächst also die praktischen Pläne. Ich hoffe, von Argentinien und Uruguay etwa am 15. oder 20. November in Brasilien zurück zu sein und dann hier noch drei bis vier Wochen zu bleiben. Meine Adresse bleibt während der ganzen Zeit ständig

c/o Editora Guanabara
132 Rua Ouvidor
Rio de Janeiro

Mein Visitorvisum nach New York inklusive finger-prints habe ich schon (sechs Monate), so daß ich aller Wahrscheinlichkeit nach im Januar dort eintreffen werde mit der stillen Hoffnung, bereits riesige Gelder vorzufinden.
Was Ihre Frau sagt, ist sehr klug und entspricht auch zum Teil unseren ins Auge gefaßten Varianten. Wie immer wir die Geschichte vorlegen, werden ja von den potentiellen Produzenten Abänderungen vorgeschlagen, gewünscht oder eigenmächtig vorgenommen werden. Die Hauptsache ist, daß wir es verkaufen und, falls wir noch Ihre Frau oder einen dritten Mann beteiligen müssen, um diesen Verkauf glorreich durchzusetzen, so bin ich auch einverstanden, wie ich ja mit allem einverstanden bin. Wir werden, wie man in Wien so schön sagte, »keinen Richter brauchen«. Sie haben die schönste carte blanche von

mir, die wir – helf' Gott – in Dollarscheine umwechseln werden.
Zum Erfolg Ihres Sohnes die herzlichsten Glückwünsche! Ich freue mich schon sehr, das Buch zu lesen. Für Sie gewiß ein gespenstisches Gefühl, das eigene Gehirn über den Samen umdestilliert zu sehen in neue produktive Form. Wäre es nicht eine hübsche Novelle (die Sie aber tätig realisieren sollten): ein hochbegabter Vater, der sein Talent jahrelang zersplittert hat und im Augenblicke wo sein Sohn ein prächtiges Buch schreibt, von – ich will nicht sagen Neid aber Kraftwillen gepackt, »um es ihm zu zeigen«, ein noch besseres, das in ihm lange zurückgestaut war, schreibt? Eine hübsche Novelle, aber noch schöner, Sie machten diese kleine Fabel wahr.
Nun zu Brasilien. Sie kennen meine Klarheit und glauben mir hoffentlich, wenn ich Ihnen sage, daß dies Land eines der wundervollsten Erlebnisse ist, das heutzutage ein Mensch haben kann. Nicht nur das Landschaftliche, nicht nur die Menschen, die noch von der alten Kultur durchdrungen sind und für die jede literarische Leistung hundertmal mehr gilt als alle politische, nicht nur weil die Zeitungen, die Leute in den hohen Ämtern ganz geschlossen auf der Seite Englands sind und die Zeitungen die kleinste gute Nachricht mit Riesenlettern aufmachen, sondern weil hier die Absurdität jedes Rassenunterschieds mit einer Selbstverständlichkeit täglich demonstriert wird, die uns täglich wieder wunderbar vorkommt. Beim Militär, in der Schule, in den Ämtern sind Neger und Farbige und Weiße freundschaftlich beisammen, keine Scham, ja sogar ein Stolz, Blut von Indianern und sogar Negern in sich zu haben. Brasilien ist das größte Experiment unserer Zeit in diesem Sinne, und deshalb schreibe ich auch jetzt ein kleines Buch über Brasilien. Wenn sich – und ich hege keinen Zweifel daran – dieses großartige Experiment vollkommener Rassenmischung und Farbgleichsetzung hier in diesem Lande weiter so vollendet bewährt, dann ist der Welt ein Vorbild demonstriert. Und nur

die Vorbilder helfen im moralischen Sinne, nie die Programme und Worte.

Herzlichst Ihr Stefan Zweig

Also: Post an mich und von mir erleidet natürlich, während ich in Rosario, Córdoba, Montevideo, Buenos Aires herumschaukle, beträchtliche Verspätung, wird mir aber von hier aus nachgeschickt.

An Frans Masereel

Editora Guanabara
Rua do Ouvidor 132
Rio de Janeiro, 23. November 1940

Mein lieber Freund,
Endlich habe ich Deine Adresse auf dem Umweg über New York erfahren. Du kannst Dir vorstellen, wie sehr ich mich gefreut habe, Nachricht von Dir zu erhalten. Ich selbst habe England Ende Juni nach den üblichen Schwierigkeiten verlassen und ich weiß jetzt nicht, was aus meinem Haus, meinen Büchern und meinen angefangenen Arbeiten geworden ist. Im Unterschied zu Anderen bin ich für einige Zeit hierher nach Brasilien gegangen, dann habe ich Literaturvorträge in Argentinien gehalten, was sogar sehr vorteilhaft war, da ich dort ein großes Publikum habe, und nun bin ich nach Brasilien zurückgekehrt, das ich leidenschaftlich liebe. Es hat die schönste und abwechslungsreichste Landschaft mit den herrlichsten lokalen Farben, die man sich vorstellen kann, und ich fühle mich so wohl hier wie es in diesen schrecklichen Zeiten möglich ist. Ich habe vor, im Februar, wenn es hier zu heiß wird, für einige Zeit in die Vereinigten Staaten zu gehen und dann, wenn der Krieg noch nicht beendet ist, hierher zurückzukehren. Ich mag New York nicht sehr, wo jetzt die ganze Emigration sich trifft und wo das Leben teuer und kommerziell ist. Für Dich als Maler

ist das anders. Hier würdest Du Dich wundervoll inspiriert fühlen, Du würdest das Land lieben und die Leute, die charmant sind. Nur fürchte ich, daß die Möglichkeiten, Geld zu verdienen, hier sehr beschränkt sind, ausgenommen in Argentinien, wo ich immer eine Ausstellung für Dich arrangieren könnte. Auf alle Fälle wüßte ich einen Buchhändler in Buenos Aires und eine Galerie für Deine Holzschnittbücher, wenn Du sie noch zu Deiner Verfügung hast. Ich glaube, man bemüht sich um Dich in New York und ich bezweifle nicht, daß man Erfolg haben wird. Wenn Du dennoch vorziehst, hierher nach Brasilien zu kommen, schreib mir und gib mir alle notwendigen persönlichen Angaben über Dich selbst und Deine Frau. Obwohl es im allgemeinen sehr schwierig ist ein Visum zu erhalten, glaube ich sicher, es arrangieren zu können für eine Person von Deiner Bedeutung. Von unserem Freund Villeneuve-Vézelay habe ich nicht ein Wort gehört. Ich habe ihm geschrieben, aber ich weiß nicht ob mein Brief ihn erreicht hat. Verzeih die anscheinende Kühle dieses Briefs. Du kennst meine Gefühle für Dich, aber es war nötig klar zu sein, und alle anderen Dinge lassen wir bis zu unserem Wiedersehen.
Von ganzem Herzen

Dein alter Stefan

An Friderike Zweig

30. Nov. 1940

L. F.
vor allem meine Glückwünsche zum Geburtstag. Du hast wenigstens noch zwei Jahre vor dem Sechziger, während ich zum letzten Male den Fünfziger verwerte. Als ich hier jüngst mich polizeilich für eine Identitätskarte eintragen mußte, schrieb das hübsche Fräulein dort »Haare: grau«. Kein Wunder.
Wegen »Balzac« verstehst Du die Situation nicht. Wie soll man 600 Seiten deutsches Manuskript, 2 000 Seiten Notizen und 40

angestrichene Bücher durch die Zensur bringen? Wird das Haus zerschlagen, so ist eben noch viel anderes weg, die Korrespondenz, die Verträge, die eigenen Bücher, die Autographen – was ich besitze, ist ja ohnedies durch Entwertung dahin. Da gibt es kein »Retten«. Und es geht furchtbar zu. »The Tide of Fortune« ist in England nicht erschienen, weil die ganze Herbstproduktion Cassells, darunter mein ausgedrucktes Buch, in der Buchbinderei durch Bombenangriff vernichtet wurde. –
Wegen deutscher Bücher mache ich gar nichts und warte ab, bis das Chaos vorüber ist. Hauptsache ist jetzt zu arbeiten. Scherz werde ich jedenfalls schreiben, aber »Tide of Fortune« sind ja die »Sternstunden« und gehören zum Teil den andern Verlegern.
Ich habe nie innerlichen Abstand von den Immigranten genommen, sondern mehr geholfen als jeder. Aber ich vertrage Geselligkeit nur in beschränktem Maß. Es erschöpft mich, täglich fünf, sechs Leute zu sehen, und bringt mich darum (Paris z. B.), die Leute und Dinge zu sehen, die *ich* sehen will. Das Telefon ging in N. Y. und in Buenos Aires von früh bis nachts; was ich fürchtete ist doch, daß man mich so überschätzt, ich soll Bücher bei Hübsch unterbringen, Zeitungen vermitteln etc. etc., und wo ich etwas tun kann, tue ich es doch spontan. Ich kenne jetzt in New York 200 bis 300 Menschen, die alle beleidigt wären, wenn ich sie nicht sehen würde. Ich bin angewiesen, durch eine zunehmende Müdigkeit, mir wenigstens den halben Tag zu retten, ich habe in N. Y. doch auch Verleger, Zahnarzt, Besorgungen – es ist ausgeschlossen, alle Menschen zu sehen, und das nennt man dann Hochmut. Ich habe nicht die weise Ökonomie Manns, der Leute nach einer Stunde entläßt – bei mir bleiben alle Leute drei Stunden.
Landshoff und Landauer habe ich ein argentinisches Visum durchgedrückt, es war nicht leicht. Allerdings wie herüberkommen? Man muß in England gelebt haben, um zu wissen, daß dies die grausamste Belagerung der Weltgeschichte ist. Ihr habt

alle nicht das Maß. Ihr wißt nicht, daß das alles noch nicht da war – dieses Leben ist doch grauenhafter als das in den Unterständen, weil es doch nach 6, nach 8 Tagen Ablösung gab, Rückzug in eine gesicherte Position und Schlaf. In England gibt es keine Stunde Rast. – Hier wird es langsam warm. Aber Rio ist herrlich, daß man es bisher leicht erträgt. Die Schönheit, die Vielfalt der Stadt ist unbeschreiblich, man wird nicht fertig mit ihr. Wird es nicht sehr arg mit der Hitze, bleibe ich bis Ende Januar. Herzlichste Grüße

Stefan

An Richard Friedenthal
[Aus dem Englischen]

New Haven, 22. Februar 1941

Lieber Freund, Sie können sich meine Enttäuschung vorstellen, als ich erfuhr, daß die beiden Telegramme, die der argentinische Außenminister zur Erteilung eines Visums für Sie sandte, durch den Widerstand des Konsuls keinen Erfolg hatten. Hier in den Vereinigten Staaten können wir gerade jetzt nichts unternehmen, denn es werden nur im Notfall Visen gegeben für Leute in den von Deutschen besetzten Gebieten, und man muß in diesen Tagen glücklich sein zu wissen, daß England nie zu diesen gehören wird. Ich werde wahrscheinlich nach Südamerika zurückkehren müssen und ich hoffe dann, in einem anderen Lande mehr Glück zu haben mit einem Visum für Sie. Es war Pech, daß ich natürlich mich ganz sicher fühlte, daß zwei Telegramme des Außenministers genügen würden, und ich sah die ganze Sache schon für gänzlich erledigt an.
Ich kann nicht viel über mich selber sagen. Ich habe in Südamerika zwanzig Vorträge gehalten, bin in Argentinien und Brasilien bis tief ins Innere hinein gekommen und habe viel gesehen, fühle aber jetzt erst, wie erschöpft ich bin durch all das. Es war nicht so sehr das Reisen oder die Vorträge als solche, aber das Gehirn fühlt den Druck, wenn man in vier oder

fünf Sprachen von morgens bis abends sprechen muß, und das immer zu gleicher Zeit.
Inzwischen bin ich hier nach New Haven gekommen, weil ich da die Universitätsbibliothek zu meiner Verfügung habe und somit endlich meine Arbeit wieder aufnehmen kann. Eine Rückkehr nach England, die ich erhofft hatte, ist in diesem Augenblick technisch unmöglich, denn auf Monate hinaus sind keine Schiffsplätze zu bekommen, und so werde ich im Frühjahr wieder mit den Vortragsreisen beginnen. Manchmal fange ich an, es zu spüren, daß ich mich den Sechzigern nähere und daß ich für dieses Nomadenleben mit Mangel an Konzentration bezahlen muß. Niemand aber hat das Recht zu klagen, heutzutage, und ich weiß, daß Sie es viel härter haben. Leider haben Sie mir noch nichts darüber gesagt, ob Ihr Roman schon abgeschlossen ist. Ich würde Ihnen gerne helfen, einen Verleger zu finden.
Ich brauche Ihnen nicht zu sagen, mein lieber Freund, daß ich Sie nicht für einen Augenblick vergesse und daß Sie immer auf meine Hilfe zählen können, im literarischen wie im menschlichen Sinn. Am besten schreiben Sie an mich p. A. mein Verleger, Viking Press in New York, denn ich weiß noch nicht, wann ich nach Südamerika zurückfahre und in welche Länder ich gehen werde.

Immer ihr Stefan Zweig

Herzlichste Grüße und beste Wünsche Lotte Zweig.

An Frans Masereel

c/o Editora Guanabara
132 Rua Ouvidor
Rio de Janeiro
1. August 1941

Mein lieber Frans,
Ich erhielt Deinen Brief vom 14. VI. hier in New York gerade zwei Tage ehe ich nach Rio zurückkehren muß. Ich hatte eine

lange Korrespondenz mit dem kolumbischen Botschafter in Buenos Aires, der ein persönlicher Freund von mir ist. Er hat vom Präsidenten von Kolumbien sofort die Antwort erhalten, daß Dein Visum für Kolumbien genehmigt ist und daß der Konsul in Marseille es Dir und Deiner Frau geben wird. Herr Engel hatte als erster diese Möglichkeit vorgeschlagen und er hat Dir telegraphiert. Mein Lieber, ich weiß, daß Kolumbien weit weg ist und recht klein, aber es war notwendig, ein Visum für Dich in Eile zu beschaffen und mit ihm kannst Du Durchgangsvisen für Brasilien und Argentinien erhalten. Ich werde in einem Monat in Brasilien sein und ich kann Dir fast versprechen, daß Du auch für dort ein Visum haben wirst – versuche für den Augenblick ein Durchgangsvisum Portugal-Brasilien zu bekommen. Wenn Du erst da bist, habe ich genug Einfluß Dir ein Dauervisum zu beschaffen. Und was für ein wunderbares Land! Was für Möglichkeiten! Ich hoffe dorthin zurückkehren zu können – man weiß nie bis zum letzten Augenblick ob nichts dazwischen kommt. Ich bin sehr deprimiert, sehr müde! Ich habe eine Selbstbiographie geschrieben, auch mit Erinnerungen an Dich. Aber wann wird man wieder leben und arbeiten können? Mein Lieber, Du kannst sicher sein, daß ich für Dich alles nur irgend Mögliche tun werde. Meine Frau und Friderike, die wir gestern sahen, senden Euch beiden die besten Grüße.

Dein Stefan

Viele Grüße an Vézelay.

An Friderike Zweig

S. S. Uruguay, On Board, 20. August 41

L. F.

ich schreibe von unterwegs. Ganz ruhige Fahrt. Merke erst jetzt, wie müde ich war, daß ich eigentlich den ganzen Tag herumliege. Jetzt wird es besser, und ich fühle mich, seit wir New

York verlassen haben, auch seelisch etwas freier. – Der Gedanke, dort nochmals als Ausländer einen Krieg mitzumachen, hat auf mich sehr gedrückt, da ich das schon einmal – ebenso wie Du – mitmachte. Der Zustand der dauernden Rechtlosigkeit ist schwer zu erlernen, obwohl wir seit 25 Jahren immer neue Lektionen bekommen haben. Auf dem Schiff noch niemanden gesprochen außer Mrs. Wiener, der Schwester Morgenthaus, die ich schon flüchtig kannte.
Ich hoffe, Deine Angelegenheiten kommen jetzt rasch in Schwung, ich weiß, wie wichtig das in der nächsten Zeit sein wird, und ich wünschte Dir sehr, Du möchtest rein wohnungshaft zu einer relativen Ruhe kommen. Herzlichst

Stefan

An Berthold Viertel

Hotel Central,
Rio de Janeiro, 8. 9. 41

Lieber Herr Viertel!
Die Entfernung zwischen uns ist jetzt so phantastisch groß, selbst wenn Sie wieder in NY sein sollten, daß es kaum mehr darauf anzukommen scheint, ob ein Brief ein paar Tage mehr oder weniger unterwegs ist. Aber wir wollen Ihnen doch jedenfalls unsere gute Ankunft hier melden und Sie darauf aufmerksam machen, daß hier, so weit weg von allem Europäischen und Aktuellen ein freundschaftlicher Brief wieder seinen alten und vielleicht noch einen größeren Wert bekommen hat. Wir sind von unseren brasilianischen Freunden sehr herzlich begrüßt worden, und es ist, als wären wir gar nicht fortgewesen. Aber wenn sie auch ungleich größeres Verständnis für Europa und unsere Probleme haben als die Nordamerikaner, so liegt doch zwischen ihrem Leben und dem unseren eine Kluft von 30 bis 50 Jahren, und wie gesagt, man schätzt seine alten Freunde hier höher als je. Im großen ganzen glaube ich, daß wir recht

daran taten, hierher zurückzukommen, und Stefan fühlt sich, obwohl er noch gar nicht zum Arbeiten kam, hier viel wohler als in Nordamerika, Rio scheint uns noch schöner als letztes Jahr und das Leben noch farbiger. Ende der Woche ziehen wir nach Petropolis zurück, einen kleinen Gebirgsort zwei Stunden von Rio, wo wir ein kleines Bungalow gemietet haben und wo mein Portugiesisch im Umgang mit dem Personal – dem man angeblich jede Kleinigkeit bis zu dem Detail, daß sie sich waschen sollen, auftragen muß – schnelle Fortschritte machen wird. Wie schade, daß die Portugiesen nicht auch spanisch sprechen! Der Unterschied ist bis auf die Aussprache so minimal, und wie schön wäre es, eine Sprache weniger sprechen zu müssen.

Ich hoffe, Sie haben in Hollywood trotz aller Aufregungen eine schöne Zeit gehabt und sich gut erholt und erhalten von Ihrem Sohn gute Nachrichten. Ich nehme an, daß Sie wieder in New York sind, und würde mich freuen, zu hören, daß trotz der plötzlichen Reise die schwebenden Pläne noch zur Ausführung gelangen konnten. Unsere Adresse bleibt vorläufig

c/o Editora Guanabara
132 Rua Ouvidor
Rio de Janeiro

bis wir festgestellt haben, ob der Postdienst Rio–Petropolis einigermaßen verläßlich ist.

Herzliche Grüße *Ihre Lotte Zweig*

Lieber Freund, wir gehen jetzt ganz in die Einsamkeit, aber es ist wenigstens eine schöne Einsamkeit und weiter weg von der Zeit. Hoffentlich kann ich gut arbeiten. Alles Gute von Ihrem

St. Z.

An Friderike Zweig

10. Sept. 1941

L. F.

ich komme eben von Deinem Bruder und nütze den Termin, daß morgen ein Postschiff abgeht. Es geht mir seelisch viel besser hier, weil die Landschaft unsagbar herrlich, die Menschen nett, Europa und der Krieg ferner ist – mit einer guten Bibliothek wäre hier gut zu leben, obwohl auch hier die Preise merklich anziehen, der Nationalismus empfindlicher wird. Das Entscheidende ist der Entschluß, in Petropolis ein Häuschen zu mieten, dessen Hauptbestandteil (für mich das Entscheidende) eine riesige Veranda ist. Ich hoffe, daß dieser Schatten einer Seßhaftigkeit gut tun wird. Petropolis ist ein kleiner Semmering, nur primitiver, so wie anno 1900 das Salzkammergut, die Hotels und Häuser auf dieser Stufe, bis auf die Palais. Es gibt hier eben noch keinen breiten Mittelstand, entweder ganz reich oder ganz bescheiden. Mit dem Bus oder der Bahn ist es eine Stunde und 40 Minuten zur Stadt. So wird man den heißen Sommer überdauern, und wer denkt über März und April hinaus. Ich will dort die Autobiographie durcharbeiten und vielleicht etwas Neues beginnen. Inzwischen hast Du wohl das Brasilienbuch bekommen, das wohl zu Deinem Verwundern den Leuten hier nicht enthusiastisch genug war – sie lieben im Lande gerade das nicht, was wir lieben, und sind auf ihre Fabriken und Kinos viel mehr stolz als auf die wunderbare Farbigkeit und Natürlichkeit des Lebens. Wenn man hier eine amerikanische Bibliothek von den hundert drüben hätte, wäre es das Paradies – nun für einige Zeit kann man sich auf Shakespeare und ähnliches reduzieren. Leid ist mir, von Amerika die Fülöps und Broch nicht hier zu haben. Aber jetzt heißt es nur, die Zeit zu überstehen – die Nachrichten aus Frankreich und überhaupt erinnern einen daran, daß Essen und ruhig Schlafen erstaunliche Errungenschaften sind – man muß eben auf das reine Null sich reduzieren, vergessen, wer man war, was man wollte, und sich tief bescheiden. Du hörst bald von Petropolis – bei aller Primitivität nur endlich nicht im Hotel wohnen und vier, fünf Monate keinen Koffer mehr sehen! Alles Gute für Euch Stefan

An Friderike Zweig

17. September 1941

L. F.

heute glücklich übersiedelt. Es ist ein winziges Häuschen, aber mit großer gedeckter Terrasse und wunderbarem Blick, jetzt im Winter reichlich kühl und der Ort so schön verlassen wie Ischl im Oktober. Aber endlich ein Ruhepunkt für Monate und die Koffer verstaut. Es wird kleine Schwierigkeiten geben, da man sich mit der protugiesisch-braunen Dienerschaft nicht immer wird ganz verständigen können, aber sie sind rührend hilfswillig, und ich bezahle für zwei Mädchen und Gärtner, der die Wege macht, 5 Dollar Lohn im Monat! Das Haus ist freilich relativ nicht billig, weil Petropolis im Sommer der einzige Ort von Rio aus ist, aber das ganze Leben hier doch paradiesisch bequem; eben haben wir gegenüber im ländlichen Café einen göttlichen Kaffee getrunken und dafür zwei Cent bezahlt. Wenn es mir gelingt, hier Europa zu vergessen, allen Besitz, Haus, Bücher als verloren zu betrachten, gleichgültig gegen »Ruhm« und Erfolg zu sein und nur dankbar, daß man in einer göttlichen Landschaft leben darf, während Europa Hunger und Elend verheert, will ich zufrieden sein – Du kannst Dir nicht denken, welche Tröstung von der Natur ausgeht, wo alles farbig ist und die Menschen kindlich rührend. Ich bin wieder tagelang durch die Straßen von Rio gewandert. Sehr herzlich war ich mit Ferro und dem Sekretär Pereira de Lavalho beisammen, die von Portugal hier sind. Mein Buch hat hier viel Aufsehen gemacht, auch Diskussionen hervorgerufen, einige glaubten, es sei von der hiesigen Propaganda bestellt und bezahlt. Von Masereel habe ich Nachricht, er möchte lieber nach Brasilien als nach Columbien, aber ich hoffe, er zögert nicht lange, denn in

Frankreich wird man ihm das Leben schwer machen. Dir wünsche ich um so mehr, zur Ruhe zu kommen, als ich selbst hoffe, hier für Monate jene innere Abseitigkeit zu finden – ich sehe auch schon viel besser aus. Die Nachrichten aus Europa sind grauenhaft. Es wird ein Winter des Schreckens werden, wie ihn die Welt noch nicht gekannt.
Ich will hier in diesem Monat die Autobiographie korrigieren und intensivieren, auch plane ich eine kleine abseitige Novelle, und so wird es mir, sofern die Ruhe bleibt, an Arbeit nicht fehlen. Hätte ich nur die amerikanischen Bibliotheken zur Hand! Ich werde allenfalls aber nur in großen Zügen den Grundriß machen und einfügen, sobald mir einmal wieder Gelegenheit geboten ist. Im ganzen kann ich meinen Entschluß, Amerika zu verlassen, nicht genug preisen, man lebt hier näher sich selber und im Herzen der Natur, man hört nichts von Politik und, soviel Egoismus darin sein mag, es ist doch Selbsterhaltung im physischen wie im seelischen Sinn. Wir können nicht ein Leben lang büßen für die Torheiten der Politik, die uns nie etwas gegeben und immer nur genommen hat, und ich bin bereit, mich auf den engsten Raum zu beschränken, wenn er mir nur Arbeitsruhe läßt. Ich hoffe, Deine Kinder haben bereits Gelegenheit gefunden, wieder zu wirken, und hoffentlich kommt endlich die erwünschte Botschaft, die Euch das Definitivum gibt.
Mit vielen Grüßen S.

Grüße die lieben Fülöps, sie fehlen mir hier sehr. – Ich hoffe, Hübsch hat Dir das Buch geschickt.

An Richard Friedenthal
[Aus dem Englischen]

Petropolis, 19. September 1941

Mein lieber Freund,
ich habe Ihren Brief erhalten und hoffe, daß Sie inzwischen Ihren Roman fertiggeschrieben haben. Die Zeiten werden hart

sein für jeden von uns und wir haben keine andere Legitimation als was wir in dieser Zeit getan und fertiggemacht haben. Der Augenblick ist günstig für Ihren Roman, denn alle Länder sind jetzt speziell an ihrer nationalen Geschichte interessiert und ich bin sicher, daß Ihr Roman sie von einer anderen Seite beleuchten wird als in den üblichen amerikanischen Romanen. Machen Sie nur Schluß mit dem Lernen, mein Freund! Sie wissen so viel, und vielleicht zu viel. Es könnte für Sie gut sein, so zu leben wir wir hier leben, fast ohne Bücher und ohne nur die Möglichkeit, in den Bibliotheken irgendwelche Dokumentation zu finden. Das regt an, zu erfinden und kühn zu sein.
Ich brauche noch einen Monat, um meine Autobiographie durchzusehen, und dann werde ich vielleicht eine oder zwei kurze Erzählungen schreiben.
Wir kamen hier müde und völlig ausgepumpt an, und dies Leben ohne Sicherheit noch Pläne ist schrecklich deprimierend. Jetzt leben wir endlich inmitten herrlicher Landschaft und in völliger Isolierung. Wir haben für einige Monate ein kleines Bungalow gemietet, dessen einziger richtiger Raum eine große Terrasse ist, auf der ich den ganzen Tag lang schreiben und arbeiten kann und versuchen zu vergessen, was geschieht und was noch kommen mag. Der Ort selber, die einzige Sommerfrische in der Nähe von Rio, wird im Januar und Februar schrecklich überlaufen sein, weil die Hitze hier während der Nacht nachläßt. Jetzt aber ist der Ort völlig verlassen und wir sehen überhaupt niemanden. Was ich nun aber jetzt in Literatur wie Leben tue: ich habe immer das Gefühl, daß es nicht ganz das Richtige ist und daß wir unsere besten Kräfte mit Warten und Wünschen erschöpfen. Sie sind so viel jünger, und gerade in dem Alter für entscheidende Arbeiten, während ich wenigstens die Entschuldigung habe, daß ich gelebt habe, in einer und für eine andere Generation. Kämpfen Sie gegen alles, was Sie hindert, Ihren Roman zu beendigen und das neue Werk wird Ihnen ein neues Leben schaffen. Ihr Stefan Zweig

Ich wünsche Sie könnten mir die gute Nachricht geben, daß Sie es beendet haben. Sie müssen ankämpfen gegen die neurotische Furcht, nicht perfekt zu sein – erinnern Sie sich an Flaubert, der seine Salammbô mit den neun Jahren Studium verdarb. Geschichte kann man nie genau reproduzieren – wer weiß denn ›die Wahrheit!‹ – wir müssen sie erfinden. Ich selber arbeite weiter, aber ohne das alte Vergnügen am Werk. Ich fühle beim Schreiben, daß ich kein rechtes Publikum mehr habe wie früher. Und zuweilen werde ich etwas nachlässig, weil ich doch nur für den Übersetzer schreibe.
Herzlichste Grüße an Beheim. Ich versuche gerade eine sehr seltsame »Schachnovelle« zu schreiben, und seine Gegenwart wäre mir dabei wertvoll.

An Friderike Zweig

Petropolis, 27. Oktober 1941

L. F.
Dank für Deine beiden Briefe, die mich prompt erreichten. Es ist jetzt schön sonnig hier und noch ganz still; ich könnte mir nicht denken, wie Du mit Deinem Tätigkeitstrieb ein so absolut abgesondertes und ereignisloses Leben ertragen könntest. Mir tut es zunächst sehr gut. Ich fühle mich körperlich viel besser, die persönlichen Sorgen beschäftigen mich nicht mehr wie dort, aber andererseits wächst das Grauen über die Zeit ins Ungemessene. Wir stehen doch erst am Anfang oder in der Mitte des Krieges, der wahrhaft erst mit dem Eingreifen der letzten neutralen Mächte beginnt, und dann kommen noch die chaotischen Jahre des Nachkriegs. Ich fühle mich gehemmt in meinem Wirken in jedem Sinne – in dem Original werden die Bücher vermutlich kaum mehr erscheinen, und mein ganzes Denken und Betrachten ist an europäische, ja sogar lateinische Mentalität gebunden; außerdem fehlt mir überall Material. Das Manuskript meines »Balzac« ist noch immer nicht gekommen,

und auch dann hätte ich es schwer. Ich träume von einer Art österreichischem Roman, aber dazu müßte ich zehn Jahrgänge Zeitungen durchlesen, um die Einzelheiten zu bekommen – das ginge nur in New York, und dahin will ich auf absehbare Zeit nicht zurück. Dazu noch der Gedanke, daß man nie mehr Haus, Heimat, Verlag haben wird und seinen Freunden nicht mehr mit dem Kleinsten helfen kann, da alles gebunden ist. Hier ist das Gute, daß man zum Leben so wenig braucht und deshalb Zeitungsschreiberei zurückstellen kann. Aber ich fühle immer Sorge um die Produktion, die ohne Zufuhr auslöschen muß, wie ein Licht ohne Sauerstoff. – Wegen Masereel habe ich wieder geschrieben, ich glaube, es liegt nur an ihm, sich zu entschließen, nach Columbien zu gehen, denn alles war für ihn geordnet. Wegen Lucka kann ich hier nichts tun, es werden keine Visa mehr ausgegeben. Freilich, was aus ihnen allen, den Ehrensteins etc., werden soll, die unübersetzbar sind und ohne produktive Kraft, mag ich mir gar nicht vorstellen. Ich bin froh, daß ich jetzt die Autobiographie abschließe, sie ist teils belebter, teils konziser geworden – wie und wo sie erscheint, ist freilich noch die Frage. Hoffentlich sind Deine Sachen bald erledigt, und ich freue mich, daß Du in Deinem eigenen Zimmer wohnst – niemand weiß besser, wie das Provisorische auf einem lastet. Was kann das Alter noch Gutes bringen, früher Sammlung, Rast, Rückblick und Ehre, heute Hetzjagd, Wegblick, Gehässigkeit. Ich bin schon recht verzagt, und es ist wirklich nur die wunderbare Stille und Abgeschiedenheit, die mich noch in Schwebe hält. Könnte ich eine neue große Arbeit beginnen, so wäre vieles besser, aber für jede steht das Hemmnis mangelnder Dokumentierung entgegen. Mich lockte sehr, über Montaigne zu schreiben, den ich jetzt viel und mit großem Genuß lese, ein anderer (besserer) Erasmus, ganz ein tröstlicher Geist. Aber hier gibt es so gut wie nichts über ihn, und ich weiß nicht einmal, ob ich in Amerika die Bücher würde anschaffen können – man braucht doch die ganze Sphäre einer Zeit, um den Menschen darin zu verstehen. Ich sagte mir zuerst immer: den Krieg überdauern und dann neu beginnen. Aber ehe es zu Ende ist und ich wieder irgendwo seßhaft werden kann, werden zwei, drei, vier Jahre mindestens hingehen, unersetzliche, und andererseits sind die materiellen Sicherungen dahin; dieser Krieg vernichtet, glaube ich, bis ins letzte alles, was die vorige Generation aufgebaut. Das Einzige ist das einfache, abseitige Leben hier, ohne Zeitungsnotizen und Besuche. Ich lese viel, zum erstenmal eigentlich genau »Wilhelm Meister« und ähnliches. Aber wird diese kontemplative Pause noch lange möglich sein? Ich bin froh, daß das Radio nur die brasilianischen Nachrichten gibt. Journale lese ich in drei Minuten – es ist zu grauenhaft, an all das Elend zu denken; Montaigne spricht von der Klasse der Menschen, die das Mitleiden in der Phantasie besitzen, mit innigem Bedauern und rät ihnen Rückzug und Abseitigkeit. Ein paar Prozent Egoismus und Phantasielosigkeit hätten mir im Leben viel geholfen; jetzt ändert man sich nicht mehr. Nebenbei, ich flehe Dich an, sage niemandem von meinem Geburtstag, ich liebe jeden, der mich nicht daran erinnert, als aufrichtigen Freund. Alles Gute Stefan

Wegen Soma Morgenstern wurde an Hübsch geschrieben und ihm schon früher der Roman empfohlen.

An Berthold Viertel

Petropolis (Brasil)
34, Rua Gonçalves Dias
28. Oktober 1941

Lieber Freund, endlich ein Wort von Ihnen. Ich bin froh Sie in New York zu wissen, weil ich verstehe wie Arbeit Ihnen Bedürfnis, Betäubung, Entladung ist, die vollkommene Ejaculatio Ihres Temperaments und Ihrer Kräfte, die immer eines Gegenstands für Liebe oder Haß zur rechten Entzündung bedürfen. Sie leben nur ganz, wenn Sie sich an etwas müde machen und erschöpfen können – und ich habe nur einen Wunsch für Sie, daß es immer der Ihrem ungemeinen Talent gemäße Gegenstand sein möge: ein wirkliches Stück, ein genialer Schauspieler, ein grandioser geistiger Widerpart. – Jetzt ein wenig von uns, von mir. Wir leben im Gebirge in einem verlassenen Curort in einem winzigen Bungalow, nahe sind einige pauvre Häuschen, ein Cafehaus »Elegante«, wo man für 1/2 Cent Café bekommt, ein Wirtshaus, das wir als die einzigen Weißen besuchen und wo wir für 10 Cents tafeln, eine Schar Esel und herrliche Berge, Palmen, eine pittoreske Landschaft, bisher eher kühl als heiß, aber in der Nacht sausen die Grillen und quaken die Frösche. Bücher keine – ich habe mir im Antiquariat Goethe gekauft und zum erstenmal den »Wilhelm Meister« wiedergelesen (welche bezaubernde Figur die Philine und wie seltsam das allmähliche Alterserstarren in dem grandios begonnenen Roman). Ich wünschte mir, Shakespeare lesend, daß Sie den »Coriolan« inscenierten, weil er doch unser Schicksal verkörpert (»my own country I hate and my wishes are for this town«) – meine Hauptfreude ist Montaigne – Sie kennen das Phänomen, wenn man einen Autor, den man lau genossen, genau in dem Augenblick findet, in den er gehört – ein Meister und Lehrer der Resignation und des Rückzugs auf sich selbst. An Arbeit ist die Autobiographie zu Ende getan, ein wie ich glaube, menschlich hochanständiges Buch ohne Überteibungen, Phrasen und Selbstbespiegelungen und dabei mit viel Farbe; ich glaube, Sie werden es mögen, es ist übrigens ein hartes und realistisches Bild über die Sexualität unserer Jugend darin, antiromantisch und erbittert. Das Brazilbook ist erschienen, war hier den Leuten teilweise nicht enthusiastisch genug, den Americanern zu sehr – hier liebt man das nicht, was wir lieben, die weise Ruhe und Hingabe ans Leben, die Güte und Toleranz, man ist stolz auf die Hochbauten, die Organisation; sie wissen noch nicht, wohin das führt, und wir wissen es. Mein Gott, wie würden Sie das einfache Volk hier lieben: höflich, voll innerer Cultur und Güte bei zerflickten Hosen und barfuß. Wir haben eine schwarze Köchin (für 5 Dollar im Monat), aber Köchin ist ein weites Wort, denn sie hat nie eine Conservenbüchse gesehen und bittet sich die leeren als Kostbarkeit aus. Kartoffeln erschienen ihr als Luxus. Aber dabei ist sie rührend zart im Betragen, glücklich, dankbar – ach wenn ich nur diese Sprache erlernen könnte. Aber dazu leben wir zu einsam. Ich sehe fast niemanden – ich fühle, daß man erlebt haben muß, was wir erlebten, sonst spricht man aneinander vorbei. Mein Grauen über die Zeit hat sich nicht gemindert – wie bei den meisten Heimhelden – mit den vier oder fünf Millionen, die starben, seit wir einander die Hände schüttelten, ich bin nur den persönlichen Bedrückungen gegenüber stumpfer geworden. Auch die Arbeit hat geholfen. Daß ich mich ein wenig wieder mir selbst nähere, mögen Sie entnehmen, daß ich gerne Briefe an Freunde wie Sie schreibe und beinahe geschwätzig werde und mehr noch daran, daß ich wieder nach Jahr und Jahren ein Gedicht schrieb – sollte dies Zeichen eines Kindlichwerdens oder gar eine der Goethischen neuen Pubertäten bedeuten? Per Spaß machte ich mit Frischauer eine Scizze zu einem brasilianischen Film (ohne an Realisierung zu denken), habe aber Aufsätze erst nicht geschrieben, sondern nur eine kuriose Novelle entworfen, die Ihnen vielleicht gefiele – eine Schachnovelle mit einer eingebauten Philosophie des Schachs, ich habe sie aber noch nicht abgeschlossen. Mit allerhand Plänen spiele ich herum – das viele Alleinsein und gänzlich von Zeitschriften, Zeitungen (außer brasilianischen) Abgeschnittensein hält anscheinend das Innere zusammen. So, mein Lieber, jetzt noch einen Blick auf Ihren Brief, ob ich etwas vergessen habe. Also – die Gedichte erwarte ich. Wegen jener Herrmann-Neißes seien Sie hinter Fles her, dem ich Victor Fleischers Rienzo-Biographie senden ließ. Broch umarmen Sie für mich – noch Eines, ich hatte einen gescheiten Plan und habe ihn einigen Leuten weitergegeben. Und zwar:

da wir keine Zeitschrift durch Faulheit, Indolenz zusammenbrachten – wäre es nicht das Richtige, die Emigration möchte alljährlich ein Jahrbuch 1941, 1942 erst publicieren, wie weiland Wolfenstein – das Beste an Beiträgen und eine Bibliographie. In dieser Form würden wir zeigen, daß wir existieren. Daß wir arbeiten. Und 3 000 Ex. wären sicher, wenn wir alle dabei sind. So – daß ich so ausführlich schrieb möge zeilenmäßig als Maß für meine Freundschaft gelten! Herzlichst

Ihr Stefan Zweig

Was den Contract »Brennendes Geheimnis« betrifft, so ist der Fluch, daß ich ihn nicht besitze, und es scheint, daß ich Ochse damals die Weltrechte hergab. Der gewisse Rechtsanwalt weiß, daß ich mich nicht auskenne und den Vertrag nicht besitze, gar nicht einmal weiß, mit wem ich abschloß.

Stefan hat mir wenig Platz gelassen und Ihnen ja auch alles berichtet. So möchte ich nur bestätigen, daß es uns hier gut geht und wir so vergnügt oder deprimiert sind, wie es jeweils den Zeitumständen entspricht, und nicht mehr so hundertprozentig verzweifelt wie in New York. Ich glaube, es war richtig, daß wir hierher zurückgegangen sind. – Daß sich Ihre familiären Sorgen, wegen derer Sie nach Hollywood fuhren, als nicht begründet erwiesen, freut mich sehr, hoffentlich klappt es nun auch mit dem Gedichtdruck und Ihren anderen Plänen.
Herzliche Grüße *Ihre Lotte Z.*

An Friderike Zweig

Petropolis, 29. XI. 1941

L. F.
Der düstere Tag ist glücklich überstanden; wir wollten nach Friburgo, aber die Autostraße war in einem solchen Zustand, daß wir nach Petropolis zurückkehrten, nachdem wir in Tereso-

polis den Tag verbrachten. Es war mir gelungen, hier jede Mitteilung zu unterdrücken, so daß Telegramme nur von England und Amerika kamen. An Geschenken bekam ich außer dem Romainsbuch in herrlichem Leder – von Hübsch, eine komplette Balzacausgabe, die mir sehr hilfreich sein wird, von meinem Verleger, um die Einsamkeit etwas aufzuheitern, einen bezaubernden netten und lieben Hund, einen Stachelhaarfoxel, sehr lieb, sehr gut erzogen, freilich ohne die Intelligenz und gewalttätige Zudringlichkeit Kaspars – er hat sich an einem Tag schon eingewöhnt, und es gibt dem Häuschen erst das richtige Gefühl von Heim. Auch eine Aufnahme mit einem Kinoapparat von Haus und Aussicht machte der Verleger, die hoffentlich gelungen ist. Der Hund stammt aus der großen Diplomatenfamilie Rio Branco, hatte den zweiten Schönheitspreis und einen ellenlangen Stammbaum, der uns, die wir von Abraham abstammen, nicht so imponiert wie seine Wohlerzogenheit – ein Tier ist immerhin ein guter Ersatz in Zeiten, da die Menschheit widerwärtig wird. Dienstag fahre ich nach Rio hinunter, Fortunat Strowski hat mir die besten Montaignebücher (seine eigenen) hergerichtet. Es ist doch ein guter Zufall, die erste Autorität so nahe zu haben. – So, das ist alles, aus den Details Hund und Balzac ersiehst Du, daß ich in steigendem Skeptizismus mehr und mehr daran denke, auf längere Zeit mich einzustellen: man muß seine Zeit so einteilen, daß sie die Zeit möglichst negiert. Erschütternd ist hier der Überfluß – das bißchen Reis, das jetzt der Hund bekommt, wäre drüben ein Fest für eine Familie, und zum Geburtstag bekam ich ungarische Gansleber, die so echt war, als käme sie aus dem zweiten Bezirk von Wien. Alix und Suse noch vielen Dank für ihre Wünsche und alles Gute. Herzlichst

Stefan

An Richard Friedenthal

[Aus dem Englischen]

[undatiert; vermutlich Januar 1942]

Lieber Friedenthal,

ich bin so dankbar für Ihre Briefe, die mir – wenn dafür noch ein Beweis nötig war – zeigen, wie gut und echt unsere alte Freundschaft ist. Im gleichen Sinne wollen wir fortfahren, wir brauchen mehr denn je in dieser erschütterten Welt ein wenig Stabilität und Sicherheit und die finde ich nur noch in den wenigen Freunden, die verblieben sind. Wir leben hier sehr isoliert und ich lese viel, Balzac, Shakespeare, Goethe (besonders den Wilhelm Meister, der ein Beispiel dafür ist, daß man bei der Komposition eines Werkes nicht einen zu großen Abstand lassen sollte, der Roman ist gewissermaßen von zwei Meistern in sehr verschiedenem Stil und Aufbau geschrieben). Bei meiner eignen Arbeit bin ich ziemlich behindert durch das unbewußte Gefühl, daß ich kein richtiges Publikum mehr besitze. Wenn ich bei meiner Autobiographie zum Beispiel über Hofmannsthal oder Beer-Hofmann etwas sagen wollte, so mußte ich mich daran erinnern, daß in dem Sprachbereich, in dem das Buch erscheinen soll, niemand von den Beiden etwas weiß. Und so kritzele ich nun an einem Montaigne – Sie sollten ihn wieder lesen. Er gibt uns eine gute Lehre mit seiner Hartnäckigkeit, frei zu bleiben in allem Aufruhr. Aber Sie werden es begreifen: da ist etwas, was meinen »élan« beim Schreiben beeinträchtigt. Mir fehlt die Erwartung der Leserschaft, mir fehlt ein Verleger, der früher mich stimulierte, oder die Buchhändler, die mich alle fragten: »und wann kommt Ihr nächstes Buch heraus?« Darin war eine angesammelte Energie aus tausend Fragen, und ich hatte zu antworten. Jetzt schreibe ich ohne diese Spannung, der Übersetzer übersetzt und der Verleger publiziert in der gleichen Stimmung. Für Sie ist das anders – Sie können, wenn Sie Ihr Buch fertigmachen, sich den Weg freisprengen! Ich hoffe auf Ihr Buch, ich erwarte es! Zögern Sie nicht!

Ihr alter Freund Stefan Zweig

An Richard Friedenthal
[Aus dem Englischen]

Petropolis, 15. 1. 1942

Mein lieber Friedenthal,
ich habe Ihnen für zwei Briefe zu danken und freute mich sehr zu hören, daß Sie wieder an der Arbeit sind und einige Erzählungen schreiben. Was die Publikation angeht, sollten Sie nicht zu viel von Bermann-Fischer erwarten. Ich weiß noch nicht, was aus seinem Verlag in Schweden wird, und er selber ist hauptsächlich interessiert an seiner neuen Firma in englischer Sprache. Ein anderer neuer Verlag, der in Argentinien gegründet werden sollte, wird wahrscheinlich nicht zustande kommen bei der neuen Erweiterung des Kriegsschauplatzes, das verzögert und kompliziert zu sehr den Transport von Büchern und auch jeder Korrespondenz. – Ich hoffe, daß Ihre Erzählungen in Form und Thema das richtige sind für Zeitschriften-Publikation, und jedenfalls will ich Bermann daran erinnern, und falls er selber nichts tun kann, sie einem guten Agenten übergeben.
Was den P.E.N.-Klub betrifft, so weiß ich darüber nicht mehr als daß in der Mitte des großen Krieges noch ein Kleinkrieg ausgebrochen ist zwischen den verschiedenen Zentren. Romains mag einige technische Fehler begangen haben, aber ich kann bezeugen, daß er sein Bestes getan hat, all die verschiedenen Gruppen in New York zusammenzubringen und eine provisorische Einheit daraus zu machen. Ich selber bin außer Kontakt mit ihm im Augenblick, seit er nach New York ging, und ich glaube, daß seit er von dort fortgegangen ist, kein Zentrum der Exil-Literatur in New York besteht. Ich kann Ihnen nur sagen, daß Ferdinand Bruckner der Sekretär des europäischen P.E.N. in Amerika war, und wenn Sie ihm schreiben (c/o Librairie France, 610 Fifth Avenue), so wird er Ihnen sicher Auskunft geben können, ob der Klub noch existiert. Ich meinerseits habe, wie Sie wissen, nie an eine andere wirksame Propaganda geglaubt als an militärische Erfolge. Eine siegreiche Schlacht ist

eindrucksvoller als fünfzehn Kongresse und zweihundert Propagandabücher. Das Buch und Werk wird wieder in seine Rechte eintreten, wenn der Krieg zu Ende ist.

Nun zu unserem Leben hier. Wir leben so zurückgezogen wie nur denkbar in herrlicher Natur und entzückender Primitivität. Alle Dinge aus den Zeiten meines Vaters und Großvaters tauchen hier wieder auf. Ein Bad heißt, daß man zunächst einen Kessel mit heißem Wasser vorbereitet, abgesehen davon, daß der Ofen den ganzen Morgen geheizt werden muß. Der Küchenherd wird mit Holz geheizt und die Glut muß ständig angeblasen werden. Das Brot wird von einem achtjährigen Jungen gebracht. Die Post wird nur an schönen Tagen ausgetragen und bleibt im Postamt, wenn es regnet. Aber auch die natürlichen Lebensformen jener alten Zeit sind verblieben, die Freundlichkeit der einfacheren Klassen, die weder Organisation noch Neid kennen. Ich sehe wieder einmal, wie notwendig es ist, mehr in das Innere des Landes zu gehen, wenn man sein Leben verstehen will. Wer nur London kennt, weiß nichts über England, und Fremde, die nur die gepflegten Straßen und internationalen Hotels von Rio und São Paulo gesehen haben, haben keine Ahnung von Brasilien, und selbst die Brasilianer in diesen Städten, ganz besessen von ihren Wolkenkratzern, kennen es nicht. Ich habe hier eine Menge gelernt.

Im nächsten Monat wird die Viking Press eine kleine Studie von mir über das Vespucci-Problem herausbringen. Die Autobiographie ist im Stadium der Übersetzung, und ein Pendant zum Erasmus, ein Montaigne ist im Stadium der Geburt. In unserer Einsamkeit muß ich mir meine Freunde dadurch schaffen, daß ich mir ihr Leben vorstelle, und ein anderes Vergnügen ist an die alten und treuen Freunde zu schreiben, von denen Sie eine der besten sind.

Stefan Zweig

An Friderike Zweig
[Aus dem Englischen]

Petropolis, 20. 1. 1942

Liebe Friderike,
ich schrieb nicht während all dieser Tage, weil nichts zu erzählen war, unser Leben geht seinen stillen und ziemlich monotonen Gang weiter: lesen, schreiben, spazierengehen, ohne Unterbrechung durch Konzerte, Theater und Gesellschaft. Es gibt keine Neuigkeiten, außer den Nachrichten in den Zeitungen.

Und da steht nichts was uns Hoffnung machen könnte auf einen raschen Sieg. Im Gegenteil: wir müssen darauf gefaßt sein, daß dieser Krieg sehr lange dauern und Erschöpfung bedeuten wird. Mir wird es immer sicherer klar, daß ich mein Haus niemals wieder sehe und überall nichts als ein Wanderer und Gast sein werde; glücklich jene, die irgendwo ein neues Leben beginnen konnten. Ich erhielt einen herrlichen Brief von Roger Martin du Gard, den besten Brief, den ich seit Jahren bekam, er brachte das gleiche Gefühl zum Ausdruck, das ich habe: daß wir in unserem Alter nur noch die Rolle des Zuschauers im großen Schauspiel (oder besser der Tragödie) zu spielen haben, und daß die Andern, die Jüngeren, Ihren Part übernehmen müssen. Der unsere ist nur: still zu verschwinden, und auf würdige Weise.

Ich habe auch endlich das dritte Buch über Montaigne (von Gide) erhalten, und danke Dir sehr dafür (es ist nicht sehr bedeutend und ich hoffe etwas mehr über ihn zu sagen).

Ich habe Deinen Bruder Siegfried gesehen, er will später für ein paar Tage kommen – er liebt Brasilien, aber wir sind alle zu alt, um uns ganz einzugewöhnen in fremde Sprachen und Länder. Ich hoffe, Deine Kinder fühlen sich wohl, und die Höllers haben eine Beschäftigung gefunden. Das ist heute notwendiger denn je. Es ist ein Alptraum, wenn man an die Ereignisse in Europa denkt: Lucka und all die andern, die in Frank-

reich sind. Und hier ist keine Aussicht mehr: wir sind hermetisch abgeschlossen für Gott weiß wie lange. Wenigstens haben wir schönstes Wetter, und mein einziges Vergnügen, die langen Spaziergänge, bieten mir immer neue Abwechslung.
Liebe und herzlichste Grüße

Stefan

Mein kleines Buch über Amerigo Vespucci wird im nächsten Monat im Druck erscheinen.

An Berthold Viertel
[Aus dem Englischen]

Petropolis, 30. 1. 1942

Mein lieber Freund,
es ist schon lange her, seit ich von Ihnen hörte, und ich warte noch auf Ihre Gedichte. Sind sie schon gedruckt? Und wie steht es bei Fles mit den Gedichten von Max Hermann-Neisse? Ich weiß gar nicht, was im literarischen Leben vorgeht, und auch von den Weltereignissen nicht mehr als was uns der Rundfunk und die Zeitungen berichten. Sie wissen, wie ich immer den bequemen und selbstgefälligen Optimismus gehaßt habe, und wir, die wir wissen wie hart der Kampf noch sein wird, und wieviel von unserem eignen Leben und Werk aufgebraucht werden wird in diesen bitteren Jahren, müssen aufrecht bleiben; die Hoffnung, Hitler niedergeworfen zu sehen ist der einzige Lohn, den diese Welt uns noch geben kann und das einzige Ereignis, das ich noch ersehne.
Ich hörte, daß sie »Nora« inszenieren – meine besten Wünsche! Und nebenbei: ich las zufällig ein vergessenes Stück von Jacinto Benavente, dem großen spanischen Dramatiker: »La malquerida«, und war überrascht durch seine dramatische Kraft. Es hat etwas von den großen Linien und dem Ungestüm des griechischen Dramas, und ist auch Freud vor Freud; Sie sollten

versuchen, sich ein Exemplar durch irgendeinen Theateragenten zu beschaffen. Es würde ein erstaunlicher Erfolg werden, eine Neuaufführung nach zwanzig oder 30 Jahren! Es enthält die schönsten Rollen – es würde eine wirkliche Wiederentdeckung sein!

Ich selber schreibe an einem Buch über Montaigne, den »homme libre« – den Vorkämpfer für die innere Freiheit in einer Zeit wie der unseren, der an der gleichen Verzweiflung leidet, weil er gerecht und weise bleiben will durch seinen fanatischen Freiheitssinn (unter Beiseitelassen und Verachtung für allen zeitigen äußeren Erfolg). Dann habe ich eine aktuelle längere Erzählung geschrieben; meine Autobiographie wird in Schweden bei Bermann-Fischer herauskommen und in U.S.A. bei unserem Freunde Hübsch. Aber alles, was ich tue, geschieht ohne »pep« – ich arbeite nur, um nicht melancholisch oder irrsinnig zu werden. Mein Unglück in diesen Zeiten besteht in dem, was früher meine Stärke war: klar und sehr weit voraus zu sehen, nicht mich selbst zu belügen und mich und andere durch Illusionen und Phrasen zu betrügen. Das Leben unserer Generation ist besiegelt, wir haben keine Macht, den Gang der Ereignisse zu beeinflussen, und kein Recht, der nächsten Generation Ratschläge zu geben, nachdem wir in der unsern versagt haben. Sicher erinnern Sie sich noch an unsere Gespräche: alles, was jetzt geschieht wird vielleicht für den Rest der übernächsten Generation von Hilfe sein, nicht aber mehr für die unsere, und diejenigen von uns, die still ein Ende machten, waren vielleicht die weisesten; sie hatten ein abgerundetes Leben, während wir noch an dem Schatten unserer selbst weiter hängen. In der Kunst spielen Mut und Glauben eine enorm wichtige Rolle; diejenigen die nicht vor Überzeugung brennen haben nicht die Macht, andere zu begeistern. Sie können ausgezeichnete Kritiker und weise Betrachter sein, sie mögen vielleicht wertvolle Anmerkungen an den Rand des Lebensbuches schreiben – das wahre Buch wird von Andern geschrieben.

Nun über unser Leben hier. Meine persönliche Existenz ist so einsam und anonym wie nur denkbar. Ich lese eine ganze Menge, und meist Klassiker, ich arbeite etwas und habe auch einen Roman angefangen, aber liegengelassen; ich fühle zur Zeit die Unvereinbarkeit, isolierte Ereignisse zu schildern, die nur teilweise mit unserer Zeit etwas zu tun haben. Ich wollte ich könnte Gedichte schreiben wie Sie – aber wer kann volles Maß geben, während seine Gedanken von Singapur nach Libyen und Rußland wandern? Und, lieber Freund, bedenken Sie, daß ich nicht lebe wie Sie, mit der Nahrung von Gesprächen und freundschaftlichen Diskussionen, daß Briefe in einem brasilianischen Dorfe noch etwas bedeuten, wo das Erscheinen des Postboten »das Ereignis des Tages« ist. Es ist wie in den ersten Tagen meiner Jugend, und alles erinnert mich hier an die Zeit der Väter und Großväter, der Küchenherd, der mit Holz geheizt wird und durch die schwarze Bedienerin mit dem Blasebalg angefacht wird, das Bad, das mit heißem Wasser vorbereitet wird. Die Liebenswürdigkeit und Naivität des Volkes, die Einfachheit in allen Dingen – das ist für mich ein seltsames Abenteuer, nachdem ich durch alle Städte gegangen bin, um nun zu dieser Lebensform zurückzukehren. Wir beide lieben es, und es gibt kein angenehmeres Land als Brasilien. Was uns fehlt, sind Bücher, Freunde unseres geistigen Kalibers, ein Konzert und der Kontakt mit den Ereignissen der Literatur. Ich hoffe, Ihre Familie ist in Hollywood zusammen, ich hörte etwas von einem Erfolg Ihres Sohnes – Sie haben wenigstens die Befriedigung, in ihrem eignen Fleisch und Blut weiterzuleben, und nicht das Gefühl wie ich, daß eigentlich nichts mich hier zurückhält als Unentschlossenheit und »laisser aller«. In einem gewissen Alter muß man zahlen für den Luxus, keine Kinder gehabt zu haben – und meine anderen Kinder, die Bücher, wo sind sie nun? Manche sind schon vor mir gestorben, andere sind unzugänglich und sprechen eine andere Sprache als ich. Und nun habe ich drei Seiten geschrieben (was mir früher eine ganze Menge Geld eingetragen hätte) und hoffe von Ihnen zu hören und endlich Ihren Gedichtband zu bekommen.

Ihr alter und aufrichtiger Freund Stefan Zweig

An Friderike Zweig

[Aus dem Englischen]

Petropolis, 4. Februar 1942

Liebe Friderike,

es ist schon eine gute Zeit her, seit ich nicht von Dir hörte, aber alle Post nach Brasilien scheint aufgehalten zu sein durch die Konferenz, die alle Schiffe mit Post und Passagieren in Anspruch nahm. Es gibt nicht viel zu berichten. Ich bin deprimiert von der Aussicht, daß die wirkliche Entscheidung und der endgültige Sieg in diesem Jahre nicht mehr kommen werden und daß der größte Teil unserer besten Jahre für unsere Generation in diesen beiden Welt-Erschütterungen dahinging. Nach diesem Krieg wird alles verändert sein, der in einem Monat mehr verbraucht als ganze Nationen früher in Jahren verdienten, und ich fürchte, unsere alten Tage werden nicht ohne Sorgen und Schwierigkeiten sein – es gibt in dieser Zeit nicht mehr Sicherheit als zu Zeiten der Reformation oder des Untergangs von Rom. Es beunruhigte mich, daß Dein Schwiegersohn und Suse in ihrem Beruf behindert sind und sich nach anderen Möglichkeiten umsehen müssen; hier bestehen auch Arbeitsbeschränkungen und gewisse nationalistische Maßnahmen.

Ich genieße den herrlichen Sommer; wir haben, während Rio durch die Hitze zum Glutofen wird, kühle Nächte und prachtvolle Tage; vom rein Physischen her gesehen könnte es nicht besser sein. Es ist jetzt Saison in diesem »Ischl«, aber ich lebe ebenso zurückgezogen wie zuvor, lese, schreibe und gehe spazieren mit meinem kleinen Hund, der sehr süß ist, nicht so intelligent wie Kaspar, aber sehr anhänglich, als ob ich ihn schon von jung an hätte. Briefe werden seltener und seltener, jeder hat seine eignen Sorgen, und man hat keine Lust zu schreiben, wenn nichts Wichtiges zu erzählen ist – und was in unserem kleinen, beschränkten Leben ist noch wichtig vor den Welt-Ereignissen! Meine Autobiographie ist durch Flugpost nach Schweden abgegangen und ich hoffe, daß das Manuscript richtig eingeht. Hübsch wird bald meine kleine Studie über die Vespucci-Frage veröffentlichen, und ich schreibe an dem Montaigne, aber all das geschieht ohne rechte Intensität – wenn man nicht wie früher die Antwort verspürt unter dem Kanonendonner, so fehlt einem die rechte Leidenschaft.

Lesen hilft mir am besten und zwar nur gute alte Lektüre, *erprobte* Bücher, wie ich es sagen möchte: Balzac, Goethe, Tolstoi. Was uns aber fehlt ist gutes Gespräch mit Menschen unseres Niveaus. Die meisten Leute, mit denen wir zusammenkommen, verstehen nicht, was vorgeht und was noch kommt; sie glauben, daß der künftige Friede nur eine Fortsetzung der Friedenszeit sein wird. Man muß gewisse Dinge durchlebt haben um sie zu verstehen; und Europa ist ihnen geistig so fern wie uns China es war in diesen den letzten schrecklichen Zeiten.

Ich hoffe, Deine Arbeit geht weiter; ich möchte Dir nicht raten, sie mir zu schicken, denn Bücher usw. brauchen jetzt viele Wochen, ehe sie eintreffen und es ist auch nicht sicher. Das Land selbst ist noch unberührt vom Krieg, es bestehen nur einige Beschränkungen für Ausländer der Achse-Länder, wie Italienisch oder Deutsch in der Öffentlichkeit zu sprechen und Gedrucktes in diesen Sprachen bei sich zu haben.

Lebensmittel und alle materiellen Dinge gibt es in diesem unerschöpflichen Land im Überfluß. Ich bin noch nicht sicher, ob ich unser Bungalow für länger als bis April mieten kann; falls ich die Adresse wechsele, werde ich es Dich rechtzeitig wissen lassen. In Liebe und Freundschaft

Stefan

An Leni Herrmann-Neiße
[Aus dem Englischen]

Petropolis 13. 2. 1942

Liebe Leni,
ich muß Ihnen und Alphonse danken für Ihre freundlichen Worte und Wünsche. Ich hoffte immer, aus New York Nachricht zu erhalten, daß Mackes Buch schon erschienen sei, aber Briefe reisen jetzt schrecklich langsam und Bücher noch langsamer, ach langsamer als zu Kolumbus' Zeiten. Die Menschheit hat große Schritte zurück gemacht und zuweilen fühle ich, daß der gute Macke, als er uns verließ, nicht viel verloren hat, denn wie würde er gelitten haben! In einem Lande wie diesem hier würde er, dessen Herz immer der Natur so offen war, wenigstens die ewige Schönheit genossen haben, aber Sie können sich nicht vorstellen, wie isoliert wir hier leben in einem kleinen Ort mitten in den Bergen. Ich bin kein Misanthrop geworden, aber ich kann größere Gesellschaft nicht mehr ertragen und leichtes Geschwätz – wir können sorglose Vergnügungen nicht mehr mit ansehen ohne eine Art von innerem Schamgefühl, und der Überfluß an allem erinnert uns grausam an die Lebensmittelnot in Europa. Bitte grüßen Sie Alphonse bestens von uns, und ich hoffe sehr, wir werden bald Mackes Buch in der Hand haben. Und lassen Sie uns träumen von einem Tag, wo wir wieder in Frieden zusammenkommen und des guten und treuen Freundes gedenken, der er für uns und die Menschheit gewesen ist.

Immer Ihr Stefan Zweig

An Friderike Zweig
[Aus dem Englischen]

Petropolis, 18. 2. 1942

Liebe Friderike,
ich habe Dir nichts anderes zu sagen als die freundlichsten Gedanken. Wir hatten nun den phantastischen Karneval in Rio, aber solche Festlichkeiten sind mir jetzt doch ganz fremd, ich bin stärker deprimiert denn je. Es wird keine Rückkehr zu den Dingen von ehedem geben, und was uns erwartet, wird uns niemals mehr bieten können als jene früheren Zeiten. Ich arbeite weiter, aber nur mit einem Viertel meiner Kraft; es ist eher ein Weitermachen aus alter Gewohnheit als wirkliches Schaffen. Man muß überzeugt sein, wenn man überzeugen will, Begeisterung haben, um andere zu begeistern, und wie soll ich sie jetzt finden! Alle meine besten Gedanken sind bei Dir und ich hoffe, die Kinder finden eine gute Arbeitsmöglichkeit und kommen vorwärts. Sie werden noch die bessere Welt sehen nach dieser jetzigen. Ich hoffe, daß Du guten Mutes bist und ganz gesund und daß New York mit seiner Vielfalt Dir wenigstens von Zeit zu Zeit etwas von seinem künstlerischen Reichtum abgibt – hier habe ich nur die Natur und Bücher, alte Bücher, die ich lese und immer wieder lese.

Immer Dein Stefan

An Friderike Zweig
[Aus dem Englischen]

Petropolis, 22. Februar 1942

Liebe Friderike,
wenn Du diesen Brief erhältst, werde ich mich viel besser fühlen als zuvor. Du hast mich in Ossining gesehen, und nach einer guten und ruhigen Zeit verschärfte sich meine Depression – ich litt so sehr, daß ich mich nicht mehr konzentrieren konnte. Und dann die Gewißheit – die einzige die wir hatten – daß dieser Krieg noch Jahre dauern wird, daß es endlose Zeit brau-

chen wird, ehe wir, in unserer besonderen Lage, wieder in unserem Haus uns niederlassen können, war zu bedrückend. Petropolis gefiel mir sehr gut, aber ich hatte nicht die Bücher, die ich brauchte, und die Einsamkeit, die erst so beruhigend wirkte, fing an niederschlagend zu wirken – der Gedanke, daß mein Hauptwerk, der Balzac, nie fertig werden könnte ohne zwei Jahre in ruhigem Leben und mit allen Büchern, war sehr hart, und dann dieser Krieg, der seinen Höhepunkt noch nicht erreicht hat. Ich war für all das zu müde. Du hast Deine Kinder und damit eine Pflicht zu erfüllen, Du hast weitreichende Interessen und eine ungebrochene Aktivität. Ich bin sicher, Du wirst die bessere Zeit noch erleben und Du wirst mir recht geben, daß ich mit meiner »schwarzen Leber« nicht mehr länger gewartet habe. Ich schicke Dir diese Zeilen in den letzten Stunden, Du kannst Dir nicht vorstellen, wie froh ich mich fühle, seit ich diesen Entschluß gefaßt habe. Gib den Kindern meine lieben Grüße und beklage mich nicht – denke an den guten Joseph Roth und Rieger, wie froh ich immer war, daß sie diese Prüfungen nicht zu überstehen hatten.

Alles Liebe und Freundschaftliche und sei guten Mutes, weißt Du doch daß ich ruhig und glücklich bin.

Stefan

ANHANG

ZUR EDITION

Die in diesem Band enthaltenen Briefe sind mit geringen Ausnahmen vollständig wiedergegeben. Auslassungen sind durch [...] gekennzeichnet. Die Orthographie wurde der modernen Schreibweise angepaßt, charakteristische Schreibeigenheiten wurden jedoch grundsätzlich beibehalten. Offensichtliche Schreibfehler sind berichtigt. Die Zeichensetzung wurde, wo dies zum besseren Verständnis erforderlich war, korrigiert. Fehlende Wörter und abgekürzte Namen sind in eckigen Klammern ergänzt. Im Original unterstrichene Textteile sind kursiv gesetzt. Erschlossene Daten undatierter Briefe stehen in eckigen Klammern.

Die im Original französisch geschriebenen Briefe an Maxim Gorki übersetzte Helga Hasselbach. Die Übersetzungen sind dem Band ›Maxim Gorki – Stefan Zweig. Briefwechsel‹, Verlag Philipp Reclam jun., Leipzig 1971, mit freundlicher Genehmigung des Verlags entnommen. Alle anderen Übersetzungen aus dem Englischen und Französischen besorgte Richard Friedenthal.

ANMERKUNGEN

Die Ziffern am Rand verweisen auf die Textseiten

7. 4. 1902 — 3

Richard Dehmel: 1863-1920, Lyriker und Dramatiker. Dehmel galt allgemein nicht nur als der Primus der modernen Lyriker, sondern auch als Meisterübersetzer.
Schuster und Loeffler: In diesem Leipziger Verlag war ab Oktober 1899 die Zeitschrift ›Die Insel‹ erschienen, aus der der 1902 gegründete Insel Verlag hervorging.
Anthologie von Verlaine: ›Gedichte von Paul Verlaine‹. Eine Anthologie der besten Übertragungen, herausgegeben von Stefan Zweig. Mit einem Portrait des Dichters von Félix Vallotton. Schuster & Loeffler, Berlin–Leipzig 1902.
Franz Evers: 1871-1947, Lyriker und Dramatiker.
Richard Schaukal: 1874-1942, österreichischer Schriftsteller, vor allem Lyriker, dessen frühes Werk dem literarischen Jugendstil zugerechnet wird. Zahlreiche Übersetzungen aus der französischen Literatur.
Max Bruns: 1876-1945, Lyriker, Erzähler, Übersetzer.
Johannes Schlaf: 1862-1941, naturalistischer Dramatiker; gemeinsam mit Arno Holz Begründer des »Konsequenten Naturalismus«. Er übersetzte Balzac, Zola und Whitman.
Paul Wiegler: 1878-1949, Kritiker und Kulturschriftsteller.
Hedwig Lachmann: 1868-1918, Lyrikerin, dem Kreis um Stefan George nahestehend.
Otto Hauser: 1876-1944, österreichischer Schriftsteller.

6. 6. 1902 — 4

Vallotton-Portrait: Félix Vallotton (1865-1925), Schweizer Maler und Grafiker, dessen silhouettenartige Portraits zeitgenössischer Autoren beliebt waren.

2. 2. 1903

Hermann Hesse: 1877-1962, der große Erzähler. Mit dem nur wenige Jahre Älteren verband Zweig eine sehr herzliche Beziehung, die schon mit Hesses ersten Publikationen begann. Die gemeinsame Haltung während des Ersten Weltkrieges führte die beiden noch näher zusammen; Zweig hat damals den 1912 nach der Schweiz übersiedelten Freund verschiedentlich gegen Angriffe verteidigt. Den großen Spät- und noch größeren Nachruhm Hesses hat Zweig nicht mehr erlebt.
mit Ihrem Buche: Gedichte, herausgegeben von Carl Busse. Grote, Berlin 1902.

5 *Maria Grubbe:* ›Frau Marie Grubbe. Interieurs aus dem 17. Jahrhundert‹, Roman von Jens Peter Jacobsen. Deutsche Erstausgabe Berlin 1878.
Rilkes: »Buch der Bilder«: ›Das Buch der Bilder‹. Gerhart Hauptmann zugeeignet. Axel Juncker, Berlin 1902.
Wilhelm von Scholz: 1874-1969, Dramatiker, Erzähler, Lyriker. Sein Gedichtband ›Der Spiegel‹ erschien 1902 bei Hermann Seemann Nachf., Leipzig.
Camill Hoffmann: 1878-1944, Lyriker. Sein Gedichtband ›Adagio stiller Abende‹ war 1902 erschienen.
Wilhelm Holzamer: 1870-1907, Erzähler und Lyriker.
Hans Benzmann: 1869-1926, Lyriker und Balladendichter; Sekretär des Deutschen Reichstags.
Busse Palma: Georg Busse Palma (1876-1915), Lyriker und Erzähler.
für das Buch etwas tun: Eine Rezension von Stefan Zweig ist nicht nachgewiesen.

6 *Carl Busse:* 1872-1918, Berliner Journalist und Kritiker; Bruder von Georg Busse Palma.
Fritz Stöber: Nicht ermittelt.
Charles van der Stappen: 1843-1910, belgischer Bildhauer, der Zweig mit Frans Masereel zusammenbrachte.
Falke: Gustav Falke (1853-1916), Erzähler und Lyriker.
Hartleben: Otto Erich Hartleben (1864-1905), Erzähler, Dramatiker und Lyriker der Jahrhundertwende.
Bierbaum: Otto Julius Bierbaum (1865-1910), satirisch-humoristischer Schriftsteller, Gründer der Zeitschrift ›Pan‹, Mitherausgeber der ›Insel‹.

7 2. 3. 1903
Ihren »Hermann Lauscher«: ›Hinterlassene Schriften und Gedichte von Hermann Lauscher‹. R. Reich, Basel 1901.
Hans Müller: 1882-1950, österreichischer Schriftsteller, Librettist und Dramatiker.
Franz Carl Ginzkey: 1871-1963, österreichischer Schriftsteller.
Dr. Abdullah Bey: Vermutlich Yahya Kemal Beyatli (1884-1958), türkischer Lyriker. Er studierte von 1903 bis 1912 Französisch und Staatswissenschaften in Paris.

8 *»Silbernen Saiten«:* ›Silberne Saiten‹, Gedichte. Schuster & Loeffler, Berlin und Leipzig 1901.

9 9. 10. 1903
ein Roman von Ihnen: ›Peter Camenzind‹ wurde in der Zeitschrift ›Neue Deutsche Rundschau‹, 14. Jg. (1903) in drei Folgen vorabgedruckt und erschien 1904 im S. Fischer Verlag, Berlin.

1. 11. 1903

im »Magazin für Literatur«: In einer Rezension des Gedichtbandes ›Der Spiegel‹ von Wilhelm von Scholz (›Magazin für Literatur‹, 72. Jg., 1. Augustheft 1903) schrieb Zweig: »Hermann Hesses innige und wundersam leuchtende Verse [. . .] – werden sie wirklich so still ihren Weg gehen müssen, den man ihnen mit lautem Willkommen und herzlichem Empfange umkränzen sollte?«

Holz: Arno Holz (1863-1929), Dramatiker und Lyriker, mit Johannes Schlaf Begründer des »Konsequenten Naturalismus«.

Otto Ernst: 1862-1926, Dramatiker, Erzähler, Essayist und Lyriker. 10

meinen Band: ›Die Liebe der Erika Ewald‹. Novellen. Egon Fleischel, Berlin 1904. Der Band enthält die Novellen ›Die Liebe der Erika Ewald‹, ›Der Stern über dem Wald‹, ›Die Wanderung‹ und ›Das Wunder des Lebens‹.

Emile Verhaeren: 1855-1916, belgischer Lyriker. Er galt vor 1914 in weiten Teilen Europas als einer der Führer der modernen Dichtung. In Deutschland wurde er vielfach übersetzt. Zweig widmete sich seinem Werk in zahlreichen Übersetzungen, Vorträgen und Aufsätzen und gab eine deutsche Gesamtausgabe mit der Biographie des Dichters heraus. Er sah die Jahre, die er im »Dienst« Verhaerens und seines Werkes verbrachte, bewußt als eine Art Lehrzeit an, die er sich verschrieben hatte, ehe er an die eigenen Arbeiten gehen wollte.

auch wieder ein Buch: ›Emile Verhaeren: Ausgewählte Gedichte‹. Nachdichtung von Stefan Zweig. Schuster & Loeffler, Berlin und Leipzig 1904.

17. 1. 1904 11

Lavater: Johann Caspar Lavater (1741-1801), Schweizer Philosoph und Schriftsteller. ›Physiognomische Fragmente zur Beförderung der Menschenkenntniß und der Menschenliebe‹, vier Bände, 1775-1778.

ein paar einführende Worte: ›Ein Roman von Hermann Hesse‹, in: ›Die Freistatt‹, München, 6. Jg. (1904), Heft 14.

23. 5. 1904

Ihr liebes Büchlein: Vermutlich ›Boccaccio‹ oder ›Franz von Assisi‹, beide 1904 bei Schuster & Loeffler erschienen.

Meinen Verlaine: ›Paul Verlaine‹, Schuster & Loeffler, Berlin–Leipzig 1905.

Ihre Verse in der »Neuen Rundschau«: ›Aus Venedig. Lyrisches Tagebuch‹. In: ›Die Neue Rundschau‹, 5. Jahrgang (1904), S. 615. 12

20. 9. 1904

die »Woche«: Die illustrierte Zeitschrift ›Die Woche‹, Berlin.

jetzt eine Frau: Maria Bernoulli.

13 »*Marmorsäge*«: Hesses Erzählung ›Die Marmorsäge‹ erschien zuerst in der Zeitschrift ›Über Land und Meer‹, Jg. 46 (1904), Bd. 92. 1924 kam sie zusammen mit der Erzählung ›Die Verlobung‹ in dem Band ›Die Verlobung‹ im Verein für Verbreitung guter Schriften in Zürich heraus.

14 *Trauerspiel:* ›Tersites‹. Trauerspiel in drei Aufzügen. Insel, Leipzig 1907. Die Uraufführung fand gleichzeitig in den Hoftheatern von Kassel und Dresden am 26. November 1908 statt.

21. 11. 1904

Ihre lieben Worte: Hermann Hesses Besprechung von ›Die Liebe der Erika Ewald‹ in: ›Das Literarische Echo‹, Berlin, Jg. 7, Heft 4, 15. November 1904.

15 *Bauernfeld-Preis:* Im Herbst 1904 war Hesse der mit 1000 Kronen dotierte Preis zuerkannt worden, den die Stadt Wien seit 1894 vergab.

Bernus: Alexander von Bernus (1880-1965), Dichter und Lyriker.

16 17. 10. 1905

Ihren neuen Roman: ›Unterm Rad‹. S. Fischer, Berlin 1906.

17 24. 6. 1907

Hugo von Hofmannsthal: 1874-1929, der österreichische Dichter. Zweig bewunderte Hofmannsthal, der schon zur Zeit von Zweigs früher Kindheit, ein Schulknabe noch, als Wunderkind der Literatur zu hohem Ruhm gelangt war, außerordentlich. Ein näheres persönliches Verhältnis hat sich nie ergeben. Hofmannsthals Haltung im Ersten Weltkrieg war durchaus abweichend von der Zweigs, was aber Zweigs Wertschätzung für Hofmannsthal keinerlei Abtrag tun konnte. Als Librettist für Richard Strauss (›Die schweigsame Frau‹) trat Zweig nach dem frühen Tod Hofmannsthals dessen Nachfolge an. Zu einer ausführlichen Würdigung, abgesehen von dem, was in ›Die Welt von Gestern‹ gesagt ist, hat sich Zweig trotz verschiedener Ansätze nie entschließen können.

Ihre freundlichen Worte: Zu dem Gedichtband ›Die frühen Kränze‹, Insel, Leipzig 1906.

16. 2. 1908

Ihr schönes Geschenk: Die Handschrift eines Gedichtes, die Hofmannsthal Zweig gesandt hatte.

18 »*Histoire des œuvres de Balzac*«: Charles Vicomte de Spoelberch de Lovenjoul, ›Histoire des Œuvres de H. de Balzac‹. Paris 1879.

Mein Aufsatz: ›Balzac. Sein Weltbild aus den Werken‹, in: ›Aus der Gedankenwelt großer Geister‹, Bd. II, hg. von Lothar Brieger-Wasservogel. Lutz, Stuttgart 1908.

Ihren Essay: ›Balzac‹. Erschien 1908 als Einleitung zu einer deutschen Balzac-Ausgabe des Insel Verlags und wurde in der Berliner Zeitung ›Der Tag‹ am 22. und 24. März 1908 abgedruckt.

30. 10. 1909
Buch über Emile Verhaeren: ›Emile Verhaeren‹. Insel, Leipzig 1910; gleichzeitig erschien ›Emile Verhaeren, sa Vie, son Œuvre‹, übersetzt von Paul Morisse und Henry Chernet, bei Mercure de France, Paris 1910.
dreibändigen deutschen Verhaeren-Ausgabe: Der Insel Verlag brachte 1910 neben Zweigs Biographie die beiden Bände ›Ausgewählte Gedichte‹ und ›Drei Dramen‹ (›Helenas Heimkehr‹, ›Philipp II.‹, ›Das Kloster‹) in Nachdichtungen von Stefan Zweig heraus. 19
in definitive Form gebändigt: Richard Dehmel: Gesammelte Werke, 10 Bände. S. Fischer, Berlin 1906-1909.

9. 11. 1909
»Hesperus«: Jahrbuch mit Beiträgen von Hugo von Hofmannsthal, Rudolf Borchardt und Rudolf Alexander Schröder, 1909 im Insel Verlag erschienen.

13. 1. 1910 20
Gabe der Bilder und des Buches: Nicht ermittelt.
Ihr Werk ... zusammenzufassen: Zu einem Buch über Dehmel ist es nicht gekommen. Zweig hat aber die weitere Entwicklung Dehmels, auch dessen ziemlich erfolglose Versuche mit Werken für die Bühne, mit Zustimmung begleitet.
Hans Kyser: 1892-1940, Dichter und Schriftsteller. 21

12. 2. 1910 22
Romain Rolland: Der Briefwechsel zwischen Stefan Zweig und dem französischen Schriftsteller Romain Rolland (1866-1944) umfaßt viele hundert Briefe, darunter eine große Anzahl sehr langer Schreiben, die zuweilen Sendschreiben waren, für einen größeren Kreis von Freunden und Gleichgesinnten bestimmt oder auch im Hinblick auf eine Veröffentlichung geschrieben. Dem Gehalt dieser Dokumente einer denkwürdigen Freundschaft kann nur eine Herausgabe des ganzen Materials gerecht werden, denn es geht dabei auch um oft sehr scharfe Auseinandersetzungen, die zeitweilig bis zur Entfremdung führten. Madame Marie Rolland plant seit langem eine Edition dieser Briefe, die nach den von ihr gestellten Bedingungen vollständig sein soll, im Rahmen ihrer großen Serie ›Cahiers Romain Rolland‹.
Ausführlich hat Zweig sich in seiner Autobiographie ›Die Welt von Gestern‹ über sein Verhältnis zu Rolland geäußert und sich in vielen Vorträgen, Aufsätzen und der Biographie ›Romain Rolland. Der Mann und das Werk‹ mit dem Dichter beschäftigt.

Die Briefe Zweigs aus der Zeit des Ersten Weltkriegs waren in deutscher Sprache geschrieben, da sie durch die Zensur gehen mußten. Das damalige österreichische Ministerium des Äußeren hielt diese Korrespondenz für durchaus erwünscht und gab Anweisung, sie nicht zu behindern. Das ist bei Zweigs Briefen zu berücksichtigen. Rolland schrieb in dieser Zeit von Genf aus, wo er bald nach Kriegsausbruch in der Briefzentrale des Roten Kreuzes eine umfangreiche Tätigkeit in der Nachrichtenvermittlung für zivile Kriegsbetroffene und bei der Bemühung um Freigabe von schwerverwundeten Kriegsgefangenen oder Zivilinternierten aufnahm. Die damalige »Rolland-Bewegung«, zu der auch Zweig sich zählte, mit Pierre-Jean Jouve, Henri Guilbeaux, Frans Masereel, René Arcos und den Zeitschriften ›Demain‹, ›Feuille‹ und ›Tablettes‹ in Genf geriet mit der Russischen Revolution und dem Friedensschluß in eine immer stärkere Polarisierung politischer und parteipolitischer Art, wovon auch Zweig betroffen wurde, der seine damals geschlossenen Freundschaften nur mit Mühe aufrechterhalten konnte, selbst Rolland gegenüber.
Eine genaue Dokumentation über diese Zeit findet sich in Rollands ›Journal des années de guerre 1914-1919‹, herausgegeben von Marie Rolland. Albin Michel, Paris 1952.
»Jean-Christophe«: Zweig hat sich immer wieder um das Werk Rollands bemüht, nicht nur um den großen Roman, sondern auch um die Theaterstücke ›Danton‹ und ›Die Wölfe‹. Nach verschiedenen Verhandlungen übernahm der Verlag Rütten & Loening in Frankfurt den Roman. Er erschien dort, in der Übersetzung von Otto und Erna Grautoff, in drei Bänden zwischen 1914 und 1917. Die Originalfassung wurde zunächst in den ›Cahiers de la Quinzaine‹, die Charles Péguy herausgab, veröffentlicht; die Publikation zog sich von 1904 bis 1912 hin. Der französische Verleger P. Ollendorf brachte den Roman in zehn Bänden heraus. Eine endgültige französische Fassung in drei Bänden erschien erst 1931 bis 1933.
Bazalgette: Léon Bazalgette war seit 1904 mit Zweig befreundet. Er wurde vor allem durch Übersetzungen von Werken Walt Whitmans und seine Biographie des amerikanischen Dichters bekannt.

17. 2. 1911

23 *Otto Grautoff:* 1876-1937, Kunsthistoriker und Übersetzer. Er besorgte die Übersetzung von ›Jean-Christophe‹, nachdem Zweig es abgelehnt hatte, diese Aufgabe zu übernehmen.
»Buisson ardent«: ›Le Buisson ardent‹, ein Kapitel aus ›Jean-Christophe‹.
die kleine Bitte: Rolland hat Zweig für seine Autographensammlung einen Band des Manuskripts von ›Jean-Christophe‹ geschenkt.

15. 3. 1913 24
Suarès: Der französische Schriftsteller André Suarès (1868-1946) war Studienkamerad von Romain Rolland auf der Ecole Normale Supérieure in Paris gewesen und mit ihm befreundet.

Sommer 1913
Ernst Hardt: 1876-1947, Dramatiker. 1919-1924 Generalintendant des Weimarer Theaters, 1926-1933 Leiter des Westdeutschen Rundfunks Köln. Amtsenthebung durch das Nationalsozialistische Regime.

27. 9. 1913 25
Das Manuscript: Ernst Hardt hatte Zweig sein »Scherzspiel« ›Schirin und Gertraude‹ (Insel, Leipzig 1913) im Manuskript für seine Autographensammlung gestiftet. Zweig hat die Handschrift später der Nationalbibliothek in Wien geschenkt.
Matkowsky: Adalbert Matkowsky (1858-1909), seit 1889 Schauspieler am Königlichen Schauspielhaus Berlin.
»Komödiant«: ›Der verwandelte Komödiant. Ein Spiel aus dem deutschen Rokoko‹. Bloch, Berlin 1912; Insel, Leipzig 1913. Uraufführung im Lobe-Theater in Breslau am 5. Mai 1912. 26
Kainz: Der Schauspieler Josef Kainz (1858-1910).
»Haus am Meer«: ›Das Haus am Meer‹. Ein Schauspiel in zwei Teilen. Insel, Leipzig 1912. Uraufführung im Burgtheater in Wien am 26. Oktober 1912.
Baron Berger: Alfred Freiherr von Berger (1853-1912), damals Intendant des Burgtheaters.
in dieser Zeitschrift: Nicht ermittelt.

4. 8. 1914 27
Anton Kippenberg: Mit seinem Verleger (1874-1950), der 1905 die Leitung des Insel Verlags übernommen hatte und ihn auf seine Höhe führte, verbanden Zweig Beziehungen, die man durchaus als eine Freundschaft bezeichnen kann, obwohl beide hinsichtlich ihrer politischen Anschauungen auf sehr verschiedenem Boden standen. Kippenberg war ein Konservativer, geprägt durch seine Herkunft aus Bremen und die patrizischen Traditionen seiner Heimatstadt. Gemeinsam war ihnen die Neigung zum Sammeln, die bei Kippenberg zum Aufbau seiner monumentalen Goethe-Bibliothek führte, aber auch die Bemühung um die Großen der Weltliteratur (Goethe-Ausgaben, Balzac, Dostojewski). Zweig hat vielfach durch Anregungen und Beratung bei der Programmgestaltung des Insel Verlags mitgewirkt. Das größte gemeinsame Projekt war die »Bibliotheca Mundi«. Die Trennung vom Insel Verlag, die 1933 erzwungen wurde, ist Zweig, wie er wiederholt betont hat, kaum leichter gefallen als die von seiner österreichischen Heimat.

10. 10. 1914

28 *Ihren Gruß:* Zweig hatte bald nach Kriegsausbruch im ›Berliner Tageblatt‹ vom 19. 9. 1914 einen Artikel ›An die Freunde im Fremdland‹ veröffentlicht, der sich beträchtlich von den Episteln anderer deutscher Schriftsteller unterschied, schon durch den Titel. Allerdings machte auch Zweig den Vorbehalt, daß nun, da die Waffen sprächen, der Nichtkämpfer nicht das Recht beanspruchen könne, den Kämpfenden Vorschriften zu machen, auch wenn er den Haß ablehne; er müsse schweigen. Rolland schickte ihm darauf seinen berühmt gewordenen Artikel ›Au-dessus de la mêlée‹ aus dem ›Journal de Genève‹ vom 22. 9. 1914 und schrieb dazu: »Ich bin unserem Europa treuer als Sie, lieber Zweig, und ich sage keinem meiner Freunde Adieu.«

Die Artikel, die Rolland im ›Journal de Genève‹ zuerst veröffentlichte, erschienen dann gesammelt als Buch (›Au-dessus de la mêlée‹, Ollendorf, Paris 1915). Vorausgegangen war ein Briefwechsel mit Gerhart Hauptmann, ausgelöst durch den Brand von Löwen im August 1914. Hauptmann verteidigte das Ereignis als notwendige militärische Maßnahme, während Rolland die großen Kunstwerke der Menschheit als »über dem Getümmel« stehend und unverletzbar in Anspruch nahm.

Charles Péguy: 1873-1914, französischer Dichter, Essayist und Publizist.

Löwen: Der Brand von Löwen nach dem Einmarsch der deutschen Truppen in Belgien war neben der Beschießung der Kathedrale von Reims eine der causes célèbres des Ersten Weltkriegs. Zweig hat den Überfall auf Belgien, der ihn die Freundschaft mit Verhaeren kostete, nie verteidigt.

30 *Mercereau:* Alexandre Mercereau. Zu seinem 1914 im Insel Verlag erschienenen Buch ›Worte vor dem Leben‹ hat Zweig ein Nachwort geschrieben.

Guilbeaux: Der französische Dichter Henri Guilbeaux hat auch Gedichte von Zweig ins Französische übertragen.

31 19. 10. 1914

Gerhart Hauptmann: 1862-1946.

Bahr: Hermann Bahr (1863-1934), österreichischer Schriftsteller und Kritiker.

Eeden: Frederik Willem van Eeden (1860-1932), niederländischer Lyriker, Dramatiker und Erzähler.

Ellen Key: 1849-1926, schwedische Frauenrechtlerin und Pädagogin.

Gorki: Maxim Gorki (1868-1936), der russische realistische Dramatiker und Erzähler.

Benedetto Croce: 1866-1952, italienischer Philosoph und Literaturtheoretiker.

Carl Spitteler: 1845-1924, Schweizer Schriftsteller.
Sienkiewicz: Henryk Sienkiewicz (1846-1916), polnischer Erzähler. 32
Shaw: George Bernard Shaw (1856-1950), der irische Dramatiker.
Wells: Herbert George Wells (1866-1946), englischer Romancier.
Bertha von Suttner: Bertha Freifrau von Suttner (1843-1914), österreichische pazifistische Schriftstellerin.
in meinem Abschied: ›An die Freunde im Fremdland‹. 34

23. 10. 1914 35
Walther Rathenau: 1867-1922 (ermordet), Industrieller und Politiker, 1922 deutscher Außenminister.
Wort von »Attilas Söhnen«: Rolland hatte in einem seiner Sendschreiben an die Deutschen die Frage gestellt: »Seid Ihr nun die Söhne Goethes oder Attilas?« Dieses Wort wirkte um so heftiger, als die Bezeichnung »Hunnen« für die Deutschen in der Kriegspropaganda zu grassieren begann.
Dr. Paul Zifferer: 1879-1929, österreichischer Journalist und Schriftsteller.
öffentliches Tagebuch wie Dostojewski: Fedor Dostojewski (1821 bis 1881) veröffentlichte sein ›Tagebuch eines Schriftstellers‹ zwischen 1876 und 1881 zunächst in einer Zeitschrift und später als Herausgeber einer gleichnamigen Monatsschrift im Selbstverlag. Als Buchausgabe erschien das Tagebuch erst 1922 in Berlin. 36

November 1914 37
ein Buch Gedichte: Der Band ›La Belgique sanglante‹ erschien 1915 beim Verlag Nouvelle Revue Française in Paris.

November 1914
mein Buch über ihn: ›Emile Verhaeren‹. Constable, London-Edinburgh 1914. 38

November 1914 39
für Verhaeren ... das Wort ergriffen: Bibliographisch nicht nachgewiesen.

9. 11. 1914 40
die Königin: Elisabeth, geborene Herzogin in Bayern (1876-1965), die Gemahlin des belgischen Königs Albert I. 41

21. 11. 1914 43
Maeterlinck: Der belgische Dichter Maurice Maeterlinck (1862-1949). 44
Hodler: Ferdinand Hodler (1853-1918), der Schweizer Maler.
deutschen Kronprinzen: Friedrich Wilhelm, Kronprinz des Deutschen Reiches und von Preußen (1882-1951).

47 Dezember 1914
A. W. Heymel: Alfred Walter von Heymel (1878-1914), zusammen mit Otto Julius Bierbaum und Rudolf Alexander Schröder Begründer der Zeitschrift ›Die Insel‹ (1899) und des Insel Verlags. Lyriker, Erzähler, Dramatiker.
öffentlich ein paar Worte widmen: Nicht ermittelt.

48 23. 3. 1915
Verhaerens Worte im »Temps« und den »Annales«: Bibliographisch nicht nachgewiesen.
49 *Artikel, den ich veröffentlichen will:* ›Warum nur Belgien, warum nicht auch Polen? Eine Frage an die Neutralen‹. In: ›Neue Freie Presse‹, Wien, 14. 4. 1915.

28. 7. 1915
56 *Matin:* ›Le Matin‹, eine konservative Pariser Tageszeitung.

7. 9. 1915
57 *Paul Zech:* Zweig hat sich mehrmals für den Dichter Paul Zech (siehe Anmerkung zum Brief vom 13. 10. 1917) eingesetzt.
»König Salomo«: Hardts Drama (Insel, Leipzig 1915) interessierte Zweig besonders, weil er zur gleichen Zeit an seinem Stück ›Jeremias‹ zu arbeiten begann, das 1917 im Insel Verlag erschien.

59 9. 11. 1915
60 *Ihr Aufsatz:* ›Die Pazifisten‹. In: ›Die Zeit‹, Wien, 7. November 1915.
Knulp: ›Knulp. Drei Geschichten aus dem Leben Knulps‹. S. Fischer, Berlin 1915.
Buch über Dostojewski: ›Dostojewski‹ erschien zusammen mit ›Balzac‹ und ›Dickens‹ in dem Band ›Drei Meister‹. Insel, Leipzig 1920.
61 *Robert Michel:* 1876-1957, österreichischer Erzähler und Dramatiker, im Ersten Weltkrieg im Auftrag des österreichischen Außenministeriums in den besetzten Gebieten des Ostens tätig.
Bartsch: Rudolf Hans Bartsch (1873-1952), österreichischer Erzähler.

64 8. 5. 1916
Martin Buber: 1878-1965, Religionsphilosoph und Schriftsteller. Er gehörte zu den Vertretern der bewußt jüdischen Literatur seiner Zeit, mit denen Zweig sich ständig verbunden fühlte, selbst wenn er eine abweichende Haltung geltend machte. Auch Bubers Einstellung zu grundsätzlichen Fragen hat Wandlungen durchgemacht. Er wurde gewissermaßen der geistige Botschafter der ostjüdischen Mystik. Mystik ist dabei als ein Begriff gefaßt, der den geläufigen Rahmen des Terminus sprengt.
das erste Heft der Zeitschrift: Martin Buber gab von 1916 bis 1924 in Berlin die Zeitschrift ›Der Jude‹ heraus.

Jeremias-Drama: ›Jeremias. Eine dramatische Dichtung in neun Bildern‹. Insel, Leipzig 1917. Uraufführung im Stadttheater Zürich am 27. 2. 1918.

Einzelessays über die Propheten: In der Zeitschrift ›Der Jude‹ finden sich keine Beiträge von Stefan Zweig. 65

Bild Ihres Wirkens: Die Berliner Zeitschrift ›Das Literarische Echo‹ enthält keinen Beitrag Zweigs über Martin Buber. 66

Sommer 1916

Abraham Schwadron: 1878-1957, jüdischer Kulturkritiker.

Georg Brandes: 1842-1927, dänischer Literarhistoriker und Kritiker. Autor des Werkes ›Die Literatur des 19. Jahrhunderts in ihren Hauptströmungen dargestellt‹ (1872/1890).

Artikel: ›Warum nur Belgien, warum nicht auch Polen?‹.

Felix Salten: 1869-1945, österreichischer Schriftsteller und Theaterkritiker. 67

24. 1. 1917 68

kleinen Aufsatz: Die von Zweig in seinem Brief vom 8. 5. 1916 an Martin Buber angeregte Rundfrage ist nicht zustande gekommen.

Brod: Max Brod (1884-1968), Prager Schriftsteller, Philosoph, Theater- und Musikkritiker. Freund und Biograph Franz Kafkas. Er schloß sich 1913 dem Zionismus an und emigrierte 1939 nach Palästina. 69

Wassermann: Jakob Wassermann (1873-1934), österreichischer Romancier.

Berthold Viertel: 1885-1953, Schriftsteller und Regisseur. (Siehe auch Anmerkung zum Brief vom 11. 10. 1940.) 70

3. 5. 1917 72

Ami Kaemmerer: 1861-1926, Hamburger Exportkaufmann. Zweig hat ihm als einem hervorragenden Repräsentanten des verständnisvollen Lesers einen Essay (Nachruf) gewidmet. (Siehe Anmerkung zum Brief vom 4. 8. 1926.)

Groener: Wilhelm Groener (1867-1939) leitete 1918/1919 den Rückmarsch und die Demobilmachung des deutschen Heeres. 1928-1932 Reichswehrminister, 1931/32 zugleich Reichsinnenminister. 73

»Erinnerung an Verhaeren«: ›Erinnerungen an Emile Verhaeren‹, Christoph Reisers Söhne, Wien 1917. Später als Privatdruck in der Spamerschen Buchdruckerei, Leipzig 1927.

25. 5. 1917 74

freundlichst übersandten Schrift: Vermutlich: ›Völker, Staaten und Zion. Ein Brief an Hermann Cohen und Bemerkungen zu seiner Antwort‹. Löwit, Berlin–Wien 1917. 75

Herzl: Der Schriftsteller Theodor Herzl (1860-1904) gab den Anstoß zur Entstehung eines politischen Zionismus.

77 11. 9. 1917
Ihre Worte: Zu ›Jeremias‹.

78 10. 10. 1917
79 *Grube:* Max Grube (1854-1934), Schauspieler und Regisseur, 1913 bis 1918 Intendant des Deutschen Schauspielhauses Hamburg.
Roller: Alfred Roller (1864-1935), Bühnenbildner.
Ludwig Wüllner: 1858-1938, Schauspieler, Sänger und Rezitator.
Czernin: Ottokar Graf Czernin von und zu Chudenitz (1872-1932), von 1916 bis 1918 österreichischer Außenminister. Er erstrebte eine rasche Beendigung des Krieges.

80 13. 10. 1917
Paul Zech: 1881-1946, Lyriker und Übersetzer. Ging nach 1933 in die Emigration und lebte bis zu seinem Tod in Buenos Aires. Zweig stand bis zuletzt mit ihm in Verbindung.
»Der schwarze Baal«: Novellen. Verlag der Weißen Bücher, Leipzig 1917.
neuen Skizzen: Vermutlich: ›So kommt der Tag herauf . . . Zwei Geschichten aus der Woevre‹. ›Vossische Zeitung‹, Berlin, 18. 12. 1916.
Anzeige vorbereitet: Eine Rezension Zweigs über ›Der schwarze Baal‹ ist nicht nachgewiesen.

81 Dezember 1917
Friderike Zweig: Friderike Maria von Winternitz, geb. Burger (1882 bis 1971), Schriftstellerin und Übersetzerin. Ihre Ehe mit Felix von Winternitz, aus der ihre beiden Töchter Susanne und Alice stammten, wurde 1913 geschieden. Die nähere Bekanntschaft mit Stefan Zweig begann 1912. Die Eheschließung erfolgte erst 1920, nachdem eine Wiederverheiratung Geschiedener nach österreichischem Gesetz möglich geworden war.
82 *Frau Albert:* Vermutlich die Malerin Lou Albert-Lazard (1891-1969).
Hoffentlich gelingt es!: Zweig war vor der Uraufführung von ›Jeremias‹ nach Zürich gereist. Friderike bemühte sich in Wien um seine Enthebung vom Dienst im Österreichischen Kriegsarchiv. Ab Anfang 1918 arbeitete Zweig von der Schweiz aus für die Wiener Zeitung ›Neue Freie Presse‹.

83 Anfang Februar 1918
Aufsatz Rollands: ›Vox clamantis. Jeremias von Stefan Zweig‹. In: ›Der Jude‹, III. Jg. (1918), S. 775.
Mein Buch: ›Jeremias‹.
84 *Buch von André Spire:* ›Les Juifs et la guerre‹, 1917. André Spire (1868-1966), französischer Lyriker und Erzähler, war ein entschiedener Verfechter des Zionismus.

Marcel Martinet: 1887-1944. Sein Gedichtband ›Les temps maudits‹ (1917) erschien 1919 deutsch unter dem Titel: ›Die Tage des Fluches. Gedichte 1914-1916‹.

28. 4. 1918
Emil Ludwig: 1881-1948, Dramatiker und Erzähler; im In- und Ausland weithin bekannt durch seine biographischen Darstellungen. Ludwig hatte sich 1907 in Moscia bei Ascona im Tessin niedergelassen. Von 1940 bis 1945 hielt er sich in den USA auf, dann wieder bis zu seinem Tod in Moscia. Zweig stand mit ihm vor allem während seines Aufenthaltes in der Schweiz 1918 in Verbindung und traf mit ihm noch 1936 in Buenos Aires während des internationalen Kongresses des P.E.N.-Clubs zusammen.
Ihre »Atalanta«: ›Atalanta. Tragische Dichtung in einem Akt‹. Oesterheld, Berlin 1911. 85

Juli 1918
Dein Romanmanuskript: Friderike Maria von Winternitz, ›Vögelchen‹, erschienen bei S. Fischer, Berlin 1919.
Faesi: Robert Faesi (1883-1972), Schweizer Literarhistoriker, Essayist und Erzähler.
das Feuilleton: ›Die Schweiz als Hilfsland Europas‹, in: ›Donauland‹, Heft II (1918).
am Stück arbeiten: ›Legende eines Lebens‹.
Donauland: Eine Zeitschrift dieses Titels gab das österreichische Kriegsarchiv in Wien, dem auch Zweig 1914 bis 1917 zugeteilt war, unter Mitwirkung von Schriftstellern wie Rainer Maria Rilke, Franz Theodor Csokor, Alfred Polgar und dem Musikologen Paul Stefan (1879-1943) heraus. 86
Dr. Bach: David Josef Bach (1874-1947), Redakteur der Wiener ›Arbeiter Zeitung‹ und Leiter der österreichischen Propagandastelle in Zürich.
Affaire Guilbeaux: Henri Guilbeaux wurde als Freund Rußlands in Frankreich zum Tode verurteilt, später jedoch begnadigt.

Juli 1918 87
Ehrenstein: Vermutlich Albert Ehrenstein (1886-1950), Schriftsteller und Literaturkritiker.
Fräulein Bergner: Vermutlich die Schauspielerin Elisabeth Bergner (geb. 1897).

12. 8. 1918 88
Ihren Aufsatz: ›Sprache‹, in: ›Frankfurter Zeitung‹ Nr. 221 vom 11. 8. 1918.
Ihre Worte in der »Friedenswarte«: Nicht ermittelt.

Clemenceaus Blatt: Die Zeitung ›L'Aurore‹ des damaligen französischen Ministerpräsidenten Georges Clemenceau (1841-1929), in der 1898 Emile Zolas ›J'accuse‹ erschienen war.

21. 8. 1918
Claire Studer-Goll: 1891-1977, Lyrikerin, heiratete 1920 den Lyriker Yvan Goll (1891-1950).
Ihr Gedichtbuch: ›Mitwelt‹, Verlag Die Aktion, Berlin 1918.

90 Herbst 1918
Frans Masereel: (Siehe Anmerkung zum Brief vom Mai 1919).
»Image de la passion d'un homme«: ›La Passion d'un homme‹, Holzschnittfolge, 1918. Deutsche Ausgabe: ›Die Passion eines Menschen‹, Kurt Wolff Verlag, München 1921.

21. 9. 1918
Ihr Aufsatz: Nicht ermittelt.
Grouchy: Der französische Marschall Emmanuel de Grouchy (1766 bis 1847).
Ludendorff: Erich Ludendorff (1865-1937), preußischer General, ab 1914 Generalstabschef Hindenburgs. Er wurde im Oktober 1918 vom Kaiser entlassen, nachdem er von der Reichsregierung ein Waffenstillstandsangebot verlangt hatte.
91 *Wilhelm:* Wilhelm II. (1859-1941), Deutscher Kaiser und König von Preußen (1888-1918).
Friedrich Wilhelm: (1882-1951), Sohn Wilhelms II., Kronprinz des Deutschen Reiches und von Preußen. Er verzichtete am 1. 12. 1918 auf alle Thronrechte.
92 *in M.:* Moscia bei Ascona.
Mein neues Stück: ›Legende eines Lebens‹, Insel, Leipzig 1919. Uraufführung am 15. 12. 1918 am Deutschen Schauspielhaus Hamburg.

18. 10. 1918
das kleine Buch: Vermutlich: ›Alte Geschichten‹. Zwei Erzählungen. Bücherzentrale für deutsche Kriegsgefangene, Bern 1918.

93 11. 12. 1918
Ihrer Ernennung: Hardt war zum Generalintendanten des Theaters in Weimar ernannt worden.
dieses kleine Stück: ›Legende eines Lebens‹.

94 27. 2. 1919
Desbordes-Correcturen: Zu ›Marceline Desbordes-Valmore. Das Lebensbild einer Dichterin‹ (Insel, Leipzig 1920) schrieb Zweig einen großen einführenden Essay.

Fleischel: Der Verlag Egon Fleischel, Berlin.

mein alter Plan: Der Plan, eine Reihe mit Werken der Weltliteratur in Originaltexten herauszubringen, die schließlich den Titel »Bibliotheca Mundi« erhielt, war aus Gesprächen zwischen Zweig und Anton Kippenberg erwachsen. Die Reihe sollte vor allem Anthologien und Werken geringeren Umfangs gewidmet sein. Zweigs Ideen für dieses Unternehmen wurden zum Teil auch in den anderen Buchreihen des Insel Verlags, »Libri Librorum«, »Pandora« und »Der Dom«, verwirklicht. Die Bibliotheca Mundi wurde nach der Inflation, als ausländische Bücher in Deutschland wieder zugänglich waren, nicht mehr fortgeführt. 95

Heitz-Straßburg: Der Verlag Georg Heitz in Straßburg.

Tauchnitz: Die 1837 in Leipzig gegründete Verlagsbuchhandlung Bernhard Tauschnitz. Ab 1841 erschien dort die umfangreiche »Collection of British and American Authors«, auch »Tauchnitz Edition« genannt. Die bedeutendsten Werke englischer und amerikanischer Autoren wurden in der Originalsprache auf dem Kontinent vertrieben.

die Sammlung: Zweigs berühmte Autographensammlung. 97

16. 3. 1919 98

Hasenclever: Walter Hasenclever (1890-1940), der expressionistische Dramatiker.

Fischers Tempelklassiker: In Anlehnung an die englischen »Temple Classics« konzipierte Reihe von Klassikerausgaben des Leipziger Verlagsunternehmens »Der Tempel«, zu dem sich 1909 S. Fischer und fünf weitere deutsche Verleger zusammengeschlossen hatten. 99

Everyman's Library: Diese Reihe des Verlags Dent, London, brachte vor allem englische Klassiker, aber auch ausländische Werke von hohem Rang in englischer Übersetzung zu niedrigem Preis.

wunderbaren Freund: Wilhelm Friedmann, später Universitätsdozent für Romanistik in Leipzig, ein Freund Zweigs aus dem Schweizer Exil. 100

Engelhornerei: Eine damals sehr populäre Reihe mit Unterhaltungsromanen war »Engelhorns Allgemeine Romanbibliothek«, in der alle vierzehn Tage ein neuer Band erschien.

»Vicar of Wakefield«: ›The Vicar of Wakefield‹, Roman von Oliver Goldsmith (1766). 101

Promessi sposi: ›I promessi sposi‹, Roman von Alessandro Manzoni (1825/26).

Renan Souvenirs: ›Souvenirs d'enfance et de jeunesse‹ (1883). Der Insel Verlag brachte das Werk nicht. 1925 erschien bei der Frankfurter Verlagsanstalt: Ernest Renan, ›Jugenderinnerungen‹. Deutsch von Hannah Szass. Mit einem Vorwort von Stefan Zweig. 102

Mai 1919

Frans Masereel: Der belgische Holzschnittmeister und Maler (1889 bis

1972) gehörte zu dem kleinen Kreis von entschlossenen Kriegsgegnern, den Zweig 1918 in der Schweiz traf. Masereel wurde zum Kameraden fürs Leben, zum »frère«. Zweig hat nie aufgehört, sich für sein Werk einzusetzen.

1931 war eine gemeinsame Rußlandreise geplant, über die Zweig im Wort und Masereel im Bild berichten wollte. Das Unternehmen, an dem zeitweilig auch der Schauspieler Alexander Moissi teilnehmen wollte, scheiterte schließlich unter anderem an Zweigs Weigerung, irgendwelche Unterstützung von der Regierung der Sowjetunion anzunehmen.

Masereel war zunächst Zeichner für die Presse; für die kleinen pazifistischen Blätter ›La Feuille‹ und ›Demain‹ in Genf (herausgegeben von Henri Guilbeaux) entwickelte er um 1918 seine eigentümliche Holzschnittechnik in schlichtem Schwarz-Weiß ohne Zwischentöne. In der gleichen Manier illustrierte er auch viele Bücher und schuf später zahlreiche selbständige Bildfolgen als »Romane in Bildern«. Verhältnismäßig spät begann Masereel zu malen; eine Hafenstraße von ihm hing stets in Zweigs Arbeitszimmer.

Dein Buch: ›Mon Livre d'heures‹ (1919), deutsche Ausgabe: ›Mein Stundenbuch‹, Kurt Wolff Verlag, München 1920.

Heller: Die Buch- und Kunsthandlung Hugo Heller in Wien, die sich für Masereels Werk einsetzte.

Biografie Whitmans: Léon Bazalgette, ›Walt Whitman: L'Homme et son Œuvre‹. Paris 1908.

103 12. 7. 1919

Tirpitz: Alfred von Tirpitz (1849-1930), Großadmiral, Staatssekretär des Reichsmarineamts. Als Befürworter des uneingeschränkten U-Boot-Krieges mußte er 1916 zurücktreten. 1917 Mitgründer der Deutschen Vaterlandspartei.

104 *Erzberger:* Matthias Erzberger (1875-1921, ermordet), seit 1903 Mitglied des Reichstags und während des Ersten Weltkrieges Befürworter eines Verständigungsfriedens. Er unterzeichnete 1918 den Waffenstillstand von Compiègne. Seit 1919 Reichsfinanzminister, 1920 zurückgetreten.

Ihres Tagebuches: ›Zwischen Volk und Menschheit. Kriegstagebuch‹. S. Fischer, Berlin 1919.

Victor Hugo: 1802-1885. Der berühmte französische Dichter war 1871 für kurze Zeit Abgeordneter der Nationalversammlung, die nach der Kapitulation von Paris in Bordeaux tagte.

106 *über Ihr Tagebuch öffentlich schrieb:* Ein Artikel Zweigs über Dehmels Kriegstagebuch ist bibliographisch nicht nachgewiesen.

107 22. 10. 1919

Die große Sache: Das Konzept für die Bibliotheca Mundi.

108

»Tribüne«: Das Berliner Avantgarde-Theater ›Die Tribüne‹ war am 12. September 1919 von Karl-Heinz Martin eröffnet worden. Bereits nach der zweiten Premiere (der Uraufführung von Ernst Tollers ›Die Wandlung‹) zog sich Martin von der Leitung zurück.

3. 2. 1920

109

»Jeremias« und »Legende des Lebens«: Eine russische Übersetzung von ›Jeremias‹ ist nicht nachgewiesen; ›Legende eines Lebens‹ erschien, übersetzt von I. B. Mandelstam, 1923 in Moskau.

Lunatscharsky: Anatolij Wassiljewitsch Lunatscharskij (1875-1933). 1917-1929 Volkskommissar für Kultus in der Sowjetunion; Theaterstücke.

hebräischen Anthologie: ›Anthologia Hebraica‹. Poemata selecta a libris divinis confectis usque ad Iudaeorum ex Hispania expulsionem (A. MCCCCXCII) quae digesta atque disposita tractavit H. Brody adiuvante M. Wiener. Insel, Leipzig 1922 (Bibliotheca Mundi).

Anthologia helvetica: ›Deutsche, französische, rätoromanische und lateinische Gedichte und Volkslieder‹. Auswahl und Nachwort von Robert Faesi. Insel, Leipzig 1921 (Bibliotheca Mundi).

Agnon: Samuel Joseph Agnon (1888-1970), hebräischer Erzähler.

110

Dr. Paul Amann: 1884-1958, österreichischer Literat.

Band über Napoleon: ›Napoléon Bonaparte. Documents. Discours. Lettres‹. Herausgegeben von Paul Amann. Insel, Leipzig 1921 (Bibliotheca Mundi).

Poètes galants: Ein Band dieses Titels erschien nicht. Jedoch kam 1923 in der Bibliotheca Mundi eine von Georges Duhamel zusammengestellte ›Anthologie de la poésie lyrique française de la fin du XVe siècle à la fin du XIXe siècle‹ heraus.

Schaeffer: Emil Schaeffer hatte an der 1911 im Insel Verlag erschienenen deutschen Ausgabe von Joseph Gobineaus ›Die Renaissance‹ mitgearbeitet.

italienische Renaissance: ›Il Rinascimento‹. Anthologia Italica ab saeculo decimo tertio usque ad saeculum decimum sextum. Curaverunt editionem Josephus Gregor et Carolus Retz. Insel, Leipzig 1923 (Bibliotheca Mundi).

tschechische Lyrik: Erschien nicht in der Bibliotheca Mundi.

die holländische: Erschien nicht in der Bibliotheca Mundi.

Goethe-Auswahl, Luther-Auswahl, griechische Auswahl: Keiner dieser Bände ist in der Bibliotheca Mundi erschienen.

meinem Bruder: Alfred Zweig (1879-1977). Der ältere Bruder Stefan Zweigs war Inhaber der Familienfirma Moritz Zweig Erben (Textilien) in Böhmen. Er emigrierte nach 1938 in die USA und lebte bis zu seinem Tod in New York.

111

Baudelaire: Charles Baudelaire, ›Les Fleurs du mal‹. Insel, Leipzig 1920 (Bibliotheca Mundi).

russischen Anthologie: ›Russki Parnass‹, herausgegeben von Alexander und David Eliasberg. Insel, Leipzig 1920 (Bibliotheca Mundi).
Cervantes: In der 1920/1921 vom Insel Verlag herausgebrachten ›Sammlung Pandora‹, einer Sammlung fremdsprachiger literarischer Texte, findet sich von Míguel de Cervantes die ›Novela de Rinconete y Cortadillo‹.
Ihrer verehrten Frau Gemahlin: Katharina Kippenberg (1876-1947). Sie war die engste Mitarbeiterin ihres Mannes im Insel Verlag.
wegen Arcos: Friderike Zweig übersetzte den Novellenband ›Le bien commun‹ von René Arcos für den Insel Verlag. Die deutsche Ausgabe ›Das Gemeinsame‹ erschien 1920 mit 27 Holzschnitten von Frans Masereel.

112 9. 2. 1920
wegen Dante: In der ebenfalls 1920 im Insel Verlag gegründeten Reihe ›Libri Librorum‹, die umfangreiche Werke der Weltliteratur im Originaltext umfassen sollte, erschien 1921 ›Dantis Alagherii Opera Omnia‹, eingeleitet von Benedetto Croce, in zwei Bänden.
Convito«: Gemeint ist ›Il convivio‹.
Die »Fioretti«: ›I Fioretti di San Francesco‹, eine anonyme Legendensammlung um das Leben des hl. Franziskus von Assisi; die erste italienische Ausgabe erschien 1476 in Vicenza. Nicht in der Bibliotheca Mundi erschienen.
Petrarca . . . Leopardi: Weder ein Petrarca- noch ein Leopardi-Band wurde in die Bibliotheca Mundi aufgenommen.
113 *Spinoza und Luther:* Wurden nicht in die Bibliotheca Mundi aufgenommen.
Byron: ›Poems‹ von George Gordon Noël Lord Byron. Insel, Leipzig 1921 (Bibliotheca Mundi).
Horaz: ›Q. Horati Flacci Opera‹. Insel, Leipzig 1921 (Bibliotheca Mundi).
Moses Maimonides: Rabbi Mose ben Maimon (1135-1204), jüdischer Religionsphilosoph und Gelehrter. Sein Werk ›Führer der Unschlüssigen‹ erschien 1923/24 in einer neuen deutschen Übersetzung, allerdings nicht im Insel Verlag.

116 17. 3. 1920
Goethe-Auswahl: Ein Goethe-Band erschien nicht in der Bibliotheca Mundi.
Diderot: Kein Werk von Denis Diderot wurde in die Bibliotheca Mundi aufgenommen.
Musset: Alfred de Musset, ›Trois Drames‹ (›André del Sarto‹, ›Lorenzaccio‹, ›La coupe et les lèvres‹). Insel, Leipzig 1920 (Bibliotheca Mundi).
117 *Novalis:* Ein Band mit Werken des Novalis kam in der Bibliotheca Mundi nicht heraus.

Ofterdingen: Novalis' fragmentarischer Roman ›Heinrich von Ofterdingen‹ (1802).

29. 3. 1920 118

Kurt Wolff: 1887-1963. In seinem 1913 in Leipzig gegründeten Verlag, mit dem er 1919 nach München übersiedelte, erschienen die deutschen Ausgaben mehrerer großer Holzschnittfolgen Masereels. 119

›Zwang‹: Zweigs Novelle ›Der Zwang‹ kam im Frühjahr 1920 im Insel Verlag heraus, illustriert mit zehn Holzschnitten von Frans Masereel.

Jouve und Arcos: Die französischen Schriftsteller Pierre-Jean Jouve (geb. 1887) und René Arcos (1880-1959) gehörten zu den Schweizer Exilbekanntschaften Zweigs und zu dem Kreis, dem auch Masereel nahestand. 120

10. 7. 1920 121

Manuskript von zwei kleinen Novellen: Vermutlich Teile des 1922 erschienenen Novellenbandes ›Amok‹.

eines neuen Buches: ›Marceline Desbordes-Valmore‹.

der »Ewige Jude«: Die »Romantische Erzählung« von August Vermeylen (1872-1945) erschien, aus dem Flämischen übersetzt von Anton Kippenberg, zuerst unillustriert 1917, dann 1924 mit zwölf Holzschnitten von Frans Masereel im Insel Verlag.

Däubler: Theodor Däubler (1876-1934), Lyriker, Erzähler und Essayist. 122

Buch über Rolland: ›Romain Rolland. Der Mann und das Werk‹ erschien 1921 bei Rütten & Loening, Frankfurt am Main, und bei Allen and Unwin, London.

28. 7. 1920

Ihren »Klingsor«: Hermann Hesses Erzählung ›Klingsors letzter Sommer‹ war im Frühjahr 1920 im S. Fischer Verlag erschienen.

3. 11. 1920 124

Ihre »Wanderungen«: Hermann Hesse, ›Wanderung. Aufzeichnungen‹. Mit vierzehn farbigen Bildern vom Verfasser. S. Fischer, Berlin 1920.

9. 11. 1920 125

»Roman ohne Worte«: ›Histoire sans paroles‹, Holzschnittfolge 1920. Deutsche Ausgabe: ›Geschichte ohne Worte‹, mit Einleitung von Max Brod. Kurt Wolff Verlag, München 1927; 1933 mit einem Nachwort von Hermann Hesse im Insel Verlag.

im Insel-Schiff einige Seiten: In der Zeitschrift ›Das Inselschiff‹ ist kein Beitrag Zweigs über Masereel erschienen.

Colas Breugnon: Roman von Romain Rolland (1918). Die deutsche Übersetzung von Erna Grautoff mit dem Titel ›Meister Breugnon. Ein fröhliches Buch‹ erschien 1920 bei Rütten & Loening, Frankfurt am Main.

126 15. 12. 1920
127 *Dr. Hünich:* Der Lyriker Fritz Adolf Hünich (1885-1964) bearbeitete später gemeinsam mit Erwin Rieger die ›Bibliographie der Werke von Stefan Zweig‹, die der Insel Verlag dem Dichter zum fünfzigsten Geburtstag widmete (1931).
129 *Josef Kvapil:* Vermutlich der tschechische Schriftsteller und Politiker Jaroslav Kvapil (1868-1950).
G. Borgese: Der italienische Literaturwissenschaftler, Schriftsteller und Kritiker Giuseppe Antonio Borgese (1882-1952).

130 8. 2. 1921
132 *Stinnes:* Die im 19. Jahrhundert gegründete, mächtige Unternehmensgruppe von Hugo Stinnes umfaßte zu dieser Zeit neben Bergbau- und Schiffahrtsunternehmen, Stahlwerken und Papierfabriken auch Druck- und Verlagshäuser, u. a. die ›Deutsche Allgemeine Zeitung‹.

133 2. 7. 1921
134 *»Wassermann«:* Nicht ermittelt.
»Souvenirs«: Die autobiographische Holzschnittfolge ›Souvenirs de mon pays‹ (1921).
Colin: Vermutlich der Pariser Verleger Armand Colin.

135 20. 11. 1921
Harden: Maximilian Harden (1861-1927). Berliner Essayist und Publizist, Herausgeber der politisch-literarischen Wochenschrift ›Die Zukunft‹.
Fischer: Der Verleger S. Fischer (1859-1934).
Kahane: Arthur Kahane (1874-1931), Schriftsteller, Dramaturg bei Max Reinhardt.
Handl: Der Kritiker Willi Handl (1872-1921).
136 *Camill:* Hoffmann.

25. 11. 1921
Heimann: Moritz Heimann (1868-1925), Erzähler, Essayist und Dramatiker; Lektor im S. Fischer Verlag.
Jessner: Leopold Jessner (1878-1945), Regisseur, damals Intendant des Berliner Staatstheaters.
Kerr: Alfred Kerr (1867-1948), Theaterkritiker; schrieb damals für das ›Berliner Tageblatt‹.

Busoni: Ferruccio Busoni (1866-1924), der italienische Komponist. 137
Liszt: Der Komponist und Pianist Franz von Liszt (1811-1886).

27. 5. 1922
Otto Heuschele: Geb. 1900, schwäbischer Lyriker, Erzähler und Essayist.

Herbst 1922 138
»Amok«: ›Amok. Novellen einer Leidenschaft‹. Der 1922 beim Insel Verlag erschienene Band enthielt die Novellen ›Der Amokläufer‹, ›Die Frau und die Landschaft‹, ›Phantastische Nacht‹, ›Brief einer Unbekannten‹, ›Die Mondscheingasse‹.

13. 12. 1922 140
in einer Legende aus der indischen Welt: Hermann Hesse: ›Siddhartha. Eine indische Dichtung‹. S. Fischer, Berlin 1922; Stefan Zweig: ›Die Augen des ewigen Bruders. Eine Legende‹. Insel, Leipzig 1922.
Aufsatz: ›Der Weg Hermann Hesses‹, in: ›Neue Freie Presse‹, Wien, 6. Februar 1923.

2. 6. 1923 141
Hölderlin-Aufsatz: Vor dem biographischen Band ›Der Kampf mit dem Dämon. Hölderlin – Kleist – Nietzsche‹ (Insel, Leipzig 1925) erschienen 1924 folgende Arbeiten Zweigs über Friedrich Hölderlin: ›Die heilige Schar. Vorklang zu einem Hölderlin-Bildnis‹, in: ›Die Horen‹, Berlin, Heft I (1924); ›Hölderlin: »Phaeton oder die Begeisterung«‹, in: ›Die Literatur‹, Berlin, 27. Jg. (1924), Heft 3; ›Hölderlins Untergang‹, in: ›Neue Freie Presse‹, Wien, 11. November 1924.

29. 8. 1923 142
Maxim Gorki: Der von Zweig hochverehrte russische Dramatiker und Erzähler (1868-1936).
»Der Brief einer Unbekannten«: Gorki hatte bei Romain Rolland angefragt, ob Zweig der Verfasser dieser Novelle sei und ob er wohl seinem Vorschlag zustimmen werde, sie in die im Propyläen-Verlag erscheinende Reihe »Liebe« aufzunehmen. Rolland hatte Zweig diese Anfrage übermittelt.
»Erinnerungen«: Gemeint ist Gorkis Erzählung ›Von der ersten Liebe‹ (1923).
»Erniedrigten und Beleidigten«: ›Die Erniedrigten und Beleidigten‹, 143
Dostojewskis Roman von 1861.
»Kreutzersonate«: Tolstois Erzählung ›Die Kreutzersonate‹, 1889.

28. 11. 1923

144 *meine Ausgabe Masereels:* Arthur Holitscher / Stefan Zweig, ›Frans Masereel. Der Mann und Bildner‹. Axel Juncker, Berlin 1923 (›Graphiker unserer Zeit‹, Band 1).

Buch über Oscar Wilde: Frank Harris, ›Oscar Wilde. Eine Lebensbeichte‹. Deutsche Übertragung von Toni Noah. S. Fischer, Berlin 1923.

»Eine Kindheit«: Insel, Leipzig 1922. (Siehe Anmerkung über Carossa zum Brief vom 10. 5. 1928.)

145 *Ihr Buch:* ›Briefe aus Einsamkeiten: Drei Kreise‹. Axel Juncker, Berlin 1924. Zu diesem Band schrieb Zweig ein Nachwort ›Die Kunst des Briefes‹.

Januar 1924

Kra: Der Pariser Verleger Simon Kra.

Scheyer: Vermutlich der österreichische Journalist Moriz Scheyer (1887-1949).

die Hofrätin: Berta Zuckerkandl-Szeps (1863-1945), Witwe des Anatomen Hofrat Emil Zuckerkandl, Journalistin und Übersetzerin. Sie wurde im Freundeskreis »Die Hofrätin« genannt.

Fauconnier: Vermutlich der Maler Henri Victor Gabriel Le Fauconnier (1881-1946).

Unruh: Fritz von Unruh (1885-1970), Dramatiker und Erzähler.

Charavay: Autographenhändler in Paris.

146 Januar 1924

Crucy: Nicht ermittelt.

James Joyce: Der irische Dichter (1882-1941).

Madeleine Marx: Nicht ermittelt.

Andrée Jouve: Nicht ermittelt. Vermutlich eine Verwandte (Gattin oder Schwester) von Pierre-Jean Jouve.

Jean-Richard Bloch: 1884-1947, französischer Schriftsteller und Kritiker; gründete mit Romain Rolland die Zeitschrift ›Europe‹.

12. 1. 1924

147 *meines noch unveröffentlichten Buches:* ›Der Kampf mit dem Dämon. Hölderlin – Kleist – Nietzsche‹.

André Chénier: 1762-1794, französischer Dichter.

Keats: John Keats (1795-1821).

Puschkin: Alexander Sergejewitsch Puschkin (1799-1837), der russische Erzähler.

Leopardi: Giacomo Leopardi (1798-1837), italienischer Lyriker.

148 *Ihr Festschriftbuch:* »Fest und Festkunst«, Essay. Walter Seifert, Heilbronn 1923.

Reinhardt: Der Regisseur Max Reinhardt (1873-1943), Gründer der Salzburger Festspiele.

Rose-Quartett: Geleitet von dem österreichischen Geiger Arnold Joseph Rosé (1863-1946).
meine neuen Gedichte: ›Die gesammelten Gedichte‹. Insel, Leipzig 1924.
»Triptychon der Heiligen drei Könige«: Die 1923 veröffentlichte Erzählung des flämischen Dichters Felix Timmermans (1886-1947) erschien 1924 in deutscher Sprache.
Pallieter: Roman, 1916. Deutsche Ausgabe 1919.
Wilhelm Schmidtbonn: 1876-1952, Dramatiker, Erzähler und Lyriker.
Walt Whitman: 1819-1892, amerikanischer Dichter. 149

13. 12. 1924 151
Ihr Buch: ›Briefe aus Einsamkeiten‹.
Felix Braun: (Siehe Anmerkung zum Brief vom 21. 6. 1937).
»Rumänisches Kriegstagebuch«: Hans Carossa, ›Rumänisches Tagebuch‹. Insel. Leipzig 1924.

1925 152
meine ersten Verse: ›Silberne Saiten‹. Gedichte. Schuster & Loeffler, Berlin–Leipzig 1901.
»Liber Amicorum«: ›Liber Amicorum Romain Rolland‹. Sexagenario ex innumerabilibus amicis paucissimi gratias agunt. Hunc librum curaverunt edendum Maxim Gorki, Georges Duhamel, Stefan Zweig. Imprimendum Emil Roniger. – Die Festschrift erschien zu Romain Rollands 60. Geburtstag (29. 1. 1926) im Rotapfel-Verlag Zürich-Leipzig und bei Albin Michel in Paris. 153
»Ville«: ›La Ville‹, Holzschnittfolge. (Deutsche Ausgabe im Kurt Wolff Verlag, München 1925.)
neuen Band Erzählungen: ›Verwirrung der Gefühle‹. Insel, Leipzig 1927. Der Band enthält die Novellen ›Vierundzwanzig Stunden aus dem Leben einer Frau‹, ›Untergang eines Herzens‹, ›Verwirrung der Gefühle‹.
Jean-Christophe: Der Roman von Romain Rolland erschien zwischen 1925 und 1927 in einer bibliophilen Ausgabe in fünf Bänden mit über 600 Holzschnitten von Masereel im Verlag Albin Michel, Paris. 154
Eulenspiegel: Charles de Coster, ›Die Geschichte von Ulenspiegel und Lamme Goedzak‹, Deutsch von Karl Wolfskehl. Mit 150 Holzschnitten von Frans Masereel. Kurt Wolff, München 1926 (zwei Bände).
Komödie: ›Volpone. Eine lieblose Komödie in drei Akten‹. Nach Ben Jonson frei bearbeitet von Stefan Zweig. Das Bühnenmanuskript erschien 1925 bei Bloch Erben in Berlin; 1926 bei Kiepenheuer, Potsdam. Uraufführung: 6. November 1926 am Burgtheater in Wien.

vor Ostern 1925
das Buch, das ich Ihnen schickte: Vermutlich ›Die Augen des ewigen Bruders. Eine Legende‹. Insel, Leipzig 1922.

155 10. 5. 1925
Mein neues Buch: ›Der Kampf mit dem Dämon. Hölderlin – Kleist – Nietzsche‹.
Ihre 20 männlichen Bildnisse: ›Genie und Charakter‹, Rowohlt, Berlin 1924.

156 14. 5. 1925
Ihr Badener Bade-Buch: Hesses Prosaband ›Kurgast. Aufzeichnungen von einer Badener Kur‹. S. Fischer, Berlin 1925.
»Demian«: Die Erzählung mit dem Untertitel ›Die Geschichte von Emil Sinclairs Jugend‹ war 1919 im S. Fischer Verlag erschienen.

157 7. 6. 1925
Freud: Sigmund Freud (1856-1939). Er schrieb einen Beitrag zum ›Liber Amicorum Romain Rolland‹.
Roniger: Emil Roniger, in dessen Rotapfel-Verlag in Zürich das ›Liber Amicorum Romain Rolland‹ erschien.
Belsazar: Oratorium (1744) von Georg Friedrich Händel (1685-1759).
der junge Friedenthal: (Siehe Anmerkung zum Brief vom 22. 6. 1925.)
seiner Schwester: Madeleine Rolland.

158 10. 6. 1925
Frau Foerster-Nietzsche: Elisabeth Foerster-Nietzsche (1846-1935), Schwester von Friedrich Nietzsche.

159 22. 6. 1925
Richard Friedenthal: Die Bekanntschaft mit Stefan Zweig datierte vom Jahre 1924, als Friedenthal (geb. 1896) einen Gedichtband ›Demeter‹ (Juncker, Berlin 1924) im Manuskript an Zweig sandte. Sie wurde zu einer sehr kameradschaftlich von dem so viel Älteren geführten Beziehung und schließlich zu einer engen Freundschaft. Zweig forderte Friedenthal schon früh auf, seine Arbeiten kritisch durchzusehen. Es ergab sich daraus eine Zusammenarbeit, die bis zu Zweigs Tod andauerte und darüber hinaus zur Herausgabe von Zweigs nachgelassenen Werken führte. Die 1947 in Berlin gehaltene Gedenkrede auf Zweig ist in ›Und unversehens ist es Abend‹ (Piper, München 1976) wieder abgedruckt.
160 *eine große Novelle:* ›Vierundzwanzig Stunden aus dem Leben einer Frau‹.

3. 8. 1925
Leonhard: Leonhard Adelt (1881-1945), Journalist. Münchener Korrespondent für das ›Berliner Tageblatt‹. 161

5. 8. 1925
Ihren »Heuschober«: ›Der Heuschober‹, Novelle. Deutsche Verlagsanstalt, Stuttgart 1925.

17. 12. 1925 165
Ihr »Hauff«: Wilhelm Hauff. Ausgabe in vier Bänden. Biographie und Einleitungen von Otto Heuschele. C. F. Müller, Karlsruhe 1925. 166

7. 7. 1926 167
ein solches Jahrbuch: ›Die Ausfahrt‹. Ein Buch neuer deutscher Dichtung. Erste Reihe. Herausgegeben von Otto Heuschele. Silberburg, Stuttgart 1927.

12. 7. 1926 168
Max Christian Wegner: 1893-1965, Neffe Anton Kippenbergs. 1913 bis 1929 im Insel Verlag tätig. Später Gründer eines eigenen Verlages in Hamburg.
Insulaner: Autoren des Insel Verlags. 169

4. 8. 1926
etwas dafür sende: Zweig sandte einen Nachruf auf den ihm befreundeten Hamburger Kaufmann Ami Kaemmerer, ›Gedächtnis eines deutschen Menschen‹, der an erster Stelle in das Jahrbuch aufgenommen wurde.
W. A. H. Maass: Der Romancier Joachim Maass (1901-1972), von dem in Heuscheles Jahrbuch zwei Gedichte erschienen.
Fritz Brügel: Österreichischer Lyriker, geb. 1897.
Walther Eidlitz: Geb. 1892, Lyriker, Dramatiker, Romancier.

November 1926 170
zwei Novellen von mir: ›Vierundzwanzig Stunden aus dem Leben einer Frau‹ und ›Verwirrung der Gefühle‹. Diese beiden Novellen erschienen 1927 in einer russischen Ausgabe des Verlags Wremja, Leningrad.
ein großer Roman von Ihnen: ›Das Werk der Artamonows‹ wurde vom 2. 11. 1926 bis 18. 11. 1927 im ›Berliner Tageblatt‹ abgedruckt.

6. 11. 1926 171
Ihre Gedichte: ›Der Steppenwolf. Ein Stück Tagebuch in Versen‹. In: ›Die Neue Rundschau‹, 37. Jahrgang (1926), S. 509-521.

172 8. 11. 1926
Aufsatz von Holitscher: ›Neues von Masereel‹. In: ›Die literarische Welt‹, Berlin, Jg. 2 (1926), Nr. 45.
Holzschnitt von meinem holden Antlitz: Das Holzschnittporträt Zweigs von Masereel wurde erst nach einigem Drängen hergestellt; es gehört nicht zu Masereels guten Leistungen.
Gesamtausgabe meiner Werke: Im Verlag Wremja, Leningrad 1928 bis 1930. Die Ausgabe in zehn Bänden enthält ein Vorwort von Maxim Gorki und einen biographischen Essay von Richard Specht.

173 10. 12. 1926
Premiere: ›Volpone‹ in der Volksbühne Berlin.
Fest bei Donath: 50. Geburtstag des Journalisten Adolf Donath (1876-1937).
Camill: Hoffmann.
Lernet-Holenia: Alexander Lernet-Holenia (1897-1977), österreichischer Lyriker, Erzähler und Dramatiker.
Polgar: Alfred Polgar (1873-1955), Wiener Theaterkritiker, Essayist und Dramatiker.
Bruno Frank: 1887-1945, Schriftsteller.
Felix Bloch: Berliner Theaterverlag und Bühnenvertrieb, der die Rechte an ›Volpone‹ verwaltete.
bei Fischers: Im Hause des Verlegers S. Fischer.

174 19. 12. 1926
175 *dazu Stellung zu nehmen:* ›Das Werk der Artamonows‹ erschien in der Übersetzung von Klara Brauner 1927 im Malik-Verlag, Berlin. Zweigs Rezension brachte die ›Neue Freie Presse‹, Wien, am 19. 5. 1927.
Ernst Toller: 1893-1939. Der Dramatiker und Erzähler hatte von März bis Mai 1926 die Sowjetunion bereist.

7. 1. 1927
Arthur Schnitzler: 1862-1931, österreichischer Schriftsteller, ursprünglich Arzt. Zweig schätzte ihn vor allem als den durch seine frühen Gespräche ›Anatol‹ (1893) und das Erfolgsstück ›Liebelei‹ (1896) bekannt gewordenen Vertreter der »Wiener Nervenkunst«, wie man diese ältere Gruppe der »Moderne« vor 1900 genannt hat. Er sah in ihm den unbestechlichen Psychologen mit medizinischer Schulung und einen Vorläufer jener anderen Wiener Schule wissenschaftlicher Prägung, die dann durch Sigmund Freud Weltbedeutung erlangte.
Ihr Buch: ›Buch der Sprüche und Bedenken. Aphorismen und Fragmente‹, Phaidon, Wien 1927.
176 *»Das Buch des Unmuts«:* Ein Abschnitt aus Goethes ›West-östlichem Divan‹.

»Liebelei«: Schauspiel in drei Akten von Arthur Schnitzler. S. Fischer, Berlin 1896.
neues Drei-Meisterbuch: ›Drei Dichter ihres Lebens: Casanova – Stendhal – Tolstoi‹. Insel, Leipzig 1928.
kleine Kömödie: ›Quiproquo‹. Wien, ohne Verlag 1928. Das Stück schrieb Zweig zusammen mit Alexander Lernet-Holenia, der mit dem Pseudonym Clemens Neydisser zeichnete. 177

8. 1. 1927
Rilkes letzten Stunden: Rainer Maria Rilke war am 29. Dezember 1926 in Val Mont bei Montreux gestorben.
Totenfeier: Zweig sprach bei einer Gedächtnisfeier für Rilke am 20. Februar 1927 im Münchener Hoftheater; seine Rede ›Abschied von Rilke‹ erschien im gleichen Jahr bei Wunderlich in Tübingen.

20. 1. 1927 178
Ihr Buch: ›Im Wandel der Landschaft‹. Aufzeichnungen. Alexander Fischer, Tübingen 1926.
Rede Hofmannsthals: ›Das Schrifttum als geistiger Raum der Nation‹, gehalten am 10. Januar 1927 in der Aula der Münchener Universität.

10. 3. 1927 179
Ihr Vorwort: Zu Zweigs Gesammelten Werken in russischer Sprache (Wremja, Leningrad 1928).
Werk von solchen Dimensionen: ›Das Werk der Artamonows‹.
Ihr Lenin- und Ihr Tolstoi-Porträt: Zusammen mit anderen Porträts in: ›Erinnerungen an Zeitgenossen‹ (1928). 180
Essay . . . über Tolstoi: Für ›Drei Dichter ihres Lebens‹.

6. 4. 1927 181
die kleinen Novellen: In der Insel-Bücherei sind keine Novellen von Claire Goll erschienen.
die Gedichte: Vermutlich ›Poèmes de la vie et de la mort‹ von Claire und Yvan Goll (1891-1950). Budry, Paris 1926.

20. 5. 1927 182
diesen Essay: Zweigs Aufsatz über ›Das Werk der Artamonows‹, in: ›Neue Freie Presse‹, Wien, 19. 5. 1927.

27. 7. 1927 183
Friedenthals Novellen: ›Marie Rebscheider‹. Vier Novellen. Insel, Leipzig 1927. Der Band enthält die Novellen ›Marie Rebscheider‹, ›Arcangeli‹, ›Habakuk‹, ›Der Heuschober‹.

dann sofort schreiben: Zweig hat Friedenthals Buch rezensiert; der Druckort der Kritik konnte nicht ermittelt werden.

184 10. 12. 1927
Jubiläum: Gorkis 60. Geburtstag am 28. März 1928.
Widmung an Sie: Die Widmung in dem Band ›Drei Dichter ihres Lebens: Casanova – Stendhal – Tolstoi‹ lautet: »Maxim Gorki dankbarst und verehrungsvoll«.
mehrere Erzählungen skizziert: 1929 erschien in der Insel-Bücherei der Band ›Kleine Chronik‹ mit den Erzählungen ›Die unsichtbare Sammlung‹, ›Episode am Genfer See‹, ›Leporella‹, ›Buchmendel‹.

185 14. 12. 1927
Max Herrmann-Neiße: 1886-1941, Lyriker, emigrierte nach 1933 über Zürich, Paris und Amsterdam nach London, wo er zu Zweigs näherem Umgang gehörte.
Ihres Gedichtbuches: ›Einsame Stimme. Ein Buch Gedichte‹. Wasservogel, Berlin 1927.
beifolgende kleine Büchlein: Vermutlich der Novellenband ›Kleine Chronik‹.

186 März 1928
Zweigs Gruß zum sechzigsten Geburtstag von Maxim Gorki wurde am 28. März 1928 in der Berliner Piscator-Bühne am Nollendorfplatz verlesen. Eine weitere Rede zu Ehren Maxim Gorkis mit anderem Wortlaut erschien am 25. 3. 1928 in der ›Neuen Freien Presse‹, Wien.

190 13. 4. 1928
Rudolf G. Binding: 1867-1938, Lyriker und Erzähler.
191 *Hans Jäger:* Hans Henrik Jæger (1854-1910), norwegischer Schriftsteller, dessen ›Bekjendelser‹ (Bekenntnisse) 1920 in deutscher Übersetzung erschienen waren.
Gundolf: Friedrich Gundolf (1880-1931), Schriftsteller und Literarhistoriker, gehörte zum Kreis um Stefan George.

192 2. 5. 1928
mein Buch: ›Drei Dichter ihres Lebens‹.
noch ein zweites kleines: Vermutlich der Novellenband ›Kleine Chronik‹.
193 *ein Buch über Napoleon:* Emil Ludwig, ›Napoleon‹. Rowohlt, Berlin 1925.
Lebensbild von Fouché: ›Joseph Fouché. Bildnis eines politischen Menschen‹. Insel, Leipzig 1929.
Ihr neues Buch: ›Der Menschensohn. Geschichte eines Propheten‹.

Zsolnay, Berlin-Wien 1928. Vorabdruck in vier Folgen in: ›Die Neue Rundschau‹, 39. Jg. (1928).
Papini: Giovanni Papini (1881-1956), italienischer Schriftsteller.
»Tom und Sylvester«: ›Tom und Sylvester. Ein Quartett‹. Zsolnay, Berlin-Wien 1928. Eine Rezension Zweigs dazu ist nicht nachgewiesen. 194

10. 5. 1928 195
Hans Carossa: Zweig kannte Carossa (1878-1956) zunächst aus seinen Veröffentlichungen im Insel Verlag (Gedichte, 1910, und ›Doktor Bürgers Ende‹, 1913) und forderte ihn im Frühjahr 1914 von Paris aus auf, einige Gedichte Verlaines für eine geplante Anthologie zu übertragen (siehe Anmerkung zum Brief vom 13. 11. 1933). Er ist dann in vielen Artikeln und Aufsätzen immer wieder für Carossa eingetreten, bis in die Jahre der Emigration hinein. Trotz der Nachrichten über Carossas Haltung in der Zeit des Nationalsozialismus bewahrte er seine Verehrung für den Dichter. Nur privat und in Briefen an vertraute Freunde äußerte Zweig seine Enttäuschung.
Ihr Buch: ›Verwandlungen einer Jugend‹. Insel, Leipzig 1928.
kam ich zu spät: Im ›Berliner Tageblatt‹ vom 8. November 1928 erschien jedoch ein Artikel Zweigs mit dem Titel ›Hans Carossa‹.

29. 6. 1928 196
Ein Buch von Dir: Vermutlich die Holzschnittfolge ›L'Œuvre‹, 1928. Die deutsche Ausgabe erschien im gleichen Jahr im Kurt Wolff Verlag, München.

11. 9. 1928 197
Tolstoi und das Ausland: Vortrag anläßlich der Moskauer Feierlichkeiten zu Tolstois 100. Geburtstag am 9. September 1928.

11. 9. 1928
mein Tolstoibuch: Der Tolstoi-Teil aus ›Drei Dichter ihres Lebens‹ erschien 1928 beim Verlag Wremja in Leningrad. 1929 kam als Band VI der Gesammelten Werke in russischer Sprache eine zweite Auflage heraus, die auch die Teile ›Casanova‹ und ›Stendhal‹ sowie ein von Zweig während seines Rußland-Besuchs im September 1928 geschriebenes Vorwort enthielt.
»Stunde«: Damals populäre illustrierte Wochenzeitschrift in Österreich.
Pilniak: Boris Andrejewitsch Pilniak (1894-1938?), russischer Schriftsteller.

198 6. 11. 1928
Sacco und Vanzetti: Die beiden Anarchisten italienischer Herkunft waren im August 1927 in den USA hingerichtet worden. Der vorangegangene, drei Jahre dauernde Mordprozeß, in dem politische Gesichtspunkte der Abwehr des Radikalismus eine wesentliche Rolle spielten, war äußerst umstritten.
meine Rußland-Impressionen: ›Reise nach Rußland‹. ›Neue Freie Presse‹, Wien, 23./26./28. Oktober 1928.

109 8. 3. 1929
200 *ein Stück:* ›Das Lamm des Armen‹, Insel, Leipzig 1929. Uraufführung am 15. März 1930 gleichzeitig in Breslau, Hannover, Lübeck und Prag.

4. 3. 1930
201 *Baronin Budberg:* Maria Ignatiewna Sarewakaja, die Sekretärin Gorkis, später nach London emigriert.
Affäre Istrati: Panait Istrati (1884-1935), rumänisch-französischer Erzähler. Zunächst Anhänger der bolschewistischen Revolution, wurde er nach einem längeren Aufenthalt in der Sowjetunion militanter Antikommunist. Sein dreibändiger Reisebericht ›Après seize mois en U.R.S.S.‹ (1929) erschien 1930 in deutscher Sprache unter dem Titel ›Drei Bücher über Sowjetrußland‹.
202 *Ihren Roman:* ›Das Leben des Klim Samgin‹. Aus dem russischen Manuskript von Rudolf Selke. Sieben-Stäbe-Verlag, Berlin 1929 bis 1931.
203 *meinem Stück:* ›Das Lamm des Armen‹.

204 7. 5. 1930
Wildgans: Anton Wildgans (1881-1932), österreichischer Dichter. 1921-1923 und 1930-1931 Direktor des Wiener Burgtheaters.
Erika Mitterer: Geb. 1906, Lyrikerin und Erzählerin. Ihr erstes Buch ›Dank des Lebens. Gedichte‹ erschien 1930 bei Rütten & Loening in Frankfurt.
205 *Walter Bauer:* Geb. 1904. Sein Gedichtband ›Kameraden, zu euch spreche ich‹ erschien 1929, ›Stimme aus dem Leuna-Werk‹ (Gedichte und Prosa) 1930 im Malik-Verlag, Berlin.
mein Stück: ›Das Lamm des Armen‹.
ein neues Buch: ›Die Heilung durch den Geist: Franz Anton Mesmer – Mary Baker-Eddy – Sigmund Freud‹. Insel, Leipzig 1931.
einen kleinen Roman: ›Marie Antoinette. Bildnis eines mittleren Charakters‹. Insel, Leipzig 1932.
206 *Ihre Arbeit über die Günderode:* ›Karoline von Günderode‹. Essay. Werkstätten der Stadt Halle 1932.
Rahel, Bettina, Droste: Die Dichterinnen Rahel Varnhagen (1771 bis

1833), Bettina von Arnim (1785-1859) und Annette von Droste-Hülshoff (1797-1848).

18. 6. 1930 207

Hermann Struck: 1876-1944, Maler, Grafiker, Kunstschriftsteller.
die Legende: Vermutlich das Vorbild zu ›Rahel rechtet mit Gott‹. ›Die Neue Rundschau‹, 38. Jg., Heft 5 (März 1927). Buchausgabe: Aldus Druck, Berlin 1930.

12. 8. 1930 208

Wladimir Lidin: Russischer Erzähler (geb. 1894).
das Ende Ihres großen Epos: ›Das Leben des Klim Samgin‹. 209

10. 12. 1930 210

dieses große Essaybuch: ›Ausgewählte Prosa‹. Meulenhoff, Amsterdam 1930.
Ihren Hofmannsthal: ›Hugo von Hofmannsthal. Dank und Gedächtnis‹. Rainer Wunderlich, Tübingen 1930.
»Tod des Tizian«: Hugo von Hofmannsthals ›Der Tod des Tizian‹ 211 war als Fragment im ersten Heft von Stefan Georges ›Blättern für die Kunst‹ (I. Band, Oktober 1892) erschienen.
Der letzte Roman: Hofmannsthals Romanfragment ›Andreas oder Die Vereinigten‹ war im Juli 1930 im ersten Heft der Münchener literarischen Zweimonatsschrift ›Corona‹ zum ersten Mal gedruckt worden.
»Dichtung und Leben«: Aufsätze und Reden von Otto Heuschele. Hermann Meister Verlag, 1930.
»Kin ping Meh«: ›Kin Ping Meh oder Die abenteuerliche Geschichte von Ksi Men und seinen sechs Frauen‹. Aus dem Chinesischen übersetzt und mit einem Nachwort von Franz Kuhn. Insel, Leipzig 1930.
»Hiob«: ›Hiob. Roman eines einfachen Mannes‹ von Joseph Roth. Kiepenheuer, Berlin 1930.

23. 3. 1931 212

Winterthur: Masereel hatte es übernommen, für das von dem Sammler und Mäzen Oskar Reinhart (1885-1965) gestiftete Museum in Winterthur eine Folge von monumentalen Wandbildern zu schaffen.

6. 6. 1931

»Berührung der Sphären«: Hugo von Hofmannsthal, ›Die Berührung 213 der Sphären‹. Reden und Betrachtungen aus dem Nachlaß. S. Fischer, Berlin 1931.

13. 6. 1931 214

Briand: Aristide Briand (1862-1932), französischer Staatsmann, zeit- 215

weilig Ministerpräsident; erhielt 1926 zusammen mit Gustav Stresemann den Friedensnobelpreis.
Stresemann: Gustav Stresemann (1878-1929), nationalliberaler Politiker, 1923 Reichskanzler, 1923-1929 deutscher Außenminister.

216 11. 11. 1931
Gion: ›Der Arzt Gion‹. Insel, Leipzig 1931.

218 1. 12. 1931
unter den Geschenken: Carossa hatte Zweig zu seinem fünfzigsten Geburtstag die Handschrift eines seiner Gedichte geschenkt.

219 9. 12. 1931
220 *»Marie Antoinette«:* Marie Antoinette. ›Bildnis eines mittleren Charakters‹. Insel, Leipzig 1932.

221 15. 9. 1932
Fest einer vierzigjährigen Arbeit: 1892 war Gorkis erste Buchveröffentlichung, die Erzählung ›Makar Tschudra‹ (deutsch 1924) erschienen.

23. 12. 1932
222 *Gabe der Reichsregierung:* ›Dreißig Handzeichnungen von Goethe‹. Herausgegeben, eingeleitet und erläutert von Hans Wahl. Faksimileausgabe in 310 numerierten Exemplaren, 1932 im Insel Verlag erschienen.
der Oper: ›Die schweigsame Frau‹. Komische Oper in drei Akten frei nach Ben Jonson. Uraufführung am 24. Juni 1935 in Dresden; im gleichen Jahr im Verlag A. Fürstner, Berlin, erschienen.

13. 1. 1933
kleine schmale, aber gewichtige: ›Karoline von Günderode‹.

225 9. 3. 1933
Döblin: Alfred Döblin, (1878-1957), Nervenarzt in Berlin; Erzähler, Dramatiker und Essayist.
Roths Frau: Friderike (Friedl) Roth, geb. Reichler (1901-1941), die nervenkranke Gattin des Schriftstellers Joseph Roth.
Regierungsrat Wettstein: Nicht ermittelt.
Benno: Benno Geiger (1882-1965), Kunsthistoriker und Lyriker.
226 *Payot:* Genfer Buchhandlung.

15. 4. 1933
227 *die Studie über Dich:* Das 1923 erschienene Buch von Stefan Zweig und Arthur Holitscher über Frans Masereel.

15. 5. 1933 228

Klaus Mann: 1906-1949, Schriftsteller, ältester Sohn Thomas Manns. Er betrachtete Zweig als Mentor und schrieb 1930: »Kaum ein Schriftsteller großen Ranges hat so viele Freunde unter der Jugend wie Sie. Kaum einer verfolgt mit so viel Anteilnahme unsere Bemühungen, ist uns so kluger Helfer, Berater und Freund.« (›Jugend und Radikalismus‹, jetzt in: ›Heute und Morgen‹, Nymphenburger Verlagshandlung, München 1969.)

die Zeitschrift: Klaus Mann gab im Amsterdamer Verlag Querido zwischen 1933 und 1935 die Zeitschrift ›Die Sammlung‹ heraus. Zweig dachte anfangs an Mitarbeit, zog sich dann aber zurück, als das Blatt ihm als zu betont politisch erschien. Er lehnte auch die Mitarbeit an anderen Zeitschriften der Emigration ab, die zum Teil miteinander verfeindet waren; sein Vorschlag einer großen gemeinsamen Aktion und eines entsprechenden Organs wurde nicht verwirklicht.

Studie über Erasmus: ›Triumph und Tragik des Erasmus von Rotterdam‹. Reichner, Wien–Leipzig–Zürich 1934.

Schlageter und Horst Wessel: Albert Leo Schlageter (1894-1923) war durch ein französisches Kriegsgericht zum Tode verurteilt worden, weil er während der Ruhrbesetzung 1923 Anschläge auf Verkehrsverbindungen der französischen Truppen verübt hatte. Das Theaterstück ›Schlageter‹ von Hanns Johst, am 20. April 1933 im Staatlichen Schauspielhaus Berlin uraufgeführt, ging kurz darauf über alle deutschen Bühnen. 229

Horst Wessel (1907-1930), Student und Mitglied der NSDAP, starb nach einem Überfall. Sein Lied ›Die Fahne hoch . . .‹ war Parteihymne und wurde im Nationalsozialismus neben dem Deutschlandlied zweite Nationalhymne.

16. 6. 1933

Ein solcher Verlag: Zweig hatte den Plan, zusammen mit René Schickele einen Verlag mit dem Namen ›Forum-Bücherei‹ auf internationaler Basis zu betreiben. Das Vorhaben konnte wegen der Zeitverhältnisse nicht realisiert werden.

Querido: Der Amsterdamer Verlag Querido hatte seit 1933 eine von Fritz Landshoff (geb. 1901) geleitete deutsche Abteilung. 230

Allert de Lange: Im Verlag Allert de Lange, Amsterdam, baute Walter Landauer (1902-1944), zuvor zusammen mit Fritz Landshoff in Berlin Leiter des Kiepenheuer Verlags, seit 1933 eine deutsche Abteilung auf. Diese beiden Verlage gelten als die ersten deutschen Exilverlage.

19. 6. 1933 231

Kolonie dort unten: Sanary-sur-Mer, westlich von Toulon, wo sich zeitweilig eine große Gruppe deutscher Emigranten, darunter zahlreiche Schriftsteller (z. B. Heinrich und Thomas Mann) aufhielten.

Remarque: Erich Maria Remarque (1898-1970) war durch seinen realistischen Kriegsroman ›Im Westen nichts Neues‹ (1929) berühmt geworden. Er ging sehr früh in die Emigration.

233 11. 9. 1933
Willy Haas: 1891-1973, zwischen 1925 und 1933 Herausgeber der Zeitschrift ›Die Literarische Welt‹ in Berlin, versuchte seine Zeitschrift in der Tschechoslowakei neu erscheinen zu lassen.
234 *Wieland Herzfelde:* Geb. 1896. Mitbegründer und Leiter des Malik-Verlags in Berlin, gab von 1933-1935 zusammen mit Oskar Maria Graf, Jan Petersen und Anna Seghers in der Tschechoslowakei die Zeitschrift ›Neue Deutsche Blätter‹ heraus.

18. 9. 1933
Annemarie Schwarzenbach: 1908-1942, Schweizer Dichterin.
235 *unendlichen Abbruch:* Alfred Kerr veröffentlichte ab 1933 von London aus eine Reihe von politischen Artikeln, die gesammelt unter dem Titel ›Die Diktatur des Hausknechts‹ 1934 in Brüssel erschienen.

237 13. 11. 1933
Ihr ... Buch: ›Führung und Geleit. Ein Lebensgedenkbuch‹. Insel, Leipzig 1933. Es enthält die Schilderung der ersten brieflichen Begegnung mit Stefan Zweig, der Carossa im Frühjahr 1914 von Paris aus aufgefordert hatte, einige Gedichte Verlaines für eine geplante Anthologie zu übertragen, was Carossa nach einigen Versuchen aufgab, da er sich »der schönen Sache leider nicht gewachsen fühle«.

239 18. 11. 1933
diese Sache: Zweig hatte sich in einem privaten Brief an den Insel Verlag von verschiedenen Publikationen in der Emigration distanziert. Der Verlag veröffentlichte das Schreiben, ohne Zweig zu verständigen, im ›Börsenblatt für den deutschen Buchhandel‹, was Zweig erbitterte Angriffe aus den Kreisen der Emigration eintrug.
Von 1934 an erschienen Zweigs Werke im Verlag Herbert Reichner, Wien.

240 23. 11. 1933
Die Sache ... breitgetreten: Die Prager Exilzeitschrift ›Neue Deutsche Blätter‹ befaßte sich in Heft 3 des Ersten Jahrgangs mit Stefan Zweigs Absage an Klaus Mann.
Unter Bezugnahme auf den im ›Börsenblatt‹ abgedruckten Brief Zweigs an Anton Kippenberg, den die Herausgeber der Zeitschrift zitierten, wurde Zweig opportunistische Anpassung an den Faschismus vorgeworfen. Zweig hatte sich in diesem Brief von der ›Sammlung‹ wegen ihres politischen Charakters distanziert und erklärt, daß er

»überhaupt für absehbare Zeit an Zeitschriften und Zeitungen nicht mitarbeiten« werde. Zugleich wurden in den ›Neuen Deutschen Blättern‹ Briefe Zweigs an die Wiener ›Arbeiterzeitung‹ und an Wieland Herzfelde, der die ›Neuen Deutschen Blätter‹ mit redigierte, abgedruckt, in denen Zweig auf den privaten Charakter seines Briefes an Kippenberg und auf seine langjährige Verbundenheit mit dem Insel Verlag hinwies.
Ein Nachtrag nahm schließlich die vorangegangene Polemik zurück. Zweig hatte am 9. November 1933 geschrieben: »Ihr *mußtet* wissen, daß das ohne Ahnung meinerseits geschah – in der Sache selbst war ich ja andrer oder vielmehr gleicher Meinung: man kann eben nicht in Deutschland erscheinen und in Blättern gegen Deutschland schreiben. Aber jetzt ist die Entscheidung gefallen – man kann nichts mehr mit Deutschland zu tun haben, ich breche alle Brücken ab.«

13. 12. 1933 243
Über Holland: Klaus Mann hatte Zweig gebeten, für eine Holland-Sondernummer der ›Sammlung‹ einen Aufsatz zu schreiben.
Hymnus an das Schweizer Rote Kreuz: ›Das Herz Europas. Ein Besuch im Genfer Roten Kreuz‹ (Dezember 1917). Abgedruckt in ›Begegnungen mit Menschen, Brüdern, Städten‹. Reichner, Wien–Leipzig–Zürich 1937.

Januar 1934 244
Erich Ebermayer: 1900-1970, Autor von Romanen, Dramen und Filmbearbeitungen. Er gab 1959 unter dem Titel ›Denn heute gehört uns Deutschland ... Persönliches und politisches Tagebuch‹ eine Schilderung der Zeit von 1933 bis 1935 heraus (Zsolnay, Wien). Darin sind verschiedene Briefe Zweigs und – nicht immer ganz zuverlässige – Angaben über Begegnungen und Beziehungen abgedruckt.
Jannings: Der Schauspieler Emil Jannings (1884-1950).
um einer Arbeit willen: ›Maria Stuart‹.
Schalom Asch: 1880-1951, jiddischer Schriftsteller, lebte seit 1923 in England.
Wassermanns Tod: Jakob Wassermann war am 1. Januar 1934 in Altaussee gestorben.

9. 3. 1934 245
filmisches Angebot: Der Plan wurde nicht realisiert. 246

Mai 1934 247
Joseph Roth: 1894-1939. Der österreichische Erzähler emigrierte nach Paris. Zweig hat sich immer wieder bemüht, ihn materiell und moralisch zu unterstützen.

ein Buch wie das Ihre: Vermutlich ›Der Antichrist‹. Allert de Lange, Amsterdam 1934.

248 10. Mai 1934
»Pariser Zeitung«: Herausgegeben in Paris von Georg Bernhard, dem früheren Chefredakteur der ›Vossischen Zeitung‹ im Haus Ullstein in Berlin.
»Pester Lloyd«: Deutschsprachige Zeitung in Budapest.

250 12. 5. 1934
Verlust: Gorkis Sohn Maxim Alexejewitsch Peschkow (geb. 1897) war am 11. Mai 1934 gestorben.
Wiener Ereignisse: Der Februaraufstand 1934. Der Widerstand der Sozialdemokraten gegen die Politik des österreichischen Bundeskanzlers Engelbert Dollfuß wurde in schweren Straßenkämpfen niedergeschlagen.

20. 6. 1934
Sache Rimbaud: Ein Buch über Arthur Rimbaud hat Klaus Mann nicht geschrieben.
251 *Feuchtwanger:* Lion Feuchtwanger (1884-1958) plante die Zeitschrift ›Das Wort‹, die er von Juli 1936 bis März 1939 zusammen mit Bertolt Brecht und Willi Bredel in Moskau herausgab.

26. 6. 1934
Leonhard Fanto: 1874-1940, Bühnenbildner der Dresdner Staatstheater. Er schuf Bühnenbilder und Kostüme für die Uraufführung der ›Schweigsamen Frau‹. Die Oper, die am 24. Juni 1935 in Dresden Premiere hatte, wurde nach der vierten Aufführung durch die Nationalsozialisten verboten.
252 *Rowlandson:* Thomas Rowlandson (1756-1827), englischer Zeichner und Radierer, Karikaturist.

254 1934
Lotte Altmann-Zweig: Charlotte Elisabeth Altmann (1908-1942). Sie war während Zweigs erstem Aufenthalt in London seine Sekretärin. Nach der im Dezember 1938 erfolgten Scheidung von Friderike wurde sie seine zweite Frau. Die Eheschließung fand bei Kriegsausbruch statt, nachdem Zweigs Naturalisierung als britischer Staatsbürger vollzogen worden war.
jenen Aufsatz: Nicht ermittelt.
»Maria Stuart«: Zweigs Biographie. Reichner, Wien–Leipzig–Zürich 1935.
255 *Frau Meingast:* Erika Meingast, Zweigs Sekretärin in Salzburg.

26. 9. 1934 258

René Schickele: 1883-1940, elsässischer Dramatiker und Erzähler.

Firma Eher: Franz Eher Nachf., München, war der Zentralverlag der Nationalsozialisten und hatte während ihrer Herrschaft eine bedeutende Stellung im Verlagswesen inne.

Cervantes: Miguel de Cervantes Saavedra (1547-1616) hat seinen ›Don Quichote‹ zum Teil im Gefängnis geschrieben.

»Witwe Bosca«: ›Die Witwe Bosca‹. S. Fischer, Berlin 1933.

Jaurès: Der französische Politiker Jean Jaurès (1859-1914) gründete in Frankreich die Vereinigte Sozialistische Partei (P.S.U.) und 1902 die Zeitung ›L'Humanité‹. Er wurde 1914 ermordet. René Schickele, ›Ein Mann spricht zum Volk: Jaurès‹, in: ›Schreie auf dem Boulevard‹, Verlag der Weißen Bücher, Leipzig 1913. 259

Rochefort: Henri Rochefort (1830-1913), französischer Journalist und Begründer des scharf gegen Napoleon III. gerichteten Wochenblattes ›La Lanterne‹.

1. 11. 1934 260

»Erbe am Rhein«: ›Ein Erbe am Rhein‹, Roman in zwei Bänden von René Schickele. Kurt Wolff Verlag, München 1925; später erschien ›Das Erbe am Rhein‹. Roman, drei Bände. S. Fischer, Berlin 1926 bis 1931.

Das andere kleinere Buch: ›Schreie auf dem Boulevard‹. Verlag der Weißen Bücher, Leipzig 1913. 261

19. 11. 1934

Ihr Buch über Lawrence: ›Liebe und Ärgernis des D. H. Lawrence‹. De Lange, Amsterdam 1934.

30. 1. 1935 263

Ihr »Glasperlenspiel«: ›Das Glasperlenspiel. Versuch einer allgemeinverständlichen Einführung in seine Geschichte‹. In: ›Die Neue Rundschau‹, Jg. 45 (1934), S. 638-665.

4. 5. 1935 265

Gegengabe: ›Sinn und Schönheit der Autographen‹, in: ›Philobiblon‹, VIII. Jahr (1935), Heft 4.

29. 6. 1935 266

jenem Abend: Uraufführung der Oper ›Die schweigsame Frau‹ am 24. Juni 1935 unter Karl Böhm in Dresden.

29. 9. 1935 268

Mit dem Verlag: Vermutlich Reichner in Wien.

10. 10. 1935
E. H.: Nicht ermittelt.
Justizrat N.: Nicht ermittelt.

270 24. 1. 1936
Tschaikowski: der Roman ›Symphonie Pathétique‹ von Klaus Mann. Querido, Amsterdam 1935.
271 *Jules Romains:* 1885-1972, französischer Romancier; Übersetzer von Zweigs ›Volpone‹.
Roger Martin du Gard: 1881-1958, französischer Romancier; erhielt für seinen Romanzyklus ›Les Thibault‹ 1937 den Nobelpreis.

7. 2. 1936
Gezänke um den Fischer Verlag: Die Pariser Exilpresse hatte dem Gottfried Bermann Fischer Verlag, der 1936 in Wien gegründet wurde, und seinem Autor Thomas Mann vorgeworfen, daß sie sich nicht eindeutig genug vom Nationalsozialismus distanzierten.
272 *Korrodi:* Im Zusammenhang mit der Kontroverse zwischen Thomas Mann und den Emigrantenzeitungen veröffentlichte Eduard Korrodi (1885-1955), der Feuilletonchef der ›Neuen Zürcher Zeitung‹, einen Artikel ›Deutsche Literatur im Emigrantenspiegel‹, in dem er die Exilliteratur heftig angriff, Thomas Mann aber davon ausgenommen wissen wollte. Thomas Manns Antwort an Korrodi (›Neue Zürcher Zeitung‹ vom 3. 2. 1936) enthält eine klare öffentliche Absage an das nationalsozialistische Deutschland.
»Candide« oder »Marianne«: Das Projekt eines Wochenblattes kam nicht zustande.

273 31. 3. 1936
Foyot: Das Hotel, rue Tournon, in dem Roth in seinem Pariser Exil lange wohnt.

274 6. 4. 1936
275 *»Radetzkymarsch«:* Roman. Kiepenheuer, Berlin 1932. Eine Verfilmung kam nicht zustande.

2. 8. 1936
nach Brasilien: Zweig war als Gast zu einer Tagung des Internationalen P.E.N.-Clubs in Buenos Aires eingeladen.
letzte Buch: ›Castellio gegen Calvin oder Ein Gewissen gegen die Gewalt‹. Reichner, Wien–Leipzig–Zürich 1936.
eine größere Legende: ›Der begrabene Leuchter‹. Reichner, Wien–Leipzig–Zürich 1937.
276 *Ihr neues Buch:* Vermutlich der Roman ›Geheimnisse des reifen Le-

bens‹ (Insel, Leipzig 1936), der sich aber nicht mehr unter den Zweig übersandten Werken vorfindet.

12. 9. 1936
Ludwig: Emil Ludwig.
Kalidas Nag: Professor an der Universität von Calcutta; einer der Beiträger zum ›Liber Amicorum Romain Rolland‹.

24. 11. 1936 277
»Mephisto«: ›Mephisto. Roman einer Karriere‹ von Klaus Mann. Querido, Amsterdam 1936.

28. 4. 1937
Buch fertig zu machen: ›Magellan. Der Mann und seine Tat‹. Reichner, Wien–Leipzig–Zürich 1938.
anderes beginnen: ›Ungeduld des Herzens‹. Roman. Bermann-Fischer, Stockholm 1939; Allert de Lange, Amsterdam 1939.
Ihr Buch: ›Die Flaschenpost‹. Roman. Allert de Lange, Amsterdam 1937. 278

21. 6. 1937 281
Felix Braun: 1885-1973, österreichischer Lyriker, Dramatiker und Erzähler. 1939-1951 Emigration in England. Er war ein Jugendkamerad Zweigs und stand ständig mit ihm in freundschaftlicher Verbindung.
jenen Roman: ›Ungeduld des Herzens‹.
Auswahl meiner Aufsätze: ›Begegnungen mit Menschen, Büchern, Städten‹. Reichner, Wien–Leipzig–Zürich 1937.
neue Sternstunden: Unter dem Titel ›Sternstunden der Menschheit. Fünf historische Miniaturen‹ waren bereits 1927 im Insel Verlag die Texte ›Die Weltminute von Waterloo‹, ›Die Marienbader Elegie‹, ›Die Entdeckung Eldorados‹, ›Heroischer Augenblick‹ und ›Der Kampf um den Südpol‹ erschienen. 1937 erschien in limitierter Auflage bei Reichner: ›Georg Friedrich Händels Auferstehung. Eine historische Miniatur‹. Erst nach Zweigs Tod wurde dann der Band ›Sternstunden der Menschheit. Zwölf historische Miniaturen‹ gedruckt (Bermann-Fischer, Stockholm 1945). Er enthält außer den bereits vorher erschienenen die Miniaturen ›Flucht in die Unsterblichkeit‹, ›Die Eroberung von Byzanz‹, ›Das Genie einer Nacht‹, ›Das erste Wort über den Ozean‹, ›Die Flucht zu Gott‹ und ›Der versiegelte Zug‹.
Deinen Aufsatz: Vermutlich ›Gedanken über die italienische Tragödie‹, in: ›Theater der Welt‹ I, 1937, S. 82-87. 282
Leopardi: Eine Arbeit über Giacomo Leopardi hat Zweig nicht vollendet.
die Melato: Die italienische Schauspielerin Maria Melato (geb. 1885).

»Rosengärtlein«: Thomas v. Kempen, ›Das Rosengärtlein. Von guten Worten, Briefe, Geistliche Lieder‹. Übersetzt von Felix Braun. Moser, Graz 1937.
an Deinem Drama: Vielleicht das (erst 1956 gedruckte) Schauspiel ›Irina und der Zar‹ (Bergland-Verlag, Wien).

27. 6. 1937
283 *Walters schönes Konzert:* Der Dirigent Bruno Walter (1876-1962).
Wallmann: Vermutlich die Tänzerin und Regisseurin Margherita Wallmann (geb. 1904).
Burghauser: Hugo Burghauser (geb. 1896), Fagottist und Orchestervorstand der Wiener Philharmoniker.
Hübsch: B. W. (»Ben«) Huebsch (1873-1965), Gründer und Leiter des New Yorker Verlags B. W. Huebsch, Inc., aus dem 1925 der große Verlag Viking Press hervorging. Er war mit Zweig befreundet und brachte mehrere seiner Werke in englischer Sprache heraus.

284 25. 9. 1937
Ernst Weiß: Der Arzt und Schriftsteller Ernst Weiß (1884-1940) emigrierte 1938 nach Frankreich.

285 Herbst 1937
Ihrem andern Roman: Vermutlich ›Das falsche Gewicht. Die Geschichte eines Eichmeisters‹. Querido, Amsterdam 1937.
286 *Toscanini:* Der Dirigent Arturo Toscanini (1867-1957).

287 17. 10. 1937
Barthold Fles: Gründer des gleichnamigen Exilverlags in New York.
die beiden Bücher: Vermutlich: ›Die Kapuzinergruft‹. De Gemeenschap, Bilthoven 1938, und ›Die Legende vom heiligen Trinker‹. Allert de Lange, Amsterdam 1939.
Ausstellung: Die Weltausstellung 1937 in Paris.
meines Romans: ›Ungeduld des Herzens‹.

288 Januar 1938
Keun: Irmgard Keun (geb. 1910), Schriftstellerin und Schauspielerin. 1936-1938 nahe Bekanntschaft mit Joseph Roth.

289 22. 4. 1938
die Novelle: ›Le Retour. Souvenirs inédits‹. Fayard, Paris 1938.

291 Sommer 1938
das Buch: ›Ungeduld des Herzens‹.
einer Novelle: ›Schachnovelle‹. Bermann-Fischer, Stockholm 1941.

Frühjahr 1939 292

Newyorker Tantiemen: Für ›Jeremias‹. Die amerikanische Erstaufführung hatte am 3. Februar 1939 in New York Premiere. Gleichzeitig erschien eine neue Ausgabe der englischen Fassung des Dramas mit einem Vorwort von Stefan Zweig bei Viking Press.

Refugeefond: Eine der Emigrantenorganisationen in New York, deren Ziel es war, die Existenz emigrierter Künstler und Schriftsteller in Amerika sichern zu helfen.

Woburnhaus: Woburn House, das Gebäude in London-Bloomsbury, in dem sich das Büro der Unterstützungsorganisation für Flüchtlinge befand.

meinen Roman: ›Ungeduld des Herzens‹. Die englische Ausgabe ›Beware of pity‹ erschien 1939 bei Cassell in London. 293

Wolfbriefe: Vermutlich Autographen des Komponisten Hugo Wolf.

Goetherede: ›Wirkungen Goethes in der Gegenwart‹. Insel, Leipzig 1938.

Mell: Der österreichische Dichter Max Mell (1882-1971).

Hermann Broch: (Siehe Anmerkung zum Brief vom 7. 5. 1939.)

Auernheimer: Raoul Auernheimer (1876-1948), österreichischer Erzähler und Essayist; 1939 nach New York emigriert.

Fülöp-Miller: René Fueloep-Miller (geb. 1891), Schriftsteller.

Körmendi: Der ungarische Schriftsteller Ferenc Körmendi (1900-1972).

Zarek: Otto Zarek (1898-1958), deutscher Schriftsteller.

Robert Neumann: 1897-1975, österreichischer Schriftsteller und Parodist.

Buch literarhistorischer Art: ›Balzac. Der Roman seines Lebens‹. Aus dem Nachlaß herausgegeben und mit einem Nachwort versehen von Richard Friedenthal. Bermann-Fischer, Stockholm 1946.

Victor: Victor Fleischer (1882-1940), Schriftsteller und Verleger. In der Emigration in England.

Erwin: Erwin Rieger (1889-1940). Übersetzte gemeinsam mit Zweig André Suarès' ›Cressida‹ (Thal, Wien 1920) und publizierte 1928 die Monographie ›Stefan Zweig. Der Mann und das Werk‹ (Späth, Berlin 1928). Ging, obwohl »rassisch« nicht verfolgt, nach Tunis in die Emigration und verfiel dort, auch Freunden wie Zweig gegenüber, in Schweigen.

mein Freund Fuchs: Vermutlich der böhmische Dichter Rudolf Fuchs (1890-1942), der 1939 nach England emigrierte. 294

7. 5. 1939

Hermann Broch: 1886-1951, der österreichische Romancier und Essayist emigrierte über London im Oktober 1938 nach New York.

die Muirs: vermutlich der schottische Dichter und Kritiker Edwin Muir (1887-1959) und dessen Frau, damals in den Vereinigten Staaten. 296

Ihres Romans: ›Der Tod des Vergil‹. Pantheon, New York 1945, deutsche und englische Fassung.
mit meinem Buch: ›Ungeduld des Herzens‹ war 1939 bei Cassell in London in englischer Übersetzung erschienen.
der neue Joyce: ›Finnegans Wake‹, von James Joyce (1882-1941).

297 *Litwinows Sturz:* Maxim Maximowitsch Litwinow (1876-1951), 1900-1939 sowjetischer Volkskommissar des Äußeren.

1939

298 *Robert:* Robert Braun, der Bruder von Felix Braun.

1939

299 *Freund Csokors:* Des Dramatikers Franz Theodor Csokor (1885 bis 1969).

300 Juli 1939
Ihr Roman: ›Der Vulkan. Roman unter Emigranten‹. Querido, Amsterdam 1939.

301 *Feuchtwangers Fresco:* Vermutlich ›Exil‹. Der Roman von Lion Feuchtwanger (1884-1958) ist der dritte Band seiner Trilogie ›Der Wartesaal‹. Er erschien 1940 bei Querido in Amsterdam.

25. 9. 1939
am Sarge Sigmund Freuds: Freud, mit Zweig befreundet, war am 23. 9. 1939 in London gestorben. Zweigs ›Worte am Sarge Sigmund Freuds‹ erschienen in London in einem Sonderdruck und kurz darauf bei Allert de Lange in Amsterdam.
zum zweitenmal Totenredner: Am 27. Mai 1939 war Joseph Roth in Paris gestorben. Zweig hatte bei einer Trauerfeier in London gesprochen.

302 *A.R.P.:* Nicht ermittelt.
Deine Gedichte: Gedichte von Max Herrmann-Neiße erschienen in der Auswahl ›Mir bleibt mein Lied‹. Fles, New York 1941.

303 29. 9. 1939
Lene und So.: Herrmann-Neißes Frau Leni und ihr Lebensfreund Sondheimer.

304 Herbst 1939
Sternstunde über den Tod des Cicero: Nicht gedruckt.

306 Anfang 1940
mutigen Roman Thomas Manns: ›Lotte in Weimar‹, Bermann-Fischer, Stockholm 1939.

Anzeige: Zweigs Rezension ›Thomas Mann: »Lotte in Weimar«‹ ist abgedruckt in ›Zeit und Welt‹, Gesammelte Aufsätze und Vorträge 1904-1940. Herausgegeben von Richard Friedenthal. Bermann-Fischer, Stockholm 1943.
Otto Pick: 1886-1940, gab im März/April 1940 in London das unabhängige Wochenblatt ›The European Press‹ heraus.
»Epilogue«: Der letzte Teil von Martin du Gards neunbändigem Romanzyklus ›Les Thibault‹ (1922 ff.) erschien 1940.
Irwin Edmans »Candle in the dark«: Die Übersetzung von Stefan Zweig und Richard Friedenthal erschien unter dem Titel ›Ein Schimmer Licht im Dunkel‹ 1940 bei Bermann-Fischer in Stockholm in der Essay-Reihe »Ausblicke«. Der größte Teil der in Holland gedruckten Auflage wurde nach dem deutschen Einmarsch in Holland beschlagnahmt.
Vortrag: ›Das Wien von gestern‹, Vortrag im April 1940. Nachgedruckt in ›Zeit und Welt‹.

Anfang 1940 307
Therese von Konnersreuth: Die stigmatisierte Therese Neumann (1898-1962) aus Konnersreuth in der Oberpfalz erlebte in häufigen Visionen die Leidensgeschichte Christi.
Arthur Symons: 1865-1945, englischer Dichter und Kritiker.
Erwin: Rieger.

1940 309
Guido: Nicht ermittelt.

18. 5. 1940 311
das im »Tagebuch«: Offensichtlich ein Artikel in ›Das Neue Tage-Buch‹, der von Leopold Schwarzschild 1933-1940 in Paris herausgegebenen Wochenschrift.
Geschichte meines Lebens: ›Die Welt von Gestern. Erinnerungen eines Europäers‹. Bermann-Fischer, Stockholm 1942. 312

Juni 1940 313
Wolfensteins Gedicht: Alfred Wolfenstein (1888-1945), deutscher Lyriker.

11. 7. 1940 314
Richard Beer-Hofmann: Der österreichische Dichter (1866-1945) emigrierte 1939 in die USA. Zweig verehrte ihn als einen der Großen der älteren Generation des Wiener Dichterkreises, trotz – oder wegen – der Sparsamkeit seiner dichterischen Produktion. Er bewunderte auch seine patriarchalische Haltung als bewußter Jude.
der Gütigen: Paula Beer-Hofmann, geb. Lissy (1879-1939), war am

30. 10. 1939 in Zürich gestorben.

315 *halbfertige Manuscript:* ›Balzac‹.

17. 7. 1940

Thomas Mann: 1875-1955, emigrierte 1939 von der Schweiz aus in die Vereinigten Staaten.

Fifth-Column-Hysterie: Die in Amerika verbreitete Vermutung, daß es dort eine von Deutschland ausgehende faschistische Untergrundorganisation gebe.

316 29. 7. 1940

318 *Mosley:* Der englische Politiker Sir Oswald Mosley (geb. 1896) hatte 1933 die faschistische »Schwarzhemden«-Bewegung in England gegründet.

319 11. 10. 1940

Berthold Viertel: 1885-1953, Schriftsteller und Regisseur. Zweig hat verschiedentlich mit ihm zusammengearbeitet, besonders bei Filmprojekten, von denen jedoch keines zur Ausführung kam.

Ihre Frau: Die Schauspielerin Salka Viertel. Sie war in Hollywood Filmschriftstellerin und mit der Filmindustrie vertraut.

die Geschichte: Viertel arbeitete mit Zweig zusammen an einer Filmfassung der ursprünglich als Roman begonnenen ›Postfräuleingeschichte‹. Der Film wurde erst 1950 unter dem Titel ›Das gestohlene Jahr‹, Regie Wilfred Prass, hergestellt.

320 *Erfolg Ihres Sohnes:* Peter Viertel (geb. 1920) hatte seinen ersten Roman ›The Canyon‹ bei Harcourt and Brace in New York veröffentlicht. Das Buch war ein großer Erfolg.

kleines Buch über Brasilien: ›Brasilien. Ein Land der Zukunft‹. Bermann-Fischer, Stockholm 1941.

321 23. 11. 1940

322 *Villeneuve-Vézelay:* Verschlüsselte Erwähnung Romain Rollands, der zuerst in Villeneuve und später in Vézelay wohnte.

30. 11. 1940

323 *»The Tide of Fortune«:* ›Sternstunden der Menschheit‹ erschien in englischer Sprache 1940 bei Viking Press, New York; diese Ausgabe wurde 1955 von Cassell in London nachgedruckt.

Scherz: Der Schweizer Verlag hatte sich um eine deutschsprachige Ausgabe von ›The Tide of Fortune‹ bemüht.

324 22. 2. 1941

Erteilung eines Visums: Zweig hatte bei seinem Aufenthalt in Buenos Aires im Gespräch mit dem Außenminister ein Visum für

Richard Friedenthal erbeten, das auch bewilligt wurde. Der argentinische Konsul in London weigerte sich, das Visum zu erteilen, wenn es nicht in Person abgeholt würde. Der Kommandant des Internierungslagers, in dem Friedenthal sich befand, gab den Häftling nicht frei.

Eine Rückkehr nach England: Dieser Satz war offensichtlich für die Zensur bestimmt; Zweig hatte nicht die Absicht, zurückzukehren. 325

Ihr Roman: Friedenthal hatte einen Roman ›Der verkaufte Soldat‹ begonnen, der das Schicksal eines der von ihrem Fürsten an England verhandelten Söldner im amerikanischen Unabhängigkeitskrieg behandeln sollte und umfangreiche Quellenarbeiten erforderte. Das Buch blieb Fragment.

20. 8. 1941 326

Mrs. Wiener: Nicht ermittelt. 327

10. 9. 1941 329

Deinem Bruder: Siegfried Burger, lebte in Brasilien.

17. 9. 1941 330

Ferro: Nicht ermittelt.

Pereira de Lavalho: Nicht ermittelt.

abseitige Novelle: ›Schachnovelle‹. 331

Hübsch hat Dir das Buch geschickt: Vermutlich ›Brazil. Land of the Future‹. Viking Press, New York 1941.

19. 9. 1941

Beheim: Martin Beheim-Schwarzbach (geb. 1900), Mitemigrant in der Londoner Zeit, Lyriker und Erzähler und zugleich bekannter Schachspezialist. 333

27. 10. 1941

Lucka: Der Schriftsteller Emil Lucka (1877-1941), ein langjähriger Freund Zweigs. 334

Ehrensteins: Der Schriftsteller Albert Ehrenstein (1886-1950) emigrierte 1941 in die Vereinigten Staaten.

Soma Morgenstern: Geb. 1886, österreichischer Schriftsteller.

28. 10. 1941 335

ein Gedicht: 337

Der Sechzigjährige dankt:

Linder schwebt der Stunden Reigen
Über schon ergrautem Haar,
Denn erst an des Bechers Neige
Wird der Grund, der gold'ne, klar.

Vorgefühl des nahen Nachtens
Es verstört nicht – es entschwert!
Reine Lust des Weltbetrachtens
Kennt nur, wer nichts mehr begehrt,

Nicht mehr fragt, was er erreichte,
Nicht mehr klagt, was er gemißt,
Und dem Altern nur der leichte
Anfang seines Abschieds ist.

Niemals glänzt der Ausblick freier
Als im Glast des Scheidelichts,
Nie liebt man das Leben treuer
Als im Schatten des Verzichts.

Frischauer: Paul Frischauer (geb. 1898), Journalist, Dramatiker und Erzähler (Romanbiographien). Emigrierte 1940 von England aus nach Brasilien.
die Gedichte: Berthold Viertel, ›Fürchte dich nicht‹. Gedichte. Fles, New York 1941.
jener Herrmann-Neißes: ›Letzte Gedichte‹. Aus dem Nachlaß herausgegeben von Leni Herrmann-Neiße. Barmerlea, London 1941; Fles, New York 1941.
Rienzo-Biographie: Victor Fleischer, ›Biographie des Cola di Rienzo‹. Frankfurt 1931.
338 *wie weiland Wolfenstein:* Alfred Wolfenstein gab 1919 und 1920 bei S. Fischer die zwei Bände ›Die Erhebung. Jahrbuch für neue Dichtung und Wertung‹ heraus.

29. 11. 1941
düstere Tag: Zweigs sechzigster Geburtstag am 28. November 1941.
339 *Romainsbuch:* Jules Romains: ›Stefan Zweig, Great European‹. Translated from the French by James Whitall. Viking Press, New York 1941.
Kaspar: Zweigs Spaniel in Salzburg.
Fortunat Strowski: Französischer Schriftsteller und Literarhistoriker.

340 Januar 1942
Montaigne: Der Montaigne-Essay erschien in der ›Neuen Rundschau‹, Jg. 1948, S. 257 ff. und später in dem von Richard Friedenthal herausgegebenen Band ›Europäisches Erbe‹. S. Fischer, Frankfurt 1960.

341 15. 1. 1942
Ferdinand Bruckner: 1891-1958, österreichischer Dramatiker.
342 *Vespucci-Problem:* ›Amerigo. A Comedy of Errors in History‹.

Translated by Andrew St. James. Viking Press, New York 1942. Die deutsche Ausgabe mit dem Titel ›Amerigo. Die Geschichte eines historischen Irrtums‹ kam 1944 bei Bermann-Fischer in Stockholm heraus.

20. 1. 1942 343
Montaigne (von Gide): André Gide (1869-1951), ›Essai sur Montaigne‹, 1929. Zweig hatte Friderike gebeten, in der New York Public Library Literatur über Michel de Montaigne herauszusuchen und für ihn zu besorgen.
die Höllers: Susanne, verheiratete Höller, eine der beiden Töchter von Friderike Zweig, und ihr Mann.

30. 1. 1942 344
Jacinto Benavente: Spanischer Dramatiker (1866-1954). ›La malquerida‹, 1913.
aktuelle längere Erzählung: ›Schachnovelle‹. 345

4. 2. 1942 347
die Konferenz: Pan-Amerikanische Konferenz zur Verteidigung der westlichen Hemisphäre in Rio de Janeiro Anfang 1942.

22. 2. 1942 350
Ossining: In Ossining-on-Hudson, nicht weit von New York, wohnte Friderike Zweig im Sommer 1941. Stefan und Lotte Zweig verbrachten einige Wochen dort.

Stefan und Lotte Zweig nahmen sich am 22. Februar 1942 das Leben.

DIE BRIEFEMPFÄNGER UND BRIEFDATEN

Lotte Altmann-Zweig
[1934]
10. 12. 1935

Richard Beer-Hofmann
11. 7. 1940

Rudolf G. Binding
13. 4. 1928

Felix Braun
21. 6. 1937
[Frühjahr 1938]
[1939]
[1939]
[Herbst 1939]
[Anfang 1940]
[Anfang 1940]
[1940]
[März 1940]

Hermann Broch
7. 5. 1939

Martin Buber
8. 5. 1916
24. 1. 1917
25. 5. 1917
[Anfang Februar 1918]

Hans Carossa
10. 5. 1928
28. 10. 1931
11. 11. 1931
1. 12. 1931
13. 11. 1933
9. 3. 1934
21. 9. 1934
2. 8. 1936

Richard Dehmel
7. 4. 1902
6. 6. 1902
30. 10. 1909
13. 1. 1910
11. 9. 1917
12. 7. 1919
[12. 7. 1919]

Erich Ebermayer
[Januar 1934]

Leonhard Fanto
26. 6. 1934

Richard Friedenthal
22. 6. 1925
5. 8. 1925
[August 1925]
24. 8. 1925
22. 2. 1941
19. 9. 1941
[Januar 1942]
15. 1. 1942

Claire Goll
21. 9. 1918
6. 4. 1927

Maxim Gorki
29. 8. 1923
vor Ostern 1925
5. 9. 1925
[November 1926]
19. 12. 1926
10. 3. 1927
20. 5. 1927
10. 12. 1927
22. 3. 1928
27. 4. 1928
6. 11. 1928
4. 3. 1930
12. 8. 1930
10. 5. 1932
15. 9. 1932
12. 5. 1934
[vor dem 26. 1. 1936]

Ernst Hardt
[Sommer 1913]
27. 9. 1913
7. 9. 1915
21. 10. 1915
11. 12. 1918

Leni Herrmann-Neiße
13. 2. 1942

Max Herrmann-Neiße
14. 12. 1927
25. 9. 1939
29. 9. 1939
18. 5. 1940
[Ende Juni 1940]

Hermann Hesse
2. 2. 1903
2. 3. 1903
17. 8. 1903
19. 10. 1903
1. 11. 1903
17. 1. 1904
23. 5. 1904
20. 9. 1904

21. 11. 1904
17. 10. 1905
9. 11. 1915
[Herbst 1918]
18. 10. 1918
28. 7. 1920
3. 11. 1920
[Herbst 1922]
15. 12. 1922
14. 5. 1925
[6. 11. 1926]
9. 12. 1933
30. 1. 1935
4. 5. 1935

Otto Heuschele
17. 5. 1922
2. 6. 1923
28. 11. 1923
12. 1. 1924
27. 10. 1924
13. 12. 1924
17. 12. 1925
7. 7. 1926
4. 8. 1926
20. 1. 1927
7. 5. 1930
10. 12. 1930
6. 6. 1931
13. 1. 1933

Hugo von Hofmannsthal
24. 6. 1907
16. 2. 1908
9. 1. 1909
17. 3. 1920

Ami Kaemmerer
3. 5. 1917
10. 10. 1917

Anton Kippenberg
4. 8. 1914
[November 1914]
[November 1914]
[November 1914]
[Dezember 1914]
[3. 7. 1915]
[Juli 1915]
[Juli 1915]
27. 2. 1919
6. 3. 1919
3. 2. 1920
9. 2. 1920
9. 2. 1920
29. 2. 1920
15. 12. 1920
8. 3. 1929
28. 11. 1931
9. 12. 1931
23. 12. 1932
20. 12. 1934

Katharina Kippenberg
8. 1. 1927
29. 6. 1935

Emil Ludwig
28. 4. 1918
21. 9. 1918
10. 5. 1928
2. 5. 1928
16. 6. 1933
[Juni 1940]

Klaus Mann
15. 5. 1933
19. 6. 1933
20. 6. 1933
11. 9. 1933
18. 9. 1933
18. 11. 1933
23. 11. 1933
13. 12. 1933
10. 5. 1934
20. 6. 1934
[24. 1. 1936]
7. 2. 1936
24. 11. 1936
[Juli 1939]

Thomas Mann
17. 7. 1940
29. 7. 1940

Frans Masereel
[Mai 1919]
29. 3. 1920
10. 7. 1920
9. 11. 1920
2. 7. 1921
[1925]
8. 11. 1926
29. 6. 1928
23. 3. 1931
13. 6. 1931
18. 1. 1933
15. 4. 1933
20. 2. 1940
23. 11. 1940
1. 8. 1941

Romain Rolland
12. 12. 1910
17. 2. 1911
15. 3. 1913
10. 10. 1914
19. 10. 1914
23. 10. 1914
[9. 11. 1914]
21. 11. 1914
23. 3. 1915
23. 6. 1915
28. 7. 1915
8. 2. 1916
8. 2. 1921

Joseph Roth
[Mai 1934]
31. 3. 1936
6. 4. 1936
[Herbst 1937]
25. 9. 1937
17. 10. 1937

[Januar 1938]
[Sommer 1938]

René Schickele
26. 9. 1934
11. 11. 1934
19. 11. 1934
28. 4. 1937
22. 4. 1938

Arthur Schnitzler
7. 1. 1927

Abraham Schwadron
[Sommer 1916]
[Frühjahr 1917]

Hermann Struck
18. 6. 1930

Berthold Viertel
11. 11. 1940
8. 9. 1941
28. 10. 1941
30. 1. 1942

Max Christian Wegner
12. 7. 1926
27. 7. 1927

Paul Zech
13. 10. 1917

Friderike Zweig
27. 12. [1917]
[Ende Dezember 1917]
[Ende Dezember 1917]
[Juli 1918]
[Juli 1918]
22. 10. 1919
25. 10. 1920
20. 11. 1921
25. 11. 1921
[Januar 1924]
[Januar 1924]
7. 6. [1925]
10. 6. 1925
10. 6. [1925]
3. 8. 1925
4. 11. [1925]
10. 12. [1926]
11. 9. [1928]
[11. 9. 1928]
9. 3. 1933
29. 9. [1935]
10. 10. 1935
12. 9. [1936]
12. 5. 1937
27. 6. 1937
30. 11. 1940
20. 8. 1941
10. 9. 1941
17. 9. 1941
27. 10. 1941
29. 11. 1941
20. 1. 1942
4. 2. 1942
18. 2. 1942
22. 2. 1942

WERKREGISTER

Kursiv gesetzte Ziffern verweisen auf den Anhang

Stefan Zweig

ERWÄHNTE PERSONEN UND FREMDE WERKE

Kursiv gesetzte Ziffern verweisen auf den Anhang, halbfette Ziffern auf Briefe an die betreffende Person